MW00576887

ESTUDIOS SOBRE PETRÓLEOS DE VENEZUELA S.A. PDVSA, Y LA INDUSTRIA PETROLERA NACIONALIZADA 1974-2021

Allan R. Brewer-Carías

ESTUDIOS SOBRE PETRÓLEOS DE VENEZUELA S.A.

PDVSA

Y LA INDUSTRIA PETROLERA NACIONALIZADA

1974-2021

Presentación: Gustavo Urdaneta Troconis
Prólogo: Román José Duque Corredor

Colección de publicaciones del
Instituto de Derecho Público,
Universidad Central de Venezuela

Editorial Jurídica Venezolana
2021

e-mail: allan@brewercarias.com
ISBN 978-1-63821-572-1

Editorial Jurídica Venezolana
Sabana Grande, Av. Francisco Solano, Edif. Torre Oasis, Local 4, P.B.
Apartado Postal 17.598, Caracas 1015-A, Venezuela
Teléfonos: 762.2553/762.3842 - Fax: 763.5239
E-mail fejv@cantv.net
http://www.editorialjuridicavenezolana.com.ve

Impreso por: Lightning Source, an INGRAM Content company
para: Editorial Jurídica Venezolana International Inc.
Panamá, República de Panamá.
Email: ejvinternational@gmail.com

Diagramación, composición y montaje
por: Mirna Pinto de Naranjo, en letra Times New Roman 12,
Interlineado 13, mancha 11.5x18

CONTENIDO

PRESENTACIÓN Gustavo URDANETA TROCONIS 17
PRÓLOGO Roman J. DUQUE CORREDOR 21
NOTA DEL AUTOR 33

PRIMERA PARTE:
LA NACIONALIZACIÓN DE LA INDUSTRIA PETROLERA

Sección Primera*: *Comentaros Iniciales sobre la Nacionalización Petrolera 43

I. ALGUNOS ASPECTOS GENERALES SOBRE LA NACIONALIZACIÓN 44
1. Fundamento jurídico de la Nacionalización 44
2. Nacionalización y Expropiación 44
3. Expropiación de bienes o de empresas 45

II. ALGUNAS OBSERVACIONES AL PROYECTO DE LEY ORGÁNICA DE NACIONALIZACIÓN DE LA INDUSTRIA Y EL COMERCIO DE LOS HIDROCARBUROS 47
1. La Reserva al Estado de la Industria 47
2. La etapa de transición entre la promulgación de la Ley de reserva y la apropiación efectiva de las empresas por el estado 48
3. La transferencia de propiedad de las empresas petroleras al Estado 50
4. La Nacionalización y el régimen de concesiones 51
5. La Nacionalización y el personal al servicio de las empresas 53

Sección segunda: ***Observaciones al Proyecto de Ley Orgánica de Reserva al Estado la Industria y el Comercio de los Hidrocarburos de 1975*** 54

I. LAS NACIONALIZACIONES EN EL MUNDO CONTEMPORÁNEO 54

II. EL FUNDAMENTO POLÍTICO-ECONÓMICO DE LA NACIONALIZACIÓN EN VENEZUELA 55

III. EL FUNDAMENTO JURÍDICO DE LA NACIONALIZACIÓN: LA RESERVA ESTATAL DE ACTIVIDADES PRODUCTIVAS 60

IV. LA RESERVA AL ESTADO DE LA INDUSTRIA PETROLERA Y EL ESTABLECIMIENTO DE UN MONOPOLIO ESTATAL DE DERECHO 63

V. LA RESERVA DE LA INDUSTRIA PETROLERA Y LA EXPROPIACIÓN DE LOS CONCESIONARIOS 66

VI. LA NACIONALIZACIÓN DE LAS EMPRESAS PETROLERAS Y LA FIGURA DE LA EXPROPIACIÓN DE EMPRESAS (UNIVERSALIDADES) 70

VII. LAS EMPRESAS PETROLERAS NACIONALIZADAS Y LA ADMINISTRACIÓN PETROLERA NACIONAL 73

VIII. EL RÉGIMEN TRANSITORIO ENTRE LA PROMULGACIÓN DE LA LEY DE RESERVA Y LA APROPIACIÓN EFECTIVA DE LAS EMPRESAS POR EL ESTADO 82

IX. EL CONTROL DE LA ADMINISTRACIÓN PETROLERA NACIONAL Y SU INTEGRACIÓN A LAS POLÍTICAS ESTATALES 85

X. LA “CONCESIÓN” COMO FORMULA DE CONTROL EN LA INDUSTRIA PETROLERA NACIONALIZADA..... 92

XI. LA GARANTÍA DE LOS DERECHOS LITIGIOSOS DEL FISCO Y LAS DEDUCCIONES AL MONTO DE LA INDEMNIZACIÓN 97

SEGUNDA PARTE:

MARCO TEÓRICO SOBRE EL RÉGIMEN JURÍDICO DE LAS NACIONALIZACIONES EN VENEZUELA

INTRODUCCIÓN 103

I. EL TEMA DE LAS NACIONALIZACIONES 105

II. ASPECTOS QUE PLANTEA EL TEMA DE LAS NACIONALIZACIONES 109
III. LAS LIMITACIONES A LA APROPIABILIDAD DE BIENES 111
1. La declaratoria del dominio público 112
2. Las exclusiones particulares de la apropiabilidad 116
IV. LAS EXCLUSIONES DE ACTIVIDADES ECONÓMICAS 118
1. La exclusión de actividades económicas en ámbitos territoriales 119
2. La reserva de sectores económicos a empresas nacionales 120
3. La reserva de actividades económicas por el Estado 123
4. La nacionalización 124
CONCLUSIONES GENERALES 126

TERCERA PARTE:

SOBRE EL RÉGIMEN DE JURÍDICO-ORGANIZATIVO DE LA INDUSTRIA PETROLERA NACIONALIZADA Y DE *PETRÓLEOS DE VENEZUELA S.A. (PDVSA)* COMO HOLDING PÚBLICO

I. INTRODUCCIÓN 130
II. CARACTERÍSTICAS DEL PROCESO VENEZOLANO DE NACIONALIZACIÓN PETROLERA 132
1. La figura de la reserva de actividades económicas por el Estado 133
2. Las bases jurídicas de la nacionalización de la industria petrolera 134
3. Las características políticas de la nacionalización petrolera 138
4. Las peculiaridades jurídicas de la nacionalización de la industria petrolera 142
III. PROCESO JURÍDICO-ORGANIZATIVO DE LA INDUSTRIA PETROLERA NACIONALIZADA 146
1. El Informe de la Comisión Presidencial de la Reversión Petrolera de 1974 147
A. Aspectos generales 147
B. Aspectos relativos a la denominada "Administración Petrolera Nacional" (APN) 149

C. Aspectos relativos a la secuencia del proceso nacionalizador 153
D. Aspectos relativos a la forma jurídica y de creación de la empresa petrolera nacionalizada 155
2. El proceso de organización de la Administración Petrolera Nacionalizada 158
A. La adscripción de la Organización Petrolera Nacionalizada a la Administración Pública 158
B. La organización interna de la industria petrolera nacionalizada 160
3. El proceso de conversión de la industria petrolera en industria nacionalizada 170
4. El proceso de creación y formalización jurídica de la industria petrolera nacionalizada 179
A. La intención de los proyectistas de 1974 180
B. El criterio de la Ley Orgánica de Reserva de 1975 182
C. El sentido del decreto de creación de Petróleos de Venezuela S.A., de 1975, y la forma jurídica de las operadoras 184
IV. RÉGIMEN JURÍDICO-ADMINISTRATIVO DE PETRÓLEOS DE VENEZUELA, S. A. 185
1. El cuadro normativo general 185
2. Régimen jurídico derivado de la forma jurídica de derecho privado 187
A. La personalidad jurídica propia 187
B. El patrimonio propio 188
C. Los objetivos propios 189
D. La organización propia 190
3. Régimen jurídico derivado del carácter de persona jurídica estatal 193
A. El régimen de control 193
B. El régimen de prerrogativas 203
4. Apreciación general 204
V. ASPECTOS DE LA ORGANIZACIÓN DE PETRÓLEOS DE VENEZUELA COMO CASA MATRIZ DE LA INDUSTRIA PETROLERA NACIONALIZADA 205

1. Aspectos generales 206
2. La Asamblea de Petróleos de Venezuela S. A. 207
A. Carácter y miembros 207
B. Formalidades de constitución y de realización 209
C. Atribuciones de la Asamblea Ordinaria 210
D. Otras atribuciones de la Asamblea 211
3. El Directorio de Petróleos de Venezuela S. A. 211
A. Carácter e integración 211
B. Incompatibilidad de los Directores 213
C. Formalidades de las reuniones y efectos de las decisiones 214
D. Atribuciones del Directorio 215
E. Atribuciones del Presidente y los Vicepresidentes 217
F. Atribuciones de los Directores, como Directores de Enlace 218
G. El antiguo Comité Ejecutivo del Directorio 219
H. Los Comités del Directorio 221
4. El representante judicial 222
5. La coordinación de funciones 224
A. Los coordinadores funcionales 224
B. Funciones de los Coordinadores Funcionales 226
C. El Comité de Operaciones 227
D. Funciones especificas de algunas de las Coordinaciones 228
6. Otros órganos 234
A. La Asesoría del Presidente 234
B. La Secretaría de la Sociedad 236

CUARTA PARTE:
ALGUNOS ASPECTOS DEL RÉGIMEN DE FUNCIONAMIENTO DE PETRÓLEOS DE VENEZUELA S.A. COMO EMPRESA DEL ESTADO

Sección primera*: *Sobre la personalidad jurídica de Petróleos de Venezuela S.A.: persona jurídica estatal con forma de derecho privado 239

I. LA INTERAPLICACIÓN DEL DERECHO PÚBLICO Y DEL DERECHO PRIVADO A LOS DIVERSOS SUJETOS DE DERECHO 240
II. LA VARIEDAD DE LAS FORMAS JURÍDICAS ADOPTADAS PARA LOS SUJETOS DE DERECHO 242
III. LA INTEGRACIÓN DE LOS DIVERSOS SUJETOS DE DERECHO A LA ORGANIZACIÓN DEL ESTADO 245
CONCLUSIÓN: EL SENTIDO DE LAS CLASIFICACIONES 250
1. Apreciación general 250
A. Las personas de derecho público y las personas de derecho privado 251
B. Las personas estatales y las personas no estatales 253
2. El criterio de la integración a la estructura general del Estado 258
A. Las personas jurídicas estatales 258
B. Las personas jurídicas no estatales 259
3. El criterio de la forma jurídica adoptada 259
A. Las personas jurídicas de derecho público 260
B. Las personas jurídicas de derecho privado 260
Sección Segunda*: *Sobre los fondos de divisas de Petróleos de Venezuela S.A. y su catalogación cono reservas internacionales 261
I. EL PROYECTO DE LEY DE REFORMA PARCIAL DE LA LEY DEL BANCO CENTRAL DE VENEZUELA, DE OCTUBRE DE 1982 261
II. LA CENTRALIZACIÓN DE LAS RESERVAS MONETARIAS INTERNACIONALES POR EL BANCO CENTRAL DE VENEZUELA 264
III. LOS FONDOS EN DIVISAS DE PETRÓLEOS DE VENEZUELA S.A. Y EL RÉGIMEN DE LA INDUSTRIA PETROLERA NACIONALIZADA 269
IV. EL CONVENIO CAMBIARIO DEL 27 DE SETIEMBRE DE 1982 Y SUS EFECTOS RESPECTO A PDVSA 271
V. EL RÉGIMEN DE PDVSA Y LA ILEGALIDAD DEL CONVENIO CAMBIARIO 275
CONCLUSIÓN 278

Sección Tercera: ***Sobre los contratos de interés público nacional de Petróleos de Venezuela y la aprobación legislativa***.... 280

I. LA UBICACIÓN DEL ARTÍCULO 126 EN LA CONSTITUCIÓN Y SUS CONSECUENCIAS 281

II. LOS CONTRATOS DE INTERÉS NACIONAL Y SU APROBACIÓN LEGISLATIVA 283

1. La noción del contrato de interés nacional 283
2. La exigencia de aprobación del Congreso en los contratos de interés nacional 287
3. La intervención del Congreso en los contratos de interés nacional celebrados en el sector hidrocarburos 291

III. EL CONTRATO CELEBRADO ENTRE PDVSA Y LA EMPRESA VEBA OEL AG Y SU CELEBRACIÓN SIN APROBACIÓN LEGISLATIVA 292

CONCLUSIÓN 296

Sección Cuarta: ***Sobre Petróleos de Venezuela S.A. como instrumento del Estado***.. 297

I. LA RESERVA DE LA INDUSTRIA PETROLERA AL ESTADO 297

II. LA GESTIÓN DE LA ACTIVIDAD RESERVADA A TRAVÉS DE EMPRESAS DEL ESTADO 301

III. LA SUJECIÓN DE PETRÓLEOS DE VENEZUELA, S.A. A LAS POLÍTICAS Y PRESCRIPCIONES QUE ESTABLEZCA EL EJECUTIVO NACIONAL EN EL SECTOR.. 305

QUINTA PARTE:
LA DEFENSA DE LAS BASES JURÍDICAS DE LA POLÍTICA DE LA APERTURA PETROLERA

CAPÍTULO I. EL ACTO IMPUGNADO 314

CAPÍTULO II: IMPROCEDENCIA DE LA DENUNCIA DE INCONSTITUCIONALIDAD E ILEGALIDAD DE LA CLÁUSULA SEGUNDA DEL ARTÍCULO 2° DEL ACUERDO DEL CONGRESO QUE ESTABLECIÓ EL MARCO DE CONDICIONES DE LA AUTORIZACIÓN PARA LA CELEBRACIÓN DE LOS CONVENIOS DE ASOCIACIÓN 316

CAPÍTULO III: IMPROCEDENCIA DE LA DENUNCIA DE INCONSTITUCIONALIDAD E ILEGALIDAD DE LA CLÁUSULA CUARTA DEL ARTÍCULO 2° DEL ACUERDO DEL CONGRESO DE FECHA 04-07-95 333

CAPÍTULO IV: IMPROCEDENCIA DE LA DENUNCIA DE INCONSTITUCIONALIDAD E ILEGALIDAD DE LA CLÁUSULA DÉCIMA DEL ARTÍCULO 2 DEL ACUERDO DEL CONGRESO DE FECHA 04-07-95 341

CAPÍTULO V: LA IMPROCEDENCIA DE LA DENUNCIA DE INCONSTITUCIONALIDAD DE LA CLÁUSULA DÉCIMA SÉPTIMA DEL ARTÍCULO 2 DEL ACUERDO DEL CONGRESO DE FECHA 04-07-95 361

CAPÍTULO VI: IMPROCEDENCIA LA DENUNCIA DE ILEGALIDAD DE LA CLÁUSULA PRIMERA DEL ARTICULO 2° DEL ACUERDO DEL CONGRESO DE FECHA 04-07-95 379

CAPÍTULO VII: IMPROCEDENCIA DE LA DENUNCIA DE ILEGALIDAD DE LA CLÁUSULA SEXTA DEL ARTÍCULO 2° DEL ACUERDO DEL CONGRESO DE FECHA 04-07-95 391

CAPÍTULO VIII: IMPROCEDENCIA DE LA DENUNCIA DE ILEGALIDAD DE LA CLÁUSULA VIGÉSIMA PRIMERA DEL ARTÍCULO 2° DEL ACUERDO DEL CONGRESO DE FECHA 04-07-95 396

SEXTA PARTE:

SOBRE EL DEFINITIVO COLAPSO DE LA INDUSTRIA PETROLERA NACIONALIZADA ENTRE 2002 Y 2018

INTRODUCCIÓN 405

I. EL ORIGEN DE PDVSA COMO ENTIDAD DESCENTRALIZADA DEL ESTADO CON PROPÓSITOS EMPRESARIALES 410

II. LA PRIMERA DECISIÓN QUE CONDUJO A LA DESTRUCCIÓN: EL CONVENIO INTEGRAL DE COOPERACIÓN CON CUBA DE 2000 Y EL INCONSTITUCIONAL COMPROMISO PETROLERO SUSCRITO SIN APROBACIÓN DE LA ASAMBLEA NACIONAL QUE ASEGURÓ LA ENTREGA INCONTROLADA DE PETRÓLEO A CUBA A PARTIR DE 2001 418

III. LAS CATASTRÓFICAS CONSECUENCIAS DE LA SIMBIOSIS ENTRE EL ÓRGANO DE CONTROL Y EL ÓRGANO CONTROLADO Y CÓMO PDVSA PASÓ A SER UN ENTE TOTALMENTE CONTROLADO POR EL EJECUTIVO, PERDIENDO SU CARÁCTER GERENCIAL 425
IV. LA REFORMA DE 2001 DE LA LEY ORGÁNICA DE NACIONALIZACIÓN DE 1975 PARA REDUCIR LA PARTICIPACIÓN DE CAPITAL PRIVADO EN LA EXPLOTACIÓN PETROLERA A TRAVÉS DE LA FÓRMULA DE EMPRESAS MIXTAS 430
V. LAS MEDIDAS INICIALES PARA EL DESMANTELAMIENTO DE LA APERTURA PETROLERA: LA VIOLACIÓN DEL CONVENIO DE FIJACIÓN DEL PORCENTAJE DE LA REGALÍA DE LAS ASOCIACIONES ESTRATÉGICAS 433
VI. LA "ESTATIZACIÓN" DE LA INDUSTRIA PETROLERA EN 2006-2007 CON LA TERMINACIÓN UNILATERAL Y ANTICIPADA DE LOS CONTRATOS OPERATIVOS Y DE LOS CONVENIOS DE ASOCIACIÓN RESPECTO DE LAS ACTIVIDADES PRIMARIAS DE HIDROCARBUROS 435
VII. LA NACIONALIZACIÓN DE LOS BIENES Y SERVICIOS CONEXOS CON LAS ACTIVIDADES PRIMARIAS DE HIDROCARBUROS DECRETADA EN 2009 442
VIII. EL ENCUBRIMIENTO POR PARTE DEL GOBIERNO EN 2016, USANDO LA SALA CONSTITUCIONAL DEL TRIBUNAL SUPREMO, DE LAS CATASTRÓFICAS CONSECUENCIAS DE LA DESTRUCCIÓN DE LA INDUSTRIA PETROLERA DURANTE 2004-2014 451
IX. ALGUNAS SECUELAS DE LA DESTRUCCIÓN: LA INCONSTITUCIONAL ELIMINACIÓN DEL CONTROL PARLAMENTARIO SOBRE LOS CONTRATOS DE CONSTITUCIÓN DE EMPRESAS MIXTAS PARA DESARROLLO DE ACTIVIDADES PRIMARIAS EN MATERIA DE HIDROCARBURO EN 2017 460

X. EL VACIAMIENTO DE PDVSA COMO HOLDING DE LA INDUSTRIA PETROLERA A PARTIR DE 2017, CON LA CREACIÓN EN PARALELO DE UNA "INDUSTRIA PETROLERA MILITAR," EXCLUIDA ADEMÁS DEL RÉGIMEN NACIONAL DEL CONTROL FISCAL 467

XI. LA ILEGAL REORGANIZACIÓN DE LA INDUSTRIA PETROLERA DISPUESTA POR DECRETO DE 2018, LA FINAL DEGRADACIÓN DEL HOLDING PETROLERO, Y EL FIN DE LA TRANSPARENCIA EN MATERIA DE CONTRATACIÓN EN LA INDUSTRIA PETROLERA 468

SÉPTIMA PARTE:

EL ESTATUTO DE TRANSICIÓN HACIA LA DEMOCRACIA DE 2019 Y EL RESTABLECIMIENTO DE PDVSA COMO INSTRUMENTALIDAD DEL ESTADO GESTIONADA EN FORMA SEPARADA DEL GOBIERNO

I. SOBRE EL RÉGIMEN DE TRANSICIÓN HACIA LA DEMOCRACIA DE FEBRERO DE 2019 474

II. EL PROPÓSITO FUNDAMENTAL DEL ESTATUTO DE TRANSICIÓN PARA LA PROTECCIÓN DE ACTIVOS DE LA NACIÓN EN EL EXTRANJERO 477

III. LA DESIGNACIÓN DE LA *JUNTA DIRECTIVA AD-HOC* DE PETRÓLEOS DE VENEZUELA S.A. Y DE LAS JUNTAS DE SUS FILIALES EN LOS ESTADOS UNIDOS 480

IV. EL ASEGURAMIENTO INSTITUCIONAL DE LA SEPARACIÓN DE LA ADMINISTRACIÓN DE PDVSA Y SUS FILIALES EN EL EXTRANJERO CONDUCIDA POR LA JUNTA *AD HOC* DE PDVSA, Y EL GOBIERNO INTERINO 489

PRESENTACIÓN

Gustavo URDANETA TROCONIS
Director del Instituto de Derecho Público,
Universidad Central de Venezuela

Sale a la luz el quinto volumen de la Colección Instituto de Derecho Público de la Editorial Jurídica Venezolana. Una vez más se unen en nuevo esfuerzo estas dos instituciones fundamentales para el estudio del Derecho Público en Venezuela, y que desde siempre se han visto sintonizadas en diferentes iniciativas. Esta estrecha vinculación no es fruto del azar. Por el contrario, obedece a la feliz circunstancia de que a la cabeza de ambas ha estado el profesor Allan R. Brewer-Carías, como Director del primero y como fundador y permanente impulsor de la segunda. El profesor Brewer-Carías supo establecer estrechos nexos entre ambos centros de investigación y de difusión. Los resultados fueron siempre fructíferos para ambos y, en definitiva, para el mundo jurídico venezolano, al, cual han estado siempre destinados en definitiva los esfuerzos de uno y otra, bajo la conducción, directa o indirecta, del profesor Brewer-Carías. Los investigadores del Instituto encontraron siempre un canal de difusión del resultado de sus trabajos en la *Revista de Derecho Público*, una de las publicaciones periódicas en materia jurídica de más prolongada vigencia en el país y de una enorme trascendencia para los estudiosos del Derecho Público no sólo en Venezuela. Igualmente, pudieron ver publicados como libros, por la Editorial, muchos de sus trabajos de investigación.

Luego, en el año 2005, esa colaboración encontró una expresión más formal, a través de la Colección Instituto de Derecho Público, que la Editorial abrió especialmente para acoger trabajos realizados por investigadores del Instituto o realizados dentro del marco de los proyectos de investigación de este último. Desde entonces, varios han sido ya los números de esta colección, en los que se han recogido piezas de indudable utilidad e interés para los estudiosos del Derecho Público, más especialmente en áreas del Derecho Constitucional y el Administrativo.

Este quinto número entraña una muy especial significación, puesto que contiene una valiosísima obra del mismo profesor Allan R. Brewer-Carías, que ha estado y sigue estando presente en las realizaciones del Instituto y de la Editorial. Muestra de ello –con una especial significación– es, precisamente, esta obra. En ella se presentan trabajos realizados por el profesor Brewer-Carías a lo largo de más de cuarenta años de labor investigativa sobre un mismo tema, el petrolero. Algunos de ellos los escribió en los tiempos en que se encontraba formalmente adscrito al Instituto. Otros, en épocas posteriores, cuando ya la vinculación con este no era formal, pero conservando siempre con el Instituto los indisolubles lazos tejidos por el interés común en la investigación jurídica sobre temas de relevancia para el país. En el caso de la obra que ahora nos ofrece, la relevancia del tema tratado en esos diferentes trabajos es evidente: se trata de la industria petrolera nacionalizada, personificada en la empresa Petróleos de Venezuela, S. A., cuya fundación y desempeño debieron cumplir un papel determinante en la economía del país y en los más diversos órdenes de la vida nacional.

La obra contiene otro aporte sumamente valioso, como lo es el Prólogo escrito por otro gran jurista patrio, el profesor Román José Duque Corredor. Gran conocedor del Derecho Público y, más específicamente, del ordenamiento jurídico aplicable a la industria petrolera, el profesor Duque Corredor hace una presentación muy clara y sistemática del contenido de la obra del profesor Brewer-Carías, enriqueciendo con sus comentarios y atinadas observaciones la ya excelente obra que prologa.

Es, pues, con gran complacencia que el Instituto de Derecho Público se siente honrado en ofrecer esta obra, que recoge la más valiosa información y el acertado análisis, desde la perspectiva jurídica, del proceso cumplido por la industria petrolera nacionalizada y su personificación más fundamental: PDVSA. Aunque más preciso sería decir *los procesos* por los que ha atravesado, pues en realidad han sido varios, como magistralmente los describe, documenta y analiza el autor, desde sus inicios algo inciertos, pasando por una período muy exitoso, hasta llegar a la lamentable última etapa. Una obra que, parafraseando conocidas obras sobre momentos fundamentales de la historia, podría haber sido llamada "Auge y caída de la industria petrolera nacionalizada."

Caracas, mayo 2021

PRÓLOGO

PALABRAS BREVES PARA UNA OBRA MAGISTRAL

Román J. DUQUE CORREDOR
Exmagistrado de la Corte Suprema de Justicia de la República de Venezuela
Expresidente e Individuo de Numero de la Academia de Ciencias Políticas y Sociales

Prologar una obra, cuya presentación me solicitó quien considero el jurista integral de la historia del Derecho venezolano moderno, como lo es el profesor Allan R. Brewer-Carías, centrada en el Estudio de Petróleos de Venezuela, S. A. (en adelante, PDVSA) y la industria petrolera nacionalizada, es un compromiso que acepté como un modo de retribuirle su inmensa generosidad, propia de su personalidad que siempre ha tenido para conmigo, de quien por las lecturas de sus estudios me auto considero su alumno.

Además, cuando el profesor Allan R. Brewer-Carías es un jurista no solo porque posee un gran conocimiento específico, ni porque conoce muchas cosas de las ciencias jurídicas, sino porque tiene un conocimiento tal que le es posible conocer todo el Derecho; es una grave responsabilidad prologar una de sus obras, que recoge sus estudios durante los últimos 47 años sobre la evolución de PDVSA, de una exitosa empresa del Estado a una empresa pública totalmente sometida a control del gobierno. Que, según su certera conclusión, convirtió esta empresa, de hecho, en una agencia más del gobierno.

Generosidad aun inconmensurable, puesto que, de esa obra enciclopédica, apenas participé junto con él en una pequeña parte, en 1995, en la defensa jurídica del Acuerdo del Congreso de la

República para la celebración de los Convenios para la Exploración a Riesgo de Nuevas Áreas y la Producción de Hidrocarburos bajo el Esquema de Ganancias Compartidas, en el marco del desarrollo de la política conocida como la "Apertura Petrolera" definida conforme a las previsiones del artículo 5° de la Ley Orgánica que reservó al Estado la Industria y el Comercio de los Hidrocarburos de 1975.

Podría decirse de la sola lectura del Indicé de la obra "Estudios de Petróleos de Venezuela, S. A. y en la industria petrolera nacionalizada," que es producto de una investigación y de reflexiones sobre su variado y profundo contenido, cuando en realidad es una de las más trascendentales aportaciones al estudio de la historia jurídica contemporánea del derecho de los hidrocarburos, y del régimen administrativo más novedoso conocido para el manejo de una industria nacionalizada.

Es ciertamente, parte de la historia de una secuencia del proceso de uno de los más importantes hechos de nuestro devenir histórico, como lo es la nacionalización de la industria y el comercio de los hidrocarburos de Venezuela, calificada como la principal de nuestro país.

La obra es un lujo del manejo de la técnica de las fuentes, de la teoría y de la práctica, de los avances en su desarrollo jurídico de esta industria en la historia contemporánea, así como de sus retos. Y también, con conclusiones fatales por la regresión de ese proceso de industria petrolera nacionalizada exitosa a industria petrolera domesticada. Fatalidad que recuerda aquella admonición del expresidente Vicente Fox Quesada, sobre el manejo politizado e ideológico de la empresa estatal mejicana, que. "Nosotros, una nación rica en petróleo, dentro de nueve años no tendremos un solo barril que vender al exterior."

Pero, de la obra del Profesor Allan R. Brewer-Carías podemos extraer la esencia del éxito que orientó nuestra principal empresa, para proponer como un compromiso patriótico planteamientos para su regeneración, o sustitución, porque, como dice el economista norte-americano, Jeremy Rifkin: "Si el petróleo representa hoy un problema si esperemos a que pasen veinte años: será una pesadilla"[1].

Pienso que "Estudios de Petróleos de Venezuela, S. A. y en la industria petrolera nacionalizada" es un reto que se plantea a los políticos y juristas venezolanos del presente, puesto que, según el mismo Rifkin, si "La revolución industrial impulsada por el petróleo y por otros combustibles fósiles, está llegando a un final peligroso," en Venezuela, de no recuperar pronto la industria nacionalizada, el fin será más próximo.

Desde otro contexto, las obras basadas en diferentes trabajos de un autor sobre un mismo tema, más que una historiografía, conforme a su sistemática temporal y contenido, vinculados a hechos históricos de vivencias personales, no son tampoco compilaciones y testimoniales, sino el desarrollo científico de una línea de pensamiento y de tesis que se convierten en una lección histórica.

Confieso que la lectura de la obra del Profesor Allan R. Brewer-Carias, me hizo recordar al Dr. Tulio Chiossone, por cuya obra *Formación jurídica en la Colonia y la República*, editada por la Universidad Central de Venezuela en 1980, aprendí que la historia del derecho y de sus instituciones enseña a entender las evoluciones e involuciones políticas y sociales. Pero, en el estudio del profesor Allan R. Brewer-Carías, no por una narrativa, sino por la organización de sus contenidos en grandes temas, en este caso, las instituciones, PDVSA, y su evolución, así como por su actividad, comprendí el éxito y el colapso de la industria nacionalizada.

Es decir, es una visión global, que encuadra en la llamada historia cultural, en este caso del derecho petrolero y del régimen de industria petrolera bajo el periodo de su nacionalización del éxito a su decadencia. O, como la llama la historia cultural el académico Francisco Carrillo Batalla, "historia de las ideas," que en el caso del estudio del Profesor Allan R. Brewer-Carías, es de su pensamiento durante 47 años sobre un tema donde exhibió su capacidad académica y magistral sobre la institucionalidad y el régimen jurídico petrolero.

---

1 "Cómo el poder lateral está transformando la energía, la economía y el mundo," (*Estado y Sociedad*) (Spanish Edition), octubre 2011.

Un prólogo no puede ser un capítulo más de la obra. Por el prefijo "pro," es "antes" y por el vocablo "logos," es sinónimo de "palabra." Pero por eso no es más importante que ésta. Aún, se trata, como se explica en los diccionarios, de un texto aclaratorio, de lectura opcional y que puede leerse por separado, ya que generalmente constituye un aporte en sí misma. Pero, la obra del profesor Allan Brewer-Carías es de tal nivel que mi prólogo no llega si quiera a esa categoría de un aporte. Por el contrario, es un resumen en el que tratare de seguir sus diversas partes de modo que de su contenido el lector pueda valorar la obra como un bien cultural que trasmite el pensamiento que ha tenido el autor sobre sus temas principales: PDVSA y la industria petrolera nacionalizada. Pero, no, porque "el prólogo es un pasado," como decía William Shakespeare, sino porque en el caso de la obra del profesor Allan R. Brewer-Carías, es un estudio para que el presente no sea el futuro de esos temas.

La nacionalización, como reserva al Estado de actividades industriales o comerciales, es la primera parte de la obra, que comprende el periodo que podría llamarse "pre nacionalización," acerca de cuya naturaleza, no como expropiación de bienes privados, los trabajos del profesor Allan R. Brewer-Carías, en 1974 y 1975, como Presidente de la Comisión de Administración Pública de la Presidencia de la República, para la elaboración del plan de reforma administrativa del país, y su estudio como asesor del entonces Contralor General de la República, Dr. José Muci Abraham, sobre el Proyecto de Ley Orgánica de Reserva al Estado la Industria y el Comercio de los Hidrocarburos, fueron la matriz de la doctrina venezolana de la nacionalización como monopolio de derecho sobre actividades económicas, que inconcluso fue considerado como un precedente en el derecho comparado.

La comparación de los textos de dichos proyectos con los de la Ley que sancionó el Congreso de la Republica sobre la reserva de la industria y comercio de los hidrocarburos, son en parte producto de las opiniones del profesor Allan R. Brewer-Carías, incluso en lo relativo a la etapa de transición entre la promulgación de la Ley de reserva y la apropiación efectiva de las empresas por el Estado y a la nacionalización y el personal al servicio de las empresas. Aún más, la última edición del libro de mi padre, José Román Duque Sánchez, *Manuel de Derecho Minero y Petrolero* editado en 1974, por la

Universidad Católica Andrés Bello, hacía referencia a estos estudios para distinguir entre nacionalización propiamente dicha y reserva al Estado de actividades por conveniencia nacional, como monopolio estatal de derecho.

Las segunda y tercera partes de la presente Obra que tengo la honra de prologar, de 1975 a 1983, que me tomo la licencia de calificar de la "institucionalidad de la nacionalización petrolera," por su riqueza científica y bibliográfica sobre las ciencias de la administración, representa la arquitectura y la ingeniería jurídica realizada sobre el proceso jurídico organizativo de la industria petrolera, desde el Instituto de Derecho Público de la Universidad Central de Venezuela, por los investigadores dirigidos por el profesor Allan R. Brewer-Carías, que precisó la condición de PDVSA como empresa holding de la industria nacionalizada, y estudios estos que también comprendieron el régimen jurídico de la reserva de la explotación del hierro.

Este periodo para mí fue una luz que incrementó aún más mi interés por los estudios mineros y petroleros, que me había despertado mi padre, José Román Duque Sánchez, quien me había adelantado que, después de la nacionalización de la explotación del gas natural y del hierro y de la industria y el comercio de los hidrocarburos, el desarrollo de la antigua cátedra de Legislación Minera y Petrolera, tendría que ajustarse a lo que llamó la "reforma petrolera de 1975," así como se ajustó a la "reforma petrolera de 1943." Mi libro *El Derecho de la Nacionalización Petrolera,* editado en 1978, por la Editorial Jurídica Venezolana"; y mi trabajo sobre "Limites del Comercio Exterior de los Hidrocarburos," de 1980, tuvieron sus fuentes principales en los estudios del Instituto de Derecho Público de la Universidad Central de Venezuela. Así como sus trabajos me sirvieron como antecedentes, como abogado al servicio de MARAVEN, S. A., filial de PDVSA, para argumentar sobre su régimen de empresa del Estado derivado de la forma jurídica de derecho privado.

La cuarta parte de la obra que prólogo, el autor la divide en cuatro estudios: naturaleza jurídica de Petróleos de Venezuela S.A.; el régimen jurídico de los fondos de divisas de PDVSA y la centralización de las reservas monetarias internacionales por el Banco Central de Venezuela; la naturaleza jurídica del contrato celebrado por Petróleos de Venezuela S.A. con la empresa Veba Oel de Alemania para adquirir una participación en una refinería en el Ruhr; y a la inmunidad jurisdiccional que podía tener como instrumentalidad del Estado venezolano. Esta cuarta parte, que el profesor Allan R. Brewer-Carías la denomina "Algunos Aspectos del Régimen de Funcionamiento de Petróleos de Venezuela S.A. como Empresa del Estado," viene a ser en mi empírico criterio, "la fisiología de PDVSA," porque los estudios que comprende se refieren a las funciones de esta empresa como un ente. Más técnicamente, "la fisiología orgánica o de su naturaleza." Cada una de esas cuestiones son determinantes del correcto desempeño de PDVSA, como empresa industrial y comercial, ya que se refieren a su personalidad jurídica; a la administración de sus fondos internacionales y su centralización; sobre los contratos de interés público nacional de Petróleos de Venezuela y sobre su condición como instrumento del Estado. Como puede comprenderse, si ese funcionamiento no es conforme con su organización como empresa del Estado de derecho privado, es síntoma de patologías institucionales.

La quinta parte, en la cual participé junto con el profesor Allan R. Brewer-Carías, como coapoderados de PDVSA, que cubre el periodo de 1995 a 2000, fue la defensa jurídica del Acuerdo del Congreso de la República de 4 de Julio de 1995, mediante el cual se autorizó a Petróleos de Venezuela S.A. y sus empresas filiales para celebrar Convenios para la Exploración a Riesgo de Nuevas Áreas y la Producción de Hidrocarburos bajo el Esquema de Ganancias Compartidas. Defensa y escrito de Informes, que presentamos en el proceso correspondiente para oponernos a la demanda de nulidad que por ilegalidad e inconstitucionalidad intentaron contra dicho Acuerdo Hugo Chávez Frías, Simón Muñoz Armas, Elías Eljuri Abraham, Trino Alcides Díaz, Alí Rodríguez Araque, Luis Fuenmayor Toro, Adina Bastidas y otros ciudadanos, en cuya argumentación se encontraban ya embriones de los gérmenes que en años posteriores desarrollaron las graves patologías que hoy afectan a PDVSA y la industria petrolera nacionalizada.

La "Apertura Petrolera" consistía en un acuerdo parlamentario que permitía la participación de capital privado en las actividades petroleras nacionalizadas, definida conforme a las previsiones del artículo 5° de la Ley de Nacionalización Petrolera de 1975. En nuestra defensa argumentamos con una exhaustiva argumentación, con el apoyo de abundante doctrina autorizada y con el sustento de la correspondiente exposición de motivos del anteproyecto y del proyecto de ley, con actas de la discusión parlamentaria y con citas jurisprudenciales, sobre la validez de las cláusulas primera, segunda, cuarta, sexta, décima y vigésima primera del artículo 2° del Acuerdo del Congreso de fecha 04 de julio de 1995, antes citado. Y la Sala Político Administrativa de la Corte Suprema de Justicia, mediante sentencia de fecha 17 de agosto de 1999, con ponencia de la Presidente Dra. Cecilia Sosa Gómez, declaró sin lugar las acciones intentadas y la validez del referido Acuerdo.

Esta quinta parte sirve de testimonio histórico del planteamiento de que, si bien los yacimientos de hidrocarburos son propiedad del Estado y su industria y comercio son su monopolio, sin embargo, los venezolanos pueden participar en su desarrollo como industria básica principal, puesto que su fin es asimilar, crear e innovar tecnologías, generar empleo y crecimiento económico, y crear riqueza y bienestar para el pueblo, como lo determina el artículo 302, de la Constitución. Y que dicha participación o apertura, tiene su soporte en su artículo 303, que contempla tal apertura por parte de las filiales de PDVSA, sus asociaciones estratégicas, empresas y cualquier otra que se haya constituido o se constituya como consecuencia del desarrollo de negocios de la misma PDVSA. No exagero, puesto que ello lo confirman las actas de la Asamblea Constituyente de 1999, que en el texto de estos artículos está la impronta jurídica y patriótica del profesor Allan R. Brewer-Carías, quien como miembro de esa Asamblea fue orientador y redactor de muchos de los actuales textos constitucionales.

La sexta parte del compendio de su pensamiento jurídico petrolero es, en mi criterio y en mis propias palabras, toda una disección o autopsia, de lo que el profesor Allan R. Brewer-Carías llama "Sobre el definitivo colapso de la industria petrolera nacionalizada entre 2002 y 2018." En efecto, el colapso comienza cuando PDVSA dejó de ser empresa comercial, administrada independientemente de cualquier control o interferencia política para pasar a convertirse en la llamada "nueva PDVSA," totalmente controlada por el Gobierno, al servicio de la "revolución venezolana," como incluso oficialmente se califica[2]. Continuó el síncope fatal con la entrega incontrolada de petróleo a Cuba a partir de 2001 y siguió con la pérdida de su carácter de gerencia por la simbiosis entre el órgano de control y el órgano controlado. A esta fatalidad se agregó la reforma en 2001 de la Ley Orgánica de Nacionalización de 1975 para reducir la participación de capital privado en la explotación petrolera a través de la fórmula de empresas mixtas, para acabar el desmantelamiento de la apertura petrolera.

Asimismo, otro síntoma del colapso fue la violación del convenio de fijación del porcentaje de la regalía de las asociaciones estratégicas, al igual que la terminación unilateral y anticipada de los contratos operativos y de los convenios de asociación respecto de las actividades primarias de hidrocarburos y la nacionalización de los bienes y servicios conexos con las actividades primarias de hidrocarburos, en el 2016. A estos males se agrega que la Sala Constitucional del Tribunal Supremo de Justicia impidió a la Asamblea Nacional proseguir con las investigaciones de supuestas irregularidades ocurridas en la industria petrolera durante 2004-2014. Otro factor del colapso lo es la eliminación del control parlamentario sobre los contratos de constitución de empresas mixtas para desarrollo de actividades primarias en materia de hidrocarburos en 2017, al igual del vaciamiento de PDVSA como holding de la industria petrolera a partir de 2017, con la creación en paralelo de una "industria petrolera militar," excluida además del régimen nacional del control fiscal. Y, finalmente, como remate, la ilegal reorganización de la industria petrolera dispuesta con base en la Ley Constitucional contra la guerra económica para la racionalidad y uniformidad en la adquisición de bienes, servicios y obras públicas, dictada por la espuria Asamblea Constituyente en enero de 2018, por la que se dictó para las empresas petroleras estatales el decreto No. 3.368, del 12 de abril de 2018, que, entre otras cosas, eliminó para las contrataciones de PDVSA y sus filiales toda forma de licitación pública, sustituyéndola por la consulta de precios y la adjudicación directa, con lo cual se eliminaron los controles contra la corrupción y la gestión ineficiente del gasto público. Con el diagnostico anterior, se entiende, porque el profesor

---

2 Véase: http://www.pdvsa.com/index.php?option=com_content&view=article &id=1.

Allan R. Brewer-Carías, concluye, en esta Sexta Parte, de su Compendio, que de 2002 a 2018, se llegó a la final degradación del holding petrolero, y al fin de la transparencia en materia de contratación en la industria petrolera.

La séptima y última parte de la obra, en comento para su prólogo, que se comprende a partir de febrero de 2019, el profesor Allan R. Brewer-Carías la denomina "El Estatuto de Transición hacia la democracia de 2019 y el restablecimiento de PDVSA como instrumentalidad del Estado gestionada en forma separada del gobierno." En esta parte, el autor destaca el nombramiento, por el Presidente de la Asamblea Nacional, Juan Guaidó Márquez, como Presidente encargado, de un Procurador Especial, y de una Junta Administrativa Ad hoc de PDVSA. Así como que dentro de los diversos mecanismos para la defensa de los derechos del pueblo y el gobierno venezolanos, particularmente en el exterior, la Asamblea Nacional podía adoptar las decisiones necesarias para la defensa de los derechos del Estado venezolano ante la comunidad internacional, a los fines de asegurar el resguardo de los activos, bienes e intereses del Estado en el extranjero. Pero que tales medidas fueron concebidas para tener efectos básicamente en el extranjero, es decir, en cuanto a los bienes e intereses de la República y sus entes descentralizados ubicados fuera del país, además sometidas al control autorizatorio de la referida Asamblea. Medidas como la designación de Juntas Administradoras ad-hoc para asumir la dirección y administración de institutos públicos, institutos autónomos, fundaciones del Estado, asociaciones o sociedades civiles del Estado, empresas del Estado, incluyendo aquellas constituidas en el extranjero, y cualesquiera otros entes descentralizados, a los fines de designar a sus administradores y, en general, adoptar las medidas necesarias para el control y protección de sus activos.

En esta última parte, el autor hace un detallado análisis de la designación de la junta directiva ad hoc de PDVSA y de las juntas de sus filiales en los Estados Unidos, resaltando que, a partir de febrero de 2019 con esas designaciones, se ha asegurado de nuevo la independencia y autonomía gerencial de PDVSA conducida por la Junta Ad hoc designada, la cual ha dejado de estar controlada por el gobierno central en sus operaciones, como ocurrió hasta 2018.

En este mismo tema, el profesor Allan R. Brewer-Carías, aparte de esta autonomía, da relevancia a los efectos jurídicos de estas medidas a nivel internacional, incluso en fueros extranjeros, del nombramiento de venezolanos residenciados fuera del país como miembros de las nuevas Juntas Directivas de las subsidiarias de PDV Holding, Inc., Citgo Holding, Inc., y Citgo Petroleum Corporation. Tales designaciones han sido tenidas como válidas, por ejemplo, como lo cita el autor, por la Corte de Distrito de los Estados Unidos para la División Houston del Distrito Sur de Texas, de 20 de mayo de 2020 (Caso: *Impact Fluid Solutions LP; también conocido como Impact Fluid Solutions LLC vs Bariven S.A.*) (Acción Civil No. 4:19-CV-00652), la cual estableció que, "Mientras se mantenga la usurpación de la Presidencia de la República, y de conformidad con el Estatuto que Rige la Transición a la Democracia para Restablecer la Vigencia de la Constitución de la República Bolivariana de Venezuela, se suspenden todos los derechos y poderes que corresponden a la Asamblea de Accionista, Junta Directiva y Presidencia de Petróleos de Venezuela, S.A. (PsDVSA) y sus empresas filiales constituidas en Venezuela, existentes o designadas después del 10 de enero de 2019, así como los derechos y poderes que corresponden al Ministerio con competencia en materia de hidrocarburos y, en general, a cualquier otro ministerio, órgano o ente que pueda actuar como órgano de adscripción y representante de la República en la Asamblea de Accionistas de Petróleos de Venezuela, S.A. (PDVSA) y sus filiales constituidas en Venezuela." A lo cual, la Corte agregó que, "al hacerlo, la Asamblea Nacional despojó de todo el poder de gestión al régimen anterior y lo otorgó a la Junta de Directiva Ad hoc. Por lo tanto, cualquier acción tomada por la Junta directiva de PDVSA designada por Maduro es nula, incluyendo su nombramiento de GST para la representación legal en este caso."

Debo destacar que el profesor Allan R. Brewer-Carías ha hecho de estos temas declaraciones como testigo experto legal en diferentes juicios ante Cortes en Inglaterra y los Estados Unidos, que se han resumido en la obra estudio *The Constitutional Foundations of the Transition Regime Towards Democracy in Venezuela 2019-2020*, publicado en el libro: José Ignacio Hernández G. y Allan R. Brewer-Carías, *The Defense Of The Rights And Interest Of The Venezuelan State By The Interim Government Before Foreign Courts. 2019-2020*, Colección Estudios Jurídicos, Editorial Jurídica Venezolana International, 2021.

Me permito acotar que lo reseñado por el profesor Allan Brewer-Carias en esta última parte de su enjundioso *Estudios sobre de Petróleos de Venezuela, S. A. y la industria petrolera nacionalizada*, permite resaltar la eficacia que ha tenido y tiene el Estatuto que rige la Transición a la Democracia para Restablecer la vigencia de la Constitución de la República Bolivariana de Venezuela, aprobado por la Asamblea Nacional el 5 de febrero de 2019, y la Presidencia Interina, en la defensa de los derechos e intereses patrios fuera del país, en el reconocimiento de PDVSA que como empresa readquirió su antiguo status de instrumentalidad del Estado manejada con criterio económico empresarial separada del gobierno.

Dice el profesor Allan R. Brewer-Carías que durante los últimos 47 años ha estado estudiando el régimen jurídico de la industria petrolera nacionalizada. Ello es ya suficiente para que su obra más reciente, como lo es *Estudios sobre de Petróleos de Venezuela, S. A. y la industria petrolera nacionalizada*, que su ingenio fructífero y su infatigable cerebro nos provee, no requiere prólogo, puesto que ello es una labor que no alcanza a cubrir su estatura colosal de jurista, por quienes nos consideraremos sus alumnos. Su nivel es muy alto para llegar a describir su cátedra magistral, en un prólogo. Es, como decía la profesora emérita de arquitectura de la Universidad de Navarra, Concepción García Gainza, después de escuchar la conferencia del gran maestro arquitecto Joaquín Loarda, sobre la fachada de la Catedral de Granada, que aun subiéndose a las torres la Catedral, no podía encomiar las palabras de su maestro. Así puedo decir: Mi estatura no me permite elevar mi encomio a quien se lo merece como sabio y generoso, el profesor Allan R. Brewer-Carías.

No quisiera terminar agradeciendo la honra de ser prologuista del compendio más completo de la historia y de la ciencia de la industria petrolera nacionalizada, sin resaltar un inconmensurable valor del profesor Allan R. Brewer-Carías, como lo es el que, desde el exilio, donde como dice Andrés Eloy Blanco, ni un odio, ni rencor caben en su mente, sino un amor más grande por Venezuela, que traduce en obras jurídicas que la engrandece como tierra de juristas sabios y generosos.

Sunrise, Florida, 11 de mayo de 2021

NOTA DEL AUTOR

Desde antes de su creación en 1975, en una forma u otra, desde diversos ángulos y con variados propósitos, pero siempre desde el punto de vista jurídico, he venido estudiado el régimen de Petróleos de Venezuela S.A, PDVSA, como empresa del Estado holding de la industria petrolera nacionalizada.

1. Todo comenzó en 1974 cuando se anunció el inicio de lo que sería el proceso de nacionalización petrolera que culminó en 1975. Para ese entonces yo estaba de regreso de Cambridge Inglaterra, donde fui en 1972 luego de concluir mi trabajo como Presidente de la Comisión de Administración Pública de la Presidencia de la República, y terminar de elaborar el plan de reforma administrativa del país (*Informe sobre la Reforma de la Administración Pública Nacional*, Comisión de Administración Pública, 2 vols., Caracas 1972).

La nacionalización de la industria petrolera planteaba retos en cuanto a la organización de la Administración Pública y al régimen de las empresas públicas (tema que había estudiado extensivamente unos años antes en mi libro: *Las empresas públicas en el derecho comparado*, 1968), razón por la cual de inmediato me interesé en estudiar el proceso.

Y así, al iniciarse la discusión pública sobre el proceso de nacionalización petrolera, y con base en lo que se conocía de los Informes oficiales al respecto, escribí un estudio con "Comentarios en torno a la nacionalización petrolera," que se publicó en la *Revista Resumen* (N° 55) del 24 de noviembre de 1974; y a los pocos meses, en 1975, ya cuando en el Congreso estaba redactado el Proyecto de Ley Orgánica de Reserva al Estado la Industria y el Comercio de los Hidrocarburos, el Contralor General de la República, Dr. José Muci Abraham de quien yo era asesor jurídico, me solicitó que estudiara el Proyecto de Ley, lo cual hice, siendo el estudio que redacté la base que sirvió para la elaboración del *Informe* que Muci presentó al Congreso con su Opinión sobre el articulado del Proyecto, el cual fue publicado en la *Revista de Control Fiscal* (Nº 77) de la Contraloría General de la República de 1975 (pp. 23-62); y en la *Revista Resumen* (Nº 78) de 5 de mayo de 1975 (pp. 34-48).

Los dos estudios antes mencionados se publican en esta obra, formando la *Primera Parte* del libro.

2. La sanción de la Ley, y con ello, la repercusión que tuvo en el país, pues se trataba de la Ley más importante desde el punto de vista económico que se había dictado en toda su historia, motivó que desde la Universidad Central de Venezuela, y en particular, en el Instituto de Derecho Público, cuya dirección asumí en 1978, promoviera la realización de diversos estudios sobre el proceso, lo que dio origen posteriormente a la publicación del Volumen III del *Archivo de Derecho Público y Ciencias de la Administración*, que yo fundé y dirigía, como publicación periódica anual del Instituto, dedicado monográficamente al tema de *El Régimen Jurídico de las Nacionalizaciones en Venezuela*, Instituto de Derecho Público, Facultad de Ciencias Jurídicas y Políticas, Universidad Central de Venezuela, Caracas 1981, en dos Tomos, en los cuales se recogieron todos los trabajos sobre el tema de los investigadores del Instituto. Como director del Seminario que dio origen a los trabajos, a mi me correspondió exponer sobre la "Introducción al Régimen Jurídico de las Nacionalizaciones en Venezuela," trabajo que se publicó en el Tomo I (pp. 23-44) del Archivo.

Ese estudio general, se publica en este libro, formando la *Segunda parte* destinada a exponer sobre el marco teórico de las nacionalizaciones.

3. Una vez que la Ley entró en vigor, siempre desde mi trabajo en el Instituto de Derecho Público de la Universidad Central de Venezuela, continué estudiando el proceso jurídico organizativo de la industria petrolera, no solo en cuanto a la organización de la empresa matriz, Petróleos de Venezuela S. A, como holding de la industria, sino en cuanto al proceso de organización de sus empresas filiales con motivo de la transformación de las antiguas empresas concesio-

narias. Ello dio origen a varios estudios referidos al proceso jurídico-organizativo de la industria petrolera nacionalizada en Venezuela, que se publicaron en la *Revista de la Facultad de Ciencias Jurídicas y Políticas* de la Universidad Central de Venezuela (Nº 58), de 1976 (pp. 53-88); en la obra colectiva coordinada por Marcos Kaplan, *Petróleo y Desarrollo en México y Venezuela*, publicada por la Universidad Nacional Autónoma de México en México en 1981 (pp. 333-432); y en el volumen III del *Archivo de derecho público y ciencias de la administración. El régimen jurídico de las nacionalizaciones en Venezuela* del Instituto de Derecho Público de la Universidad Central de Venezuela de 1981 (Tomo I, pp. 407-491). Otro estudio específicamente referido al régimen jurídico administrativo de Petróleos de Venezuela S.A. se publicó en la *Revista de Hacienda* (Nº 67) se había publicado en 1977 (pp. 79-99); tema sobre el cual luego hice consideraciones en libros escritos en coautoría con Enrique Viloria Vera, el titulado *Sumario de las Nacionalizaciones (Hierro y Petróleo),* editado por la Universidad Católica Andrés Bello en San Cristóbal-Caracas en 1985; y el titulado *El Holding Público*, editado por la Editorial Jurídica Venezolana en 1986; y en el Prólogo que escribí para el libro del mismo Enrique Viloria Vera titulado *Petróleos de Venezuela S.A. La culminación del proceso de nacionalización*, editado por la Editorial Jurídica Venezolana en 1983 (pp. 5-22).

Esas reflexiones escritas conforman la *Tercera parte* de esta obra.

4. Con posterioridad, y a medida que se fue desarrollando la actividad de Petróleos de Venezuela S.A. como la más importante empresa pública del país, fui consultado como abogado por la empresa en aspectos o cuestiones claves relativos al funcionamiento de la misma.

La *primera cuestión* que se sometió a mi consulta en 1975 por el recién entonces nombrado Consultor Jurídico de la empresa, el profesor Andrés Aguilar Mawdsley, apenas comenzó a funcionar la empresa, fue que le respondiera a la aparentemente simple pregunta sobre la naturaleza jurídica de Petróleos de Venezuela S.A., sobre si era una "persona pública" o una "persona privada" que era la clasificación clásica que hasta entonces se manejaba al estudiarse el tema de la personalidad jurídica en el derecho público. El estudio me llevó a cuestionar teórica y prácticamente la validez de dicha clasificación considerando que lo que debía aplicarse en derecho público eran otras clasificaciones de las personas jurídicas, concluyendo que en realidad la naturaleza de Petróleos de Venezuela S.A. era la propia de una "persona jurídica estatal de derecho privado." Ese estudio dio origen a un artículo que en su momento fue muy influyente en la teoría del derecho administrativo publicado con el título de "La distinción entre las personas públicas y las personas privadas y el sentido de la problemática actual de la clasificación de los sujetos de derecho," en la *Revista de la Facultad de Derecho* de la Universidad Central de Venezuela (N° 57) en 1976 (pp. 115-135), y en la *Revista Argentina de Derecho Administrativo* (N° 17) en Buenos Aires en 1977 (pp. 15-29). Por lo demás, la distinción esbozada en este trabajo luego fue recogida expresamente en el texto de la Constitución de 1999. Sobre ello, puede consultarse el trabajo: "Sobre las personas jurídicas en el derecho administrativo: personas estatales y no estatales, y personas de derecho público y de derecho privado," publicado en el libro: *Estudios de derecho público en Homenaje a Luciano Parejo Alonso* (Coordinadores: Marcos Vaquer Caballería, Ángel Manuel Moreno Molina, Antonio Descalzo González), Editorial Tirant lo Blanch, Valencia 2018, pp. 2113-2136.

La *segunda cuestión* de importancia que se sometió a mi consideración, por el propio Presidente de Petróleos de Venezuela S.A., Rafael Alfonso Ravard, fue la relativa a la decisión que se había adoptado por el gobierno en 1982, en plena crisis financiera y monetaria del país, de considerar a los fondos de divisas para sus operaciones en el exterior que tenía la empresa, que era una instrumentalidad del Estado separada del gobierno, como parte de las reservas internacionales del país, respecto de las cuales el Banco Central de Venezuela debía intervenir. El resultado del estudio realizado se publicó con el título de "El régimen jurídico de los fondos de divisas de PDVSA y la centralización de las reservas monetarias internacionales por el Banco Central de Venezuela," en el Tomo I de mi libro *Estudios de derecho público (Labor en el Senado 1982),* publicado en las Ediciones del Congreso de la República en 1983 (pp. 161-181).

La *tercera cuestión* jurídica de importancia que también se sometió a mi consideración, fue el tema de la naturaleza jurídica del contrato celebrado por Petróleos de Venezuela S.A. con la empresa

Veba Oel de Alemania para adquirir una participación en una refinería en el Ruhr, es decir, para ser ejecutado enteramente en el exterior, en el marco de las regulaciones de la Constitución de 1961, y sobre si el mismo debía considerarse como contrato de interés público y ser sometido o no a la aprobación del Senado. El estudio jurídico que elaboré entonces se publicó con el título: "La aprobación legislativa de los contratos de interés nacional y el contrato Pdvsa-Veba Oel," en el Tomo II de mi libro *Estudios de derecho público (Labor en el Senado),* publicado en las Ediciones del Congreso de la República en 1985 (pp. 65-82).

Y la *cuarta cuestión* de importancia que se sometió a mi estudio, con motivo de diversos juicios que se habían intentado contra Petróleos de Venezuela S.A. ante cortes de los Estados Unidos, fue relativo a la inmunidad jurisdiccional que podía tener como instrumentalidad del Estado venezolano, lo que dio origen al estudio publicado con el titulo "El carácter de Petróleos de Venezuela S.A. como instrumento del Estado en la Industria Petrolera," en *Revista de Derecho Público* (Nº 23) de la Editorial Jurídica Venezolana en 1985 (pp. 77-86).

Los cuatro estudios antes mencionados forman la *Cuarta parte* de esta obra.

5. En diciembre de 1995, un grupo de ciudadanos, entre los cuales se encontraban muchos que posteriormente a partir de 1999 formaron parte del gobierno de Hugo Chávez Frías, intentó una demanda de nulidad por ilegalidad e inconstitucionalidad contra el Acuerdo del Congreso de la República de 4 de Julio de 1995, mediante el cual se autorizó a Petróleos de Venezuela S.A. y sus empresas filiales para celebrar *Convenios para la Exploración a Riesgo de Nuevas Áreas y la Producción de Hidrocarburos bajo el Esquema de Ganancias Compartidas*, en el marco del desarrollo de la política conocida como la "Apertura petrolera" definida conforme a las previsiones del artículo 5 de la Ley Orgánica que reservó al Estado la Industria y el Comercio de los Hidrocarburos de 1975.

La empresa Petróleos de Venezuela nos solicitó al profesor Román José Duque Corredor y a mi persona, que asumiéramos la defensa jurídica del Acuerdo del Congreso, que era en definitiva, la defensa del fundamento constitucional y legal de la política de la

Apertura Petrolera. Así lo hicimos en el proceso que culminó en septiembre de 1999, con sentencia de la Corte Suprema de Justicia, desechando la demanda y declarándola sin lugar. En el Escrito de Informes que presentamos en noviembre de 1996 ante la Corte Suprema está todo nuestro argumento jurídico, y cuyo texto se publicó inicialmente en mi página web ("Documentos del juicio de la Apertura Petrolera, 2001" en http://allanbrewercarias.com/wp-content/uploads/2007/09/57.-I-2-22.-APERTURA-PETROLERA.-DOCUMENTOS-DEL-JUICIO.pdf) y posteriormente como Apéndice de mi libro: *Crónica de una Destrucción, Concesión, Nacionalización, Apertura, Constitucionalización, Desnacionalización, Estatización, Entrega y Degradación de la Industria Petrolera,* publicado por la Universidad Monteávila y la Editorial Jurídica Venezolana en 2018 (pp. 487-546).

Ese estudio jurídico en defensa de la Apertura Petrolera forma la *Quinta parte* de este libro.

6. En los años que transcurrieron desde 2002, cuando el gobierno conducido por Hugo Chávez Frías y por buena parte de las personas que habían impugnado el Acuerdo del Congreso de la Apertura Petrolera en 1995 (Alí Rodríguez Araque por ejemplo sería su Ministro de Energía y Adina Bastidas su Vicepresidenta), comenzó el sistemático proceso de asalto de Petróleos de Venezuela S.A., y de eliminación de su carácter de instrumentalidad del Estado para ser convertida en una agencia más de éste, incluso conducida por un Ministro del Ejecutivo nacional, lo que perduró hasta 2018, se produjeron transformaciones importantísimas que convirtieron a la otrora exitosa empresa petrolera nacionalizada, en un instrumento del gobierno para el desarrollo de sus propias políticas, abandonando el negocio petrolero, y llevando a la empresa materialmente a manejar un conjunto de despojos industriales.

Desde 2004, en diversos estudios fui analizando sucesivamente temas como el de la modificación unilateral de las bases jurídicas de la Apertura Petrolera en materia de regalías y de impuestos; el de la entrega incontrolada de petróleo a Cuba; el de la terminación anticipada de los Convenios de Asociaciones Estratégicas para la explotación de la Faja Petrolífera del Orinoco y de gas costa afuera a partir de 2007, lo que dio origen a innumerables demandas ante tribunales arbitrales contra el Estado venezolano y contra PDVSA y sus filiales, en muchas de las cuales desde 2008 me correspondió actuar como testigo legal experto en derecho venezolano; el vaciamiento de PDVSA como holding de la industria petrolera estatal con la creación en 2017 de una empresa petrolera militar paralela; el de la institucionalización de la cleptocracia en la industria petrolera en 2018 con la inconstitucional reforma tácita del régimen de contrataciones públicas, y la inconstitucional eliminación, por decreto, de la licitación para la selección de contratistas en la industria petrolera; y la eliminación, por parte del Tribunal Supremo de Justicia, de todo intento por parte de la Asamblea Nacional de ejercer el control político sobre la administración pública investigando la actuación de PDVSA.

El estudio de todas estas cuestiones dio origen a diferentes artículos que fueron publicados en la *Revista de Derecho Público*, y en el *Boletín de la Academia de Ciencias Políticas y Sociales*, muchos de los cuales se recogieron y publicaron igualmente en el antes mencionado libro de 2018: *Crónica de una destrucción*.

Una síntesis de todo ese proceso está en el estudio escrito para el *Libro Homenaje al* Profesor *Jesús Caballero Ortíz*, que edita la Fundación de Estudios de Derecho Administrativo con el título "La transformación de Petróleos de Venezuela S.A.: de la constitución exitosa de una empresa del Estado a su total destrucción institucional posterior," y que ha sido reproducido en el libro coordinado por Gustavo Coronel y Sergio Sanz, publicado con el título *¿Quién destruyó PDVSA?, Balance de la gestión de Rafael Ramírez*, editado por Ediciones Dahbar en Caracas en 2021 (pp. 61-113).

Ese estudio forma la *Sexta parte* de esta obra.

7. A partir de febrero de 2019, con motivo del proceso de transición hacia la democracia y de restablecimiento de la vigencia de la Constitución, iniciado por la Asamblea Nacional mediante la sanción del *Estatuto que rige la transición a la democracia para restablecer la vigencia de la Constitución de la República Bolivariana de Venezuela* de 5 de febrero de 2019, y de la instalación de un gobierno interino presidido por el Presidente de la Asamblea Nacional (Estatuto que ha sido modificado el 20 de diciembre de 2020, extendiendo su vigencia), se designó la Junta directivas Ad-Hoc de Petróleos de

Venezuela S. A. y las Juntas Directivas de todas sus empresas filiales, a los efectos de proteger todos los activos de la industria situados en el exterior, particularmente en los Estados Unidos de América.

A partir de febrero de 2019, conforme a dicho Estatuto y a las decisiones adoptadas por la Asamblea Nacional y el Presidente Interino, Juan Guaidó, se ha asegurado de nuevo la independencia y autonomía gerencial de PDVSA conducida por la Junta Ad hoc designada, en relación con los activos situados en el extranjero, la cual ha dejado de estar controlada por el gobierno central en el día a día de sus operaciones, como ocurrió desde 2004 hasta 2018, cuando un Ministro del Ejecutivo era a la vez el Presidente de la empresa.

El tema fue objeto de mi estudio, específicamente con ocasión de rendir opinión jurídica como Testigo Experto Legal en diferentes juicios ante Cortes en Inglaterra y los Estados Unidos, estando los argumentos resumidos en en estudio sobre "The Constitutional Foundations of the Transition Regime Towards Democracy in Venezuela 2019-2020," publicado en el libro: José Ignacio Hernández G. y Allan R. Brewer-Carías, *The Defense of The Rights And Interest Of The Venezuelan State By The Interim Government Before Foreign Courts. 2019-2020*, Colección Estudios Jurídicos, Editorial Jurídica Venezolana International, 2021, pp. 111 ss.

Parte de ese estudio forma la *Séptima Parte* de esta Obra.

Como se puede apreciar, en una forma u otra y en circunstancias diversas durante los últimos 47 años he estado estudiando el régimen jurídico de la industria petrolera nacionalizada y, en especial, de Petróleos de Venezuela S.A., como empresa holding de la misma; período durante el cual he seguido la evolución de la empresa, de ser una exitosa empresa del Estado manejada con toda independencia del gobierno (1975-2002), a ser una empresa pública totalmente sometida a control del Gobierno, con un Ministro del Ejecutivo designado como Presidente de la misma, es decir, el órgano de control administrativo y accionario era a la vez el órgano controlado (2002-2018), circunstancia que convirtió a la empresa, de hecho, en una agencia más del gobierno, que pudo inmiscuirse en la gestión diaria de la misma.

Ha sido solo después de febrero de 2019, en el marco del Régimen de Transición de la democracia decretado por la Asamblea Nacional, que con la designación de la Junta directiva ad-hoc de Petróleos de Venezuela S.A. para la protección de sus activos en el exterior, en particular, en los Estados Unidos, puede decirse que la empresa readquirió su antiguo status de instrumentalidad del Estado manejada con criterio económico empresarial separada del gobierno.

New York, mayo 2021

PRIMERA PARTE:
LA NACIONALIZACIÓN DE LA INDUSTRIA PETROLERA

Sección Primera: Comentaros Iniciales sobre la Nacionalización Petrolera

Este texto corresponde al primer estudio que elaboré en 1974 sobre "Comentarios en torno a la nacionalización petrolera," cuando el Proyecto de Ley sobre Reserva al Estado de la industria y el comercio de los hidrocarburos se comenzaba a discutir, y que fue publicado en la *Revista Resumen*, No. 55, Caracas, 24 de noviembre de 1974, pp. 22-24.

Una de las decisiones de mayor trascendencia para Venezuela qua pueden adoptarse en la actualidad es, indudablemente, la nacionalización petrolera. La historia política y económica del país durante los últimos cincuenta años ha estado condicionada por al factor petrolero, por lo que es da prever que cualquier decisión que ponga en manos del Estado la gestión completa de la industria petrolera, condicionará nuestra historia futura.

Este proceso nacionalizador, sin duda, requiere ahora de múltiples enfoques, y entre ellos del jurídico pues una adecuada formulación jurídica del proceso nacionalizador, desde su inicio, indudablemente que evitará muchos conflictos y problemas en el futuro. De allí estos comentarios.

I. ALGUNOS ASPECTOS GENERALES SOBRE LA NACIONALIZACIÓN

1. *Fundamento jurídico de la Nacionalización*

El fundamento jurídico de la nacionalización de actividades productivas y de servicios se encuentra en el ordenamiento jurídico venezolano, en el Artículo 97 de la Constitución que autoriza al Estado a "reservarse determinadas industrias, explotaciones o servicios de interés público por razones de conveniencia nacional."

Conforme a este Artículo, el Estado, al reservarse ciertas actividades productivas, servicios o sectores, establece un verdadero y auténtico monopolio de Derecho.1 Puede decirse entonces que en Venezuela, el proceso nacionalizador de actividades económicas se inicia con la declaratoria de reserva señalada, lo que corresponde hacer a las Cámaras Legislativas mediante Ley.

2. *Nacionalización y Expropiación*

Pero indudablemente, la reserva no es el único elemento del proceso de nacionalización. La reserva, en efecto, conlleva fundamentalmente una prohibición impuesta a los particulares de realizar actividades propias del sector reservado o nacionalizado, lo que afecta tanto a aquellos particulares o empresas que venían realizando actividades en el sector, como a cualquier otro particular o empresa, hacia el futuro. Después de le reserva, los particulares o empresas que operaban en el sector no pueden continuar realizando sus actividades; y hacia el futuro ningún otro particular puede realizar nuevas actividades en el sector. Por ello, la nacionalización no se agota con la reserva, sino que requiere de actos complementarios mediante los cuales se asegure que la gestión de las empresas y bienes existentes afectados a los sectores nacionalizados, se transferirán al Estado, y que la actividad productiva o el servicio no se detendrá ni entorpecerá.

---

1 *Cfr.* Vincenzo Spagnuolo Vigorita, "Las Empresas Nacionalizadas" en Evelio Verdera y Juells (ed). *La Empresa Pública*, Zaragoza 1970, Tomo II, p. 1430.

De allí que la reserva esté acompañada normalmente de la expropiación de las empresas que operan en los sectores nacionalizados, para asegurar el traspaso rápido de los bienes de los particulares al Estado.

Debe destacarse, además, que por el hecho de la reserva, es decir, de la prohibición impuesta por ella a los particulares de realizar actividades en el respectivo sector, desde el momento mismo en que se produce la reserva, esos particulares o empresas no pueden operar más. En al caso de la industria petrolera, por ejemplo, desde el momento en que se promulgue la Ley de Reserva, las empresas existentes tienen prohibición de operar, y sólo con motivo de asegurar la continuación de la industria basta hacer efectiva la expropiación, es que podría permitírseles funcionar transitoriamente, sometidas a la fiscalización y control del Estado.

3. *Expropiación de bienes o de empresas*

De lo señalado anteriormente resulta claro que una auténtica nacionalización de un sector económico se produce cuando se dan conjuntamente, la medida de reserva con la técnica expropiatoria. Esta última es el mecanismo para hacer efectiva la reserva.

En el caso de la industria petrolera, la modalidad de la expropiación a efectuar, indudablemente que debe estar condicionada por un objetivo fundamental: que la industria y las unidades económicas empresariales, continúen funcionando a cabalidad, desde el momento mismo de la expropiación.

Para asegurar este objetivo fundamental, el proceso expropiatorio debe tender a versar sobre las empresas petroleras, es decir, sobre las unidades económico-productivas o de servicios que manejan la industria petrolera, de manera que éstas no se vean afectadas, en su funcionamiento, con el cambio de titularidad a favor del Estado.

En este sentido, en un proceso nacionalizador de la industria petrolera, lo ideal sería que la expropiación fuera de empresas más que de bienes particularizados, mediante un simple traspaso de acciones de los particulares al Estado. Esta fue la modalidad utilizada, por ejemplo, en las nacionalizaciones efectuadas en Francia con posterioridad a la Liberación sobre las empresas bancarias, empresas de seguros y empresas de transportes aéreos.[2] En estos casos, se produjo la transferencia de las empresas con todo su patrimonio, al Estado, mediante una transferencia de acciones.

Sin embargo, una solución simple y rápida, como la anotada, exigiría en el caso de la industria petrolera, la existencia, jurídicamente hablando, de sociedades anónimas constituidas en Venezuela, para que pudiera operarse el traspaso de acciones. La realidad, sin embargo, es otra: la casi totalidad de las empresas petroleras son empresas extranjeras domiciliadas en Venezuela conforme al Artículo 354 del Código Civil. Por ello, al no estar constituidas en Venezuela, el patrimonio de las mismas afectado las actividades productivas o de servicios en el país, no está representado por títulos accionarías específicos.

La expropiación de las empresas petroleras en Venezuela, como resultado de la nacionalización de la industria, debe, por tanto, referirse a los bienes afectos a los procesos productivos o de servicios. No podrá, en general, expropiarse propiamente a las empresas, sino a los bienes que las forman, y con ellos, el Estado deberá constituir nuevas empresas. El problema, sin embargo, surge desde el punto de vista de la continuidad de la empresa. En efecto, dentro del proceso nacionalizador, hemos dicho que uno de los objetivos a lograr es la continuidad de la industria, sin interrupciones. Si bien la modalidad de la transferencia de acciones no se podría utilizar, si pudiera pensarse en una expropiación de la totalidad del patrimonio de las empresas, afectado a la explotación de la industria en Venezuela, con lo que el Estado lo único que tendría que hacer es darle personalidad jurídica a ese patrimonio considerado como una universalidad.

Sin embargo, ello implicaría la expropiación y transferencia al Estado de la universalidad de derechos y obligaciones que conforman el patrimonio de las empresas en Venezuela, por lo que las empresas a construirse asumirían tanto los bienes y derechos como las obligaciones. Manteniendo íntegro el patrimonio empresarial, la expropiación de este patrimonio, como universalidad, y su transferencia a una empresa nueva, aseguraría en todo caso, la continuidad de la empresa, sin interrupciones.

---

2 *Cfr.* Jean Rivero, *Le Régime des Nationalisations*, Extraitdu Juris-Classeur Civil-Annexes, (2° Cahier) Paris 1948, pp. 13 y 16.

El problema de asegurar la continuidad de las actividades empresariales existentes, por supuesto que se agravaría si la expropiación versara solamente sobre los bienes o el activo fijo de las empresas petroleras en Venezuela. Esta modalidad aun cuando pueda considerársela conveniente para que las nuevas empresas no asuman todo un pasivo no controlado, no parecería aconsejable desde el punto de vista de la necesaria continuidad que debe tener la industria. El problema de no asunción o de la asunción selectiva del pasivo puede ser regulado en otra forma.

II. ALGUNAS OBSERVACIONES AL PROYECTO DE LEY ORGÁNICA DE NACIONALIZACIÓN DE LA INDUSTRIA Y EL COMERCIO DE LOS HIDROCARBUROS

En la prensa diaria de Caracas del día 20 de agosto de 1974, apareció publicado el Proyecto de Ley de Nacionalización de la Industria y el Comercio de los Hidrocarburos elaborado en el seno de la Comisión Presidencial de la Reversión Petrolera.

En relación a dicho proyecto, pueden formularse las siguientes observaciones preliminares:

1. *La Reserva al Estado de la Industria*

El artículo 1° del Proyecto de Ley establece la reserva al Estado del sector de hidrocarburos en todas las actividades de explotación, exploración, manufactura, refinación y comercio. Con esta Ley se completaría el ámbito de la reserva iniciada con la Ley que reserva al Estado la industria del gas natural y con la Ley que reserva al Estado la explotación del mercado interno de los productos derivadas de los hidrocarburos. En cuanto al mercado externo, el Proyecto no lo regula, sino que remite a una Ley especial.

La consecuencia de esta reserva al Estado del sector hidrocarburos, es la atribución en el artículo 2, a entes públicos (República, Institutos Autónomos) o a Empresas del Estado debidamente autorizados, de la facultad exclusiva de realizar actividades en el sector reservado. Otra consecuencia de la reserva sería la prohibición a los particulares de realizar las actividades que abarca la reserva; sin embargo no hay en el texto del Proyecto señalamiento alguno en este campo.

En efecto, puede decirse que a partir de la reserva, teóricamente todas las actividades realizadas por particulares deben cesar, y surge la obligación para los mismos de transferir su realización al Estado o a los entes de éste. Solamente porque se requiere garantizar la continuidad de la industria los particulares podrán continuar operando, a pesar de la reserva, hasta tanto se verifique la expropiación, que es el complemento de la reserva para configurar la nacionalización. Durante ese lapso de transición, por tanto, los particulares se encuentran en una situación excepcional, en cuanto que a pesar de la prohibición, pueden continuar operando.

Es interesante insistir sobre esto pues en realidad la Ley de Reserva, dentro del procedimiento expropiatorio ordinario, sustituye al denominada Decreto de Expropiación o de Ejecución. En sí misma, la Ley de reserva es una ley prohibitiva hacia el futuro, y expropiatoria de las empresas existentes. Por tanto, en realidad, es la Ley de reserva la que expropia a las empresas existentes, centrándose la discusión judicial expropiatoria exclusivamente en tomo a la determinación de la indemnización.

2. *La etapa de transición entre la promulgación de la Ley de reserva y la apropiación efectiva de las empresas por el estado*

De acuerdo a lo señalado anteriormente, entre el momento en que se decreta la expropiación de las empresas existentes mediante la Ley de reserva, y el momento en que se produce la transferencia efectiva de la propiedad de las empresas al Estado, so abre una etapa de transición durante el cual, a pesar de la reserva, las empresas existentes continuarán operando, pero bajo una vigilancia y control intensificado del Estado.

Para asegurar esta vigilancia y control, el Proyecto prevé una Comisión Supervisora de la Industria de los Hidrocarburos (Artículos 3° a 5°) a la cual la ley confiere (Art. 4°) amplias facultades y atribuciones de fiscalización y control (Art. 4°), lo cual parece adecuado. Las observaciones que pueden formularse respecto do la etapa da transición se refieren fundamentalmente a la figura de la "Comisión" y a su composición.

En efecto, indudablemente que durante el período de transición, el Estado debe asumir un mayor control, fiscalización y vigilancia de la industria petrolera. Ello es tanto más justificado, cuanto que la expropiación de las empresas ya se ha efectuado por la Ley de reserva, y lo que hace falta sólo es la transferencia material de la propiedad de las empresas al Estado. Sin embargo, resulta indudable que una "Comisión" de composición tan variada y numerosa, no es la mejor manera de asegurar el ejercicio efectivo de dicho control y vigilancia; es más una "Comisión," en definitiva, será la mejor manera de ahogar en sesiones interminables, conflictivas y multitudinarias, las muy importantes decisiones que debe asumir el Estado durante el período de transición.

En realidad, las funciones de fiscalización, vigilancia y control de las empresas existentes, debe ser atribuida a la entidad que en definitiva debe tener el control de la industria petrolera nacionalizada, la cual llamaremos PETROVENEZ, cuyo núcleo debería ser la CVP y a la cual procuraré referirme en otra ocasión. Dicha entidad, durante el período de transición, puede indicarse que contará con la asesoría y eventual participación activa de una Comisión como la que prevé el proyecto; sin embargo, lo que resulta contrario a la lógica administrativa es que sea esa "Comisión," la "administradora" del período de transición. Insistimos, las comisiones pueden asesorar y colaborar con la administración cotidiana, sin embargo, demostrado está hasta la saciedad en el ordenamiento administrativo venezolano, lo inconveniente que resulta la administración por el sistema de comisiones.

Las decisiones que habrán de ser adoptadas durante el periodo de transición serán indudablemente, decisiones de primera importancia para el futuro de la industria petrolera. Por otra parte, durante ese periodo de transición el ente petrolero nacional PETROVENEZ deberá estructurarse para asumir progresivamente la industria, y nada mejor para el futuro de ella, que sea PETROVENEZ quien administre el período de transición.

Por tanto, se estima que en el Proyecto de Ley, respecto al período de transición, deberían preverse los siguientes aspectos:

1.- La atribución al ente Petrolero Nacional PETROVENEZ, como ente público (persona jurídica de derecho público) que controlará la industria petrolera, de las funciones de control, vigilancia y fiscalización de la industria petrolera;

2.- La creación de una Comisión Supervisora que actuará como órgano asesor y de consulta de PETROVENEZ en el período de transición.

3. *La transferencia de propiedad de las empresas petroleras al Estado*

De acuerdo con los artículos 99 y 101 de la Constitución, garantizado como está el derecho de propiedad, una vez decretada la expropiación mediante la Ley de reserva, la transferencia de la propiedad de las empresas petroleras al Estado se debe realizar mediante sentencia firme y pago de justa indemnización. Es por ello, seguramente, por lo que el Proyecto de Ley prevé un "juicio de expropiación" que debe ser intentado por el Procurador General de la República ante la Corte Suprema de Justicia (art. 6).

Ahora bien, el problema a discutir en dicho juicio, como bien lo señala el Proyecto de Ley (art. 6, letra c), es exclusivamente el del monto de la indemnización a pagar. Por tanto, las empresas expropiadas, como en toda expropiación, no podrá cuestionar la procedencia de esta, sino solamente el monto de la indemnización que les será ofrecida por el Estado.

El Proyecto de ley, sin embargo, no consagra verdaderamente una expropiación de las empresas petroleras, sino una expropiación "de tos derechos de los concesionarios" (art. 6°). Por tanto, las unidades económicas que operan en la actualidad en Venezuela, como empresas, no son el objeto expropiado. Sólo son expropiados los derechos de los concesionarios y los bienes de los mismos, lo que en cierta forma contradice el espíritu nacionalizador y la búsqueda de continuidad en el funcionamiento de las empresas.

En efecto, tratándose de una nacionalización, la reserva prohíbe a los particulares realizar actividades en el sector hidrocarburos y las actividades que venían realizando, deben pasar al Estado. La expropiación, como técnica jurídica, debe asegurar esta transferencia sin afectar la empresa; pero esa transferencia debe versar sobre la empresa como un todo, y no sólo sobre ciertos derechos y bienes, pues el personal de las mismas, por ejemplo, no debe por ningún respecto abandonar sus posiciones. Este personal también es "nacionalizado."

El hecho de expropiar la empresa no limita las facultades del legislador de establecer las modalidades de la indemnización y la no asunción de los pasivos por el Estado. El Congreso es soberano, y siempre que asegure la intervención del poder judicial y prevea las normas para el establecimiento del justo precio, está dentro de los marcos constitucionales. En esta forma, la norma del Proyecto que prevé que la "indemnización no podrá ser superior al valor neto o valor según los libros de las propiedades, plantas y equipos de la industria petrolera a la fecha de la solicitud de expropiación" (Art. 7), es una disposición perfectamente razonable en cuanto al límite, aún en el caso de que se realizara la expropiación de las empresas, como unidades económicas. Respecto de esta norma, sin embargo, se estima que la fecha para la determinación de los mencionados valores nunca debe ser la fecha de la solicitud de expropiación, pues ello significaría fomentar la especulación y la distorsión de los precios de dichos bienes. Siguiendo la orientación de la Ley de Expropiación vigente, así como de la abundantísima jurisprudencia de la Corte Suprema, la fecha para la determinación del justiprecio, precisamente para restringir las especulaciones, debería situarse en una oportunidad anterior al Decreto de Expropiación o de Ejecución, el cual, en este caso, sería la propia Ley de reserva.

En esta forma, el precio de los bienes a determinar por los peritos debe ser el que existía un número determinado de meses (6, por ejemplo) antes de la fecha de promulgación de la Ley de reserva.

Por otra parte, y también en relación al justiprecio, el hecho de que la expropiación fuera de las empresas, como unidades económicas, no impediría en absoluto que el Legislador establezca, como lo busca el Proyecto, que "la Nación no asumirá obligación alguna por pasivos que los concesionarios expropiados tengan con terceros, dentro o fuera del país" (art. 9). De la misma expresión "concesionarios expropiados" parecería que en algunas partes el Proyecto de Ley busca expropiar a las empresas, como tales, y no solamente a los derechos y bienes de los concesionarios (Art. 17).

4. *La Nacionalización y el régimen de concesiones*

La industria petrolera es una industria compleja que a pesar de la nacionalización, seguirá funcionando. El Estado y sus organismos, si bien tendrán la propiedad formal de las empresas, necesitarán de algún tiempo para llegar a manejarlas totalmente. Por ello, a pesar de la nacionalización, será indispensable el que continúen operando los controles actualmente existentes, y nada mejor para ello, que siga existiendo el régimen de concesiones. En efecto, como el Estado, con la nacionalización no va a gestionar directamente el negocio petrolero, sino a través de entes públicos o empresas de propiedad pública, lo que deberá hacer, en realidad es transferir las concesiones a los entes petroleros, es decir, a PETROVENEZ (que, este sentido debería organizarse como un "holding" de "holdings") y sus empresas filiales. Las concesiones, como tales, por tanto, no deben desaparecer, sino, que deben continuar en manos de entes públicos, hasta que se reforme íntegramente la Legislación de Hidrocarburos. Esta, indudablemente será una garantía para la continuidad de la industria. Siempre hemos pensado que la política de "no más concesiones" no está formulada completamente; evidentemente que debe consistir en no más concesiones a empresas privadas (extranjeras o no), pero, al contrario, no tiene porqué excluir a las empresas del propio Estado. Téngase presente que, con la nacionalización, el negocio petrolero se atribuirá a PETROVENEZ y sus empresas, con personalidad jurídica distinta a la del Estado, por lo que la concesión sería el instrumento más idóneo para asignar a dichos entes la explotación petrolera. Por otra parte, ello permitiría al Estado el continuar ejerciendo un cierto control y fiscalización sobre la industria, que después podría delegarse a la entidad matriz de PETROVENEZ.

Como consecuencia, no estaríamos totalmente de acuerdo con la norma del artículo 10 del Proyecto que establece que "en la fecha de la publicación de la sentencia de expropiación dejarán de surtir efecto las concesiones de hidrocarburos objeto del respectivo proceso y, en consecuencia, la Nación adquirirá los derechos correspondientes." Al contrario, en dicha norma debería indicarse que dichas concesiones si continuarán surtiendo efecto, pero en manos de otros concesionarios; los entes estatales. La figura de la "asignación" "de las áreas correspondientes a las concesiones expropiadas" a entes públicos que consagra el artículo 13 del Proyecto, surte los mismos efectos que lo señalado, pero en una forma mucho menos precisa. Por otra parte, la figura de la asignación podría retardar el ejercicio de las actividades de la industria por entes que la manejarán en el futuro, dando lugar a la posibilidad de que controlen las empresas nacionalizadas, temporalmente, otros funcionarios o entidades (Art. 17).

5. *La Nacionalización y el personal al servicio de las empresas*

La necesaria continuidad de la industria petrolera después de la nacionalización hace indispensable que se proceda a una "nacionalización" del personal al servicio de las empresas concesionarias. Por ello, las previsiones tendientes a garantizar la estabilidad de los trabajadores al servicio de las empresas (art. 15) se considera positivo. Se excluye de la estabilidad a los "empleados de dirección" quienes en definitiva son los que manejan la industria, por lo que su exclusión del régimen de estabilidad habría que repensarla. En un proceso de nacionalización, y ello lo demuestran otras experiencias, en gran medida el Estado deberá hacer esfuerzos por retener el personal directivo, e inclusive recurrir, mediante la suspensión de la garantía de la libertad de trabajo, a obligar a ciertos empleados a continuar en sus puestos. En una industria tan compleja, antes que procurar salir del personal directivo, el Estado debe tratar de atraérselo.

Sección segunda: Observaciones al Proyecto de Ley Orgánica de Reserva al Estado la Industria y el Comercio de los Hidrocarburos de 1975.

A los efectos de concretar la nacionalización de la industria petrolera, a comienzos de marzo de 1975, el Presidente de la República presentó ante el Congreso el *Proyecto de Ley Orgánica que Reserva al Estado la Industria y el Comercio de los Hidrocarburos.* El Contralor General de la República, Dr. José Muci Abraham, consideró conveniente presentar su opinión sobre dicho Proyecto ante el órgano legislativo, a cuyo efecto me solicitó, en mi carácter de asesor jurídico del Contralor, que lo estudiara y preparara un dictamen sobre el mismo. Con base en ese dictámen se elaboró la "Opinión del Contralor General de la República sobre el articulado del Proyecto de Ley Orgánica que Reserva al Estado la Industria y el Comercio de los Hidrocarburos" (No. D-75-132), que Muci presentó oficialmente al Congreso con fecha 17 de abril de 1975. La Opinión fue publicada en la *Revista de Control Fiscal,* Nº 77, Año XVI, Contraloría General de la República, Caracas 1975, pp. 23-62; y en la *Revista Resumen*, Nº 78, Caracas 05/05/75, pp. 34-48.

A continuación, la parte de la Opinión del Contralor que recogió mi estudio jurídico sobre el Proyecto de Ley.

I. LAS NACIONALIZACIONES EN EL MUNDO CONTEMPORÁNEO

Puede decirse, sin sombra alguna de duda, que en el mundo contemporáneo las nacionalizaciones han adquirido verdadera carta de naturaleza en el orden jurídico internacional. Lo que en la primera mitad de este siglo, y principalmente en los años posteriores a las dos guerras mundiales, fue considerado como un hecho excepcional, a partir de los años sesenta se encuentra plenamente reconocido en el ámbito internacional.

Un hecho de suma importancia en este proceso fue quizás la Resolución N° 1803 de la Asamblea General de las Naciones Unidas, adoptada el día 14 de diciembre de 1962, durante su XVII período de sesiones, mediante la cual se reconoció expresamente "el derecho de los pueblos y de las naciones a la soberanía permanente sobre sus riquezas y recursos naturales," y la posibilidad de "la nacionalización, expropiación o la requisición" fundada "en razones o motivos de utilidad pública, de seguridad y de interés nacional, los cuales se reconocen como superiores al mero interés particular o privado, tanto nacional como extranjero."

Estas declaraciones han quedado totalmente ratificadas en la reciente *Carta sobre los Derechos y Deberes Económicos de los Estados*, adoptada mediante Resolución N° 3281, de diciembre de 1974, por la Asamblea General de Naciones Unidas, en su XXIX período de sesiones, en la cual se reconoció la plena soberanía de todo Estado sobre sus riquezas, recursos naturales y actividades económicas, incluyendo su posesión, uso y disposición; y se consagró el derecho de todo Estado a nacionalizar, expropiar y transferir las propiedades extranjeras, en cuyo caso "una compensación adecuada debe pagarse por el Estado que adopte dichas medidas, teniendo en cuenta sus leyes y regulaciones y todas las circunstancias que el Estado considere pertinentes."

La "nacionalización," por tanto, como figura distinta de la "expropiación," ha entrado dentro de las medidas normales que los Estados pueden adoptar en relación con sus recursos naturales y a las actividades económicas que se realizan en sus jurisdicciones.

II. EL FUNDAMENTO POLÍTICO-ECONÓMICO DE LA NACIONALIZACIÓN EN VENEZUELA

La nacionalización, en todo caso, tiene su fundamento político-económico en el reconocimiento del papel que corresponde al Estado en la dirección de la vida económica, y, por tanto, se da en los países que se han organizado conforme al sistema socialista, o en aquellos que han seguido un modelo de economía mixta. Es el papel y participación del Estado en la vida económica lo que fundamenta, en un momento dado, un proceso nacionalizador.

En Venezuela es indudable que el Estado tiene potestades propias y directas para actuar en el proceso económico, lo que evidencia, en nuestro país, la existencia de un sistema de economía mixta.

En efecto, dentro de los regímenes político-económicos contemporáneos y entre los sistemas capitalistas y socialistas, se ha venido configurando un estudio intermedio denominado "de economía mixta," en el cual el papel del Estado, como empresario o regulador de la vida económica, ha venido a ser lo suficientemente importante como para poner en duda todos los calificativos de capitalistas o de libre empresa comunes a los países no socialistas, pero no tan absolutamente relevante como para justificar el calificativo de socialistas en los países que se encuentran en ese estadio intermedio.[1] Venezuela, indudablemente, puede ubicarse dentro de estos sistemas de economía mixta.

Los fundamentos del sistema económico venezolano y de cualquier eventual nacionalización, están determinados con precisión en el texto constitucional, en el capítulo dedicado a los derechos económicos, en los siguientes términos:

> Artículo 95: El régimen económico de la República se fundamentará en principio de justicia social que aseguren a todos una existencia digna y provechosa para la colectividad.
>
> El Estado promoverá el desarrollo económico y la diversificación de la producción, con el fin de crear nuevas fuentes de riqueza, aumentar el nivel de ingresos de la población y fortalecer la soberanía económica del país.
>
> Artículo 96: Todos pueden dedicarse libremente a la actividad lucrativa de su preferencia, sin más limitaciones que las previstas en esta Constitución y las que establezcan las leyes por razones de seguridad, de sanidad u otras de interés social.
>
> La Ley dictará normas para impedir la usura, la indebida elevación de los precios, y en general, las maniobras abusivas encaminadas a obstruir o restringir la libertad económica.

---

1 Véase W. Friedmann, The State and the rule of Law in a Mixted Economy, p. 2. London, 1971

Artículo 97: No se permitirán monopolios. Sólo podrán otorgarse, en conformidad con la ley, concesiones con carácter de exclusividad, y por tiempo limitado, para el establecimiento y la explotación de obras y servicios de interés público.

El Estado podrá reservarse determinadas industrias, explotaciones o servicios de interés público por razones de conveniencia nacional, y propenderá a la creación y desarrollo de una industria básica pesada bajo su control. La ley determinará lo concerniente a las industrias promovidas y dirigidas por el Estado.

Artículo 98: El Estado protegerá la iniciativa privada, sin perjuicio de la facultad de dictar medidas para planificar, racionalizar y fomentar la producción, y regular la circulación, distribución y consumo de la riqueza, a fin de impulsar el desarrollo económico del país.

Como se deduce claramente de los preinsertos cuatro artículos de la Constitución, el sistema venezolano no se encuentra ubicado totalmente, ni dentro de las llamadas "economías de mercado," donde la libre competencia es la regla y las intervenciones (reguladoras o activas) del Estado son la excepción; ni dentro de las denominadas "economías socialistas," donde la propiedad de los medios de producción se ha estatizado o socializado completamente.

El sistema económico venezolano, constitucional y realmente, es un sistema "de economía mixta," que si bien protege "la iniciativa privada" –que no necesariamente es la del gran empresario o productor, pues podría ser la del artesano o pequeño o mediano industrial–, permite al Estado una gran e ilimitada intervención, no sólo de carácter reguladora, sino activa, como Estado Empresario. Puede decirse, de consiguiente, que en el sistema económico venezolano, el "sector privado" de la economía, no es la regla, y el sector público la excepción. Dicho de otro modo, el sector público y la intervención del Estado en la vida económica no es subsidiaria respecto del sector privado en aquellas áreas en que éste no podría cumplir satisfactoriamente con las exigencias del proceso económico; al contrario, se consagra constitucionalmente un sistema de economía mixta en el cual el Estado puede tener una participación no sometida materialmente a límite alguno; el ámbito del sector público respecto del sector privado, por tanto, dependerá de la política económica y social concreta del gobierno.

Tal como lo ha precisado la Corte Suprema de Justicia, "las actividades del sector público pueden aumentar en la misma medida en que disminuyen; las del sector privado o viceversa, de acuerdo con el uso que hagan las autoridades competentes de los poderes que les confiere el constituyente en las citadas disposiciones. Y en razón de ello, es posible que un servicio pase del sector público al sector privado, para que sea explotado como actividad comercial o industrial con fines de lucro, o que el Estado reasuma la responsabilidad de prestar el servicio directamente o por medio de un órgano contratado por él, entre otros motivos por razones de conveniencia nacional, según dice el constituyente en las disposiciones antes citadas."[2]

La importancia fundamental de la fórmula constitucional venezolana está, quizás, en que significa un abandono total de la vieja fórmula liberal del principio de la subsidiariedad del Estado en relación a la iniciativa privada. Según este principio, los entes públicos únicamente deben intervenir para suplir la inexistencia o defectuosa actuación de la iniciativa privada, o en otras palabras, debe haber "abstención de toda intervención allí donde el libre juego de la iniciativa privada es más que suficiente para satisfacer adecuadamente las necesidades públicas."[3] Al contrario, en el régimen venezolano, la intervención estatal ni es subsidiaria de la iniciativa privada, ni tiene límites, y ella estará directamente condicionada por la consecución de los fines propios del Estado.

En todo caso, la consagración del carácter mixto del régimen político-económico venezolano y la amplia habilitación constitucional dada al Estado para intervenir en la vida económica, se ha hecho partiendo de una consideración que es, hasta cierto punto, uno de los fines de la sociedad y del Estado: la búsqueda del desarrollo económico y social del país. El objetivo fundamental de promover, impulsar y fomentar el desarrollo económico y social no sólo orienta la normativa constitucional, sino que forma parte de la regulación del texto fundamental en los artículos transcritos con precedencia.

---

2 Sentencia de la Sala Político-Administrativa de 5 de octubre de 1970, en *Gaceta Oficial*, N° 1.447, Extraordinaria, de 15 de diciembre de 1970, p. 11.

3 Véase J. González Pérez: *El Administrado*, Madrid 1966, pp. 55 y 58.

Por ello, la intervención del Estado en la economía y el carácter no subsidiario de la misma, no pueden considerarse como un componente más del sistema económico, al igual que cualquier otro aspecto del sector privado; sino que cualquier enfoque que se haga del sector público, ha de tener en cuenta la finalidad de su ámbito y actuación dentro del sistema económico: propugnar el desarrollo económico y social.

En esta forma, por tanto, el sector público no tiene ni puede tener, dentro del sistema económico venezolano, el mismo tratamiento que el sector privado. Si el Estado ha decidido asumir y desarrollar directamente la industria petrolera y petroquímica, la industria siderúrgica, la industria del gas natural, la comercialización de los productos derivados del petróleo, para sólo hacer referencia a aquellas actividades que no constituyen un servicio público en sentido estricto, ello no lo ha hecho con el solo criterio especulativo o de obtención de un beneficio económico, que sería el principal criterio rector de las actividades desarrolladas por el sector privado, sino básicamente –lo que no excluye el carácter lucrativo– como mecanismo para asegurar la soberanía económica del país, promover su desarrollo económico y social, y elevar el nivel de vida de la población mediante la redistribución de la riqueza.

Tal como lo ha precisado la Corte Suprema de Justicia: "no son idénticos los motivos que determinan la acción estatal y la de los particulares en los campos que, respectivamente, le sean asignados: la satisfacción de las necesidades colectivas constituye uno de los fines del Estado y no la ocasión o el medio de obtener una ganancia, ni aun en el caso de que los usuarios estén obligados a pagar una retribución por el servicio que se les preste. En cambio, es la especulación, entendida en el sentido de obtener un beneficio lícito en el ejercicio de una actividad lucrativa, lo que impulsa generalmente a los particulares a encargarse de la gestión de servicios de utilidad pública. Por tanto, lo que es para los particulares un simple negocio, puede significar para el Estado, en la generalidad de los casos, el cumplimiento de un deber insoslayable."[4]

---

4 Véase Sentencia de la Sala Político-Administrativa de 5 de octubre de 1970, publicada en *Gaceta Oficial*, N. 1.447, Extraordinaria, del 15 de diciembre de 1970, p. 11.

III. EL FUNDAMENTO JURÍDICO DE LA NACIONALIZACIÓN: LA RESERVA ESTATAL DE ACTIVIDADES PRODUCTIVAS

Si entendemos por nacionalización "la transformación de empresas privadas en empresas del Estado" con el objeto de "sustraer los medios de producción y distribución de riquezas de la propiedad privada para ponerlos en manos de la nación o en las de aquellos órganos que representan los intereses colectivos de la misma"[5], o en otros términos, el "acto gubernativo de alto nivel, destinado a un mejor manejo de la economía nacional o a su reestructuración, por el cual la propiedad privada sobre empresas de importancia es transformada de manera general e impersonal en propiedad colectiva y queda en el dominio del Estado, a fin de que éste continúe la explotación de ellas según las exigencias del interés general,"[6] es indudable que en el ordenamiento constitucional venezolano, el fundamento jurídico de la nacionalización no puede ser otro que el de la reserva de actividades económicas por parte del Estado.

Tal como se ha señalado anteriormente, el artículo 97 de la Constitución autoriza al Estado a "reservarse determinadas industrias, explotaciones o servicios de interés público por razones de conveniencia nacional," y mediante esta reserva se sustrae del ámbito de la iniciativa privada sectores o actividades económicas, constituyéndose a favor del Estado un verdadero y auténtico "monopolio de derecho."[7]

Este acto de nacionalización o de reserva, de acuerdo a la Constitución, debe reunir determinados requisitos mínimos: en primer lugar, debe dictarse mediante ley emanada de las Cámaras Legislativas o mediante Decreto-Ley dictado en base a una habilitación legislativa expresa; en segundo lugar, la nacionalización no puede ser discriminatoria, en virtud del principio de la igualdad ante la ley, y en

---

5 Véase León Julliot de la Morandière, Prólogo a la obra de Konstantin Katzarov, *Teoría de la Nacionalización*, México 1963, p. 5.

6 Véase Eduardo Novoa Monreal, *Nacionalización y recuperación de recursos naturales ante la ley internacional*, México 1974. p. 50.

7 *Cfr.* Vicenzo Spagnuolo Vigorita: "Las Empresas Nacionalizadas," en Evelio Verdera y Juells (ed.), *La Empresa Pública*, tomo II, Zaragoza 1970, p. 1.430.

especial, no puede ser discriminatoria para los extranjeros (Art. 45 de la Constitución); y en tercer lugar no debe ser arbitraria, a pesar de la discrecionalidad del Estado en decidirla.

La reserva de actividades económicas por parte del Estado, es decir, la nacionalización de sectores económicos conlleva fundamentalmente una prohibición impuesta a los particulares de realizar actividades propias del sector reservado o nacionalizado, lo que afecta tanto a aquellos particulares o empresas que venían realizando actividades en el sector, como a cualquier otro particular o empresas, hacia el futuro. Después de la reserva, los particulares o empresas que operaban en el sector no pueden continuar realizando sus actividades, y hacia el futuro, ningún otro particular puede realizar nuevas actividades en el sector.

Como consecuencia de ello, el acto de reserva o nacionalización, por sí solo, no conlleva obligación alguna de indemnización por parte del Estado hacia los particulares que realizaban las actividades económicas reservadas. Estos, simplemente, cesan en sus actividades, y un deber de indemnización sólo surgirá si el Estado decide asumir las empresas de los particulares, es decir, decide expropiar las empresas que como universalidades venían operando en el sector nacionalizado.

Por otra parte, es de destacar que por el hecho de la reserva, es decir, de la prohibición impuesta por la ley a los particulares de realizar actividades en el respectivo sector, desde el momento mismo en que se produce la reserva, esos particulares o empresas no pueden operar más. Tratándose de concesionarios, como en el caso de los concesionarios de hidrocarburos, el efecto de la Ley de Reserva es la terminación anticipada y automática de la concesión. Por ello, en el caso de la Ley de Reserva de la industria petrolera, desde el momento en que se promulgue la ley quedarán extinguidas las concesiones, y sólo con motivo de asegurar la continuación de la industria hasta hacer efectiva la asunción de las empresas por el Estado, es que podría permitírseles funcionar transitoriamente, sometidas a la fiscalización y control del Estado.

Desde el punto de vista técnico-jurídico no es admisible, de consiguiente, lo estatuido en el artículo 1° del Proyecto de Ley Orgánica que reserva al Estado la industria y el comercio de los hidrocarburos, cuando expresa, después de reservar la industria al Estado, que "en consecuencia, a los ciento veinte días continuos y subsiguientes a la fecha de la promulgación de la presente ley, quedarán extinguidas las concesiones de hidrocarburos otorgadas por el Ejecutivo Nacional."

Si el Estado se reserva la industria, necesariamente se extinguen las concesiones desde el momento en que se produce la reserva. Suspender la extinción de las concesiones por cuatro meses es, en realidad, suspender por dicho lapso, la reserva de la industria al Estado. Por ello, esta parte del artículo 1°, en realidad, no hace otra cosa que suspender la vigencia de la ley durante los cuatro meses siguientes a su promulgación, y, por tanto, mejor ubicación tendría en las disposiciones transitorias. Sin embargo, aparentemente, la intención no es establecer un *vacatio legis* de tal naturaleza, y someter la reserva de la industria al transcurso de cuatro meses, sino que ésta se produzca desde el momento en que se promulgue la ley, para lo cual la extinción de las concesiones se tendría que producir también al promulgarse la ley.

Ciertamente que, como lo señala la Exposición de Motivos de la susodicha Ley Orgánica, "la declaratoria de reserva por el Estado de una industria no existente para el momento en que ella ocurra, permitiría al Estado ejercer la mencionada industria desde el primer momento con exclusión de los particulares. Por el contrario, cuando, como ocurre actualmente, los concesionarios privados ejercen la industria de los hidrocarburos y conservan derechos sobre bienes con los cuales la realizan, no pueden coincidir, por razones prácticas, el momento de la declaración de la reserva y el del ejercicio de la actividad reservada."

Sin embargo, ello a lo que debería conducir es al establecimiento de un "régimen transitorio" en el cual, a pesar de la reserva, prohibición y nacionalización, los ex concesionarios continuarán operando la industria bajo la fiscalización y control del Estado, hasta tanto se produzca la transferencia efectiva de la industria a aquél. Un régimen transitorio para el traspaso de las propiedades privadas al Estado, como el que se propone, difiere sustancialmente de la fórmula utilizada por el Proyecto, que equivale a una suspensión de la aplicación de la ley por 120 días.

IV. LA RESERVA AL ESTADO DE LA INDUSTRIA PETROLERA Y EL ESTABLECIMIENTO DE UN MONOPOLIO ESTATAL DE DERECHO

Hemos señalado que la reserva al Estado, mediante ley, de una actividad económico-productiva como la industria petrolera, tiene tres consecuencias fundamentales: en primer lugar, el establecimiento de una prohibición a los particulares de realizar actividades en el sector; en segundo lugar, el establecimiento de una obligación a los concesionarios que venían operando la industria de transferir forzosamente sus empresas al Estado, para lo cual se establece un procedimiento expropiatorio; y en tercer lugar, la "reserva" de la industria al Estado, es decir, el establecimiento de un "monopolio de derecho" a favor del Estado de operar la industria reservada.

Esta última, en todo caso, es la esencia de la nacionalización, que está envuelta en la reserva de una industria al Estado. Tal como lo precisa Vicenzo Spagnuolo Vigorita: "Es necesario establecer el concepto de nacionalización en su sentido concreto y jurídico. Consiste ésta en la reserva de un sector, de una actividad o de una cierta clase de bienes que se concede al Estado, o a los sujetos a él íntimamente unidos, con la consiguiente exclusión de iure de cualquier sujeto privado. Sólo tal reserva, con la prohibición general que a la misma se acompaña, realiza, la auténtica y (potencialmente definitiva) «toma de posesión» del sector por parte del poder público. Equivale a constituir en favor de éste, no un monopolio solamente de hecho, eventualmente realizable por las vías de mayoría pública en sociedades, o de una actividad «competitiva» de las empresas públicas, sino un verdadero y auténtico monopolio de derecho."[8]

Ahora bien, esta reserva o nacionalización de determinadas industrias al Estado, tal como lo autoriza el artículo 97 de la Constitución, hasta cierto punto como una excepción a la prohibición de los monopolios que la misma norma establece, indudablemente que confiere al Estado un monopolio de derecho sobre la industria reservada, lo que implica que solamente el Estado directamente, o a través de entes públicos o de propiedad del Estado, podrán realizar actividades

---

8 Véase Vicenzo Spagnuolo Vigorita, "Las Empresas Nacionalizadas, *loc. cit.*, p. 1430.

correspondientes a las industrias nacionalizadas. Constitucionalmente, en este sentido, no hay reservas al Estado de industrias que puedan realizarse a medias: o se reserva una industria al Estado mediante la autorización constitucional del artículo 97, lo que implicará que sólo el Estado puede realizar actividades en la industria reservada, o simplemente el Estado entra en concurrencia con los particulares para la operación de la industria, lo que no requiere de Ley de Reserva.

Por tanto, la consecuencia de la Ley que reserva al Estado la Industria y el Comercio de Hidrocarburos, tal como se ha dicho, tendría que ser la prohibición impuesta a los particulares de realizar actividades en el campo de la industria reservada, derivada del monopolio establecido a favor del Estado. Esta ha sido la intención, por ejemplo, en las leyes de reserva al Estado de la industria del gas natural y de la comercialización de hidrocarburos, que se atribuyeron exclusivamente a un ente público: la Corporación Venezolana del Petróleo; y en el Decreto-Ley que reserva al Estado la industria de la explotación de mineral de hierro, que también atribuye exclusivamente la misma a un ente público: la Corporación Venezolana de Guayana.

Pues bien, la intención de la Comisión Presidencial de la Reversión Petrolera, en el caso de la reserva de la industria petrolera al Estado, era conforme a la técnica constitucional: atribuir con carácter exclusivo a la Administración Petrolera Nacional la operación de la industria, mediante la asignación a los entes de la propiedad exclusiva del Estado de los derechos para ejercer una o más de las actividades reservadas; derechos que no podrían ser enajenados, gravados o ejecutados, so pena de nulidad de los respectivos actos (art. 5 del Proyecto de la Comisión). En este sentido, la Exposición de Motivos del Proyecto de Ley de la Comisión Presidencial aclaraba expresamente que "está totalmente descartada la posibilidad de crear empresas mixtas o de participación, para la realización de las actividades reservadas, pero ello no excluye la celebración de convenios o contratos con empresas privadas para la ejecución de determinadas obras o servicios para los cuales éstas recibirían el pago en dinero o en especie, sin que en este último caso se pueda comprometer un porcentaje fijo de la producción de un determinado campo o la entrega de una cantidad substancial de petróleo que desdibuje la figura del simple contrato de servicio u operación. El Estado podría participar como socio en una de estas empresas prestadoras de tales servicios, lo que redundaría en acopio de experiencia para el Estado y sus entes en el campo operativo-industrial."[9]

En este aspecto, el Proyecto de Ley presentado al Congreso se ha apartado de la orientación definida por la Comisión Presidencial, y permite la participación de empresas privadas en la operación de la industria, a través de empresas mixtas, lo cual no armoniza "la reserva," con el "monopolio de derecho." En efecto, en la Exposición de Motivos del Proyecto de Ley presentado al Congreso, se señala expresamente que "en razón de la importancia que la industria de los hidrocarburos tiene para el desarrollo presente y futuro del país, el proyecto no elimina la posibilidad de que, en casos especiales y cuando así se justifique en razón de los más altos intereses nacionales, puedan el Ejecutivo Nacional o los entes estatales, según fuere el caso, celebrar convenios de asociación con entes privados y por tiempo determinado, respecto a cualquiera de las actividades atribuidas, en forma tal que, de acuerdo con su participación mayoritaria, el Estado conserve, en todo caso, el control de las decisiones que se adopten conforme al convenio en cuestión. Desde luego que en su preocupación por revestir tales casos excepcionales de la mayor seguridad jurídica y de extremo control, dichos convenios de asociación requerirán para su validez la aprobación de las Cámaras en sesión conjunta, dentro de las condiciones que éstas fijen, una vez que el Ejecutivo Nacional las haya informado suficientemente, de todo lo relativo a la negociación de que se trata." Como consecuencia de esta orientación, el artículo 5 del Proyecto de Ley presentado al Congreso por el Ejecutivo Nacional permite la constitución de empresas de capital mixto que podrán ejercer "cualquiera de las actividades reservadas," con la característica de que la participación pública, "garantice el control por parte del Estado."

Diversas observaciones pueden formularse a este artículo y, en particular, que la permisión de que el Estado se asocie con empresas privadas no armoniza, como se dijo, con las exigencias propias de la reserva y la nacionalización. La Constitución venezolana no admite la nacionalización y la reserva a medias: o sea, nacionaliza y el Estado exclusivamente operará la industria; o simplemente el Estado

---

9 Véase *Informe*, *cit.*, pp. 1-62 y 1-63.

entra a realizar operaciones en una industria en el porcentaje que decida, en virtud del régimen abierto de economía mixta del sistema venezolano. Pero si se opta por la vía de la nacionalización o la reserva de una industria al Estado, deben admitirse todas las consecuencias de dicha vía: prohibición a los particulares de ejercer actividades en la industria reservada, y exclusividad del Estado en la operación de la industria.

Es claro, sin embargo, que la figura de los "convenios operativos" o contratos de servicios, que autorizan realizar tanto el Proyecto de Ley de la Comisión Presidencial como el Proyecto de Ley presentado al Congreso por el Ejecutivo, por su misma naturaleza, por cuanto no implican asociación ni participación de las empresas privadas en la conducción del negocio petrolero, serían compatibles con la figura de la nacionalización y reserva. Esta sería, en efecto, la vía para utilizar la tecnología de las empresas privadas en la industria, sin alterar el principio nacionalizado cual es, sustraer en virtud del interés general, de la dirección privada, las empresas del sector nacionalizado.[10]

V. LA RESERVA DE LA INDUSTRIA PETROLERA Y LA EXPROPIACIÓN DE LOS CONCESIONARIOS

Hemos señalado que la reserva –establecida legislativamente–, para el Estado, de cualquier actividad económica, no origina per se ninguna obligación de éste de indemnizar a los particulares que ya no pueden realizar actividades en ese sector. De allí que tantas diferencias existan entre la "reserva" y la "expropiación." La primera recae sobre una actividad económica o de servicios en su totalidad, sobre un sector económico; en cambio, la "expropiación" requiere la individualización de un bien, de un derecho o de un conjunto de derechos, y eventualmente de una empresa (unidad productiva). La "reserva," por otra parte, implica que ninguna actividad particular o privada podrá realizarse en el sector económico reservado. La "expropiación" de una empresa, en cambio, no afecta las actividades que puedan desarrollar otras empresas en el mismo sector económico. La

---

10 *Cfr.* J. Rivero: *Le Régime des Nationalisations*, Extrait du Juris Cleasseur Civil, annexes, 2°, Catrier, Paris, 1948, p. 1.

"reserva," por sí sola, no da derecho alguno a los particulares a ser indemnizados, pues el Estado no necesariamente asume las empresas privadas; en la "expropiación," en cambio, siempre existe derecho del expropiado a recibir una justa indemnización.

Sin embargo, en todos aquellos supuestos en que como consecuencia de una reserva de actividades económicas por el Estado, éste decide, además adquirir para sí las empresas privadas que operaban en el sector reservado, el Estado deberá pagar una indemnización. Aquí, para perfeccionar el proceso de nacionalización, la técnica expropiatoria debe acompañar la figura de la reserva.

En el caso de la Ley que reserva al Estado la Industria y el Comercio de los Hidrocarburos, la declaratoria de reserva al Estado de "todo lo relativo a la exploración del territorio nacional en busca de petróleo, asfalto y demás hidrocarburos; a la explotación de yacimientos de los mismos, a la manufactura o refinación, transporte por vías especiales y almacenamiento; al comercio interior y exterior de las sustancias explotadas y refinadas, y a las obras que su manejo requiera" (Art. 1), deberá haber sido acompañada de un mandato a los concesionarios de transferir al Estado, forzosamente, las empresas que operan en el sector. Esta y no otra es la consecuencia de la reserva en el supuesto de la industria petrolera, pues, en todo caso, el Estado tiene que asumir y apropiarse de las empresas para continuar la operación de la industria. Por tanto, la reserva al Estado de la industria petrolera va más allá de la sola reserva, e implica, en todo caso, que el Estado tiene que asumir la industria que hasta ese momento ha sido gestionada por los concesionarios. Siendo esto así, la ley debería establecer que "en consecuencia, los concesionarios quedan obligados a transferir al Estado, forzosamente, las empresas petroleras."

La Ley de Reserva constituye, en sí misma, por tanto, en el caso de la industria petrolera, dada la necesidad que el Estado tiene de asumir las empresas concesionarias, no sólo una prohibición a los concesionarios de seguir operando, sino una orden de entrega forzosa al Estado de las empresas. Jurídicamente, la Ley de Reserva constituye, entonces, pura y simplemente, una nacionalización, al implicar la transferencia forzosa de la propiedad de las empresas de manos de particulares al Estado. Como tal, la reserva o nacionalización no puede ser discutida ni cuestionada por los particulares, y el efecto de la reserva, en este caso, que es la transferencia forzosa de la propiedad de las empresas al Estado, tampoco puede ser discutida por los concesionarios o particulares. Estos sólo podrán reclamar el pago de una justa indemnización, pero nunca la devolución de los bienes que deben traspasar forzosamente al Estado. Con buen juicio, siguiendo esta tesis, el Proyecto de Ley de Reserva que se comenta establece que "la contestación a la solicitud de expropiación versará únicamente sobre el momento de la indemnización propuesta" (art. 13, literal c), y, por tanto, nunca sobre la reserva y nacionalización.

En todo caso, la consecuencia de esta obligación, dirigida a los concesionarios, de transferir obligatoriamente, forzosamente, sus empresas al Estado, que emana directamente de la ley, es la expropiación forzosa de dichas empresas. Atinadamente, entonces, en el Proyecto de Ley de Reserva elaborado por la Comisión Presidencial de la Reversión Petrolera, se estableció la necesidad de que, en todo caso, se intentaran juicios de expropiación de todos los derechos derivados de las concesiones y bienes a ellas afectos (art. 9), por ante la Corte Suprema de Justicia. En esta forma, según aquel Proyecto, sólo era ante la máxima autoridad jurisdiccional del país que debía proponerse una indemnización para los concesionarios, y sólo era ante dicha autoridad que los concesionarios podían convenir en tal indemnización (art. 9, literal d). La presencia del juez en esta parte del procedimiento, indudablemente que abría al público el proceso indemnizatorio, que tantas controversias puede crear.

El Proyecto de Ley que reserva al Estado la Industria y el Comercio de los Hidrocarburos, presentado al Congreso, se aparta de esa orientación, y abre un proceso de negociación extrajudicial, y previo al juicio expropiatorio, que configura lo que en materia de expropiación general se conoce como "arreglo amigable," y que en el artículo 12 del Proyecto recibe el nombre de "avenimiento."

La Ley de expropiación por Causa de Utilidad Pública e Interés Social, distingue el "arreglo amigable" –convenio entre el Estado y el expropiado, sin intervención jurídica– (art. 3), del "avenimiento" que se produce en el ámbito judicial, después de la sentencia expropiatoria (art. 32). Inclusive, respecto del primero –el arreglo amigable–, para suplir la ausencia de la autoridad judicial en la negóciación, la jurisprudencia de la Corte Suprema de Justicia ha sido insistente en exigir que el precio se establezca mediante peritos, para limitar la libertad de negociación.

Así vistas las cosas, en el caso de la Ley de Reserva, se estima conveniente estudiar el regreso a la fórmula original planteada en el Proyecto elaborado por la Comisión Presidencial de la Reversión Petrolera, de no prever la figura del "arreglo amigable" extrajudicial, que es inconveniente, y de abrir la posibilidad de sólo un avenimiento sobre la indemnización, pero de carácter judicial, y por tanto público, en presencia de la Corte Suprema de Justicia, tal como también lo prevé el Proyecto de Ley presentado al conocimiento de las Cámaras Legislativas (art. 13, letra d), pero luego de la determinación del precio mediante peritaje, y sin necesidad de oferta previa.

Si se mantiene la fórmula del "arreglo amigable" previsto en el artículo 12 del Proyecto de Le), el compromiso financiero que dicha norma conlleva, en principio, sería de aquellos sometidos al control previo de la Contraloría, tanto conforme a la Ley Orgánica de la Hacienda Pública Nacional como a la Ley Orgánica de la Contraloría General de la República, pues, tal como lo prevé el Proyecto, en este arreglo amigable, el precio –al contrario de lo que sucede en la expropiación general– no es determinado por peritos, conforme a un procedimiento legal, sino fijado directamente entre el Ejecutivo Nacional y los concesionarios.

Sin embargo, tratándose de un contrato de interés nacional, que no puede considerarse como normal para el funcionamiento de la Administración Pública, conforme a la Constitución (art. 126), dicho convenio o "arreglo amigable" debería someterse a la aprobación del Congreso, en cuyo caso no se requeriría el control previo de la Contraloría. En este sentido, debió hacerse mención expresa en el Proyecto de Ley sometido al Congreso, de la aprobación por éste del denominado "avenimiento" en el artículo 12 del mismo, tal como se lo especificó expresamente en el artículo 4° del Decreto-Ley N° 580, del 26 de noviembre de 1974, que reservó al Estado la industria de la explotación del mineral de hierro, y que llevó a las Cámaras Legislativas, en sesión conjunta, el día 27 de diciembre de 1974, a aprobar los convenios (actos convenios) suscritos entre la Corporación Venezolana de Guayana y las empresas del hierro.

VI. LA NACIONALIZACIÓN DE LAS EMPRESAS PETROLERAS Y LA FIGURA DE LA EXPROPIACIÓN DE EMPRESAS (UNIVERSALIDADES)

La reserva de la industria petrolera –hemos señalado– equivale a una auténtica nacionalización de las empresas que venían operando en manos particulares, nacionales o extranjeras, pues aquéllas deben pasar al Estado para asegurar la continuación de la industria petrolera.

En todo proceso nacionalizador tal como se ha dicho recientemente, el objeto del mismo está constituido por "bienes que son medios de producción con el objeto de que el Estado continúe dándoles el mismo destino productor que ya tenían en manos del particular. Es por esto que una nacionalización recae siempre sobre empresas, que pasan al dominio del Estado, a fin de que éste prosiga la explotación de ellas en una forma esencialmente igual. La materia sobre la que recae la nacionalización siempre es, por consiguiente, un conjunto de bienes aptos para la producción o distribución de riqueza, conjunto que en cierta forma puede estimarse como una universalidad, en cuanto consta de una multiplicidad material ordenada a un fin industrial o comercial."[11]

La razón por la cual la nacionalización implícita en la reserva al Estado de la industria petrolera debe recaer en las empresas petroleras concesionarias y no solamente en los bienes de éstas, es que con la nacionalización y reserva se persigue un objetivo fundamental: asegurar que la industria y las unidades económicas empresariales, continúen funcionando a cabalidad, desde el momento mismo de la expropiación.

Por tanto, para asegurar este objetivo fundamental, el proceso expropiatorio –consecuencia de la Ley de Reserva– debe versar necesariamente sobre las empresas petroleras, es decir, sobre las unidades económico-productivas o de servicios que manejan la industria petrolera, de manera que éstas no se vean afectadas, en su funcionamiento, con el cambio de titularidad a favor del Estado. De allí que

[11] Véase Eduardo Novoa Monreal: *Nacionalización y recuperación de recursos naturales ante la Ley Internacional, cit.*, pp. 45 y 46.

en un proceso nacionalizador de la industria petrolera, lo ideal sería que la expropiación fuera de empresas más que de bienes particularizados, mediante un simple traspaso de acciones de los particulares al Estado. Esta fue la modalidad utilizada, por ejemplo, en las nacionalizaciones efectuadas en Francia con posterioridad a la liberación, sobre las empresas bancarias, de seguros y de transporte aéreo.[12]

En estos casos se produjo la transferencia de las empresas con todo su patrimonio al Estado, mediante una cesión de acciones. Sin embargo, sea que jurídicamente se utilice la modalidad de adquisición de la empresa en su totalidad, o de su activo, o de sus acciones, lo importante es que el objetivo del Estado es tomar la "empresa" a su cargo, utilizando el término "empresa" en el sentido de unidad económica.[13]

La expropiación que debe hacerse de las empresas petroleras, conforme a la Ley de Reserva, deberá, por tanto, referirse y afectar a dichas "empresas" como tales, las cuales deberán pasar al Estado. Esta parece ser la intención del Proyecto de Ley de Reserva elaborado por la Comisión Presidencial de la Reversión Petrolera, en el cual se justifica la inclusión en el Proyecto de normas específicas que regirán la expropiación de las empresas petroleras, en los siguientes términos: "El Proyecto de Ley establece un procedimiento judicial expropiatorio especial, suficientemente ágil y expedito, para asegurar mejor la protección de los intereses nacionales, y que hace inaplicable el procedimiento general expropiatorio contemplado en la Ley de Expropiación por Causa de Utilidad Pública o Social, concebida para expropiaciones individuales y no para expropiaciones de carácter universal, como es el caso, y los procedimientos expropiatorios vigentes conforme a otras leyes."[14] Sin embargo, es de destacar que el Proyecto de Ley presentado al Congreso habla de la "expropiación de todos los derechos que tengan los concesionarios sobre los bienes afectos a las concesiones de las cuales sean titulares" (art. 13); de la "ocupación previa de los bienes objeto de la expropiación" (artículo

---

12 *Cfr.* Jean Rivero : *Le Régime des Nationalisations*, Extrait du Juris Cleasseur Civil, annexes, 2°, Catrier, Paris, 1948, pp. 13 y 16.

13 Véase. B. Chenot, *Organisation Economique de l'Etat*, París, 1965, p. 425, *cit.* por E. Novoa Monreal: *op. cit.*, p. 45.

14 Véase *Informe de la Comisión*, noviembre 1974, pp. 1-54 y 1-55.

14); y del "monto de la indemnización de los derechos sobre los bienes expropiados" (art. 15); y no utiliza la expresión "expropiación de las empresas concesionarias," que parece ser la adecuada, sin perjuicio de que la indemnización se fije según el valor neto de los activos depreciados y amortizados según los libros. Se estima, en todo caso, que en el Proyecto de Ley debe quedar claramente expresado la intención de nacionalizar y expropiar "las empresas petroleras concesionarias," las cuales deberán pasar, como tales empresas, al Estados, pues esa sería la única posibilidad de que el Estado las continúe operando sin alteraciones.

Por supuesto que la solución más rápida y simple para lograr ese traspaso, sería que la expropiación afectara a las acciones de las empresas, produciendo un cambio de titularidad de las mismas, de los particulares al Estado. Ello no obstante, para la aplicación de una solución de este tipo se exigiría que en el caso de la industria petrolera, jurídicamente hablando, las empresas concesionarias tuvieran la forma de sociedades anónimas constituidas en Venezuela.

Sólo así podría operarse el traspaso de acciones. La realidad, sin embargo, es otra: la casi totalidad de las empresas petroleras son empresas extranjeras domiciliadas en Venezuela, conforme al artículo 354 del Código de Comercio. Por ello, al no estar constituidas en Venezuela, el patrimonio de las mismas afectado a actividades productivas o de servicios en Venezuela, no está representado por títulos accionarios específicos.

Por ello, el objetivo del Estado de tomar las empresas concesionarias, no se puede lograr mediante la adquisición forzosa de sus acciones; es necesario recurrir a otras figuras para que el Estado asuma la empresa, y en este sentido el Proyecto de Ley propone la expropiación de "los derechos que tengan los concesionarios sobre los bienes afectos a las concesiones de las cuales sean titulares" (art. 13). Sin embargo, esta modalidad expropiatoria no implica necesariamente la expropiación de las empresas como unidades económicas, y por supuesto no asegura la continuidad de la industria, al no comportar la transferencia inmediata de "las empresas" al Estado. Este no podría asumir de inmediato la industria, si sólo adquiere "los derechos de los concesionarios sobre los bienes afectos a las concesiones" y no adquiere "las empresas" como tales.

De consiguiente, sea cual fuere la modalidad jurídica que se utilice para determinar el valor de la indemnización a pagar, y para hacer efectiva la expropiación, en la ley debe establecerse, con diafanidad, que el objeto de la expropiación son las empresas, y que son éstas, como unidades económicas, las que se trasladarán al Estado.

Para asegurar la continuidad de la industria, entonces, si se expropian y nacionalizan las empresas, la propia Ley de Reserva debe dotar de personalidad jurídica a las mismas, sin necesidad de que el Ejecutivo Nacional las tenga que "crear" por acto posterior (art. 6). De este modo, la Ley de Reserva debería autorizar al Ejecutivo Nacional, para reorganizar la industria nacionalizada, posteriormente, la cual debe pasar a propiedad del Estado tal como viene operando, sin necesidad de "crear" nuevas empresas.

VII. LAS EMPRESAS PETROLERAS NACIONALIZADAS Y LA ADMINISTRACIÓN PETROLERA NACIONAL

El Proyecto de Ley que reserva al Estado la Industria y el Comercio de los Hidrocarburos, elaborado por la Comisión Presidencial de la Reversión Petrolera, establecía que las actividades reservadas sólo podían ser ejercidas por el Ejecutivo Nacional y "por entes de la propiedad exclusiva del Estado creados mediante leyes especiales, a los cuales les sean asignados por el Ejecutivo Nacional, previa aprobación del Senado, los correspondientes derechos para ejercer una o más de las indicadas actividades" (art. 5). En dicha norma se autorizaba a dichos entes, además, para "crear empresas de su exclusiva propiedad, para realizar una o varias de las actividades comprendidas en los derechos que se les asignen." El referido Proyecto, en todo caso, dejaba para una ley posterior la organización de la Administración Petrolera Nacional (A.P.N.) sin contener mayores precisiones sobre su organización.

En el Informe de la Comisión (pp. 1-38 a 1-44), sin embargo, se expusieron una serie de criterios, que es de interés destacar:

1. "La A.P.N. atenderá, con toda independencia administrativa y en base a los más sanos principios gerenciales y técnicos," las actividades que se le asignarán.

2. Con la creación de la A.P.N. a corto plazo debía mantenerse "la eficiencia de las unidades operativas y de apoyo existentes, para garantizar la continuidad de las actividades de la industria."

3. "Adoptar para la A.P.N. la estructura de una organización integrada verticalmente, multiempresarial y dirigida por una casa matriz."

4. "Crear las empresas de la A.P.N. como entes de la propiedad exclusiva del Estado, con personalidad jurídica y patrimonio distintos del Fisco Nacional, aptos para actuar con entera eficiencia en el campo mercantil."

5. "Proporcionar a la A.P.N. máxima autonomía administrativa y plena flexibilidad de acción, dentro de la adhesión que deberá guardar con respecto a las pautas y estrategias de la planificación nacional."

6. "Adscribir la A.P.N. a la Presidencia de la República, a través del Consejo Nacional de Empresas del Estado."

7. "Dotar a la A.P.N. de un régimen propio de administración de personal, independiente de la Administración Pública... y garantizar que los obreros, empleados, supervisores, gerentes y directores de la A.P.N. no serán considerados empleados públicos."

En el mencionado Informe, en todo caso, no se adelantó opinión en torno a la forma jurídica concreta que debían tener las empresas públicas de la A.P.N. según las figuras clásicas del derecho venezolano (Instituto autónomo o sociedad mercantil), sino que, al contrario, se propugnó con gran acierto la creación de una figura jurídica nueva, que se apartara de los esquemas tradicionales.

En las conclusiones sobre los aspectos "jurídico-organizativos," el Informe señaló que se había llegado a la conclusión de que era "oportuno y necesario promulgar una ley de empresas del Estado, capaz de dotar a la Nación de un instrumento legal que le permita crear empresas estatales, suficientemente ágiles en el orden administrativo y comercial, las cuales, en consecuencia, sin descuidar la seguridad que corresponde a los intereses nacionales a ellas confiados, capaciten a la Nación para intervenir eficazmente en el ámbito del comercio y la negociación."[15]

El Proyecto de Ley de Reserva presentado al Congreso Nacional se apartó de algunas de las más importantes recomendaciones de la Comisión Presidencial.

En la Exposición de Motivos de ese Proyecto, se estableció lo siguiente: "En razón de la exigencia de asumir lo más pronto posible el ejercicio de la industria por parte del Estado, al vencerse el lapso establecido en el proyecto para la extinción de las concesiones, se ha creído prudente no someter la creación de las empresas del Estado a una ley especial. Según las bases referidas, el Ejecutivo queda facultado para crear las empresas que juzgue necesario para el desarrollo regular y eficiente de las actividades, pudiendo atribuirles el ejercicio de una o más de ellas. El Estado será el propietario de dichas empresas, aunque le está permitidlo asignar la propiedad de las acciones de cualesquiera de dichas empresas, a la empresa matriz, encargada de coordinar, supervisar y controlar las actividades de las demás. La Ley no determina la forma jurídica que hayan de adoptar las empresas del Estado, dejando ello al buen criterio del Ejecutivo Nacional, pero a fin de obviar el requisito del Código de Comercio para la creación de sociedades anónimas, de dos socios por lo menos, se permite la constitución de la sociedad anónima con un solo socio, es decir, el Estado. Tomando en consideración que, conforme al decreto de su creación, la Corporación Venezolana del Petróleo reviste la forma de Institutos autónomos y con el fin de integrarla en el complejo del organismo operativo del Estado en la industria, la ley dispone que se convierta a la Corporación en sociedad mercantil."

Con base en esta motivación, el artículo 6° del Proyecto de Ley presentado al Congreso, atribuye al Ejecutivo Nacional la facultad de organizar la administración y gestión de las actividades reservadas, conforme a las siguientes bases:

---

15 *Idem*. pp. 1-56.

"1° Creará, con las formas jurídicas que considere conveniente, las empresas que juzgue necesario para el desarrollo regular y eficiente de tales actividades, pudiendo atribuirles el ejercicio de una o más de éstas, modificar su objeto, fusionarlas o asociarlas, extinguirlas y liquidarlas y aportar su capital a otra u otras de esas mismas empresas, Estas empresas serán de propiedad del Estado, sin perjuicio de lo dispuesto en la base segunda de este artículo, y en caso de revestir la forma de sociedades anónimas, podrán ser constituidas con un solo socio.

2° Atribuirá a una de las empresas las funciones de coordinación, supervisión y control de las actividades de las demás, pudiendo asignarle la propiedad de las acciones de cualesquiera de esas empresas.

3° Llevará a cabo la conversión en sociedad mercantil de la Corporación Venezolana del Petróleo, creada mediante decreto N° 260, del 19 de abril de 1960."

El artículo 5 del Proyecto de Ley, además, agrega que "los directivos, administradores, empleados y obreros de las empresas... inclusive los de la Corporación Venezolana de Petróleo una vez convertida en sociedad mercantil, no serán considerados funcionarios o empleados públicos."

Ahora bien, diversas observaciones pueden hacérsele a esta normativa. En primer lugar, siendo el objetivo primordial, a corto plazo, asegurar la continuación de las operaciones de las empresas petroleras una vez que pasen a ser propiedad del Estado, debería regularse directamente en la ley que las empresas concesionarias seguirán operando como empresas nacionalizadas, del Estado, y por tanto, con la personalidad jurídica que debe otorgarles directamente la Ley. Es decir, que todas las empresas conservarán su unidad económico-operativa, y pasarán a ser controladas por el Estado tal cual venían operando. Hecho esto, la Ley debería facultar al Ejecutivo, no para "crear" empresas, que ya existen y tendrían personalidad jurídica en virtud de la propia Ley, sino para reorganizar la industria a través de un ente matriz que se debería crear también en la Ley, y que en definitiva asumiría las funciones que se asignaran a la "Comisión Supervisora de la Industria y el Comercio de los Hidrocarburos" (art. 9 y ss.).

En efecto, si se tiene programado "adoptar para la A.P.N. la estructura de una organización integrada verticalmente, multiempresarial y dirigida por una Casa Matriz" (*Informe de la Comisión Presidencial de la Reversión Petrolera*, p. 1-39), y ello mismo se anuncia en el artículo 6°, base segunda, lo más lógico es que la Ley, directamente, cree el ente Petrolero Nacional matriz, y le atribuya a su Directorio las funciones de la denominada "Comisión Supervisora," que no son otras que el "ejercer la representación del Estado en todas las actividades de los concesionarios, a los fines de fiscalización, control y autorización, hasta tanto las empresas estatales previstas en esta ley asuman el ejercicio de la industria reservada" (art. 9). Tal como lo señala el artículo 10 del Proyecto de Ley, "la fiscalización y control se ejercerá, primordialmente, sobre la planificación y prácticas operacionales, financieras y comerciales de las empresas y sobre los sistemas y prácticas laborales de las mismas, así como sobre los costos de la industria petrolera. Las funciones de autorización se ejercerán, primordialmente, sobre los contratos de venta y de intercambio de crudos y de productos, las remisiones de fondos y pagos al exterior, los presupuestos de inversión y los contratos relativos a la transferencia de tecnología."

Otra observación que puede formularse al Proyecto de Ley es en relación a la forma jurídica de las empresas operativas de la industria que serán de propiedad estatal. Cierto es que el Proyecto no dice expresamente cuál forma jurídica debe darse a las empresas, si instituto autónomo o sociedad mercantil, es decir, forma jurídica de derecho público o de derecho privado; sin embargo, es indudable que la tendencia del mismo es a la constitución de las empresas como sociedades mercantiles, lo cual se evidencia de la regulación expresa de la sociedad mercantil de una sola persona (art. 6, base 2), así como la previsión de que la CVP debe ser convertida de instituto autónomo que es, en sociedad mercantil (art. 6, base 3, y art. 8).

Se aprecia de estas normas que al Proyecto de Ley presentado al Congreso le seduce la figura de la "sociedad anónima" como forma eficiente *per se*, para manejar los asuntos del Estado. La misma orientación prevalece en el Proyecto de Ley sobre el Sistema Nacional de Empresas del Estado, presentado al Ejecutivo por la Comisión de Reforma Integral de la Administración Pública, que pretende atribuir la forma societaria mercantil materialmente a todas las empresas del

Estado; y en el Proyecto de Decreto sobre normas para el desarrollo de la Industria Petroquímica[16] que atribuye la forma de sociedad mercantil anónima a todas las empresas del complejo petroquímico.[17]

Ahora bien, en una materia de tanta importancia como la nacionalización de la industria petrolera, la A.P.N. debe al menos satisfacer dos exigencias: por una parte, en que efectivamente responderá a los fines públicos que tendrán asignada conforme al Sistema Nacional de Planificación; y por otra parte, en que la operación de las empresas deberá realizarse eficientemente, con criterio gerencial y mercantil. El legislador, en este sentido, tendría que tratar de conciliar ambas exigencias, y ello indudablemente que no se lograría atribuyendo a todas las empresas la forma jurídica de derecho público clásico (el instituto autónomo), ni la forma jurídica clásica de derecho privado (la sociedad mercantil).

Dotar a todos los entes petroleros de una u otra forma jurídica, indudablemente que podría producir una distorsión en cuanto a los objetivos perseguidos de combinar los fines públicos con el carácter gerencial, combinación que se señaló así en el Informe de la Comisión Presidencial de la Reversión Petrolera: "adoptar medidas que protejan el interés nacional en cuanto al manejo del negocio petrolero y que aseguren el mantenimiento de un nivel operativo de la industria cónsono con los requerimientos inmediatos y mediatos del país."[18]

Esta combinación podrá lograrse a través de dos vías: por una parte, mediante la creación de un nuevo ente jurídico en el ordenamiento venezolano, semipúblico o semiprivado en cuanto al régimen jurídico que le es aplicable, de Empresa del Estado o Empresa Nacionalizada.

Esta, indudablemente, era la intención de la Comisión Presidencial señalada cuando recomendaba la promulgación de una Ley de Empresas del Estado:

---

16 Publicado en El Nacional, Caracas, 25 de marzo de 1975.

17 Por ejemplo, art. 9.

18 Véase *Informe de la Comisión*, noviembre 1974, *cit.*, pp. 1-35.

"capaz de dotar a la Nación de un instrumento legal que le permita crear empresas estatales, suficientemente ágiles en el orden administrativo y comercial, las cuales, en consecuencia, sin descuidar la seguridad que corresponde a los intereses nacionales a ellas confiados, capaciten a la nación para intervenir eficazmente en el ámbito del comercio y la negociación."[19]

Es de destacar que una fórmula similar, intermedia entre las figuras de derecho público (instituto autónomo o establecimiento público) y las de derecho privado (sociedades mercantiles), se originó en Francia con las empresas nacionalizadas de la postguerra; en Inglaterra con las industrias nacionalizadas, también de la postguerra, con forma de *Public Corporation*; y en los países socialistas, con la figura intermedia de Empresas del Estado, producto también de las nacionalizaciones.

El otro medio para lograr la combinación entre formas jurídicas públicas y privadas, sería utilizando en la A.P.N. las figuras clásicas combinadas. En esta forma, por sus funciones, es indudable que la Casa Matriz tendría que tener forma jurídica de derecho público (instituto autónomo o establecimiento público), y las empresas operativas, por sus actividades, podrían tener forma jurídica de derecho privado (sociedades anónimas). Esta es la fórmula seguida, por ejemplo, en el holding petrolero italiano, en el *Ente Nationale Idrocarburi* (E.N.I.). El Ente es uno de los denominados ente público económico (establecimiento público), igual que el I.R.I., y las empresas filiales del mismo tienen forma mercantil.[20] Con una combinación semejante, se aseguraría la vinculación estrecha a los niveles políticos del Estado de la A.P.N. a través de la Casa Matriz, que no realizará funciones operativas, sino sólo de planificación, supervisión, programación y control, con forma de derecho público (instituto autónomo), y la operación eficiente de la industria a través de sus filiales (empresas operativas), con forma de sociedad mercantil.

---

19 *Ídem*, pp. 1-56.

20 Véase Stuart Holland: *The State as Entrepreneur. New dimensions of public enterprise: The lRI State Schareholding formula*, London, 1972; Piero Meschini: "Alcune considerazioni intorno alia natura giuridica degli enti pubblici economici nell ordinamiento italiano", en *Rivista Trimestrale di Diritto Pubblico*, N° 4, oct.-dic. 1957, Milano, 1957, pp. 858 y ss.

Así las cosas, la casa matriz, es decir, el holding sectorial de la industria petrolera estatal se convertiría en lo que debe ser: un instrumento de la política económica gubernamental[21] que controla, programa, supervisa y planifica, en nombre del Estado, las actividades de operación de la industria a cargo de las empresas filiales, con forma societaria. Tal como se señaló anteriormente, debería con-siderarse la posibilidad de que este holding petrolero público fuese directamente creado mediante la Ley de Reserva, de manera que de inmediato comience a desarrollarse, mediante el ejercicio, por su Directorio, de las funciones que el Proyecto atribuye a la denominada "Comisión Supervisora de la Industria y el Comercio de los Hidrocarburos."

Por otra parte, y en relación al régimen del personal que estará al servicio de la A.P.N., se observa tanto del Informe de la Comisión Presidencial como del Proyecto de Ley presentado al Congreso por el Ejecutivo, la insistencia de que dicho personal a todos sus niveles "no serán considerados funcionarios o empleados públicos" (art. 8). En realidad, debe señalarse que no se aprecia de los diferentes planteamientos del Informe de la Comisión ni de las Exposiciones de Motivos de los Proyectos, razón alguna valedera para excluir a algunos niveles directivos de las empresas petroleras nacionalizadas de la calificación como "funcionarios públicos." En este campo parece que falta mayor claridad de conceptos y de ámbito del régimen aplicable a los funcionarios o empleados públicos.

Coincidimos con la apreciación del Informe de la Comisión Presidencial de que la A.P.N. debe ser dotada "de un régimen propio de administración de persona, independiente de la Administración Pública;"[22] sin embargo, este criterio por sí solo no justifica la exclusión total de la calificación de funcionarios o empleados públicos a algunos niveles de la A.P.N. La Exposición de Motivos del Proyecto de Ley presentada al Congreso se limita a dar como justificación de la exclusión que ese ha sido el "firme criterio sostenido por el Ejecutivo Nacional y que encuentra eco en el propio sentir del personal de la industria."[23]

---

21 *Cfr.* Pietro Meschini: *loc. cit.*, p. 892.

22 Véase *Informe de la Comisión*, noviembre 1974, *cit.*, pp. 1-44.

23 *Idem* p. 6.

Sobre el particular, cabe ante todo señalar lo siguiente: una cosa es la calificación de funcionario o empleado público y otra cosa es la Ley de Carrera Administrativa. Si lo que se quiere es establecer un régimen de administración de personal propios de la A.P.N., independiente del que existe en la Administración Pública, en ello no hay ningún inconveniente, y bastaría la indicación expresa de que la Ley de Carrera Administrativa no se aplicará al personal al servicio de la A.P.N. Es de recordar que la propia Ley de Carrera Administrativa excluye de su ámbito de aplicación a diversas categorías o grupos de funcionarios públicos (art. 5), y ello mismo podría hacerse con los empleados de la A.P.N. Pero, en todo caso, la exclusión del régimen de la Ley de Carrera Administrativa de determinado personal al servicio del Estado, no le quita el carácter de funcionario o empleado público, derivado del derecho de prestar servicios en forma permanente en un ente público. Ello es importante, porque a pesar de que no se les aplique la Ley de Carrera Administrativa, sí se les aplicarían las limitaciones constitucionales establecidas respecto de los funcionarios públicos.

Por ejemplo, la incompatibilidad de que se pueda desempeñar más de un destino público remunerado (art. 123); la prohibición para quienes estén al servicio de personas públicas de contratar con la República, los Estados y los Municipios y demás entidades públicas, por sí ni por interpuesta persona ni en representación de otro (art. 124); la incompatibilidad establecida respecto de los funcionarios o empleados públicos de ser elegidos senadores o diputados, cuando la elección tenga lugar en la jurisdicción en la que actúan (art. 140, ord. 3°). No consideramos que el interés en dotar a la A.P.N. de un sistema propio de administración de personal, separado del que rige en la Administración Pública Nacional, que compartimos, pueda llevar a una conclusión diametralmente distinta, cual es la exclusión de la categoría de funcionarios públicos a todo dicho personal, con la consecuencia de que no se le aplicarían, por ejemplo, las incompa-tibilidades señaladas.

Esto permitiría ver, por ejemplo, a un directivo de una empresa petrolera estatal ocupando un cargo público o celebrando un contrato de obra pública o suministro con el Estado, lo cual no parece aceptable.

Se estima, en definitiva, que el afán de dotar al personal al servicio de la A.P.N. de un régimen de administración de personal propio e independiente del que rige en la Administración Pública Nacional, no debe conducir a que no tenga dicho personal, en ninguno de sus niveles, la categoría de funcionarios o empleados públicos. Al menos los directivos de todas las empresas petroleras nacionalizadas tendrían que tener la categoría de funcionarios o empleados públicos a los efectos de las prohibiciones e incompatibilidades constitucionales, de las sanciones y penas establecidas en el Código Penal, y de las limitaciones de la Ley contra el enriquecimiento ilícito de funcionarios públicos; ello, aun cuando no se les aplique la Ley de Carrera Administrativa, ni el sistema de Administración Pública Nacional.

Por tanto, se estima que debería considerarse la modificación del artículo 8 del Proyecto de Ley, en el sentido de excluir al personal empleado de las empresas petroleras nacionalizadas de la aplicación de la Ley de Carrera Administrativa, y sin perjuicio de atribuirle expresamente la categoría de funcionarios o empleados públicos.

VIII. EL RÉGIMEN TRANSITORIO ENTRE LA PROMULGACIÓN DE LA LEY DE RESERVA Y LA APROPIACIÓN EFECTIVA DE LAS EMPRESAS POR EL ESTADO

A pesar de que, como hemos dicho, el efecto inmediato de la ley que reserva al Estado la industria petrolera debería ser la prohibición a los concesionarios de seguir operando las empresas y la extinción anticipada e inmediata de las concesiones, es evidente de evidencia incontestable que, como lo señala la Exposición de Motivos del Proyecto de Ley presentado al Congreso, en un caso como el de la industria petrolera, en que "los concesionarios privados ejercen la industria de los hidrocarburos y conservan derechos sobre bienes con los cuales la realizan, no pueden coincidir, por razones prácticas, el momento de la declaratoria de la reserva y el del ejercicio de la actividad reservada." Como consecuencia de esta innegable realidad, el Proyecto de Ley prevé tres mecanismos para hacer frente al período de transición que se abre entre la promulgación de la Ley y la apropiación efectiva de las concesiones por el Estado: en primer lugar, tal como lo hemos señalado, contempla una virtual suspensión de la reserva o nacionalización por un lapso de 120 días contados a partir de la promulgación de la ley, pues es sólo al vencimiento de dicho término que se consideran extinguidas las concesiones de hidrocarburos otorgadas por el Ejecutivo Nacional (art. 1); en segundo lugar, abre un proceso de negociación directa con los concesionarios a los fines de "la adquisición" de las empresas petroleras mediante un "arreglo amigable" (llamado "avenimiento"), y en su defecto, la realización de un proceso expropiatorio (arts. 12 y 13); y en tercer lugar, crea una Comisión Supervisora de la Industria y el Comercio de los Hidrocarburos, con funciones de fiscalización, control y autorización, "hasta tanto las empresas estatales previstas en la ley asuman el ejercicio de la industria reservada" (art. 9).

Diversas observaciones pueden formularse respecto de este régimen transitorio, algunas de las cuales ya han sido comentadas. En primer lugar, sobre los efectos de la ley de reserva: a partir de su promulgación surge una prohibición a los particulares concesionarios de seguir operando las empresas, y surge también una obligación para los mismos concesionarios de transferir las empresas al Estado.

Este debería ser el sentido del artículo 1° de la ley. Sin embargo, para garantizar la continuidad de la industria petrolera, la ley podría permitir que los concesionarios, a pesar de la extinción formal de las concesiones a partir de su promulgación, pueden seguir operando las empresas, hasta tanto se consume el traslado efectivo de las mismas al Estado, mediante el procedimiento expropiatorio. El régimen transitorio, por tanto, tendría cabal sentido en su carácter excepcional: extinguidas las concesiones, los concesionarios (a pesar de la prohibición de operar las empresas) pueden seguirlas operando sometidas a las normas de la Ley de Hidrocarburos y al control del Estado. En esta forma la reserva y nacionalización surte todos sus efectos a partir de la promulgación de la ley. El Proyecto de Ley presentado al Congreso, sin embargo, tal como se ha dicho al señalar que las concesiones se extinguen a los 120 días contados a partir de la promulgación de la ley, en realidad suspende la nacionalización y reserva durante ese lapso.

En segundo lugar, en cuanto al procedimiento previsto para la adquisición de las empresas petroleras por el Estado, ya hemos dicho nuestro parecer sobre la negociación directa entre el Ejecutivo y los concesionarios a través de un arreglo amigable. Sin embargo, tanto sobre el llamado avenimiento, como sobre la expropiación prevista, es de destacar que con ello lo que se busca es el traslado efectivo de las empresas al Estado. La Ley de Reserva, en este sentido, dentro del procedimiento expropiatorio, sustituye al denominado Decreto de Expropiación o de Ejecución. En sí misma, la Ley de Reserva es una ley prohibitiva hacia el futuro, destinada a impedir que particulares realicen actividades en la industria reservada, y, por tanto, es una ley expropiatoria. Es decir, la Ley de Reserva, en realidad, es la que decreta u ordena la expropiación, y todo el régimen transitorio debería estar concebido para hacer efectiva la apropiación por el Estado de las empresas petroleras. Por tanto, la ocupación previa, por ejemplo, si en alguna hipótesis ello se estima conveniente, debería poder decretarse de inmediato en los casos en que sea necesario, y no solamente al vencimiento del lapso de 120 días señalado o cuando el concesionario no conviene en el monto de la indemnización (art. 14).

Ahora bien, precisamente por la situación excepcional en que se encontrarán los concesionarios de hidrocarburos después de la Ley de Reserva, en que a pesar de la prohibición que contiene dicha ley, aquéllos podrán seguir operando hasta tanto se materialice la transferencia de las empresas al Estado, es que se justifica regular un período de transición en el cual debe acrecentarse el control, vigilancia y fiscalización de parte del Estado sobre los concesionarios. Para ello, el Proyecto de Ley crea una "Comisión Supervisora de la Industria y el Comercio de los Hidrocarburos" (art. 9). Sobre una Comisión configurada como la del Proyecto, se ha dicho: "...una «Comisión» de composición tan variada y numerosa no es la mejor manera de asegurar el ejercicio efectivo de dicho control y vigilancia; es más una «Comisión», en definitiva, será la mejor manera de ahogar en sesiones interminables, conflictivas y multitudinarias, las muy importantes decisiones que debe asumir el Estado durante el período de transición."[24]

En realidad, tal como lo hemos apuntado, las funciones de fiscalización, vigilancia y control de las empresas concesionarias, después de promulgada la ley, podrían ser atribuidas tanto al Ministerio de

[24] Véase Allan R. Brewer-Carías: "Comentarios en torno a la nacionalización petrolera", *Revista Resumen*, N° 55, Caracas, 24-11-74, p. 23

Minas e Hidrocarburos, como al ente petrolero nacional (Casa Matriz), que en definitiva deba tener el control de la industria petrolera venezolana, y que, debería ser creado directamente por la Ley de Reserva. Dicha entidad, con forma de derecho público y como holding sectorial, en sus funciones de fiscalización, vigilancia y control durante el período de transición, puede decirse que contará con la asesoría y eventual participación activa de una "Comisión" como la que prevé el proyecto; sin embargo, lo que no parece apropiado desde el ángulo administrativo, es que sea esa "Comisión" la que "administre" el período de transición, la Comisión puede asesorar y colaborar en la administración, fiscalización, vigilancia y control; sin embargo, la experiencia nos enseña, en el ordenamiento administrativo venezolano, lo poco conveniente que resulta el cumplimiento de tareas administrativas por el sistema de Comisiones.

Las decisiones que habrán de ser adoptadas durante el período de transición serán, indudablemente, decisiones de primera importancia para el futuro de la industria petrolera nacionalizada. Por otra parte, será durante ese período de transición que la A.P.N. deberá estructurarse para asumir progresivamente el control de la industria, y nada mejor para el futuro de ella que sea la casa matriz de la A.P.N. quien "administre" el período de transición.

IX. EL CONTROL DE LA ADMINISTRACIÓN PETROLERA NACIONAL Y SU INTEGRACIÓN A LAS POLÍTICAS ESTATALES

La nacionalización de las empresas petroleras y la asunción de éstas por entes de la propiedad exclusiva del Estado necesariamente conduce a la estatización de la industria petrolera, y a la atribución de carácter público a los entes operativos de la misma. Es el Estado quien asumirá la industria con la nacionalización, porque los entes que se. creen para operarla necesariamente tendrán que estar sometidos al control del Estado.

Como consecuencia, sea cual fuere la organización administrativa concreta que tenga la A.P.N., necesariamente habrá de estar sometida a la conducción y control del Estado, y de su instrumento, la Administración Pública Nacional; es más, la organización administrativa que se diseñe para la A.P.N. debe garantizar ese control y orientación por parte de la Administración Pública Nacional. Esto plantea respecto a la A.P.N., la problemática tradicional de las relaciones entre el gobierno central y las empresas públicas.

Esta cuestión la pretende resolver el Informe de la Comisión Presidencial de la Reversión Petrolera, proponiendo lo siguiente: "Adscribir la A.P.N. a la Presidencia de la República a través del Consejo Nacional de Empresas del Estado por ante el Consejo Nacional de Empresas del Estado."[25] Por esta adscripción a la A.P.N. recibirá dirección política del Jefe de Estado, señalamientos programáticos de los organismos de planificación nacional, control normativo de los Ministerios sectoriales y "control fiscal posterior por parte de la Contraloría General de la República, rindiendo cuenta de sus resultados por ante el Consejo Nacional de Empresas del Estado."[26] El Proyecto de Ley presentado al Congreso no establece nada al respecto.

Antes de comentar las posibles implicaciones de la adscripción de la A.P.N. al propuesto Consejo Nacional de Empresas del Estado, es necesario tener en cuenta que con la nacionalización petrolera, el Ministerio de Minas e Hidrocarburos tendrá que ser reformado. Con la creación de las empresas estatales de petróleo, se ha dicho –con acierto– que debe reformarse el Ministerio de Minas e Hidrocarburos "para que, concluidas como queden sus absorbentes tareas de fiscalización de las concesionarias extranjeras, el Ministerio se convierta en el órgano del Ejecutivo para la elaboración y fijación de la política a ser ejecutada por la empresa estatal en materia de planes, inversiones, comercio exterior, investigación científica y tecnológica, etc., y como principal contralor de eficiencia y rendimiento de la dicha empresa."[27] Por tanto, de acuerdo con este criterio, que compartimos, al Ministerio de Minas e Hidrocarburos tendrán que redefinírsele y reformulársele sus funciones para que sea el brazo del Ejecutivo en la orientación y control de la A.P.N. En esta forma, la adscripción de la A.P.N. (de la Casa Matriz) al Ejecutivo Nacional, o en otras palabras, las relaciones entre el Estado (el Ejecutivo Nacional) y la Casa Matriz de la A.P.N. forzosamente tendrán que producirse a través del

---

25 Véase *Informe de la Comisión*, noviembre 1974, *cit.*, pp. 1-40.

26 *Ídem.* 1-40.

27 Véase Rubén Sader Pérez: "La Empresa Estatal y la Nacionalización Petrolera", *El Nacional*, Caracas, 18-1-75, p. D-14).

Ministerio de Minas e Hidrocarburos. De lo contrario, sea que se adscriba la A.P.N. a la Presidencia de la República, o al propuesto Consejo Nacional de Empresas del Estado, el Ministerio de Minas e Hidrocarburos tendría que desaparecer, por falta de competencias y funciones sustanciales; a esta situación, en nuestro criterio, no debe llegarse. Hay que confiar más en la capacidad de los Ministerios, como órganos ejecutivos del Presidente de la República, y si la adscripción de empresas públicas a los Ministerios no "ha servido para la supervisión real" de aquéllas, a pesar de que se le ha otorgado "autoridad plena y directa a los Ministerios," tal como lo ha señalado el señor Presidente de la República,[28] ello se debe, a una deficiente configuración de los Ministerios, que hay que corregir. La reforma de cualquier sector de la administración descentralizada –tal como sucederá con la industria petrolera nacionalizada– debe provocar la reforma de la estructura ministerial, puesto que el régimen administrativo y constitucional venezolano es un auténtico régimen ministerial (art. 193 de la Constitución: "Los Ministros son los órganos directos del Presidente de la República..."). Por tanto, no seria atinado propender a una reforma de todas las empresas del Estado, tal como lo ha sugerido la Comisión de Reforma Integral de la Administración Pública Nacional, sin una reforma de la estructura ministerial; y en los mismos términos, cualquier organización que se vaya a formular respecto de la futura A.P.N., debe estar acompañada de una reforma del Ministerio de Minas e Hidrocarburos, para convertirlo en el brazo ejecutivo de supervisión y control de la A.P.N.; de lo contrario estaría expuesto a desaparecer.

A todo evento, la pretendida adscripción al propuesto Consejo Nacional de Empresas del Estado de la Casa Matriz (Corporación Sectorial) de la A.P.N., podría crear desajustes significativos en la política administrativa gubernamental.

En el caso de la nacionalización de la industria petrolera, y de la formación de una corporación sectorial (Casa Matriz) en materia petrolera, la adscripción de la misma al propuesto Consejo Nacional de Empresas del Estado, podría ser objeto de las siguientes observaciones:

---

28 *Mensaje al Congreso*, marzo 1975.

En primer lugar, como se dijo, siendo el régimen constitucional y administrativo venezolano, un régimen ministerial, el Ministro de Minas e Hidrocarburos necesariamente es el órgano de ejecución directa del Presidente, y por tanto, de las políticas del Estado en esos sectores. El Ministro, en este sentido, no sólo gobierna los diversos sectores de actividad pública a su cargo, sino que, inclusive, participa en la formulación y concepción de todas las políticas estatales a través del Consejo de Ministros. Siendo por tanto el Ministro, el órgano de ejecución de las políticas estatales es indudable que todo esquema de organización de la A.P.N. en particular y de reordenación o estructuración de un sistema de empresas estatales, debe apoyarse en una forma u otra en los Ministros Sectoriales. De lo contrario, se correrá el riesgo, al socaire de la búsqueda de una mayor eficacia, de desligar los órganos de ejecución (empresas) de los órganos de gobierno (Ministerios). Y no otra cosa resultaría de una propuesta que constituyera como "órgano supremo de planificación, promoción, coordinación, supervisión y control" del Sistema Nacional de Empresas del Estado a un Consejo Nacional de Empresas del Estado constituido como organismo desligado de la estructura ministerial, adscrito a la Presidencia de la República, y eventualmente presidido por un Ministro de Estado. Una organización de este tipo, indudablemente que alejaría a las empresas del Estado de las políticas sectoriales definidas por los Ministerios, y en el caso de las empresas de la A.P.N. las alejaría totalmente del Ministerio sectorial (Minas e Hidrocarburos). Ello, salvo que el Consejo Nacional señalado –que no es el caso en el proyecto de la criap– estuviese integrado por los Ministros Sectoriales. En esta forma, a pesar de que las Corporaciones sectoriales, y entre ellas la de petróleo, no estuviesen adscritas a los Ministerios sectoriales correspondientes, el hecho de que todos los Ministros interesados formaran parte del Consejo Nacional que se constituiría en el órgano central del sistema, aseguraría la participación de ellos en la definición y control de la actividad de las diversas empresas. En todo caso, de optarse por la figura del Consejo Nacional de Empresas del Estado integrado por funcionarios distintos a los Ministros, y por la no adscripción de las Corporaciones sectoriales a los respectivos Ministros sectoriales, no sólo no se aseguraría que éstos tengan la fiscalización y control de las Corporaciones sectoriales, sino que se estarían creando dos sistemas políticos y administrativos paralelos: uno representado por los Ministros, a cargo de unos

Ministros cada vez más debilitados, y otro representado por ese sistema de empresas del Estado, independiente de los Ministros Sectoriales.

De otro lado, si se opta por la estructuración del mencionado Consejo Nacional de Empresas del Estado, en realidad se estaría creando una Super-Holding- Diversificada, con todos los riesgos que ello comportaría. Además, esa organización sería demasiado grande, concentraría excesivo poder de decisión y sus actividades serían demasiado disímiles (al lado de la Corporación Sectorial de la A.P.N. estaría, por ejemplo, la del sector turismo) para integrarlas en un solo ente responsable de su conducción; a lo que habría que agregar que se le restaría a los Ministros Sectoriales toda injerencia en relación a la ejecución de sus políticas sectoriales que se realicen a través de las empresas del Estado.

En segundo lugar, los riesgos de adoptar una fórmula existente ya en otros sistemas administrativos, como la del Consejo Nacional de Empresas del Estado, que quitaría responsabilidad a los Ministros sectoriales en la conducción de sus sectores, podría desajustar el Sistema Nacional de Planificación. En efecto, bien sabido es que todo sistema de planificación debe tener, ante todo, un órgano central, que en Venezuela es la Oficina Central de Coordinación y Planificación. El hecho de que exista un órgano central no impide, por supuesto, que existan órganos sectoriales, pero bajo las orientaciones técnicas del órgano central. Pero si se optara por la alternativa del Sistema de Empresas del Estado que atribuya al Consejo Nacional de Empresas del Estado, como en la propuesta que ha formulado, el carácter de "órgano supremo de planificación" del sistema, no sólo podría desarticularse el sistema venezolano de planificación, sino que se crearía un sistema de planificación paralelo al que dirige Cordiplán. No hay que olvidar que quizás la parte más importante y dinámica de la actividad económica del Estado se va a realizar a través del proyectado Sistema Nacional de Empresas Públicas, que incluiría al sector de las empresas petroleras nacionalizadas, por lo que sustraer la planificación de las actividades de todas las Empresas del Estado del mismo Cordiplán, no sólo significaría establecer un sistema de planificación paralelo más importante que el que le quedaría a Cordiplán, sino –como se dijo– desarticular el mismo sistema nacional de planificación. Además, la fórmula proyectada del Sistema de Empresas

Estatales, pugna con el criterio sectorial de la planificación, pues desvincula las empresas públicas de cada sector de los otros organismos de cada uno de ellos.

En tercer lugar, cabe observar en cuanto a la integración del Consejo Nacional de Empresas del Estado, al cual presumiblemente estaría adscrito la Casa Matriz (Corporación Sectorial) de la A.P.N., que según el proyecto del Sistema Nacional de Empresas del Estado, aquél estaría integrado, no por los Ministros Sectoriales, sino por particulares y, además, por los Presidentes de las Corporaciones Sectoriales. Esta conformación del Consejo Nacional de Empresas sectoriales, significaría el establecimiento de un mecanismo de "administración por comisión," con lo cual se correría el riesgo de que resulte inoperante, dado el carácter de "asamblea" que tendría dicho Consejo. Con un Consejo de gran magnitud, indudablemente que resultará difícil la adopción de las importantes decisiones que corresponderá tomar al mismo y que no sólo abarcarán al sector petrolero nacionalizado sino presumiblemente a diez sectores más.

Debe advertirse, además, que si se piensa que formen parte del Consejo, los Presidentes de las Corporaciones sectoriales, incluyendo a la Casa Matriz de la A.P.N., se transformaría a dichos Presidentes en jueces y partes. Un Consejo formado por los Presidentes de las Corporaciones Sectoriales no podría realmente controlar a dichas corporaciones, si en las decisiones sobre control, los propios Presidentes de las mismas fueran a participar. Es universal el criterio de que una misma persona no puede participar en el control de sus propias acciones, pues de lo contrario no sólo se correría el riesgo de quebrar el principio de autoridad, sino de hacer nugatorio el control.

De lo anteriormente expuesto, resulta que si bien es conveniente la estructuración de la A.P.N. en un holding sectorial de empresas públicas petroleras, dicho holding (Casa Matriz) debe estar adscrito al Ministerio Sectorial respectivo, es decir, al Ministerio de Minas e Hidrocarburos, el cual a su vez debe ser reformado. Al contrario, no parece conveniente la adscripción de la A.P.N. al proyectado Consejo Nacional de Empresas del Estado. La vinculación del holding petrolero al Ministerio responsable del sector, en definitiva, será la mejor vía para garantizar la adecuación de las actividades de la A.P.N. a las políticas gubernamentales.

En cuanto a la organización misma de la A.P.N., debe insistirse en que si bien las empresas filiales de la misma pueden tener la forma jurídica de sociedades anónimas –lo ideal sería que se creara una nueva figura jurídica, de Empresas del Estado–, la Casa Matriz de la A.P.N. necesariamente debe tener forma jurídica de derecho público. Esta es la única forma para garantizar un adecuado control de parte de la Administración Central sobre la A.P.N. descentralizada.

En efecto, dada la naturaleza de organización vertical piramidal que se propone adoptar para las empresas petroleras nacionalizadas, se comprende perfectamente que se opte por la forma de sociedad mercantil en relación a las empresas filiales, como parece sugerirlo el Proyecto de Ley de Reserva sometido al Congreso por el Ejecutivo Nacional, con la previsión, inclusive, de que se establezca expresamente la posibilidad de que se constituyan dichas sociedades con un único accionista (art. 6). Sin embargo, no se comprendería el hecho de que se pretendiera atribuir la forma societaria a la Casa Matriz (Corporación Sectorial) de la industria petrolera (A.P.N.), cuando, al contrario, dada la naturaleza de sus funciones –de supervisión, control y planificación– que no abarcan actividades de carácter operativo, y que, por tanto, tienen carácter eminentemente público, la forma jurídica a adoptarse debería ser la forma jurídica del derecho público (persona pública).

No debe olvidarse, por otra parte, que el tipo de organización que se piensa dar a la A.P.N., mediante la figura del holding público, no es una novedad, al menos comparativamente hablando. El esquema se ha ensayado en muchos países, y en la mayoría de las experiencias se puede apreciar que las empresas holding de empresas del Estado tienen forma jurídica de derecho público: *Enti pubblici economici* en Italia, incluyendo el ENI; *General Board* o *Area Board* en Inglaterra; *établissement public* en Francia; *Trusti* en la Unión Soviética y en los países socialistas. Por tanto, así como seguramente se seguirá la experiencia de la Administración Comparada para la concepción de la organización piramidal, tratándose de empresas del Estado, se estima que conforme a esas orientaciones, la Corporación sectorial de empresas petroleras debería tener forma jurídica de derecho público.

Es indudable que esta figura de derecho público permite el ejercicio de un mayor control por parte del Estado sobre sus empresas. Si hasta ahora los controles de los Ministerios de adscripción no han funcionado adecuadamente, ello lo que debe provocar es una reforma integral de la administración nacional ministerial y descentralizada, pero no la prescripción de la forma jurídica de derecho público para operar la Corporación sectorial petrolera nacionalizada.

X. LA "CONCESIÓN" COMO FORMULA DE CONTROL EN LA INDUSTRIA PETROLERA NACIONALIZADA

La legislación de hidrocarburos en Venezuela está íntegramente elaborada y desarrollada sobre la figura jurídica de la "concesión." En este sentido, se trata de un cuerpo normativo que presumiendo el otorgamiento de concesiones, ha perfeccionado sucesivamente los más variados mecanismos de regulación, tributación y control respecto de las concesiones y los concesionarios.

En los mismos términos, el Ministerio de Minas e Hidrocarburos ha sido un órgano administrativo esencialmente de fiscalización y control de concesiones y concesionarios; en otras palabras, si cabe la expresión, un órgano de policía de hidrocarburos. Por ello, muy difícil ha sido el que haya podido asumir, por ejemplo, la supervisión y control de una industria como la petroquímica, pues si el I.V.P. le está adscrito e inclusive el Ministro de Minas e Hidrocarburos es Presidente de su Consejo Directivo, ello no ha sido suficiente para cambiar la naturaleza y papel del Ministerio regulador, fiscalizador y contralor de concesionarios.

Ahora bien, la industria petrolera es muy compleja; el Estado y sus entes operativos, si bien tendrán la propiedad formal de las empresas, necesitarán de algún tiempo (años) para llegar a manejarlas total y realmente.

Por ello, estimamos que a pesar de la nacionalización, será indispensable el que continúen operando los controles actualmente existentes, y nada mejor para ello, que sigan existiendo los mecanismos de control propios del régimen de concesiones. Conforme a esta orientación, con evidente acierto, la Comisión Presidencial de la Reversión Petrolera formuló como una de sus recomendaciones la de "mantener las empresas de la A.P.N. sujetas, en cuanto les sean aplicables, a las disposiciones legales que rigen las relaciones del Estado venezolano con las empresas concesionarias, de acuerdo a lo previsto en la Ley Orgánica propuesta por la Comisión."[29]

El mecanismo que se consagraba en el Proyecto de Ley de la Comisión fue el de sustituir las concesiones por una "asignación de las áreas correspondientes a las concesiones extinguidas" a los entes estatales, buscando que "en cuanto fuere conveniente, las mencionadas áreas conservarán las mismas dimensiones, divisiones y demás especificaciones atinentes a dichas concesiones" (art. 19). Este mismo artículo 19 del Proyecto de Ley de la Comisión Presidencial, agregaba lo siguiente:

> "Dichos entes estatales quedarán sujetos, en cuanto les sean aplicables, a las disposiciones establecidas para las concesiones de hidrocarburos en las leyes, reglamentos, decretos, resoluciones, ordenanzas y circulares, y a los convenios celebrados por los concesionarios con el Ejecutivo Nacional, así como a las disposiciones contenidas en la respectiva asignación."

Indudablemente que esta norma estaba motivada por el hecho de que toda la legislación de hidrocarburos y tributaria vigente está montada sobre la figura del concesionario. Al pasar las empresas concesionarias al Estado, para "asegurar la necesaria continuidad en los trabajos de la industria de los hidrocarburos y la ininterrumpida fluidez de los recursos fiscales," tal como lo indica la Exposición de Motivos del Proyecto de Ley de la Comisión,[30] se hacía indispensable asimilar las "asignaciones" a las "concesiones."

En el Proyecto de Ley de Reserva presentado al Congreso por el Ejecutivo Nacional, aun cuando se eliminó la segunda parte del artículo 19 del Proyecto de la Comisión, por el cual se hacía la asimilación señalada, se agregó un nuevo artículo que contiene una asimilación entre los concesionarios y las empresas estatales nacionalizadas, en los siguientes términos: "Las empresas a que se refiere el artículo anterior (empresas públicas) se regirán por la presente ley y sus

---

29 Véase *Informe de la Comisión*, noviembre 1974, *cit.*, pp. 1-48.

30 *Ídem*. pp. 1-71.

reglamentos, por sus propios estatutos, por las disposiciones que dicte el Ejecutivo Nacional y por las del derecho común que les fueren aplicables. Además, quedarán sujetas al pago de los impuestos y contribuciones nacionales establecidos para las concesiones de hidrocarburos, así como, en cuanto le sean aplicables, a las otras normas que respecto a éstas contengan las leyes, reglamentos, decretos, resoluciones, ordenanzas y circulares y a los convenios celebrados por los concesionarios con el Ejecutivo Nacional" (art. 7°).

En la Exposición de Motivos del Proyecto de Ley presentado por el Ejecutivo Nacional al Congreso, como justificación de este artículo, se establece lo siguiente:

> "En el artículo 7° se persigue, al crear las empresas estatales, obtener el mayor rendimiento de ellas, equiparándolas a las empresas privadas y gravándolas como a éstas. De esa manera se tiende a que el manejo de estas empresas sea eficiente y productivo y se obtenga así un beneficio no menor que el usualmente percibido de parte de los actuales concesionarios." (p. 6).

Tanto del Proyecto de Ley elaborado por la Comisión Presidencial, como del Proyecto de Ley presentado por el Ejecutivo Nacional al Congreso, se evidencia la intención de equiparar y asimilar para fines tributarios y de control y fiscalización a las empresas estatales nacionalizadas con los concesionarios de hidrocarburos. Y no otra cosa podría hacerse, pues las empresas estatales, en realidad, no son otra cosa que "concesionarios" del propio Estado, pero a las cuales se "asigna" un área para explotación, exploración, etc., en lugar de "concedérsela." Esta diferencia, sin embargo, es de nombre, pues en cuanto al fondo, las empresas estatales serán consideradas como concesionarios, tal como establecen los Proyectos de Ley.

Esta asimilación que hace el Proyecto de Ley de Reserva entre las empresas estatales nacionalizadas y los concesionarios de hidrocarburos, a efectos tributarios y de fiscalización y control, por otra parte, tiene toda justificación, pero llega con muchos años de retraso. En efecto, a comienzos de la década de los sesenta, el Gobierno sostuvo la política de "no más concesiones," lo que llevó inclusive a que se consagrara un artículo en la Constitución que sometía el otorgamiento de nuevas concesiones a la aprobación de las Cámaras

Legislativas en sesión conjunta (art. 126). Esta política era indudablemente justificada, en el sentido de que implicaba que no se otorgarían más concesiones a empresas privadas, particularmente extranjeras. Sin embargo, se pensó, sin razón valedera, que tampoco se podían otorgar concesiones a la empresa estatal de petróleos, la C.V.P., que se había creado en 1960. A partir de ese año, en nuestro criterio, la política gubernamental debió ser el que no se otorgaran más concesiones a las empresas privadas, y al contrario, otorgarles todas las concesiones necesarias a las empresas estatales, la C.V.P. Sin embargo, esto no se hizo y se condenó a la C.V.P. a una inactividad forzada, de la cual sólo salió cuando se reformó la Ley de Hidrocarburos en 1968, para permitir la figura de la "asignación" a la C.V.P., y se autorizó a esta empresa la celebración de los "contratos de servicio." Esta reforma de la Ley de Hidrocarburos, en realidad, fue inútil, pues para "asignar" áreas a la C.V.P. no era necesario esperar la reforma de la ley, y hubiera bastado que el Estado otorgara concesiones a la C.V.P.

El mito de la palabra "concesión" aún está en la mente de muchos venezolanos, y en lugar de establecerse, como una consecuencia de la Ley que reserva al Estado la Industria y el Comercio de los Hidrocarburos, que solamente se otorgarán concesiones a los entes públicos de propiedad exclusiva del Estado, que sería lo lógico, se acude a la figura de la "asignación," pero asimilándola a la "concesión."

En estricto derecho, la concesión no podría ser una figura que permitiera al Ejecutivo Nacional directamente, operar ninguna fase de la industria. Cuando esta se pretenda realizar por cualquier órgano de la Administración central, la figura de la "asignación" es la correcta, y ello, porque siendo la concesión un contrato administrativo, el Ejecutivo Nacional, a nombre del Estado, no podría contratar consigo mismo. Sin embargo, cuando en la relación están dos personas jurídicas distintas, la República por una parte, y una empresa del Estado por la otra, la figura que debería aplicarse es precisamente la contractual, es decir, la "concesión."

De acuerdo a lo señalado, antes que la extinción de las concesiones como tales, al producirse la promulgación de la Ley de Reserva, lo que debería ser consecuencia de dicha ley es el traspaso o cesión forzosa de las concesiones a los entes públicos que la misma ley debería crear. En esta forma, la Ley de Reserva, en lugar de producir la extinción pura y simple de las concesiones, lo que haría sería producir un cambio forzado de "concesionarios," obligar a los concesionarios privados a ceder a las empresas públicas sus concesiones. De este modo, a través de sus entes públicos, sería el único concesionario de la industria petrolera, lo que estaría de acuerdo con la reserva.

Si se optara por mantener las concesiones como tales, y cambiar los concesionarios privados actuales por concesionarios públicos, el período de transición entre la promulgación de la Ley de Reserva y la apropiación efectiva por las empresas públicas de las empresas petroleras, se acortaría y se simplificaría notablemente: las empresas, como unidades económicas, serían las mismas; las concesiones otorgadas, serían las mismas; el procedimiento expropiatorio tendría por objeto lograr el efectivo traspaso de las empresas privadas y las concesiones a las empresas públicas que la misma ley crearía. En esta forma, en corto plazo, al menos, se aseguraría la continuidad de la industria petrolera, que es el primer interés del Estado en esta materia.

Un procedimiento como el previsto evitaría que el Ejecutivo Nacional tuviera que tomar una decisión adicional de "asignar" las áreas correspondientes a las empresas públicas, procurando cuando fuere conveniente "que las áreas antes mencionadas conservaran las mismas dimensiones, divisiones y demás especificaciones correspondientes a las concesiones extinguidas," tal como lo señala el artículo 21 del Proyecto de Ley presentado por el Ejecutivo al Congreso. Esto se aclara en la propia Exposición de Motivos de dicho Proyecto: "Parece aconsejable en la práctica que en lo posible se conserven en el ejercicio de las actividades atribuidas las áreas de las actuales concesiones, teniendo en cuenta que los archivos del Ministerio de Minas e Hidrocarburos contienen una detallada información sobre dichas áreas, la cual debe ser aprovechada por el Estado para el ejercicio de la industria nacional, y además a fin de asegurar la continuidad operativa" (p. 13).

En definitiva, por tanto, y para asegurar dicha continuidad, la Ley de Reserva debería adelantar todos los pasos posibles en el proceso nacionalizador: debe crear directamente las empresas públicas que operarán la industria, sin perjuicio de autorizar al Ejecutivo Nacional para la reorganización total de la industria; y debe ordenar la cesión de las concesiones actuales a los entes públicos, que continuarán actuando como concesionarios, o directamente, si se quiere, "asignar" a esos entes públicos que ella cree, las áreas equivalentes a las concesiones. Estas decisiones no tienen por qué dejarse a un acto ejecutivo posterior; la ley, por tanto, debe limitar al Ejecutivo a las funciones de fiscalización y control y a hacer efectiva la expropiación de las empresas petroleras, para asegurar su traspaso a las empresas estatales. Téngase presente que el objetivo a lograr en materia de nacionalización petrolera es tal, como tantas veces se ha dicho, asegurar la continuidad de la empresa y el flujo ininterrumpido de los ingresos tributarios generados por dicho concepto. Para ello, lo que debe guiar al Estado es la idea de que la industria petrolera debe pasar tal como existe y funciona en la actualidad al control de los entes públicos, a la brevedad posible.

XI. LA GARANTÍA DE LOS DERECHOS LITIGIOSOS DEL FISCO Y LAS DEDUCCIONES AL MONTO DE LA INDEMNIZACIÓN

El artículo 15 del Proyecto de Ley que reserva al Estado la Industria y el Comercio de los Hidrocarburos prevé una serie de deducciones que habrán de hacerse a la indemnización que el Estado debe pagar a los concesionarios por la expropiación. En particular, se prevé que serán deducidas de dicha indemnización "las cantidades que el respectivo concesionario adeudare al Fisco Nacional y demás entidades de carácter público, y cualesquiera otras que fueren procedentes de acuerdo con la ley" (art. 15, literal d.). Esta norma, indudablemente, abarca sólo cantidades adeudadas para el momento de la publicación de la sentencia expropiatoria, es decir, que se hubiesen hecho exigibles antes de ese momento. Por ello, el mismo Proyecto de Ley, para garantizar los derechos del Fisco en relación a cualquier otra cantidad que el respectivo concesionario le adeudare, y que no se hubiesen deducido conforme a lo señalado, "o que se hubiesen hecho exigibles con posterioridad a la publicación de la sentencia de expropiación," prevé un mecanismo de deducción en la oportunidad de realizar el pago de la indemnización (art. 17).

De dichas normas, sin embargo, resulta que no fue prevista disposición alguna que vele por la suerte que correrán los derechos litigiosos de la República contra las empresas concesionarias, pendientes para el momento de establecerse el monto de la correspondiente indemnización. En efecto, no solamente deben tomarse en cuenta a los efectos de las deducciones autorizadas, los derechos litigiosos para el momento en que se realice la expropiación, en los cuales habrá que incluir los reparos formulados tanto por la Administración Central como por la Contraloría General de la República, aún pendientes en la fase administrativa o jurisdiccional del procedimiento, sino todos aquellos que puedan incoarse posteriormente, pues del examen de las correspondientes cuentas de la Administración por la Contraloría, podrían surgir otros.

Las previsiones que se han establecido en el artículo 17, tal como se ha señalado, no alcanzan a garantizar la eventualidad del éxito de los juicios pendientes de la República contra los concesionarios. En efecto, se habla allí de las cantidades que el concesionario adeudare al Fisco Nacional, cualesquiera otras que fueren procedentes de acuerdo con la ley, o que se hubieran hecho exigibles con posterioridad a la publicación de la sentencia de expropiación, cuando fuere procedente, o con posterioridad al "arreglo amigable" (avenimiento) previsto en el artículo 12, pero antes de la entrega del precio, con lo que no se cubren los derechos litigiosos pendientes. La mención que hace el mismo artículo 17, respecto de la posibilidad que tiene el Ejecutivo de imputar al Fondo de garantía a que el concesionario adeudare, tampoco incluiría la cobertura del resultado de los juicios pendientes y de los que pueden surgir contra las empresas concesionarias con posterioridad. Se estima, por tanto, que debe concebirse un adecuado mecanismo que –sin quebrantar las exigencias de la justicia– garantice los referidos derechos litigiosos, presentes y futuros.

Por otra parte, así como el Proyecto prevé mecanismos de protección respeto de los intereses del Estado, tratándose de una expropiación, él debe garantizar también, adecuadamente, los derechos de los expropiados. En tal sentido, diversos artículos del proyecto merecen algunas observaciones.

En efecto, el artículo 13, literal a) del Proyecto, expresa que "la solicitud de expropiación deberá señalar el monto de la indemnización respectiva, caso de que la hubiere, a los fines del avenimiento sobre dicho monto." La frase subrayada, que a contrario sensu podría reflejar la idea de que eventualmente habría expropiación sin indemnización, sin duda no corresponde a la filosofía del Proyecto, y, en este sentido, podría no adecuarse a la preceptiva constitucional. Dicha frase podría referirse al supuesto de que, como se prevén diversas deducciones a la indemnización, el monto de éstas podría resultar mayor al previsto para la indemnización misma, en cuyo caso ésta no procedería. Sin embargo, si esta fue la intención de los proyectistas, ello debe señalarse expresamente, y no utilizando una forma que dista de ser precisa, como la consignada en el Proyecto.

El artículo 15 da a entender claramente que las deducciones que sus cuatro ordinales contemplan se harán fuera del procedimiento judicial de determinación del monto definitivo a pagar. Si bien es cierto que esto permite diferenciar la indemnización de las cantidades que de ella se deducen por otros conceptos, debe observarse que tales deducciones quedan entregadas a la mera decisión del Ejecutivo, en algunos casos en forma discrecional.

No prevé el Proyecto que las mismas puedan ser impugnados por los expropiados, aun cuando bien pudieren no estar de acuerdo con el monto fijado a cada uno de los capítulos deducibles. Como esto puede originar dificultades, particularmente en el caso del literal b) del artículo 15, parecería más aconsejable que tales deducciones se ventilaran dentro del procedimiento expropiatorio, en el cual los expropiados tendrían suficiente acceso a la defensa.

El artículo 16 permite diferir el pago de la indemnización hasta por diez años, caso de cancelarse en dinero. Sin embargo, llama la atención que en el evento de que tal postergación se produzca, no se diga nada en materia de intereses, lo que podría también producir dificultades que la prudencia aconseja evitar, mediante una estipulación explícita que regule la materia, en cualquier sentido.

Desde otro punto de vista, no se advierte por qué habría de señalarse la circunstancia de la postergación en la solicitud de expropiación, cuando ella no tiene nada que ver con el monto de la indemnización, sino con su forma de pago, que es opcional para el expropiante, y en relación a ello, ninguna intervención se atribuye a la Corte Suprema de Justicia.

El artículo 17, al facultar al Ejecutivo para deducir otro tipo de deudas, lo que está consagrando en realidad, jurídicamente, es una compensación más que una deducción de determinados valores, y, en tales términos, debería precisarse su contenido. Además, hace falta un dispositivo que declare que al tiempo de ser satisfecha la indemnización, se considerará de plazo vencido todas las obligaciones que las concesionarias puedan adeudarle al Fisco, precisamente a los efectos de que funcione el mecanismo compensatorio.

El artículo 20, cuando faculta al Ejecutivo para llevar a efecto fiscalizaciones y exámenes tendientes a la constatación de la existencia física de los bienes expropiados por la República, así como de su estado de conservación, dentro de un lapso que no excederá de tres años, consagra un sistema y establece un plazo que, en la realidad, es inconciliable con otras disposiciones del mismo Proyecto. En efecto, piénsese que las concesiones quedan extinguidas a los ciento veinte días de promulgada la ley, aun cuando el Ejecutivo pueda, en la forma prevista, ocupar previamente los bienes objeto de la expropiación.

Frente a los términos del artículo 20, el expropiado queda desprovisto de garantías si los bienes desaparecen, se extravían, o se deterioran, por razones no imputables a él, dentro del referido plazo de tres años. A la inversa, a la expiración de dicho plazo la indemnización ya estaría fijada, y el Proyecto nada dice en relación a su monto, si en definitiva el bien resulta inexistente o disminuido de valor por deterioro.

Frente a estas dificultades que presenta ostensiblemente el artículo 20 proyectado, lo aconsejable sería reemplazar sus disposiciones por otro que mantenga los derechos del expropiante, a hacer deducciones, durante un determinado lapso, en el cual pueda verificar la existencia, estado y condiciones de aprovechamiento de los bienes expropiados, y reclamar la deducción que sea procedente ante la misma autoridad que fijó el monto de la indemnización. Ante esta misma autoridad, el expropiado podría alegar sus defensas.

Finalmente, parecería aconsejable precisar el sentido del artículo 22, inciso primero, que establece que: "El Ejecutivo Nacional y las empresas de que trata el artículo 6° tendrán derecho a continuar utilizando los bienes de tercero en los términos que establezca el Ejecutivo Nacional."

Tal como este artículo está redactado, plantearía dudas sobre el alcance de las potestades atribuidas al Ejecutivo y su conformidad con los textos constitucionales, por lo que su actual redacción debería ser revisada. Jurídicamente, no podría depender del arbitrio de alguien la disposición de bienes de terceros.

SEGUNDA PARTE:

MARCO TEÓRICO SOBRE EL RÉGIMEN JURÍDICO DE LAS NACIONALIZACIONES EN VENEZUELA

El texto que sigue es el de la «Introducción al Régimen Jurídico de las Nacionalizaciones en Venezuela», que elaboré al concluir el Seminario sobre el tema *"El régimen jurídico de las nacionalizaciones,"* cuya dirección tuve a mi cargo en los cursos de postgrado de la Facultad de Ciencias Jurídicas y Políticas de la Universidad Central de Venezuela, y que sirvió, además, de Seminario Interno del Instituto de Derecho Público. Fue publicado en el *Archivo de Derecho Público y Ciencias de la Administración: El Régimen Jurídico de las Nacionalizaciones en Venezuela*, Instituto de Derecho Público, Facultad de Ciencias Jurídicas y Políticas, Universidad Central de Venezuela, Volumen III, Tomo I, Caracas 1981, pp. 23-44.

INTRODUCCIÓN

El derecho administrativo es, sin duda, la rama del derecho que está más vinculada a la historia política y económica de los países. Por ello, la evolución del derecho administrativo en cualquier sistema jurídico muestra la evolución política del mismo.

Esa evolución, en todo caso, puede decirse que siempre ha girado en torno a dos extremos entre los cuales se mueve esta rama del derecho: por una parte, la regulación del instrumento de la acción política del Estado: la Administración Pública, sus potestades, prerrogativas y privilegios; y por otra, la protección de los particulares o administrados frente a la acción cada vez más creciente de aquélla. Entre estos dos extremos, prerrogativas de la Administración Pública y derechos de los administrados, está toda la esencia del derecho administrativo.

La evolución del derecho administrativo en Venezuela durante el presente siglo nos muestra, entonces, toda una gama de regulaciones que inciden en esos dos extremos: poderes, potestades, privilegios y prerrogativas de la Administración Pública, establecidas en forma creciente en virtud del proceso de intervención estatal en las actividades económicas y sociales, por una parte; y por la otra, limitación de los derechos del individuo pero también, consagración de mecanismos de protección frente a las acciones estatales.

Ahora bien, el tema de las nacionalizaciones y su régimen jurídico exige, para su análisis, el estudio de la evolución del derecho administrativo. Ello, sin embargo, exigiría no sólo un estudio histórico-político-económico de nuestro país, sino además, el análisis de una gama extraordinariamente variada de regulaciones y acciones del Estado. Esto, sin duda, rebasa el objetivo de estos estudios. Sin embargo, queda claro que una de las mejores formas de apreciar la referida evolución, es mediante el análisis de la situación de dos derechos tradicionales de los individuos vinculados especialmente al proceso nacionalizador, sobre los cuales se montó toda la estructura jurídico-política del Estado del siglo pasado: el derecho de propiedad y el derecho a la libertad económica. De ella podremos apreciar cómo durante el presente siglo se pasa de una consagración absoluta de esos derechos a la situación actual: consagración, pero sometida a tantas limitaciones que muy lejos está la fórmula absoluta de antaño; y bajo el otro ángulo, cómo se pasa de un abstencionismo casi absoluto del Estado en el campo económico a una intervención creciente y envolvente del mismo, como lo muestra la realidad actual.

El derecho administrativo, en la actualidad, es el derecho de la intervención del Estado en la vida económica y social; es el derecho de las limitaciones y regulaciones a los derechos individuales, a los derechos económicos, a los derechos sociales y a los derechos políticos de los administrados; y es el derecho de la protección de éstos frente a las acciones del Estado; además de ser el derecho relativo a la Administración Pública, su organización y funcionamiento. Hace relativamente pocos años, era sólo esto último.

I. EL TEMA DE LAS NACIONALIZACIONES

Ahora bien, una de las instituciones del derecho público más características de esta evolución ha sido la nacionalización: desconocida a comienzos de siglo, iniciada en la segunda década del mismo con las nacionalizaciones soviéticas, consolidada y generalizada, después de la Segunda Guerra Mundial; ha recibido en los últimos años consagración en los textos constitucionales de muchos países y en declaraciones de la Organización de las Naciones Unidas.

En efecto, el tema de las nacionalizaciones ha sido, sin duda, uno de los más importantes del mundo jurídico contemporáneo. Sobre todo después de la Segunda Guerra Mundial, ha adquirido actualidad cíclica en el campo jurídico y político, y pocos países han escapado a la necesidad, en un momento u otro, y de una manera u otra, de recurrir a ella.

Venezuela, debido a su riqueza petrolera, no había tenido necesidad, aparente, de plantearse el problema de nacionalizar la industria extractiva de sus recursos naturales no renovables. Sin embargo, afortunadamente, la toma de conciencia del país debido a su sistema democrático y, de la importancia, para su soberanía económica, del manejo directo de dichas industrias por el Estado, provocó todo un movimiento nacionalizador que culminó entre 1974 y 1975 con la nacionalización de la industria de la explotación del mineral de hierro y de la industria y el comercio de los hidrocarburos. El tema de las nacionalizaciones, como consecuencia, se hizo presente en nuestro país. Sin embargo, queda claro, el mismo no es nuevo en la teoría jurídica, donde ha sido estudiado exhaustivamente.

Surgió en el país la necesidad, por tanto, de plantear la problemática de la misma en el ordenamiento jurídico venezolano, y tratar de establecer sus repercusiones con motivo de los recientes procesos nacionalizadores.

Para situar el significado de las nacionalizaciones, en todo caso, es conveniente tratar de precisar un concepto jurídico de la misma. Para ello, puede partirse del análisis de tres definiciones clásicas y recientes: las de Julliot de la Morandiére, Eduardo Novoa-Monreal y Jean Rivero.

En efecto, Julliot de la Morandière la define en los términos siguientes:

> "Consiste esencialmente en la transformación de empresas privadas en empresas del Estado o sometidas al control de éste. Su objetivo es el de sustraer los medios de producción y de reparto de las riquezas de la propiedad privada para ponerlos en manos de la Nación o en las de aquellos órganos que representan los intereses colectivos de la misma."[1]

Por su parte, Eduardo Novoa Monreal la define como: "Un acto gubernativo de alto nivel, destinado a un mejor manejo de la economía nacional o a su reestructuración, por el cual la propiedad privada sobre empresas de importancia es transformada de manera general e impersonal en propiedad colectiva y queda en el dominio del Estado (bien sea directamente, bien sea a través de órganos especiales que lo representan), a fin de que éste continúe la explotación de ellas según las exigencias del interés general."[2]

Por último, Jean Rivero la define como "la operación por la cual la propiedad de una empresa o de un grupo de empresas es transferida a la colectividad con el fin de sustraerlas, en vista del interés general, de la dirección capitalista."[3]

Si nosotros analizamos con detenimiento estas tres definiciones, encontramos que los elementos básicos de ellas son los mismos, pues insisten en tres puntos fundamentales:

En primer lugar, se trata de una operación de transferencia de propiedad privada y de empresas privadas a la Nación, a la colectividad, al Estado, en general, a los entes públicos como titulares de una propiedad pública o como los representantes de los intereses colectivos, o como personificación de la Nación.

---

1 Véase en el Prólogo a la edición francesa en el libro de Konstantin Katzarov, *Teoría de la Nacionalización*, México, 1963, página 5).

2 Véase en su libro, *Nacionalización y recuperación de recursos naturales ante la Ley internacional*, México, 1974, p. 50.

3 Véase en su estudio, *Le régime des nationalisations*, París, 1948, Extrait du Juris-Gasseur Civil-Annexes, 2° Cahier, p. 1).

En relación a este primer elemento debe destacarse de la definición de Julliot de La Morandière la idea de la transferencia de los bienes nacionalizados a la Nación; noción que condicionó toda la teoría inicial de las nacionalizaciones y que trajo como consecuencia la búsqueda de su distinción del concepto de estatización, colectivización o socialización que, en nuestro criterio, no tiene ya la importancia que pudo tener en el momento en que se producen, por primera vez a gran escala, las nacionalizaciones en la postguerra, sobre todo en países donde no pasaron a manos del Estado todos los medios de producción, como Francia e Inglaterra. En efecto, en aquellos países donde el proceso de nacionalización de los medios de producción fue parcial, el problema a plantearse era si ellos debían pasar al Estado, como tal, y que conforme a la teoría liberal era considerado hasta como un tercero dentro de las relaciones de la sociedad; o si al contrario debían pasar a la sociedad, la cual, si era conducida por el Estado, lo era a título de gestor de la misma. Esta dicotomía Estado-Nación condicionó todo el proceso de nacionalización inicial en países como Francia donde, inclusive, la gestión de las empresas nacionalizadas se encomendó a una dirección tripartita donde debían estar representados los trabajadores, los consumidores o los usuarios, y el Estado, como un ente más dentro del contexto social.

En todo caso, este primer elemento implica una consecuencia general y fundamental: la transformación de esas empresas privadas, nacionalizadas, en empresas públicas.

Un segundo elemento que surge en las definiciones anteriores es que la nacionalización es un proceso que tiene un objetivo: la transferencia de bienes o empresas privadas a entes públicos, es decir, la sustracción de estas empresas de la propiedad privada, para convertirlas en propiedad pública.

En tercer lugar, otro elemento que surge de las definiciones comentadas es que todo proceso de nacionalización tiene una motivación de carácter político. Esta motivación política puede estar basada en la idea del interés general, en su forma más genérica, caso típico de esos conceptos jurídicos indeterminados que en derecho administrativo conceden un amplio margen a la discrecionalidad de la autoridad decisoria. Ese concepto es imposible determinarlo a priori: es el legislador en un momento determinado quien lo puede precisar.

Igual sucede en el supuesto de la Constitución venezolana, de la reserva de industrias por parte del Estado, por razones de "conveniencia nacional." ¿Qué es la conveniencia nacional? Es imposible que pueda haber determinación previa; esto es lo que da carácter indeterminado al concepto y abre un amplio margen al legislador, quien, en este caso, actúa en uso de un poder discrecional por excelencia. Entonces, en la nacionalización siempre hay una motivación política que puede estar representada en el interés general, o en motivaciones destinadas a sustraer de la dirección capitalista las empresas, o por razones tendientes a reordenar o reorganizar la economía, en vista al interés general.

De manera que siempre nos encontramos con estos tres aspectos dentro de cualquier proceso nacionalizador: transferencia de empresas privadas a empresas públicas; transferencia de la propiedad privada a entes públicos, a la colectividad, a la Nación; y esta operación, por razones de interés general o de conveniencia general de carácter político.

Por esta razón, las nacionalizaciones han despertado tanto interés y tanta oposición. La gran ola de las nacionalizaciones después de la Segunda Guerra Mundial originó, por una parte, una gran reacción de gran parte del mundo jurídico contra esta institución; y por la otra, un apoyo por otra gran parte del mundo jurídico, debido a que se trataba de un fenómeno básicamente político.

Sin duda, el proceso tuvo una enorme importancia desde el punto de vista del sector público: fueron estos fenómenos nacionalizadores los que consolidaron y dieron carta de naturaleza definitiva a la intervención del Estado en la economía. Fue a raíz de estos procesos de nacionalización, que el Estado tomó parte activa en la economía, superándose, inclusive, la idea de la subsidiariedad de la acción del Estado que tanto difundió la teoría liberal.

Por supuesto, la gran ola de las nacionalizaciones pasó y la intervención del Estado se hizo por otras vías no nacionalizadoras. Los recientes procesos, en todo caso, han motivado un nuevo interés por este fenómeno. Como se dijo, Venezuela había estado al margen del proceso nacionalizador, pues ni siquiera tuvo procesos de nacionalización como los tuvieron otros países de América Latina durante las primeras décadas de este siglo. No hay que olvidar, en efecto, que el primer proceso nacionalizador antes que el mexicano y el de la Unión Soviética, aunque aislado, tuvo lugar en Uruguay, y también en la misma época en Italia, respecto a las actividades de las empresas de seguro. Posteriormente, muchos países latinoamericanos tuvieron procesos nacionalizadores aislados, en materia de servicios públicos. En Venezuela, en realidad, nunca se produjeron procesos nacionalizadores, sino la asunción, por parte del Estado, de los servicios por fuerza de un elemento: la riqueza petrolera. Esta generó un ingreso tal para el Estado, que le permitió "comprar las nacionalizaciones" y asumir servicios y empresas, sin forzar una transferencia compulsiva. Sin embargo, con motivo de las recientes nacionalizaciones de las industrias del hierro y del petróleo de 1974 y 1975, se plantea, por primera vez, con interés, en Venezuela, el fenómeno de la nacionalización. Por ello, hemos estimado que el momento era oportuno para realizar un estudio sobre el régimen de las nacionalizaciones en Venezuela, lo que motiva los trabajos que se publican en este volumen.

II. ASPECTOS QUE PLANTEA EL TEMA DE LAS NACIONALIZACIONES

Ahora bien, este fenómeno de las nacionalizaciones plantea, desde el punto de vista jurídico, una serie de problemas, que se hace necesario analizar o sistematizar. En primer lugar hay una relación directa entre la nacionalización y la propiedad privada. La nacionalización ante todo, y tradicionalmente considerada, es un atentado a la propiedad privada. Por supuesto, cuando surgen las primeras nacionalizaciones a principios de este siglo, era un verdadero atentado a un derecho que todavía era un derecho absoluto, consagrado así en los textos jurídicos de todos los países. Sin duda aquel derecho absoluto, con motivo precisamente de las nacionalizaciones, comenzó a transformarse en un derecho regulado y limitable, con una función social que cumplir y, por tanto, sometido a obligaciones, restricciones, limitaciones y contribuciones. En virtud de ello, hay un primer elemento que va a acompañar todo el fenómeno de la nacionalización: su confrontación con la propiedad y sus efectos sobre la propiedad. Esto nos va a llevar a examinar la teoría de la propiedad privada desde el punto de vista administrativo para constatar que la nacionalización no es más que uno de los múltiples mecanismos de exclusión de la propiedad privada.

El segundo punto de interés que plantea el fenómeno nacionalizador es la relación entre nacionalización y libertad económica, que implica también todo otro enorme panorama. En efecto, la asunción por parte del Estado de bienes, de empresas, de sectores o de actividades económicas, también se ha visto como un atentado a la libertad económica. Ello era lógico: si todo el cimiento del Estado liberal-burgués de Derecho fue el Estado negativo, que no debía intervenir en la vida económica, salvo para mantener las relaciones del mercado, por supuesto, el fenómeno de la nacionalización representaba un atentado contra esa libertad económica tradicional, que tuvo una formulación, al igual que el derecho de propiedad, como libertad absoluta, solo modificada recientemente en la Constitución de 1961, al admitirse que es limitable por razones de interés social.

En todo caso, así como el estudio de la nacionalización está indisolublemente unido al de la propiedad, asimismo está unido al de la libertad económica, ya que la nacionalización implica una intervención del Estado en la vida económica, no ya de carácter regulador, ni de fomento o policía, sino de intervención activa del Estado, como productor de bienes y servicios, en la actividad económica.

Estos dos puntos de interés que plantea la nacionalización: nacionalización y propiedad privada, y nacionalización y libertad económica, traen como consecuencia otros dos puntos de interés relativos al proceso, que constituyen la otra cara de la moneda: nacionalización y propiedad pública y nacionalización y gestión pública.

En efecto, si la nacionalización implica una transferencia de bienes de propiedad privada al Estado, ello plantea, desde el punto de vista del Estado, el problema del efecto de ese traspaso de bienes al mismo, o a sus empresas, lo que va a originar una serie de interrogantes: por una parte, ¿cuál es el ámbito de la soberanía del Estado sobre ciertos bienes que existen en un país, particularmente el ámbito de soberanía sobre los recursos naturales renovables y no renovables? ¿Puede decirse que todas las nacionalizaciones recientes han versado sobre los recursos naturales o su explotación? ¿Son aquellos, inicialmente, bienes del dominio público o del dominio privado? ¿La nacionalización de la industria petrolera, transforma los bienes e instalaciones de las mismas en bienes del dominio público? ¿Cuál es jurídicamente el régimen de esos bienes? ¿Estos bienes nacionalizados son bienes que el Estado posee, como puede poseer cualquier otro bien? ¿Entran los bienes nacionalizados dentro de los esquemas tradicionales del dominio privado?

Por otra parte, también surge la relación entre la nacionalización y la gestión pública. La nacionalización no sólo implica la transferencia de bienes de propiedad privada y su conversión en bienes de propiedad pública, sino la transformación de empresas privadas en empresas públicas. El Estado asume una nueva cualidad, más allá de simple propietario de determinado bien a nombre de la colectividad, y es la de gestor económico, idea que está indisolublemente unida a la nacionalización. La nacionalización implica siempre, transferencia al Estado de empresas privadas y su conversión en empresas públicas. Esto plantea todo el panorama de la empresa pública, y del Estado empresario como objeto de estudio dentro del estudio de la nacionalización. Puede decirse que con motivo de las nacionalizaciones, surgió la fase del Estado empresario, lo que exige analizar todo el régimen de las empresas nacionalizadas.

En este trabajo planteo los aspectos introductorios a las nacionalizaciones dentro del marco general de la evolución y situación actual del derecho de propiedad y de la libertad económica, encuadrando, como limitaciones en sentido amplio a esos derechos, a la institución de la nacionalización.[4]

Quiero insistir aquí sólo en dos aspectos de ese régimen que tocan directamente al tema de las nacionalizaciones: las limitaciones a la apropiabilidad de bienes y las exclusiones de las actividades económicas.

III. LAS LIMITACIONES A LA APROPIABILIDAD DE BIENES

Hemos señalado que paralelamente a las limitaciones a la propiedad, es decir, a las limitaciones a su ejercicio, y a las restricciones, obligaciones o contribuciones a las que está sometida, pueden identificarse en el ordenamiento jurídico, limitaciones a la apropiabilidad

---

[4] Este estudio fue publicado en el libro *Estudios sobre la Constitución. Libro Home*naje a Rafael *Caldera,* UCV. Tomo II, Caracas, 1979.

de bienes. En el primer caso, todas las limitaciones a la propiedad presuponen la existencia del derecho y lo limitan; en el segundo caso, en cambio, de lo que se trata es de la imposibilidad misma de la propiedad.

En efecto, si bien la Constitución consagra el derecho de propiedad, es necesario convenir en que no todos los bienes son susceptibles de apropiabilidad. Hay ciertos bienes que el Estado se ha reservado o que los ha considerado como del dominio público, que no pueden ser objeto de propiedad. En estos casos, por tanto, no puede hablarse realmente de limitaciones a la propiedad, sino de limitación a la apropiabilidad de bienes.

Estas limitaciones a la apropiabilidad pueden presentarse en el ordenamiento jurídico con carácter general, como sería la declaratoria de cierto género de bienes, como del dominio público; o con carácter específico, como exclusiones particulares de la apropiabilidad, por ejemplo, respecto de cierta categoría de personas (extranjeros).

Veamos separadamente estos supuestos:

1. *La declaratoria del dominio público*

Una típica limitación a la apropiabilidad de ciertos bienes tiene su origen en su declaratoria, mediante Ley, como del dominio público.

En efecto, frente a la garantía de la propiedad, la pregunta que debemos formularnos es: ¿sobre qué bienes puede existir propiedad privada?; o en otras palabras: ¿cuál es el ámbito de la propiedad privada? ¿ésta es irrestricta y eterna? ¿se ejerce siempre sobre todos los bienes o cosas existentes?; o ¿la Ley, como lo dice la Constitución, puede establecer restricciones al ámbito de la propiedad por razones de interés general?

Indudablemente, es el legislador quien determina el ámbito de la propiedad, es decir, es quien puede determinar qué bienes son susceptibles de ser de propiedad privada y cuáles no lo son; y cuando realiza esa determinación está asignando o cambiando el régimen jurídico de determinados bienes, al establecer que estos son del dominio público o por el contrario, son susceptibles de ser de propiedad privada (Art. 525 del Código Civil).

Esta calificación, sin embargo, ni es absoluta, ni eterna, ni inmutable. En efecto, conforme a nuestro ordenamiento jurídico, no existen bienes del dominio público o de propiedad privada, que lo sean "por naturaleza." La existencia de unos y otros depende única y exclusivamente de la voluntad del legislador; y tanto el dominio público como la propiedad privada son conceptos jurídicos. El legislador ha manejado estos conceptos y ha deslindado la clasificación básica de ambos tipos de dominio en el Código Civil, por lo que el ámbito de la propiedad privada no llega hasta los bienes que han sido declarados por el legislador como bienes del dominio público.

Ahora bien, el deslinde jurídico que hace el Código Civil entre bienes susceptibles de propiedad privada y bienes que no lo son (dominio público), no es una demarcación cerrada y eterna, que no admite modificaciones. Al contrario, las leyes se derogan y modifican por otras leyes, y en la Constitución, donde está el límite de la acción del legislador, no se consagra el carácter absoluto e inmutable de la propiedad. Por otro lado, el legislador en un momento determinado podría excluir ciertos bienes del ámbito de la propiedad privada, declarándolos del dominio público, lo cual no implicaría, en absoluto, una violación del derecho de propiedad.

Pensemos, por ejemplo, en otra garantía-constitucional: la libertad de industria y comercio. El Estado, cuando se reserva determinadas industrias (Art. 97 de la Constitución), lo que hace es excluir ciertas actividades del ámbito de la libertad económica, y la reserva, en sí misma, no conlleva derecho alguno a indemnización por parte de los antiguos industriales, salvo que el Estado asuma las industrias particulares. Pues bien, algo similar sucede en materia de propiedad: cuando el Estado declara ciertos bienes como del dominio público por voluntad del legislador, lo que hace en realidad, es excluir ciertos bienes del ámbito de la propiedad privada, y esta exclusión, en sí misma, no conlleva derecho alguno a indemnización por parte de los antiguos propietarios.

El principio señalado, por otra parte, está recogido en la propia Constitución, en su artículo 133, que establece lo siguiente:

> Sólo el Estado puede poseer y usar armas de guerra. Todas las que existan, se fabriquen o se introduzcan en el país, pasarán a ser propiedad de la República, sin indemnización ni proceso.

Esta norma, ni más ni menos, es una declaratoria de cierta categoría de bienes como del dominio público (de uso privado) del Estado, y ella, por sí misma, no da derecho alguno a indemnización a favor de eventuales propietarios anteriores de tales armas.

En todo caso, la declaratoria de unos bienes como del dominio público no da derecho a indemnización, pues en estos casos falta la especialidad del sacrificio. Tal como lo ha señalado la Corte Suprema de Justicia en una sentencia del 12 de agosto de 1968, "para que proceda la indemnización en derecho público, es necesario que se compruebe: a) la singularidad del daño; b) que lo afectado sea un verdadero derecho; y c) que el daño sea mensurable económicamente."[5]

En estos casos, el legislador ni expropia unos derechos determinados ni los confisca; sólo establece que un género de bienes no puede ser susceptibles de propiedad privada, es decir, que ésta no puede existir, y que la que existía, se extingue, por imposibilidad en el objeto.

Frente a una declaratoria de ciertos bienes como del dominio público, ante la cual pueden alegarse derechos adquiridos, sin duda que se puede plantear la problemática de la responsabilidad del Estado por acto legislativo. Sin embargo, frente a esto es necesario señalar, que la construcción jurídica de toda la responsabilidad del Estado legislador se ha fundado en el supuesto de que para pretender una indemnización del Estado por una lesión a algún derecho derivado de una Ley, es necesaria la singularidad y especificidad del sacrificio o lesión. Si ésta no existe, no surge el derecho a indemnización; o en otras palabras, si la nueva Ley afecta a todos por igual, es decir, si los efectos son realmente efectos generales, no surge obligación de indemnización.

Por eso se insiste en que la declaratoria de ciertos bienes como del dominio público en realidad constituye un cambio de régimen jurídico de unos bienes, que se realiza con carácter general por el legislador, y frente a estos cambios no hay derechos adquiridos.

---

[5] Véase en *Gaceta Forense* N° 61, 1968, pp. 105 a 108.

En definitiva, por tanto, la declaratoria de ciertos bienes como del dominio público, al no lesionar especialmente el derecho de un propietario, sino a todos los habitantes por igual, y excluir dichos bienes del ámbito de los que pueden ser objeto de propiedad privada, no origina derecho alguno de indemnización.

Sin embargo, esto exige algunas precisiones, particularmente en el caso de las aguas y de las playas. En Venezuela, desde hace algunos años se ha venido proyectando la declaratoria de todas las aguas y de las playas como bienes del dominio público. Esto plantea algunas situaciones respecto de los derechos efectivamente lesionados, que es necesario precisar.

Por ejemplo, en el caso de las aguas, el solo hecho de que las mismas se declaren como del dominio público, y por tanto, se cambie la situación que existe en la actualidad de ciertas aguas susceptibles de ser objeto de propiedad y otras aguas, que aun cuando sean públicas, pueden ser aprovechadas más o menos libremente, no da derecho alguno a indemnización por parte de los antiguos propietarios. Sin embargo, si para la realización de un aprovechamiento de aguas permitido por la legislación anterior, se realizaron determinadas obras hidráulicas que, posteriormente, con ocasión a la declaratoria de las aguas como del dominio público, el Estado u otros particulares van a utilizar, el propietario de las mismas tendría derecho a indemnización. Lo mismo podría plantearse respecto de las playas. Si éstas, por ejemplo, no son naturales y han sido construidas por el trabajo del hombre, el hecho de que se las declare como del dominio público de uso público, traería como consecuencia un derecho a indemnización por parte de los propietarios de las obras que hicieron posible la existencia de la playa.

Sin embargo, fuera de estos supuestos en los cuales la declaratoria del dominio público implica, en realidad, la adquisición por el Estado o la afectación al uso público de bienes de propiedad privada, como serían las obras hidráulicas o los malecones, y que daría derecho a los propietarios a ser indemnizados, la sola declaratoria de las aguas o playas como del dominio público no daría derecho a indemnización.

2. *Las exclusiones particulares de la apropiabilidad*

Aparte de las exclusiones genéricas de la posibilidad de propiedad sobre determinado género de bienes, el ordenamiento jurídico ha establecido una exclusión de la propiedad de ciertos bienes, pero condicionada por la persona que tenga su titularidad y por la ubicación en el Territorio Nacional.

En efecto, al analizar la evolución constitucional del derecho de propiedad, resulta que fue el texto de 1936 el que estableció la posibilidad de que la Ley pudiera "por razón de interés nacional, establecer restricciones y prohibiciones especiales para la adquisición y transferencia de determinadas clases de propiedad, sea por su naturaleza o por su condición o por su situación en el territorio" (Art. 32, Ord. 2°); norma que repitió la Constitución de 1947 (Art. 65) y la de 1953 (Art. 35, Ord. 9°). En base a esta autorización constitucional, la Ley de Expropiación por causa de utilidad pública, de 1936, consagró una norma con el siguiente texto:

> Artículo 12. El Ejecutivo Federal podrá, en resguardo de la seguridad del Estado, impedir la transferencia a personas o compañías extranjeras de terrenos y construcciones situados a menos de veinticinco kilómetros de distancia de las fronteras de la República, de sus costas de mar y de las riberas de sus ríos navegables. A tal fin, los Registradores se abstendrán de registrar, so pena de nulidad, documentos en que se hagan tales transferencias, si no se les presenta para ser agregada al cuaderno de comprobantes, constancia de que el Ejecutivo Federal está en cuenta y no se opone a la operación que se pretende efectuar. En estos casos el Ejecutivo queda autorizado para decretar la utilidad pública de la posesión por el Estado de los terrenos que se pretenda transferir a personas o compañías extranjeras y disponer que se siga el procedimiento de expropiación establecido en esta Ley.

La norma se repitió en las leyes de expropiación de 1942 y 1947 y fue derogada por Decreto-Ley N° 184, de 25 de abril de 1958, pues se consideró que la ley "contenía normas que entrababan inútilmente la transferencia de la propiedad inmobiliaria" y "que la defensa y seguridad de la Nación podían ser aseguradas sin afectar la libertad de contratación en materia inmobiliaria."

La prohibición, sin embargo, permaneció vigente indirectamente hasta 1978, pues la Ley de Registro Público, de 1940, incorporó dentro de las prohibiciones a los Registradores: "la protocolización de documentos por los cuales se transfiera a personas o compañías extranjeras, terrenos o construcciones situados a menos de veinticinco kilómetros de distancia de las fronteras de la República, de sus costas de mar y de las riberas de sus ríos navegables, si no se les presenta, para ser agregada al cuaderno de comprobantes, la constancia de que el Ejecutivo Federal está en cuenta y no se opone a la operación que se pretende efectuar, conforme a lo previsto en la Ley de Expropiación por causa de utilidad pública o social" (Art. 40, Ord. 7°). Esta norma se eliminó en la Ley de Registro Público de 4 de abril de 1978,[6] en la cual se remite a lo establecido en la Ley Orgánica de Seguridad y Defensa (Art. 40, Ord. 10).

Debe señalarse que una restricción dentro de este mismo orden de ideas tradicionalmente se ha consagrado en la Ley Orgánica de la Hacienda Pública Nacional, respecto de la adquisición de bienes del dominio privado del Estado, en los siguientes términos:

> Artículo 28. La propiedad y derechos reales sobre bienes nacionales pueden ser adquiridos por prescripción, salvo, por lo que respecta a los extranjeros, los situados en la zona de cincuenta kilómetros de ancho paralela a las costas y fronteras.

En la reciente Ley Orgánica de Seguridad y Defensa, de 1976, puede decirse que se ha vuelto al espíritu del constituyente y legislador de 1936, al consagrarse de nuevo en forma genérica la restricción específica para los extranjeros en los términos siguientes:

> Artículo 16. Ningún extranjero podrá adquirir, poseer o detentar por sí o por interpuestas personas sin autorización escrita del Ejecutivo Nacional por órgano del Ministro de la Defensa, la propiedad u otros derechos sobre bienes inmuebles en la Zona de Seguridad Fronteriza creada en esta Ley y en la Zona de seguridad prevista en el literal "b" del artículo anterior (la zona que circunda las instalaciones militares y las industrias básicas). Los registradores, jueces, notarios y demás funcionarios con facultad

6 *Gaceta Oficial* N° 2209 Extraordinaria

para dar fe pública, se abstendrán de autorizar los documentos que se presenten para su otorgamiento con violación de las disposiciones contenidas en este artículo, so pena de nulidad.

Se consideran personas interpuestas a los efectos de esta Ley, además de las contempladas en el Código Civil, las sociedades, asociaciones y comunidades en las cuales una persona natural o jurídica extranjera, sea socio, accionista, asociado o comunero con poder de decisión. Parágrafo Único. Todo extranjero propietario o detentador por cualquier título de bienes inmuebles en las zonas de seguridad previstas en los literales a) (Una franja adyacente a la orilla del mar, de los lagos y ríos navegables) y c) (Cualquiera otra zona que considere necesaria el Ejecutivo Nacional para la seguridad y defensa de la República) del artículo anterior, una vez fijada su extensión, está en la obligación de declararlo dentro de un plazo no mayor de 60 días a contar de la fecha en que suscriba el contrato público o privado respectivo, por ante la Primera Autoridad Civil del Estado, Distrito Federal o Territorio Federal, quien enviará dicha declaración, con los recaudos que señale el Reglamento dentro de un plazo no mayor de 30 días a la secretaría del Consejo Nacional de Seguridad y Defensa.

Con esta norma, como se dijo, se vuelve al sentido del texto constitucional de 1936, cuya norma fue eliminada en la Constitución vigente de 1961. Esta, sin embargo, consagra una exclusión de la propiedad inmobiliaria en Venezuela respecto de Estados extranjeros, salvo para sus sedes diplomáticas (Art. 8).

IV. LAS EXCLUSIONES DE ACTIVIDADES ECONÓMICAS

Todas las limitaciones a la libertad económica legalmente establecidas tienen en común que presuponen su existencia, y en tanto que ello es así, se limita su ejercicio o se lo restringe, en un caso específico. Sin embargo, allí no concluyen las limitaciones a la libertad económica, pues en otros supuestos, en virtud de la Ley, aquella no se presupone; al contrario, se la excluye. Se trata, aquí, si se quiere, de limitaciones al ámbito de la libertad económica, respecto de ciertas áreas territoriales, o en ciertos sectores económicos, que, en general, y salvo que el Estado decida asumir los bienes que estaban afectados por los particulares para realizar las actividades excluidas, en cuyo caso estaríamos en presencia de una nacionalización, no dan derecho a indemnización por parte de los particulares.

Estas exclusiones pueden clasificarse en cuatro grandes categorías: exclusiones territoriales; exclusiones de actividades económicas respecto de los extranjeros; exclusiones de actividades económicas respecto de todo particular por la reserva que hace el Estado; y la nacionalización que implica la reserva al Estado y transferencia, a éste, de los bienes afectos a la actividad reservada. Veamos separadamente estos cuatro supuestos de exclusiones de la libertad económica admitidos por el ordenamiento jurídico.

1. *La exclusión de actividades económicas en ámbitos territoriales*

Conforme a la política de localización industrial venezolana, el Ejecutivo Nacional puede establecer "las zonas del país en las cuales se localizarán determinadas industrias" (Art. 1);[7] lo que implica que las mismas no pueden ser localizadas en otras áreas territoriales. En el mismo sentido, en el Decreto-Ley N° 713, de 21-1-75,[8] se prohibió "la instalación de nuevas industrias" en el Área Metropolitana de Caracas y su zona de influencia (Art. I°). En estos casos, se ha establecido una exclusión del ejercicio de la actividad industrial en ciertas áreas territoriales, lo que implica una exclusión de la misma que no da derecho a indemnización por parte de los industriales afectados.

Así se ha resuelto en el citado Decreto-Ley que establece las normas para la desconcentración industrial de Caracas y que prevé la posibilidad para el Ejecutiva Nacional de decidir "el traslado de las industrias que causen contaminación del ambiente o aquellas que deben ser reubicadas en razón de la ordenación de áreas que se establezca" (Art. 3°).

En estos casos, no sólo el particular está obligado a trasladar su industria fuera del área afectada, sino que si esta obligación no se

---

7 Decreto-Ley N° 134, de 4-6-74, en *Gaceta Oficial* N⁹ 30.418, de 7-6-74.

8 *Gaceta Oficial* N° 30.638, de 5-3-75.

cumple en el lapso establecido, "la industria será cerrada" hasta que se verifique, "sin que por esta circunstancia se interrumpa el contrato de trabajo con sus trabajadores" (Art. 3).

2. *La reserva de sectores económicos a empresas nacionales*

Una segunda modalidad de exclusión de la actividad económica tiene lugar mediante las disposiciones legales que reservan el ejercicio de ciertas actividades o sectores económicos a empresas nacionales, y que, por tanto, la excluyen respecto de los extranjeros.

Un proceso de venezolanización de las actividades económicas puede decirse que se inició en firme en Venezuela con motivo de la promulgación de la Ley de Empresas de Seguros y Reaseguros, de 1965, que exigió que en las mismas no menos del 51 por ciento del capital perteneciera a personas venezolanas; y si estas eran personas jurídicas, no menos del 51 por ciento de su capital debía pertenecer a personas venezolanas naturales (Art. 18). Ello condujo al legislador a prever una serie de plazos para la transformación de las empresas extranjeras en empresas con capital mayoritario venezolano, y establecer, además que de lo contrario, no podían seguir realizando operaciones de seguro o reaseguro en el país (Arts. 122 y ss.).

En 1970, con motivo de la promulgación de la Ley General de Bancos y otros Institutos de Crédito, de 30 de diciembre de ese año,[9] se avanzó más en el proceso de venezolanización y se estableció que a partir de ese momento no se autorizaría la constitución de nuevos bancos cuyo capital no fuera totalmente venezolano (Art. 32); y en aquellos supuestos de bancos con un capital extranjero superior al 20 por ciento del capital social, se establecieron una serie de limitaciones (Arts. 33 y 34) de manera de propugnar su transformación patrimonial (Art. 159).

Posteriormente, con motivo del ingreso de Venezuela al Grupo Andino, entró en vigencia en nuestro país la Decisión No 24 relativa al Régimen Común de tratamiento a los capitales extranjeros y sobre marcas, patentes, licencias y regalías.[10] Este cuerpo normativo

---

9 Véase en *Gaceta Oficial* N? 1.454, Extr. de 30-12-70.

10 Véase en *Gaceta Oficial* No. 1.620, Extr. de 1-11-73.

estableció para todos los países miembros del Acuerdo normas de extraordinaria importancia en cuanto a la reserva de actividades económicas al capital nacional o más precisamente a empresas nacionales, que son las que tienen más del 80 por ciento de capital nacional.

En efecto, estableció que cada país podía "reservar sectores de actividad económica para empresas nacionales públicas o privadas" (Art. 38), pero además, estableció directamente que no se admitiría "el establecimiento de empresas extranjeras ni nueva inversión extranjera directa en el sector de servicios públicos," tales como "agua potable, alcantarillado, energía eléctrica y alumbrado, aseos y servicios sanitarios, teléfonos, correos y telecomunicaciones" (Art. 41); no se admitiría "nueva inversión extranjera directa en el sector de seguros, banca comercial y demás instituciones financieras" (Art. 42); ni en "empresas de transporte interno, publicidad, radioemisoras comerciales, estaciones de televisión, periódicos, revistas ni en las dedicadas a la comercialización interna de productos de cualquier clase" (Art. 43).

De acuerdo a estas disposiciones, mediante decretos N° 2031, del 8 de febrero de 1977, reglamentario de la Decisión N° 24,[11] quedaron reservados a las empresas nacionales y no se admitió nueva inversión extranjera directa en los siguientes sectores de la actividad económica:

> 7. Los servicios públicos de: teléfono, correos, telecomunicaciones, agua potable y alcantarillado; la generación, transmisión, distribución y venta de electricidad y los servicios sanitarios, de aseo y de vigilancia y seguridad de bienes y personas.
>
> 8. La televisión y radiodifusión; los periódicos y revistas en idioma castellano; el transporte interno de personas y bienes y la publicidad. A juicio de la Superintendencia de Inversiones Extranjeras podrán quedar exceptuadas de esta disposición las publicaciones en castellano de carácter científico o cultural.
>
> 9. La comercialización interna de bienes. Las empresas extranjeras domiciliadas en el país, para la fecha de entrada en vigencia de este Decreto, dedicadas a estas actividades podrán

[11] *Gaceta Oficial* No. 31.171 de 9-2-77.

ejercer dicha comercialización directamente o a través de empresas controladas en su capital o en su gestión por la empresa extranjera, siempre y cuando se trate de bienes producidos por ellas en el país.

10. Los servicios profesionales en actividades de consultaría, asesoramiento, diseño y análisis de proyectos y realización de estudios en general, en las áreas que requieran la participación de profesionales cuyo ejercicio esté reglamentado por Leyes Nacionales, salvo que se trate de empresas que a juicio de la Superintendencia de Inversiones Extranjeras, aporten tecnología para el desarrollo del país y que en las mismas, la participación extranjera no exceda del cuarenta y nueve por ciento (49%).

Como consecuencia de esa reserva, se estableció en el Reglamento inicial dictado por Decreto N° 62[12] que las empresas extranjeras que operasen en dichos sectores debían transformarse en empresas nacionales, para cuyo efecto debían poner en venta por lo menos el 80 por ciento de sus acciones para adquisición por inversionistas nacionales antes de mayo de 1977 (Art. 2°). Posteriormente, mediante la Ley sobre Transformación de Empresas Extranjeras, de 21-8-75[13] se establecieron las modalidades de dicha transformación y los poderes de control y fiscalización de la Superintendencia de Inversiones Extranjeras.

El decreto N° 62, en todo caso, estableció que los sectores de seguros y bancos se seguirían regulando por sus leyes especiales (Art. 4°). Posteriormente, sin embargo, con motivo de la reforma de la Ley de Empresas de Seguros y Reaseguros de 1974, se exigió que dichas empresas no debían tener más del 20 por ciento de su capital pagado directa o indirectamente en manos de personas extranjeras (Art. 25), por lo que se les concedió un plazo de 2 años a las empresas que tuvieran capital extranjero en proporción mayor a ese 20 por ciento, para cumplir con dicho requisito (Art. 192) y transformarse en empresas nacionales de acuerdo a la previsión de la Decisión N° 24 de la Comisión del Acuerdo de Cartagena.

---

12 *Gaceta Oficial*, N° 1650, Extr., de 29-4-74.

13 *Gaceta Oficial* N° 30.774, de 21-8-75.

En todos estos supuestos, se trata de una exclusión de la libertad económica en áreas determinadas respecto de cierta categoría de personas; exclusión que implica, imposibilidad de realizar para esas personas las actividades reservadas, y obligación de poner en venta sus participaciones a inversionistas nacionales, a los efectos de que la empresa se convierta en empresa nacional. En ningún caso, por supuesto, la limitación derivada de la exclusión da derecho alguno a indemnización por parte de los inversionistas extranjeros afectados.

3. *La reserva de actividades económicas por el Estado*

En la Constitución de 1961, como se dijo, siguiendo la orientación de la Constitución de 1947, se estableció expresamente la posibilidad que tiene el Estado de "reservarse determinadas industrias, explotaciones o servicios de interés público por razones de conveniencia nacional" (Art. 97). Se abrió así la posibilidad, no ya de que el Estado realice actividades empresariales, sino que las realice en forma exclusiva, reservada, excluyendo a los particulares del ámbito de las mismas. Esta reserva, sin duda, tiene por efecto fundamental establecer una limitación a la libertad económica de los individuos, excluyéndola del sector reservado.

En efecto, la reserva de actividades económicas por parte del Estado conlleva básicamente una prohibición impuesta a los particulares de realizar actividades propias del sector reservado, lo que afecta tanto a aquellos particulares o empresas que venían realizando actividades en el sector, como a cualquier particular o empresa, que pretendiera, en el futuro, realizar dichas actividades. Después de la reserva, por tanto, los particulares o empresas que operaban en el sector no pueden continuar realizando sus actividades, y hacia el futuro, ningún otro particular puede realizar nuevas actividades en el sector. La libertad económica, en el mismo, ha sido excluida y es imposible ejercerla.

Como consecuencia de ello, el acto de reserva, per se, no conlleva derecho alguno de los particulares afectados a indemnización por parte del Estado. Aquellos, simplemente, cesan en sus actividades, y un deber de indemnización sólo surgiría si el Estado decide apropiarse de las instalaciones o de las empresas de los particulares que operaban en el área reservada, es decir, decide nacionalizar esas empresas.

Este principio, en nuestro criterio, se deduce de las normas de la Ley que reserva al Estado la industria del Gas Natural, de 26 de agosto de 1970.[14] En efecto, esta Ley reservó al Estado la "industria del gas proveniente de yacimientos de hidrocarburos" (Art. 1°), y estableció, por tanto, la obligación a los concesionarios de "entregar al Estado, en la oportunidad, medida y condiciones que determine el Ejecutivo Nacional, el gas que se produzca en sus operaciones" (Art. 3°). Corría por cuenta del Estado el pago a los concesionarios de "los gastos de recolección, compresión y entrega del gas" (Art. 7°). La reserva, per se, no daba ningún derecho a indemnización por parte de los concesionarios, y el Estado sólo pagaba los costos de la recolección, compresión y entrega del gas. La Ley sólo previó una compensación "en el caso de que el Estado decida asumir las operaciones de recolección, compresión y tratamiento en plantas que actualmente realizan los concesionarios," en cuyo caso, la misma equivaldría "a la parte no depreciada del costo de las instalaciones y equipos que requiere para esas operaciones o el valor de rescate de los mismos si éste fuere menor que aquél" (Art. 8°). De acuerdo a esto, la indemnización sólo procedía si el Estado decidía apropiarse de las instalaciones, y por esa apropiación indemnizaba al concesionario; la reserva, en sí misma, en cambio, como prohibición impuesta a los concesionarios de seguir aprovechándose del gas natural, no dio derecho alguno a indemnización.

4. *La nacionalización*

La nacionalización de empresas, es decir, la obligatoriedad impuesta a todas las empresas que operan en ciertas áreas o sectores de la economía que el Estado se reserva por razones de conveniencia nacional, de transferirle a éste la propiedad de las mismas, mediando indemnización, es un institución que en Venezuela tiene fundamento constitucional en la ya señalada figura de la reserva al Estado de industrias o sectores económicos.

En efecto, tal como se ha señalado, la reserva tiene como consecuencia dos efectos fundamentales: en primer lugar, establecer a favor del Estado un monopolio de derecho; y en segundo lugar,

---

[14] Véase en *Gaceta Oficial* N° 29.594, de 26 de agosto de 1971.

establecer, como consecuencia, una prohibición para los particulares de realizar actividades en el sector reservado, en virtud de la exclusión de la libertad económica que implica. Por esta sola reserva, no tiene el Estado obligación alguna de indemnizar a los particulares excluidos. Pero si además de la reserva, ésta se acompaña con la exigencia y obligación impuesta a los particulares y empresas afectadas, de transferir forzosamente al Estado las instalaciones con que operaban, estaremos en presencia de la figura de la nacionalización, que sí da derecho a indemnización.

En el ordenamiento jurídico venezolano, por tanto, la figura de la reserva junto con la expropiación, dan origen a una nueva institución: la nacionalización, sometida a sus propias normas indemnizatorias, de acuerdo a la interpretación que haga la Ley de la "justa indemnización" a que se refiere el artículo 101 de la Constitución. En este sentido, por ejemplo, las normas para calcular la indemnización con motivo de las nacionalizaciones de las industrias del hierro y del petróleo, establecidas en el Decreto-Ley que reserva al Estado la industria de la explotación de mineral de hierro[15] y en la Ley Orgánica que reserva al Estado la industria y el comercio de los hidrocarburos, de 29 de agosto de 1975[16], son distintas a las previstas en la Ley de Expropiación por causa de utilidad pública o social; y entre otros factores porque no se trata de una expropiación pura y simplemente.

La expropiación de empresas, por su parte, es una restricción a la propiedad de una determinada organización económica: no afecta, per se, la libertad económica en un determinado sector, y el hecho de que se expropie una empresa no impide que otros particulares realicen actividades en ese mismo sector.

En cambio, en la nacionalización, la reserva afecta y excluye la actividad económica en el sector reservado, y la transferencia forzosa de las empresas se produce respecto de todas las que operan en el sector, con la prohibición para los particulares de seguir realizando o realizar en el futuro actividades en dicho sector. Aquí no hay una restricción a la libertad económica de un particular o grupo de ellos, sino la exclusión de la libertad económica respecto a un determinado sector.

---

15 Decreto-Ley N° 580, de 26-11-74, en *Gaceta Oficial* N° 30.577, de 16-12-74.

16 *Gaceta Oficial* N° 1.769, Extr. de 29-8-75.

Por eso, los principios de la expropiación no pueden aplicarse, tal como están en la legislación tradicional, a la expropiación que acompaña a la reserva estatal, pues en este caso, la nueva institución que surge, la nacionalización, condiciona el tratamiento del proceso.

CONCLUSIONES GENERALES

El Derecho Administrativo, lo señalamos al inicio de esta nota, no es sino el reflejo de la evolución político-económico-social de un determinado país; como consecuencia, su historia y evolución resulta de la historia y evolución del Estado.

En Venezuela, y en general, en América Latina, el Estado que existía al comenzar el presente siglo, era un Estado de estructura fuertemente liberal: era el Estado liberal-burgués de Derecho del siglo pasado, con claras políticas de fomento a las iniciativas privadas y otorgador de privilegios a los particulares e inversionistas extranjeros. Era, en definitiva, un Estado celoso defensor de la propiedad privada y de la libertad económica, que se reconocían como derechos absolutos. El fundamento y basamento de la organización política y del Estado, era el respeto a esos dos derechos; y el Derecho Administrativo era un Derecho Administrativo típicamente liberal. El Estado estaba controlado por la burguesía y operaba al servicio de ésta. Por tanto, quienes controlaban al Estado, los propietarios locales y los inversionistas extranjeros, eran los árbitros del Derecho Administrativo. Este estaba, por tanto, al servicio de sus intereses.

Los ciudadanos, el pueblo, así como estaban ausentes de las preocupaciones efectivas del Estado, no entraban en el marco de las regulaciones del Derecho Administrativo. Este, insistimos, era el derecho de los propietarios y de los empresarios, quienes controlaban al Estado.

Con motivo del proceso político que se verifica en Venezuela entre 1936 y 1948, puede decirse que el Estado deja de estar controlado exclusivamente por la burguesía. Otros actores, grupos e intereses, comienzan a asediar al Estado, a controlarlo, influenciarlo y tratar de dominarlo: los partidos políticos, los sindicatos, las asociaciones profesionales, los gremios de funcionarios, los grupos económicos organizados. El Estado comienza a actuar entonces como arbitro e integrador de todos esos grupos e intereses, generalmente contrapuestos, y el Derecho Administrativo comienza a configurarse como el Derecho del equilibrio entre los intereses individuales de dichos grupos y un nuevo interés que comienza a marcar sus instituciones: el interés público, el interés colectivo, el interés social. Por ello, inclusive, al mismo derecho de propiedad se le asigna una función social, y la libertad económica deja de ser el impedimento a las intervenciones estatales conformadoras del orden económico y social.

Este carácter de derecho equilibrador que adquiere el Derecho Administrativo, clarifica aún más los dos extremos en los cuales comienza a moverse: las prerrogativas del Estado, para atender a los intereses colectivos; y la protección de los intereses individuales.

Hay un dato político que condicionará toda la evolución del Derecho Administrativo: en la década de los años cuarenta, el sistema político-económico del país sufre una radical transformación. Deja de ser un sistema típicamente liberal, que veía en toda acción del Estado una usurpación, y comienza a configurarse como un sistema de economía mixta, en el cual el Estado tiene derecho propio, no subsidiario, a participar, como actor, en el proceso económico. El Derecho Administrativo comenzó a dejar de ser, entonces, solamente un derecho para limitar las acciones del Estado y proteger los intereses individuales, y se comenzó a configurar como un Derecho para regular y permitir la acción del Estado como gestor de los intereses colectivos. Ya a partir de la década de los años treinta, y consolidado posteriormente en la de los años cuarenta, paralelamente a los tradicionales derechos individuales, económicos y políticos, comenzaron a tener consagración los derechos de carácter social, que más que derechos, en realidad, son obligaciones sociales impuestas al propio Estado. El Derecho Administrativo comienza a ser, entonces, además del Derecho de la acción económica del "Estado", un Derecho de la acción social del Estado. Pero esta transformación del Derecho Administrativo, en realidad, no es más que el reflejo de la transformación del Estado: de un Estado liberal-burgués de Derecho a un Estado social de Derecho.

En este proceso evolutivo, la misma consagración de los derechos individuales sufre una gran transformación: de los derechos absolutos se pasa a los derechos regulados o limitados, para conciliar su ejercicio con las exigencias de los intereses colectivos. El Derecho Administrativo, así, comienza a configurarse también como el derecho de las limitaciones a las libertades tradicionales.

Pero un nuevo ingrediente político se agrega a esta transformación, y es el elemento democrático. A partir de 1958 se instaura en Venezuela un régimen democrático que contribuye, desde el punto de vista político, a acentuar el carácter de árbitro o componedor del Estado frente a grupos, presiones e intereses, y desde el punto de vista jurídico, a tratar de hacer del derecho administrativo no sólo el instrumento de los poderosos, sino de toda la colectividad.

El mismo Derecho Administrativo así, comienza a democratizarse: sin olvidar su carácter de instrumento de los intereses colectivos, que permite el reforzamiento de los poderes del Estado; se presenta, también, como un derecho para la protección de los intereses o derechos particulares frente a las abusivas o ilegítimas acciones estatales.

Vista esta evolución a través de las regulaciones de dos de los pilares fundamentales de la organización política de comienzos de siglo: el derecho de propiedad y la libertad económica, se evidencia la magnitud de la transformación. Esos derechos ya han dejado de ser absolutos y han dejado de sustentar la organización político-social; son derechos limitados y limitables. El Estado ha dejado de ser un Estado liberal-burgués de Derecho, armado para proteger casi exclusivamente aquellos derechos de propiedad y de la libertad económica, y se ha transformado en un Estado Social y Democrático de Derecho, representante de los intereses colectivos y conjugador de los múltiples intereses individuales que lo asedian. El Derecho Administrativo, por tanto, ha dejado de ser el Derecho del Estado liberal y ha comenzado a consolidarse como el Derecho del Estado Social y Democrático.

El proceso nacionalizador que se ha desarrollado en Venezuela en los últimos años, y que motivan los estudios que se publican en este volumen, son la mejor muestra de ello. En todo caso, en el reconocimiento de esta realidad de la transformación del Estado, para perfeccionarla, está el reto planteado a los juristas contemporáneos, teniendo en cuenta que sólo la aproximación histórica es la que puede contribuir a esclarecer el futuro.

TERCERA PARTE:

SOBRE EL RÉGIMEN DE JURÍDICO-ORGANIZATIVO DE LA INDUSTRIA PETROLERA NACIONALIZADA Y DE *PETRÓLEOS DE VENEZUELA S.A. (PDVSA)* COMO HOLDING PÚBLICO

Desde que se produjo la nacionalización petrolera en 1975 comencé a estudiar el proceso jurídico organizativo de la industria petrolera nacionalizada, en especial, en cuanto a la constitución del holding Petróleos de Venezuela. Ello dio origen a diversos estudios en los cuales fui analizando esa problemática en aproximaciones sucesivas, que fueron publicados en diversos medios, así: "El proceso jurídico-organizativo de la industria petrolera nacionalizada en Venezuela" en *Revista de la Facultad de Ciencias Jurídicas y Políticas*, Nº 58, Universidad Central de Venezuela, Caracas 1976, pp. 53-88; "Consideraciones sobre el régimen jurídico-administrativo de Petróleos de Venezuela S.A." en *Revista de Hacienda*, Nº 67, Año XV, Ministerio de Hacienda, Caracas 1977, pp. 79-99; "El proceso jurídico-organizativo de la industria petrolera nacionalizada en Venezuela" en Marcos Kaplan (Coordinador), *Petróleo y Desarrollo en México y Venezuela*, Universidad Nacional Autónoma de México, México 1981, pp. 333-432; y "Aspectos organizativos de la industria petrolera nacionalizada en Venezuela," *Archivo de Derecho Público y Ciencias de la Administración. El Régimen Jurídico de las Nacionalizaciones En Venezuela*, Instituto de Derecho Público, Facultad de Ciencias Jurídicas y Políticas, Universidad Central de Venezuela,

Volumen III, Tomo I, Caracas 1981, pp. 407-491. Debo mencionar además, lo escrito sobre el tema en dos libros en coautoría con Enrique Viloria Vera: *Sumario de las Nacionalizaciones (Hierro y Petróleo)*, San Cristóbal-Caracas, 1985; y *El Holding Público*, Editorial Jurídica venezolana, 1986; y en el "Prólogo" que escribí para el libro de Enrique Viloria Vera: *Petróleos de Venezuela S.A. La culminación del proceso de nacionalización*, Editorial Jurídica Venezolana, Caracas 1983, pp. 5-22.

El texto publicado en el *Archivo del Instituto de Derecho Público* antes mencionado es el que sigue:

I. INTRODUCCIÓN

Si entendemos por nacionalización "la transformación de empresas privadas en empresas del Estado" con el objeto de "sustraer los medios de producción y distribución de riquezas de la propiedad privada para ponerlos en manos de la Nación o de aquellos órganos que representan los intereses colectivos de la misma";[1] o en otros términos, "el acto gubernativo de alto nivel, destinado a un mejor manejo de la economía nacional o a su reestructuración, por el cual la propiedad privada sobre empresas de importancia es transformada de manera general e impersonal en propiedad colectiva y queda en el dominio del Estado a fin de que éste continúe la explotación de ellas según las exigencias del interés general,"[2] es indudable que la nacionalización petrolera en Venezuela, es un auténtico proceso de nacionalización.

En efecto, el Estado venezolano, mediante la Ley Orgánica que Reserva al Estado la Industria y el Comercio de los Hidrocarburos, del 29 de agosto de 1975,[3] indudablemente nacionalizó esta industria, transformando de manera general en el sector, la propiedad privada de las empresas petroleras en propiedad pública, mediante la reserva

---

1 León Julliot de la Morandière: "Prólogo" a Konstantin Katzarov, *Teoría de la Nacionalización*, México 1963, p. 5.

2 Eduardo Novoa Monreal: *Nacionalización y recuperación de recursos naturales ante la Ley Internacional*, México 1974 p. 50.

3 Véase en *Caceta Oficial* N° 1.769, Extr. de 29 de agosto de 1975.

que hizo de esa industria y comercio de los hidrocarburos; y, adquiriendo la propiedad de las empresas, reestructuró, así, la economía nacional.

Al día siguiente de la promulgación de la Ley de Nacionalización, el Presidente de la República dictó el decreto N° 1.123, del 30 de agosto de 1975,[4] mediante el cual se creó la empresa Petróleos de Venezuela S. A., como "una empresa estatal, bajo la forma de Sociedad Anónima, que cumplirá y ejecutará la política que dicte en materia de hidrocarburos el Ejecutivo Nacional, por órgano del Ministerio de Minas e Hidrocarburos, en las actividades que le sean encomendadas," dictándose, además, sus estatutos.[5] La motivación central de la creación de Petróleos de Venezuela S. A. fue la consideración de que era "de prioritaria necesidad proceder a la constitución e integración de las empresas estatales que tendrán a su cargo la continuación y desarrollo de la actividad petrolera reservada al Estado."[6] La empresa se creó con un capital de dos mil quinientos millones de bolívares (Bs. 2.500.000.000,00), representado en cien (100) acciones de la exclusiva propiedad de la República de Venezuela, como única accionista,[7] y los estatutos sociales de la misma fueron registrados en el Registro Mercantil respectivo el día 15 de septiembre de 1975.[8]

La Ley de Reserva estableció un período de transición de cuatro meses para hacer efectiva la nacionalización, el cual se extendió hasta el 31 de diciembre de 1975, oportunidad en la cual se hizo efectiva la extinción de las concesiones de hidrocarburos que habían sido

---

4 Véase la *Gaceta Oficial* N° 1.770, Extr. de 30 de agosto de 1975. El decreto de creación de la empresa ha sido modificado por Decreto N° 250, del 23-8-1979, en *Gaceta Oficial* N° 31.810, del 30-8-1979.

5 Arts. 1 y 2.

6 "Considerando" único del decreto.

7 Cláusulas 4°, 5° y 6°. El capital, íntegramente suscrito, se pagó en un 40 por ciento al constituirse la empresa, habiéndose pagado el 60 por ciento restante el 2-1-1976. Véase Petróleos de Venezuela, *Informe Anual 1977*, p. 38.

8 La inscripción de los Estatutos se efectuó en el Registro Mercantil de la Circunscripción Judicial del Distrito Federal y Estado Miranda, el día 15 de septiembre de 1975, bajo el N° 23 del tomo 99-A; y fueron publicados en *Gaceta Municipal del Distrito Federal* N° 413, Extr. del 25-9-1975.

otorgadas por el Ejecutivo Nacional[9] a través de más de medio siglo de explotación petrolera. Durante ese período se negoció con las empresas petroleras la indemnización que la ley había acordado cancelarles, y se las hizo constituir sendas empresas en el país, cuyas acciones fueron transferidas a Petróleos de Venezuela S. A. A partir del 1° de enero de 1976, así, Venezuela comenzó a regir la industria petrolera nacionalizada, a través de las empresas estatales que fueron creadas para tal fin.

Petróleos de Venezuela S. A., en la actualidad, no sólo es la empresa más grande de Venezuela, sino de toda la América Latina, y ocupa la posición N° 12 en el índice de las quinientas corporaciones industriales más grandes del mundo. Petróleos de Venezuela S. A., además, es la segunda de las empresas de las naciones en vías de desarrollo y es sólo superada por la Compañía Nacional de Petróleos de Irán.[10]

No es difícil imaginar, por tanto, la importancia que reviste el estudio del régimen jurídico organizativo de Petróleos de Venezuela S. A., a lo cual están destinadas las presentes notas, las cuales desarrollaremos en cuatro partes. En una primera parte, insistiremos brevemente en la peculiaridad del proceso venezolano de nacionalización de la industria petrolera, el cual se realizó dentro del marco del ordenamiento jurídico vigente de la República y sin que se produjeran mayores traumas y conflictos con las empresas transnacionales; en segundo lugar, haremos un breve recuento del proceso jurídico-organizativo de la industria petrolera nacionalizada; en tercer lugar, se expondrá el régimen jurídico-administrativo de Petróleos de Venezuela S. A.; y en cuarto lugar, se analizará la organización y funcionamiento actual de las empresas petroleras estatales.

II. CARACTERÍSTICAS DEL PROCESO VENEZOLANO DE NACIONALIZACIÓN PETROLERA

Tal como señalamos, la peculiaridad de mayor importancia del proceso venezolano de nacionalización petrolera es que se realizó

---

9 Artículo 1.

10 Véase las informaciones de la Revista *Fortune* en *El Nacional*. Caracas, 15 de agosto de 1978, p. D-11.

dentro del marco permitido por el ordenamiento jurídico vigente del país, sin violentárselo en forma alguna; y se realizó, además, como un proceso político, realizado políticamente, sin violentarse los derechos particulares.

1. *La figura de la reserva de actividades económicas por el Estado*

El fundamento constitucional de la nacionalización petrolera en Venezuela está en la figura de la reserva de actividades económicas por el Estado, prevista en la Constitución vigente de 1961, siguiendo la orientación establecida en la Constitución de 1947.

En efecto, el artículo 97 de la Constitución establece expresamente la posibilidad que tiene el Estado de "reservarse determinadas industrias, explotaciones o servicios de interés público por razones de conveniencia nacional." Se abre así la posibilidad, no sólo de que el Estado realice actividades empresariales, sino que las realice en forma exclusiva, reservada, excluyendo a los particulares del ámbito de las mismas. Esta reserva, sin duda, tiene por efecto fundamental establecer una limitación a la libertad económica de los individuos, excluyéndola del sector reservado.

En efecto, la reserva de actividades económicas por parte del Estado conlleva básicamente una prohibición impuesta a los particulares de realizar actividades propias del sector reservado, lo que afecta tanto a aquellos particulares o empresas que venían realizando actividades en el sector, como a cualquier particular o empresa que pretendiera, en el futuro, realizar dichas actividades. Después de la reserva, por tanto, los particulares que operaban en el sector no pueden continuar realizando sus actividades, y hacia el futuro, ningún otro particular puede realizar nuevas actividades en el sector. La libertad económica en el mismo ha sido excluida y es imposible ejercerla.

Cómo consecuencia de ello, el acto de reserva, *per se*, no conlleva derecho alguno de los particulares afectados a indemnización por parte del Estado. Aquellos, simplemente, cesan en sus actividades, y un deber de indemnización sólo surgiría si el Estado decide apropiarse de las instalaciones o de las empresas de los particulares que operaban en el área reservada, es decir, decide nacionalizar esas empresas.

Este principio, en nuestro criterio, se deduce, por ejemplo, de las normas de la Ley que reserva al Estado la Industria del Gas Natural, de 26 de agosto de 1970.[11] En efecto, esta ley reservó al Estado la "industria del gas proveniente de yacimientos de hidrocarburos"[12] y estableció, por tanto, la obligación a los concesionarios de "entregar al Estado, en la oportunidad, medida y condiciones que determine el Ejecutivo Nacional, el gas que se produzca en sus operaciones."[13] Corría por cuenta del Estado el pago a los concesionarios de "los gastos de recolección, compresión y entrega del gas."[14]

La reserva, *per se*, no daba ningún derecho a indemnización por parte de los concesionarios, y el Estado sólo pagaba los costos de la recolección, compresión y entrega del gas. La ley sólo previo una compensación en el caso de que el Estado decida asumir las operaciones de recolección, compresión y tratamiento en plantas que actualmente realizan los concesionarios, en cuyo caso, la misma equivaldría "a la parte no depreciada del costo de las instalaciones y equipos que requiere para esas operaciones o el valor de rescate de los mismos si éste fuere menor que aquél."[15]

De acuerdo a esto, la indemnización sólo procedía si el Estado decidía apropiarse de las instalaciones, y por esa apropiación; la reserva, en sí misma, en cambio, como prohibición impuesta a los concesionarios de seguir aprovechándose del gas natural, no dio derecho alguno a indemnización.

2. *Las bases jurídicas de la nacionalización de la industria petrolera*

La nacionalización petrolera, es decir, la obligatoriedad impuesta a todas las empresas concesionarias que operaban en la industria y el comercio de los hidrocarburos que el Estado se reservó por razones de conveniencia nacional, de transferirle a éste la propiedad de las mismas, mediando indemnización, es una institución

---

11 Véase en *Gaceta Oficial* N° 29.594, del 26 de agosto de 1971.

12 Artículo 1.

13 Artículo 3.

14 Artículo 7.

15 Artículo 8.

que como se dijo, en Venezuela tiene fundamento constitucional en la ya señalada figura de la reserva al Estado de industrias o sectores económicos.

En efecto, conforme al artículo 97 de la Constitución, el Estado, al reservarse la industria y el comercio de los hidrocarburos, estableció un verdadero y auténtico monopolio de Derecho.[16] Puede decirse entonces que, en Venezuela, el proceso nacionalizador de las actividades petroleras se inició con la declaratoria de reserva señalada, lo que correspondía hacer a las Cámaras Legislativas mediante ley.

Pero indudablemente, la reserva no es el único elemento del proceso de nacionalización. La reserva, en efecto, conllevó fundamentalmente una prohibición impuesta a los particulares de realizar actividades propias del sector reservado o nacionalizado, lo que afectó tanto a aquellos concesionarios o empresas que venían realizando actividades en el sector, como a cualquier otro particular o empresa, hacia el futuro. Después de la reserva, los concesionarios o empresas que operaban en el sector no debían continuar realizando sus actividades; y hacia el futuro ningún otro particular podía ni puede realizar nuevas actividades en el sector. Por ello, la nacionalización no se agotó con la reserva, sino que requería de actos complementarios mediante los cuales se asegurara que la gestión de las empresas y bienes existentes afectados a la industria y el comercio de los hidrocarburos, la cual se nacionalizaba, se transferirían al Estado, y que la actividad productiva o de servicios no se detendría ni entorpecería.

De allí que la reserva estuviese acompañada, como lo exige el ordenamiento jurídico venezolano, de la expropiación de las empresas que operaban en el sector nacionalizado, para asegurar el traspaso rápido de los bienes de los concesionarios al Estado.

Debe destacarse, además, que por el hecho de la reserva, es decir, de la prohibición impuesta por ella a los concesionarios de realizar actividades en el respectivo sector, desde el momento mismo en que se produce la reserva, esos particulares o empresas no debían operar más. En el caso de la industria petrolera, sin embargo, después del momento en que se promulgó la Ley de Reserva, se permitió a las empresas existentes la posibilidad de operar durante 4 meses, sólo

---

16 Vicenzo Spagnuolo Vigorita: "Las Empresas Nacionalizadas," en Evelio Verdera y Tuells (ed.), *La Empresa Pública*, tomo II, Zaragoza 1970, p. 1.430.

con motivo de asegurar la continuación de la industria hasta hacer efectiva la expropiación, y en forma transitoria, sometidas a la fiscalización y control del Estado.

De lo señalado anteriormente, resulta claro que una auténtica nacionalización de un sector económico se produce cuando se dan conjuntamente la medida de reserva con la técnica expropiatoria. Esta última es el mecanismo para hacer efectiva la voluntad del Estado de asumir la actividad económica objeto de la reserva. Esto fue lo que sucedió en el proceso de nacionalización de la industria petrolera, el cual, además, indudablemente que estaba condicionado por un objetivo fundamental: que la industria y las unidades económicas empresariales, continuaran funcionando a cabalidad, desde el momento mismo de la expropiación.

Para asegurar este objetivo fundamental, el proceso expropiatorio en la nacionalización petrolera debía tender a versar sobre las empresas petroleras, es decir, sobre las unidades económico-productivas o de servicios que manejaban la industria petrolera, de manera que éstas no se vieran afectadas en su funcionamiento con el cambio de titularidad a favor del Estado.[17]

En este sentido, en el proceso nacionalizador de la industria petrolera, lo ideal hubiera sido que la expropiación hubiese versado sobre las empresas más que sobre bienes particularizados, mediante un simple traspaso de acciones de los concesionarios al Estado. Esta fue la modalidad utilizada, por ejemplo, en las nacionalizaciones efectuadas en Francia con posterioridad a la liberación sobre las empresas bancarias, empresas de seguros y empresas de transportes aéreos.[18] En estos casos, se produjo la transferencia de las empresas con todo su patrimonio, al Estado, mediante una transferencia de acciones.

Sin embargo, una solución simple y rápida como la anotada, hubiera exigido, en el caso de la industria petrolera, la existencia, jurídicamente hablando, de sociedades anónimas constituidas en

---

17 Allan R. Brewer-Carías: "Comentarios en torno a la nacionalización petrolera", en *Revista Resumen*, Nº 55, Caracas, 24 de noviembre de 1974, pp. 22 a 24.

18 Jean Rivero: *Le Régime des Nationalizations*, Extrait du Juris Classeur Civil Annexes, París 1948, pp. 13 y 16.

Venezuela, para que pudiera operarse el traspaso de acciones. La realidad, sin embargo, era otra: la casi totalidad de las empresas petroleras eran empresas extranjeras domiciliadas en Venezuela conforme al artículo 354 del Código de Comercio. Por ello, al no estar constituidas en Venezuela, el patrimonio de las mismas, afectado a las actividades productivas o de servicios en el país, no estaba representado por títulos accionarios específicos que pudieran ser transferidos a la República.

La expropiación de las empresas petroleras en Venezuela, como resultado de la nacionalización de la industria, se refirió por tanto, a los bienes afectos a los procesos productivos o de servicios. No podía, en general, expropiarse propiamente a las empresas, sino a los bienes que las formaban, y con ellos, el Estado hizo constituir las nuevas empresas, cuyo capital fue transferido al Estado.

Ahora bien, resumiendo lo señalado anteriormente, puede decirse que la reserva tiene como consecuencia dos efectos fundamentales: en primer lugar, establecer a favor del Estado, un monopolio de derecho; y en segundo lugar, establecer, como consecuencia, una prohibición para los particulares de realizar actividades en el sector reservado, en virtud de la exclusión de la libertad económica que implica. Por esta sola reserva, no tiene el Estado obligación alguna de indemnizar a los particulares excluidos. Pero si además de la reserva, ésta se acompaña con la exigencia y obligación impuesta a los particulares y empresas afectadas, de transferir forzosamente al Estado las instalaciones con que operaban, estaremos en presencia de la figura de la nacionalización, que sí da derecho a indemnización, tal como sucedió en materia petrolera.

En el ordenamiento jurídico venezolano, por tanto, la figura de la reserva junto con la decisión del Estado de asumir la actividad reservada, expropiando los bienes o empresas particulares que actuaban en el sector, dan origen a una nueva institución: la nacionalización, sometida a sus propias normas indemnizatorias, de acuerdo a la interpretación que haga la ley de la "justa indemnización" a que se refiere el artículo 101 de la Constitución. En este sentido, por ejemplo, las normas para calcular la indemnización con motivo de las nacionalizaciones de las industrias del hierro y del petróleo, establecidas en el Decreto-Ley que reserva al Estado la industria de la explotación de mineral de hierro[19] y en la Ley Orgánica que reserva al Estado la industria y el comercio de los hidrocarburos, de 29 de agosto de 1975, son distintas a las previstas en la Ley de Expropiación por Causa de Utilidad Publica o Social; y entre otros factores porque no se trata de una expropiación, pura y simplemente, de empresas. Esta es una restricción a la propiedad de una determinada organización económica: no afecta, *per se*, la libertad económica en un determinado sector, y el hecho de que se expropie una empresa no impide que otros particulares realicen actividades en ese mismo sector.

En cambio, en la nacionalización, la reserva afecta y excluye la actividad económica en el sector reservado, y la transferencia forzosa de las empresas se produce respecto de todas las que operan en el sector, con la prohibición para los particulares de seguir realizando o realizar en el futuro actividades en dicho sector. Aquí no hay una restricción a la libertad económica de un particular o grupo de ellos, sino la exclusión de la libertad económica respecto a un determinado sector. Por eso, los principios de la expropiación no pueden aplicarse, tal como están en la legislación tradicional, a la expropiación que acompaña a la reserva estatal, pues en este caso, la nueva institución que surge, la nacionalización, condiciona el tratamiento del proceso.

3. *Las características políticas de la nacionalización petrolera*

La peculiaridad de la nacionalización petrolera en Venezuela no sólo resulta de su realización con apego al ordenamiento jurídico vigente, sino de que fue un proceso político, políticamente realizado, sin la producción de conflictos con las empresas concesionarias, realizado por políticos y sometido a un amplísimo debate político-democrático en el país. Por eso, el proceso de nacionalización petrolera en Venezuela, afortunadamente, no fue un proceso que condujo a confrontaciones con las empresas transnacionales, es decir, no fue un proceso traumático, sino que se caracterizó por ser un proceso de nacionalización concertada. Para captar lo importante del proceso en

---

[19] Decreto-Ley N° 580, del 26 de noviembre de 1974, en *Gaceta Oficial* N° 30.577, del 16 de diciembre de 1974.

sus aspectos políticos, basta citar las propias palabras del Presidente Carlos Andrés Pérez en 1975 al producirse la nacionalización, dos años después, al celebrarse los dos años de constitución de la empresa petrolera venezolana, y posteriormente, al concluir su período presidencial en 1978.

En efecto, el 20 de diciembre de 1975, diez días antes de que se produjese la extinción de las concesiones de hidrocarburos en el país y que el Estado asumiese la operación de la industria petrolera, con motivo de la clausura de las sesiones ordinarias de las Cámaras Legislativas, el Presidente de la República señaló lo siguiente: "No han sido fáciles las negociaciones para arribar a la nacionalización del petróleo. Y digo negociaciones en el sentido más amplio y más claro de la palabra..." El Presidente se refirió a las dificultades de las negociaciones, particularmente en relación a la decisión adoptada por Venezuela de pagar como indemnización exclusivamente el valor en libro de los activos no depreciados, y sostuvo que se hicieron estas negociaciones, "no por temor, en ningún momento sacrificando el interés nacional, sino porque queríamos señalar el ejemplo de que sí es posible, dentro del sistema de la democracia representativa, respetando los intereses legítimos que estuviesen representados en la industria petrolera, realizar la nacionalización sin llegar a la confrontación. Creo que éste hecho hará historia en las relaciones entre el mundo en desarrollo y los países industrializados. Creo que Venezuela ha dado una pauta de extraordinaria importancia y significación en el mundo, que vive la angustia de la distensión, que trata de encontrar medios y modos de convivencia auténtica, que quiere hacer de la interdependencia, no un modo de dependencia, sino una posibilidad de entendimiento justo y equitativo entre todas las naciones de la tierra, cualesquiera, que sean sus fuerzas bélicas y posibilidades económicas."[20]

Posteriormente, en un discurso pronunciado el 30 de agosto de 1977, en la sede de Petróleos de Venezuela S.A., y en ocasión del segundo aniversario de la creación de esa empresa, el Presidente Carlos Andrés Pérez expuso lo siguiente: "El primer problema que interesó a la opinión pública fue el de la compensación a las empresas petroleras. Por primera vez en la historia, un país en desarrollo

---

[20] Véase en *El Nacional*, p. D-l. Caracas, 21 de diciembre de 1975.

enfrentaba la decisión de nacionalizar empresas transnacionales sin recurrir a métodos extraordinarios, mediante la imposición a secas de la soberanía estatal, sino usando los recursos de un Estado de Derecho, las normas preestablecidas en la Constitución y en las leyes de la República. Y de esa manera no se trató de una confiscación, sino del ejercido del derecho de un Estado soberano para recuperar la administración de un recurso suyo, compensando a quienes lo venían detentando por convenios con el Estado. En menos de cinco mil millones de bolívares se estimó el pago de estas compensaciones a las empresas transnacionales, por cuanto de acuerdo con la ley aprobada por el Congreso, se pagaría sobre el valor neto en libro, sin aceptar ninguna clase de revalorización. Y Venezuela obtuvo por menos de cinco mil millones de bolívares, lo que hoy tiene un valor superior a los cincuenta mil millones de bolívares."[21]

Más recientemente, en una conferencia televisada del Presidente Carlos Andrés Pérez, dada el 27 de noviembre de 1978, se refirió al mismo proceso de nacionalización, sin traumas y sin conflictos, en los términos siguientes:

> "No nos copiamos ningún proceso de nacionalización. No fuimos a la ruptura del Estado de Derecho ni al enfrentamiento con las empresas transnacionales, ni mucho menos a hostilidades contra los países a los cuales pertenecían estas empresas transnacionales.
>
> Usando la norma vigente de nuestra Constitución, la ley que acabamos de aprobar, sin transigir en ninguna posición que menoscabara el decoro nacional o mediatizara el proceso de nacionalización, procedimos a realizarlo y a fijar el 1° de enero de 1976, como la fecha en que asumiríamos soberanamente todas las actividades relacionadas con la industria del petróleo...
>
> Para llegar a este acuerdo sin violencia, el Gobierno de Venezuela, en cumplimiento de la ley aprobada por el Congreso, pagó una compensación, no indemnización, a las empresas transnacionales sobre las bases de los activos no amortizados, es

---

21 Véase en *El Universal*, p. 1-10. Caracas, 1° de septiembre de 1977.

decir, sobre libro, lo que faltaba por pagar de los equipos que estaban en servicio. De esta manera, se acordó un pago de cuatro mil trescientos setenta y cuatro millones de bolívares (Bs. 4.374.000.000,00). Cuatrocientos noventa y tres millones de bolívares (Bs. 493.000.000,00) en efectivo por las inversiones hechas por las empresas petroleras en repuestos y otros accesorios traídos al país después que se aprobó la Ley de Reversión que iba a vigilar el proceso hasta 1983; y tres mil ochocientos cincuenta y cuatro millones de bolívares (Bs. 3.854.000.000,00) como compensación de los activos no amortizados. Y esto no se ha pagado en dinero efectivo; se pagó en bonos para descontarlos a plazo, lo que abarata aún más la negociación para Venezuela, porque como ya sabemos, el dinero se va devaluando con el tiempo. Hemos rescatado dos mil ochenta y un millones (Bs. 2.081.000.000,00) de estos bonos, y faltan por rescatar mil setecientos setenta y dos millones de bolívares" (Bs. 1.772.000. 000,00)."[22]

La nacionalización petrolera, por tanto, no fue traumática ni jurídica ni políticamente hablando. Para realizarla se acudió a las figuras que permitía el ordenamiento jurídico; la reserva al Estado de sectores económicos y el pago de la indemnización por la apropiación, por el Estado, de los bienes que estaban afectados a la actividad reservada; sin que esto se hubiese realizado violentando ni el orden jurídico ni el derecho que correspondía a las empresas transnacionales. Venezuela, así, negoció la nacionalización, o si se quiere, evitó el conflicto.

Se puede estar o no de acuerdo con la forma como se desarrolló el proceso de nacionalización petrolera venezolana, el cual, como resulta de las propias expresiones del Jefe del Estado durante el período en el cual se hizo, puede decirse que fue un proceso negociado con las empresas, las cuales convinieron con la indemnización que se les ofreció. Insistimos, se puede o no estar de acuerdo con ello, políticamente hablando, pero lo que no se puede negar ni dudar, es que haya sido una verdadera nacionalización. Para que esta exista, ni es necesario violentar el orden jurídico ni es necesario violentar los derechos

---

[22] Véase en *El Universal*, p. 2-28. Caracas, 28 de noviembre de 1978.

de los particulares. Si el orden jurídico admite el proceso nacionalizador y si se puede negociar con los particulares la indemnización por sus derechos, la nacionalización puede hacerse sin conflictos ni traumas. He allí la peculiaridad del proceso venezolano.

Pero el proceso, además, tuvo unas modalidades jurídicas peculiares.

4. *Las peculiaridades jurídicas de la nacionalización de la industria petrolera*

En efecto, la Ley Orgánica que reserva al Estado la Industria y el Comercio de los Hidrocarburos, de 1975, estableció, siguiendo la orientación constitucional, "que se reserva al Estado, por razones de conveniencia nacional, todo lo relativo a la exploración del territorio nacional en búsqueda de petróleo, asfalto y demás hidrocarburos; a la explotación de yacimientos de los mismos, a la manufactura o refinación, transporte por vías especiales y almacenamiento; al comercio exterior e interior de las substancias explotadas y refinadas, y a las obras que su manejo requiera, en los términos señalados por esta ley." Como consecuencia de lo establecido en este artículo 1º, el mismo agregó que las concesiones otorgadas por el Ejecutivo Nacional quedaban extinguidas, aun cuando dicha extinción se haría efectiva el día 31 de diciembre de 1975.

Este artículo de la ley estableció, en primer lugar, la reserva a favor del Estado de la actividad económica relacionada con la industria y comercio de los hidrocarburos. La consecuencia fundamental de esta reserva, fue, en primer lugar, la extinción de las concesiones otorgadas para la exploración y explotación de los hidrocarburos a empresas particulares, con anterioridad a la ley, extinción que se hizo efectiva el día 31 de diciembre de 1975; y en segundo lugar, el establecimiento de un monopolio de derecho a favor del Estado ya que, conforme a lo que establece el articulo 5º de la ley, el Estado ejercería todas esas actividades reservadas "directamente por el Ejecutivo Nacional o por medio de entes de su propiedad, pudiendo celebrar los convenios operativos necesarios para la mejor realización de sus funciones, sin que en ningún caso estas gestiones afecten la esencia misma de las actividades atribuidas."

Pero no sólo se trataba de establecer una reserva a favor del Estado, sino que la ley, además, conlleva a una verdadera nacionalización, es decir, a la asunción por parte del Estado de las actividades económicas que venían estando a cargo de las empresas concesionarias.

A tal efecto, la ley estableció los mecanismos necesarios para expropiar a dichas empresas, ú acaso no se llegaba a un arreglo amigable o avenimiento en relación al monto de la correspondiente indemnización.

En tal sentido, el articulo 12 de la ley estableció que el Ejecutivo Nacional, dentro de los 45 días continuos y subsiguientes a la fecha ele promulgación de la ley, es decir, dentro de los 45 días siguientes al 29 de agosto de 1975, y por órgano del Ministerio de Minas e Hidrocarburos, debía hacer a los concesionarios una oferta formal de una indemnización, por todos los derechos que los concesionarios tuvieran sobre los bienes, afectos a las concesiones de las cuales eran titulares.

La indemnización que el Estado debía cancelar a tos concesionarios, de acuerdo al articulo 15 de la ley, correspondía a los derechos sobre los bienes expropiados, y no podía ser superior al valor neto de las propiedades, plantas y equipos, entendiéndose como tal, el valor de adquisición menos el monto acumulado de depreciación y amortización, a la fecha de la solicitud de expropiación, según los libros usados por el respectivo concesionario a los fines del Impuesto sobre la Renta. El mismo artículo 15 de la ley estableció una serie de deducciones que debían hacerse a dicha indemnización antes de su pago.

De acuerdo a esas normas, el Ministro de Minas e Hidrocarburos presentó a las veintidós empresas concesionarias las ofertas de indemnización, previéndose el pago de acuerdo a dos sistemas: una parte pagada en efectivo, cancelándose el material existente para el 31 de diciembre; y otro para el pago por concepto de equipos e instalaciones, que debía efectuarse en bonos de la deuda pública, conforme a lo autorizado por el artículo 16 de la ley[23] Las empresas concesionarias contestaron la oferta presentada por el Ejecutivo Nacional dentro de los 15 días siguientes, y como consecuencia de ello, se

---

[23] Véase Irene Rodríguez Gallad y Francisco Yánez: *Cronología Ideológica de la Nacionalización Petrolera en Venezuela*, Caracas 1977, p. 403.

llegó, entre el Ejecutivo Nacional y las empresas concesionarias, a un avenimiento, el cual se hizo constar en las llamadas Actas-Convenios, suscritos por el Procurador General de la República y las empresas concesionarias, conforme a las instrucciones impartidas por d Ejecutivo Nacional por órgano del Ministerio de Minas e Hidrocarburos; Actas de Avenimiento o Convenios cuyos efectos se producirían para la fecha de extinción de las concesiones, es decir, para el 31 de diciembre de 1975.

El día 28 de noviembre de 1975 concluyó la firma de las Actas Convenios entre la Procuraduría General de la República y las empresas concesionarias.[24] De acuerdo a lo previsto en el artículo 12 de la ley, el Ejecutivo Nacional, por órgano del Ministro de Minas e Hidrocarburos, sometió las Actas Convenios a la aprobación y consideración de las Cámaras Legislativas, en sesión conjunta, habiéndose iniciado el debate en el Congreso el día 10 de diciembre.[25] Las Actas Convenios fueron aprobadas y el acuerdo de aprobación respectivo fue publicado el 18 de diciembre de 1975[26] y de acuerdo a dichas Actas se pagó una indemnización estimada para el 31 de diciembre de 1975, a las principales empresas concesionarias y participantes, que ascendió a la cantidad de cuatro mil trescientos cuarenta y siete millones, novecientos treinta mil trescientos cincuenta y dos bolívares (Bs. 4.347.930.352,00).

La ley había previsto mecanismos para expropiar a las empresas concesionarias si no se lograba el avenimiento previsto en el artículo 12 de la ley, pero no fue necesario acudir a dicho procedimiento, ya que se logró el acuerdo. En el cuadro N° 1, se relaciona el monto de la indemnización pagada a las empresas concesionarias y participantes tal como resultó de las Actas Convenios aprobadas.

En la Cláusula Cuarta de las Actas Convenios suscritas por la República y algunas de las principales empresas concesionarias, se establecieron las bases para que éstas procedieran a constituir sendas compañías anónimas que progresivamente irían asumiendo la operación integral de la industria; compañías anónimas, que luego serían

---

[24] *Idem*, p. 424.

[25] *Ibidem*, p. 430.

[26] Véase en *Gaceta Oficial* N° 1.784, Extr., de 18 de noviembre de 1975.

traspasadas a la República, al extinguirse las concesiones de 31 de diciembre de 1975, tal como sucedió.

CUADRO Nº 1

MONTO DE LA INDEMNIZACION CANCELADA A LAS EMPRESAS CONCESIONARIAS

(En bolívares)

	Empresas concesionarias	*Monto total de la indemnización*	*A pagar en efectivo*
1.	Amoco Venezuela Oil Company	53.521.856,00	16.970.375,00
2.	Caracas Petroleum S. A.	5.032.905,00	904.279,00
3.	Chevron Oil Company of Venezuela	50.854.480,00	2.506.729,00
4.	Continental Oil Company of Venezuela	4.506.238,00	2.707,00
5.	Coro Petroleum Company	4.983.099,00	685.878,00
6.	Creole Petroleum Corporation	1.997.408.836,00	300.169.658,00
7.	Charter Venezuela Petroleum Company	16.813.534,00	3.614.660,00
8.	Eastern Vzla. Gas Traspt. Co. S. A.	306.924,00	—
9.	International Petroleum (Vzla.) Limited	154.514.017,00	6.071.845,00
10.	Mene Grande Oil Company	290.581.070,00	12.174.933,00
11.	Mito Juan Concesionaria de Hidroc. C. A.	14.643.495,00	533.559,00
12.	Mobil Oil Company of Venezuela	96.691.957,00	32.061.431,00
13.	Phillips Petroleum Company	83.570.332,00	14.722.239,00
14.	S. A. Petroleras Las Mercedes	9.602.827,00	660.638,00
15.	Compañía Shell de Venezuela N. V.	1.049.156.442,00	45.000.000,00
16.	Sinclair Venezuela Oil Company	27.081.378,00	5.015.693,00
17.	Talon Petroleum C. A.	8.300.133,00	4.089.876,00
18.	Texaco Maracaibo Incorporated	129.980.252,00	2.389.643,00
19.	Texas Petroleum Company	41.807.117,00	5.074.074,00
20.	Venezuela Atlantic Refining Company	74.841.842,00	8.163.275,00
21.	Venezuela Gulf Refinig Company S. A.	23.644.884,00	5.353.082,00
22.	Venezuela Sun Oil Company	114.958.361,00	13.718.755,00
	TOTAL:	4.252.801.987,00	479.883.329,00

(continuación)

	Menos: Fondo de Garantía			
A pagar en bonos	*Depositado en BCV*	*Por depositar en BCV*	*Total*	*Neto a entregar*
36.551.481,00	3.226.639,18	18.539.762,99	21.766.402,17	31.755.453,83
4.128.626,00	1.487.638,60	4.112.311,04	5.599.949,64	(567.044,64)
48.347.751,00	5.775.445,78	33.093.421,20	38.868.866,98	11.985.613,02
4.503.531,00	497.523,65	2.496.508,15	2.994.031,80	1.512.206,20
4.297.221,00	1.515.680,97	4.633.090,03	6.148.731,00	(1.165.632,00)
1.697.239.178,00	239.157.619,70	554.281.972,80	793.439.592,50	1.203.969.243,50
13.198.874,00	1.381.001,55	8.788.523,99	10.169.525,54	6.644.008,45
306.924,00	479.286,91	266.056,89	745.343,00	(433.419,80)
148.442.172,00	14.620.203,12	78.622.259,88	93.242.463,10	61.271.553,90
278.406.145,00	29.379.651,31	152.283.893,92	181.663.545,23	108.917.532,77
14.109.936,00	332.255,46	2.428.449,74	2.760.705,20	11.882.789,80
64.630.526,00	29.079.728,10	41.959.871,10	71.039.599,20	25.652.397,80
68.848.093,00	11.806.085,27	30.342.359,73	42.148.445,00	41.421.887,00
8.942.189,00	4.362.131,54	20.527.419,46	24.889.551,00	(15.286.724,00)
1.004.156.442,00	196.580.219,00	538.441.507,30	735.021.726,30	314.134.715,70
22.065.685,00	8.815.604,45	28.170.026,10	36.985.630,55	(9.904.252,55)
4.210.257,00	168.039,73	3.104.893,57	3.272.933,30	5.027.199,70
127.590.609,00	18.176.656,57	39.701.158,73	57.957.815,30	72.022.436,70
36.733.043,00	19.484.915,77	60.033.847,93	79.518.763,70	(37.711.646,70)
66.678.667,00	1.106.190,06	35.568.093,34	36.674.283,40	38.167.558,60
18.291.802,00	13.309.799,36	8.747.856,33	22.137.656,29	1.507.227,71
101.239.606,00	10.941.969,03	29.354.698,47	40.296.687,50	74.661.673,50
3.772.918.658,00	611.764.305,71	1.695.577.942,79	2.307.342.240,50	1.945.459.738,50

III. PROCESO JURÍDICO-ORGANIZATIVO DE LA INDUSTRIA PETROLERA NACIONALIZADA

El proceso jurídico-organizativo de la industria petrolera nacionalizada, como era de esperarse, fue un proceso complejo, el cual se manifestó en tres aspectos fundamentales. En primer lugar, en la organización de la Administración Petrolera Nacionalizada, la cual debía asumir la industria; en segundo lugar, en la conversión de la industria petrolera en industria nacionalizada; y en tercer lugar, en la elaboración de los textos legales que permitieron la creación de los entes petroleros nacionalizados. Estudiaremos separadamente estos aspectos, pero antes analizaremos someramente lo que se establecía en el Informe de la Comisión Presidencial de la Reversión Petrolera de 1974.

1. *El Informe de la Comisión Presidencial de la Reversión Petrolera de 1974*

A. *Aspectos generales*

Mediante decreto Nº 10, del 22 de marzo de 1974,[27] el Presidente de la República creó una Comisión que debía encargarse "de estudiar y analizar las alternativas para adelantar la reversión de las concesiones y los bienes, afectos a ellas, a objeto de que el Estado asuma el control de la exploración, explotación, manufactura, refinación, transporté y mercadeo de los hidrocarburos,"[28] integrada por todas las instituciones, sectores, partidos, y grupos de interés representativos del país.

La Comisión, denominada "Comisión Presidencial de la Reversión Petrolera," se instaló en mayo de 1974 y entregó al Presidente en diciembre de 1974 un Informe[29] en cuya comunicación de remisión se puso de relieve lo siguiente:

> Al analizar las vías jurídicas que es posible seguir para nacionalizar la industria de los hidrocarburos, se optó por recomendar, como la más idónea, la legislativa, por ser ella la que permite, con arreglo a lo dispuesto en los artículos 97 y 101 de la Constitución, la reserva al Estado de la industria de los hidrocarburos, y la adopción de un procedimiento especial de expropiación de los derechos derivados de las concesiones y de los bienes a ellas afectos.
>
> En este sentido la Comisión aprobó el proyecto de "Ley Orgánica que Reserva al Estado la Industria y el Comercio de los Hidrocarburos," el cual prevé la participación de las tres ramas del poder público en acto de tanta trascendencia nacional e internacional como lo es la nacionalización de la industria petrolera y cuya pronta aprobación se recomienda.

---

27 Véase en *Gaceta Oficial* Nº 30.358, de 22 de marzo de 1974.

28 Artículo 1.

29 Edición multigrafiada, noviembre, 1974.

Se formuló un modelo para la organización empresarial del Estado, que habrá de encargarse de la administración de los hidrocarburos al producirse la nacionalización de la industria, previo el análisis de las características específicas de la industria petrolera venezolana y de los aspectos administrativos de las concesionarias foráneas, como simples organismos suplidores de petróleo para las organizaciones transnacionales a las cuales pertenecen y con respecto a las cuales tienen un alto grado de dependencia.[30]

Con los diversos trabajos que le habían sido entregados el 23 de diciembre de 1974, el Presidente de la República dijo que el Ministerio de Minas podía "iniciar los preparativos para la trascendental e histórica decisión que en el curso del próximo año tomaremos."[31]

El Informe señalado contenía, en efecto, seis libros, relativos a los siguientes aspectos: Informe Central de la Comisión, en el cual se expusieron las ideas básicas que justificaban la nacionalización de la industria petrolera y se indicaron el conjunto de conclusiones y recomendaciones de las Subcomisiones; Informe sobre Recursos Energéticos; Informe sobre el Aspecto Laboral y de Recursos Humanos; Informe Económico-Financiero; Informe sobre el Aspecto Operativo de las Futuras Empresas Petroleras Nacionales; Informe sobre el Aspecto Jurídico-Organizativo con un Apéndice; Exposición de Motivos y el Proyecto de Ley Orgánica que reserva al Estado la Industria y el Comercio de los Hidrocarburos.

Los aspectos organizativos y administrativos del proceso de nacionalización se detallaron en, el Informe de la Subcomisión Operativa (Libro V), en el cual se expusieron, entre otros aspectos, los relativos a "la estructura del organismo empresarial del Estado a quien corresponderá la tarea de manejar la industria nacionalizada del petróleo venezolano"; "la secuencia que deberá adoptarse para que la nacionalización petrolera sea un proceso gradual que culmine con pleno éxito,"[32] y la forma jurídica y de creación que debía adoptarse respecto de la empresa petrolera nacionalizada.

---

30 Página 2 de la comunicación CPRP-34, del 6-12-1974.

31 Véase en *El Nacional*, p. D-5. Caracas, 24 de diciembre de 1974.

32 Pp. 1-35 del Informe.

B. *Aspectos relativos a la denominada "Administración Petrolera Nacional" (APN)*

La Comisión, en relación al organismo empresarial del Estado que debía manejar la industria petrolera nacionalizada, al cual se denominó Administración Petrolera Nacional (APN), recomendó lo siguiente:

2. La APN atenderá con toda independencia administrativa y en base a los más sanos principios gerenciales y técnicos, lo relativo a la exploración, explotación, refinación y transporte de hidrocarburos en el territorio nacional, así como al comercio de los mismos dentro y fuera del país, de acuerdo a los lineamientos previstos por la Ley Orgánica antes citada y a los siguientes objetivos fundamentales a largo plazo (macrometas):

a) Proporcionar al Estado venezolano los ingresos fiscales y los hidrocarburos que le señalen los órganos competentes de planificación nacional.

b) Garantizar permanentemente el suministro de los hidrocarburos que el país requiera.

c) Proveer un mercado preferencial a los bienes y servicios que el país produzca para la industria nacional de los hidrocarburos.

En el proceso de alcanzar los objetivos fundamentales, la APN deberá atender dos objetivos básicos durante el período de transición comprendido entre el momento en que se inicie la creación de la APN hasta la oportunidad en que se considere suficientemente cumplida la reestructuración general de la industria petrolera de la Nación. Esos objetivos básicos a corto plazo (micrometas) son:

d) Mantener a la industria petrolera en su capacidad actual de generación de ingresos fiscales, aun cuando esa capacidad sólo se emplee parcialmente.

e) Mantener la eficiencia de las unidades operativas y de apoyo existentes, para garantizar la continuidad de las actividades de la industria.

3. Adoptar para la APN la estructura de una organización integrada verticalmente, multiempresarial y dirigida por una Casa Matriz. Este tipo de estructura provee una dirección central que formula los grandes lineamientos de la acción conjunta, acepta la más amplia delegación de responsabilidad y autoridad a las empresas operativas para el cabal cumplimiento de sus fines y permite una programación sistemática de inversiones y operaciones.

4. Crear las empresas de la APN como entes de la propiedad exclusiva del Estado, con personalidad jurídica y patrimonio distinto del Fisco Nacional, aptos para actuar con entera eficiencia en el campo mercantil.

5. Proporcionar a la APN máxima autonomía administrativa y plena flexibilidad de acción, dentro de la adhesión que deberá guardar con respecto a las pautas y estrategias de la planificación nacional.

6. Proporcionar a la APN autoridad propia para adelantar sus gestiones, dentro de los planes, programas y presupuestos aprobados y sin las trabas que han significado los controles previos externos requeridos en dependencias del Gobierno Nacional y en algunos institutos autónomos.

7. Adscribir la APN a la Presidencia de la República, a través del Consejo Nacional de Empresas del Estado (propuesto por la Comisión de Reforma Integral de la Administración Pública). Por esta adscripción la APN recibirá dirección política del Jefe del Estado, señalamientos programáticos de los organismos de planificación nacional, control normativo de los ministerios sectoriales y control fiscal posterior por parte de la Contraloría General de la República, rindiendo cuenta de sus resultados por ante el Consejo Nacional de Empresas del Estado.

8. Separar diáfanamente los diferentes niveles organizativos que se integran en el funcionamiento de la APN, como se muestra a continuación:

Ejecutivo Nacional
Nivel de Dirección Política.
Nivel de Tutela Programática.
Casa Matriz de la APN
Nivel de Dirección Empresarial.
Nivel de Apoyo Funcional.
Nivel de Coordinación.
Empresas Operadoras de la APN
Nivel de Ejecución.

9. Asignar a la Casa Matriz, empresa llamada a funcionar en la APN como el organismo de dirección empresarial y de recepción de los planes, objetivos y estrategias del Ejecutivo Nacional en el sector de los hidrocarburos, las siguientes responsabilidades:

a) Estructurar una organización eficiente, en términos del aprovechamiento óptimo que haga de los recursos de hidrocarburos del país y de la utilización que dé a los recursos humanos, financieros y gerenciales a su disposición.

b) Adelantar una gestión confiable, que asegure la debida atención a los compromisos, tanto domésticos como internacionales, que adquiera la industria petrolera del Estado venezolano.

c) Mantener una actitud flexible, capaz de atender con acierto y rapidez los cambios de situación que ocurran en la Nación y el mundo.

d) Garantizar, a todos los niveles y en cooperación con los organismos educativos y de capacitación profesional del país, la formación del personal que requiera la APN y el sector de la producción de bienes y servicios para la industria de los hidrocarburos.

e) Asegurar, a todos los niveles y en cooperación con los organismos calificados de Venezuela y el exterior, *los servidos de investigación y desarrollo* requeridos para mantener a la industria de los hidrocarburos del país en el más alto nivel tecnológico.

f) Establecer *criterios propios de evaluación y control,* así como todos los otros principios de sana administración empresarial, que sean requeridos para realizar una operación eficaz, en cuanto al cumplimiento de los objetivos de la APN.

10. Asignar a las empresas operativas, únicos organismos de la APN encargados de la ejecución de los planes y programas, las siguientes responsabilidades principales:

a) Desarrollar con los recursos a su disposición todas aquellas actividades cónsonas con los planes y programas aprobados por la Casa Matriz.

b) Contribuir a la optimización del rendimiento nacional derivado de las actividades industriales del petróleo.

11. Estructurar la Casa Matriz en forma tal que pueda cumplir las más amplias funciones de dirección de la APN, las cuales incluyen: planificación y desarrollo, evaluación y control, respaldo financiero, apoyo tecnológico, coordinación de actividades operativas, desarrollo de personal y gerencia, asesoramiento legal, relaciones públicas, prestación de servicios centrales.

12. Estructurar empresas operadoras para atender las siguientes actividades típicas de la industria y propias de la APN: exploración en cuencas nuevas, exploración en cuencas tradicionales, producción de petróleo y gas, refinación, prestación de servicios tecnológicos, comercialización externa, comercialización interna, transporte marítimo.

13. Dotar a la APN de un régimen propio de administración de personal, independiente de la Administración Pública. Este régimen deberá velar por la captación y desarrollo de personal y gerencia; establecer los patrones de sueldos, salarios, compensaciones y promociones, siempre en base a la actuación individual

y a los méritos del trabajo realizado; garantizar que los obreros, empleados, supervisores, gerentes y directores de la APN no serán considerados empleados públicos, y mantener las condiciones económicas, sociales, asistenciales y de cualquier otro orden logradas en la industria petrolera.

14. Dotar a la APN de un cuerpo gerencial de prestigio y competencia, siendo necesario para ello:

a) Integrar la Junta Directiva de la Casa Matriz con personas de vasta y reconocida experiencia petrolera o empresarial, pública o privada.

b) Integrar las organizaciones de apoyo funcional de la Casa Matriz con profesionales y técnicos especializados de alta calificación.

c) Integrar las juntas directivas de las empresas operadoras con personas de larga experiencia técnica y administrativa en la industria petrolera, pública o privada.

15. Dotar a la APN de un Plan de Organización que le permita ponerse en marcha a corto plazo y mantener las actividades de la industria a sus niveles actuales.[33]

C. *Aspectos relativos a la secuencia del proceso nacionalizador*

Para alcanzar la nacionalización petrolera en el menor tiempo, al más bajo costo social posible y procurando el óptimo beneficio nacional, la Comisión recomendó aplicar principios de gradualismo y organicidad, en la siguiente forma:

1. Concebir y realizar el conjunto de medidas que configuran la nacionalización de la industria petrolera como un proceso gradual cuya celeridad quede determinada por la capacidad de absorción de actividades que muestre la APN y por los requerimientos de la conveniencia nacional.

2. Mantener a la CVP operando en sus áreas asignadas y en sus actuales actividades, hasta tanto se integre a la APN y forme

---

[33] Informe ..., pp. 1-38 y 1-45.

parte de la reestructuración general de la industria, la cual afectará a todas las empresas operadoras de la APN. En esa reestructuración se recomienda tomar muy en cuenta el papel que ha desempeñado la CVP como empresa pionera en la actividad petrolera del Estado venezolano.

3. Mantener al Ministerio de Minas e Hidrocarburos como el organismo estatal de formulación de política petrolera y como el mecanismo de control normativo de las actividades de esa industria, reajustando su funcionamiento a la nueva perspectiva que involucra la actividad exclusiva del Estado en el sector petrolero. A su función rectora, el MMH deberá incorporar a corto plazo todo el planteamiento energético, como envolvente de la cuestión petrolera.

4. Adoptar el siguiente procedimiento para ejecutar el Plan Básico de Organización de la APN, en el entendido de que dicho plan podría ser modificado por la Casa Matriz después que ésta se constituya:

a) En la *etapa inmediata,* crear la Casa Matriz e integrar sus principales organizaciones de apoyo funcional. Además, en esta etapa se crearían cuatro empresas operadoras para atender las siguientes actividades específicas:

- * Comercialización externa.
- * Transporte Marítimo (flota petrolera).
- * Exploración (cuencas nuevas).
- * Servicios tecnológicos.

b) En la *etapa intermedia,* durante el proceso de expropiación, establecer empresas operadoras filiales de la Casa Matriz para recibir los derechos de las 22 concesionarias existentes y realizar las actividades de producción, exploración en las cuencas tradicionales, refinación y transporte correspondientes. En esta etapa es fundamental mantener en su estado actual las unidades operativas de las concesionarias, el personal que en ellas trabaja, el régimen administrativo y las relaciones técnicas entre las diferentes organizaciones.

c) En una *etapa ulterior,* reestructurar la industria en forma general con el objeto de optimizar los beneficios nacionales derivados de la actividad petrolera. Esto envuelve integrar la CVP a la APN y nuclear la CVP y las empresas operadoras que sustituyeron a las concesionarias en un número reducido de empresas productoras:

* Productora A
* Productora B
* Productora C
* Productora D

Además, en esta etapa se decidirá sobre la conveniencia de establecer dos empresas separadas para atender las siguientes actividades específicas:

* Refinación.
* Comercialización interna.

A la Casa Matriz le corresponderá decidir, en última instancia, sobre el número de empresas productoras y sobre el grado de integración vertical de cada una de ellas.

5. Mantener las empresas de la APN sujetas, en cuanto les sean aplicables, a las disposiciones legales que rigen las relaciones del Estado venezolano con las empresas concesionarias, de acuerdo a lo previsto en la Ley Orgánica propuesta por la Comisión.[34]

D. *Aspectos relativos a la forma jurídica y de creación de la empresa petrolera nacionalizada*

En el Proyecto de Ley Orgánica que reserva al Estado la Industria y el Comercio de los Hidrocarburos que se acompañó, como Apéndice, al Informe, se estableció expresamente, en su artículo 5°, lo siguiente:

Artículo 5°. Las actividades señaladas en el artículo 1° de la presente ley sólo podrán ser ejercidas:

a) Por el Ejecutivo Nacional, y

b) Por entes de la propiedad exclusiva del Estado creados mediante leyes especiales, a los cuales les sean asignados por el

---

[34] *Informe...*, pp. 1-45 a 1-49.

Ejecutivo Nacional, previa aprobación del Senado, los correspondientes derechos para ejercer una o más de las indicadas actividades.

Los derechos asignados no podrán ser enajenados, gravados o ejecutados, so pena de nulidad de los respectivos actos.

A tales entes les estará permitido crear empresas de su exclusiva propiedad, para realizar una o varías de las actividades comprendidas en los derechos que se les asignen, e igualmente podrán celebrar los convenios operativos necesarios para la mejor realización de sus actividades, sin que en ningún caso estas gestiones afecten la esencia misma de los derechos asignados.

En relación a este artículo, la Exposición de Motivos de la Ley, explicaba lo siguiente:

En el artículo 5° se establece que las actividades reservadas sólo podrán ser ejercidas por el Ejecutivo Nacional, forma tradicional mantenida en nuestras leyes de hidrocarburos, y por entes de la propiedad exclusiva del Estado creados mediante ley especial. Este artículo perfecciona la figura de la asignación de tales derechos. En efecto, los derechos para ejercer una o más de las actividades señaladas en el artículo 1° sólo pueden ser asignados, con la previa aprobación del Senado, a entes de la propiedad exclusiva del Estado, creados mediante ley especial, sin que tales derechos puedan ser enajenados, gravados o ejecutados so pena de nulidad. Si bien a tales entes les estará permitido crear empresas de su exclusiva propiedad, para realizar una o varias de las indicadas actividades, e igualmente celebrar Los convenios operativos necesarios para la mejor realización de dichas actividades, debe quedar muy claro que en ningún caso estas gestiones deberán afectar la esencia misma de los derechos asignados. En efecto, está totalmente descartada la posibilidad de crear empresas mixtas o de participación, para la realización de las actividades reservadas, pero ello no excluye la celebración de convenios o contratos con empresas privadas para la ejecución de determinadas obras o servicios por los cuales estas últimas recibirían el pago en dinero o en especie, sin que en este último caso se pueda comprometer un porcentaje fijo de la producción de un determinado campo o la entrega de una cantidad substancial de petróleo que desdibuje la figura del simple contrato de servicio u operación. El Estado podría participar como socio en una de estas empresas prestadoras de tales servicios, lo que redundaría en acopio de experiencia para el Estado y sus entes en el campo operativo industrial.[35]

De lo anterior, deben destacarse los siguientes aspectos:

En primer lugar, que el Proyecto dejó cierta flexibilidad en cuanto a la forma jurídica de los entes petroleros nacionalizados, pues no calificó su forma jurídica. El Proyecto inicialmente redactado por la Subcomisión Jurídica establecía en su artículo 2° que, además del Ejecutivo Nacional, las actividades reservadas podían ser ejercidas "por institutos autónomos o empresas de la propiedad exclusiva del Estado",[36] con lo cual se daba alguna orientación en torno a la forma de derecho público y de derecho privado que debían tener las empresas petroleras nacionalizadas.

En segundo lugar, que los entes que administrarían la industria petrolera nacionalizada debían ser creados "mediante leyes especiales", con lo cual el Congreso conservaba un mecanismo ulterior de intervención en el proceso y se quitaba flexibilidad al Ejecutivo Nacional.

En tercer lugar, que posteriormente, para que esos entes pudiesen realizar actividades petroleras, debían obtener del Ejecutivo Nacional una "asignación" de las mismas conforme a lo previsto en la Ley de Hidrocarburos, "previa aprobación del Senado", con lo cual una vez más, se rigidizaba el proceso, al preverse la intervención del Poder Legislativo.

En cuarto lugar, que estaba totalmente descartada la posibilidad de que los particulares, incluso mediante su participación en empresas mixtas, intervinieran en las actividades reservadas, lo que no excluía la posibilidad de que se celebrasen con aquellos convenios para la ejecución de determinadas obras o servicios.

---

35 *Informe..*, pp. 1-62 *y* 1-63.

36 Art. 2. Véase en *El Nacional,* p. D-l. Caracas, 20 de agosto de 1974.

Este artículo 6º del Proyecto, fue modificado, tanto por el Ejecutivo Nacional al presentar el Proyecto a la consideración del Congreso, como por el propio Congreso, sobre todo en la Cámara de Diputados. No sólo se admitió la posibilidad de constituir empresas mixtas, sino que se flexibilizaron las normas para la creación de las empresas nacionalizadas.

2. *El proceso de organización de la Administración Petrolera Nacionalizada*

Varios aspectos resaltan de la organización de la Administración Petrolera Nacional: uno, su vinculación y relación con la Administración Central Ministerial; y otro, su estructuración interna.

A. *La adscripción de la Organización Petrolera Nacionalizada a la Administración Pública*

Uno de los aspectos más resaltantes de las recomendaciones del Informe de la Comisión Presidencial de la Reversión Petrolera, en relación a la estructuración de la Administración Petrolera Nacional, era la proposición de que debía proporcionársela de una "máxima autonomía administrativa y plena flexibilidad de acción, dentro de la adhesión que deberá guardar con respecto a las pautas y estrategias de la planificación nacional." En tal sentido, se proponía "adscribir la APN a la Presidencia de la República, a través del Consejo Nacional de Empresas del Estado (propuesto por la Comisión de Reforma Integral de la Administración Pública). Por esta adscripción, la APN recibirá dirección política del Jefe del Estado, señalamientos programáticos de los organismos de planificación nacional, control normativo de los ministros sectoriales y control fiscal posterior por parte de la Contraloría General de la República, rindiendo cuenta de sus resultados por ante el Consejo Nacional de Empresas del Estado."[37]

El sentido de esta recomendación, tal como la explicó el Presidente de la Subcomisión que la preparó, era la de que la APN debía ser concebida como una organización regida por una Casa Matriz "tan separada y distinta de la Administración Pública como fuere

---

[37] Pp. 1-40.

posible."[38] Con la adscripción de la APN al famoso "Consejo Nacional de Empresas del Estado" el cual, afortunadamente, nunca se creó,[39] se reconocía que "no obstante la independencia que se le otorgue con relación a la Administración Pública, la APN es un ente del Estado, de quien proviene su existencia y para quienes deberá trabajar."[40]

Sin embargo, se buscaba alejarla de la Administración Pública tradicional mediante su no adscripción al Ministerio sectorial correspondiente, el antiguo Ministerio de Minas e Hidrocarburos (el actual Ministerio de Energía y Minas), y su adscripción al Consejo Nacional de Empresas del Estado, con cuyo proyecto se pretendía desvincular las actividades empresariales del Estado de las políticas sectoriales. Contra esta fórmula reaccionó el Contralor General de la República, doctor José Muci-Abraham, en un famoso Informe sobre el Proyecto de Ley, en el cual señaló, en relación a estos aspectos, lo siguiente:

> La adscripción de la APN (de la Casa Matriz) al Ejecutivo Nacional, o en otras palabras, las relaciones entre el Estado (el Ejecutivo Nacional) y la Casa Matriz de la APN, forzosamente tendrán que producirse a través del Ministerio de Minas e Hidrocarburos. De lo contrario, sea que se adscriba la APN a la Presidencia de la República, o al propuesto Consejo Nacional de Empresas del Estado, el Ministerio de Minas e Hidrocarburos tendría que desaparecer, por falta de competencias y funciones sustanciales; a esta situación, en nuestro criterio, no debe llegarse... si bien es conveniente la estructuración de la APN en un *holding* sectorial de empresas públicas petroleras, dicho *holding* (Casa Matriz) debe estar adscrito al Ministerio Sectorial respectivo, es decir, estar adscrita al Ministerio de Minas e Hidrocarburos, el

---

38 Véase la información dada por Humberto Peñaloza en *El Nacional,* p. D-4. Caracas, 1° de diciembre de 1974.

39 Véase nuestra crítica en Allan-R. Brewer-Carías: "Algunos aspectos jurídicos de las relaciones entre el gobierno central y las empresas del Estado", en *CLAD, Gobierno y empresas públicas en América Latina,* Buenos Aires, 1978, pp. 176 ss.

40 Véase la información dada por Humberto Peñaloza en *El Nacional,* p. D-4. Caracas, 1° de diciembre de 1974.

cual a su vez debe ser reformado. Al contrario, no parece conveniente la adscripción de la APN al proyectado Consejo Nacional de Empresas del Estado.

La vinculación del *holding* petrolero al Ministerio responsable del sector, en definitiva, será la mejor vía para garantizar la adecuación de las actividades de la APN a las políticas gubernamentales.[41]

De estos criterios confrontados, prevaleció el expresado por el Contralor General de la República, Petróleos de Venezuela S. A., como Casa Matriz de la industria petrolera nacionalizada, recibe las directivas políticas del Ministro de Energía y Minas, quien ejerce la representación de las acciones de la República en la Asamblea.

El Ministro, así, ejerce el control accionarial sobre la industria petrolera nacionalizada, a través de Petróleos de Venezuela C. A., como Casa Matriz.[42] Las modalidades de las relaciones entre Petróleos de Venezuela S. A. y la Administración Central, se exponen más adelante.

B. *La organización interna de la industria petrolera nacionalizada*

La Comisión Presidencial de la Reversión Petrolera había propuesto la integración de la industria nacionalizada, a través de "una organización integrada verticalmente, multiempresarial y dirigida por una Casa Matriz" y compuesta por una serie de empresas aptas

---

[41] Opinión del Contralor General de la República sobre el articulado del Proyecto de Ley Orgánica que reserva al Estado la Industria y el Comercio de los Hidrocarburos, en separata *Informe al Congreso,* 1975, pp. 25 y 27. Véase, además, los comentarios a dicho Informe del Contralor, en C. R. Chávez: "La Autoridad Petrolera Nacional", en *El Universal,* Caracas, 20 de abril de 1975, p. 2-23.

[42] Este control ministerial fue criticado por la Agrupación de Orientación Petrolera (Agropet), la cual consideró que con ello la Casa Matriz "quedaría reducida a la condición de apéndice del Ministerio Sectorial." Véase en *El Universal,* pp. 1-12, Caracas, 10 de septiembre de 1976. Otras críticas pueden verse en *El Nacional,* pp. 6-2. Caracas, 24 de julio de 1975.

"para actuar con entera eficiencia en el campo mercantil."[43] Se consideró, además, que la Casa Matriz debía "limitarse a las actividades más generales de planificación, organización, dirección, coordinación y control de la APN, sin injerencia alguna en las actividades específicas de las filiales operativas, únicas encargadas de la ejecución de los planes y programas."[44]

En cuanto a las empresas operadoras, se señaló que cada una de ellas debía "representar una actividad empresarial que la APN considere necesario desarrollar.

El establecimiento de una actividad como empresa operadora separada deberá contribuir a la realización de los objetivos de la APN; y cada empresa operadora deberá justificarse en términos de magnitud y potencial de crecimiento."[45]

Al inicio de la actividad de la industria petrolera nacionalizada, comenzaron a actuar, la Casa Matriz, Petróleos de Venezuela S. A. y catorce empresas operadoras: la Corporación Venezolana del Petróleo S. A., empresa constituya por la transformación del antiguo instituto autónomo del mismo nombre,[46] y por las siguientes trece empresas que se habían constituido en sustitución de las empresas concesionarias, y cuyas acciones fueron traspasadas a Petróleos de Venezuela S A.

— Lagovén (antes Creole).

— Maravén (antes Shell).

— Menevén (antes Mene-Grande).

— Llanovén (antes Mobil Oil).

— Deltavén (antes Texaco y Texas).

— Palmavén (antes Sun y Charter).

— Roquevén (antes Phillips).

---

43 Pp. 1-39 del *Informe*.

44 Pp. V-61 del *Informe*.

45 Pp. V-62 del *Informe*.

46 Véase el decreto N° 1.127, del 2 de septiembre de 1975, en *Gaceta Oficial* N° 30.864, de 5 de diciembre de 1975.

— Barivén (antes Sinclair y Varco).

— Amovén (antes Amoco).

— Boscanvén (antes Chevrón).

— Talovén (antes Talón).

— Guarivén (antes Las Mercedes).

— Vistavén (antes Mito Juan).[47]

La Casa Matriz, a los efectos de coordinar la actividad de las empresas operadoras, estableció diversos coordinadores de áreas de actividad para Materiales y Equipos; Planificación; Desarrollo Tecnológico; Organización y Recursos Humanos; Control y Finanzas; Mercado Interno; Producción; Refinación, Suministro y Comercio, y Exploración.[48] Estos coordinadores tenían la misión de estar en contacto directo con las diferentes áreas de las empresas operadoras, con el objeto de aportar sus conocimientos e informar a la Casa Matriz de esas actividades.

Después de un año de funcionamiento de la industria petrolera nacionalizada, se inició el proceso de racionalización de las operadoras, tendiente a lograr su fusión y reducir las catorce empresas a cuatro.

CUADRO N° 2

ORGANIZACIÓN INICIAL DE LA INDUSTRIAL PETROLERA NACIONALIZADA

Petróleos de Venezuela, S.A.

Lagoven				
Maraven	Meneven	Llanoven	Deltaven	Palmaven
Roqueven	Bariven	Amoven	Boscanven	Talaven
Guariven	Vistaven	CVP		

En tal sentido, en el *Informe Anual* correspondiente al Ejercicio 1976, presentado en agosto de 1976, se indicaba que se había iniciado

---

47 Véase la información en *El Universal,* p. 2-1; y en Petróleos de Venezuela, *Informe Anual,* 1976, p. 13.

48 *Idem.*

"la racionalización operacional de la industria, proceso que habrá de culminar con una apreciable simplificación del cuadro administrativo y operacional que existe hoy día. La primera etapa, la cual ya está en marcha, es de coordinación administrativa de unas empresas filiales por otras y no involucra cambios corporativos o estructurales de las empresas. Es una etapa, sin embargo, que nos facilitará el camino hacia la segunda fase, la cual será la integración definitiva de las empresas."[49]

En diciembre de 1976, en esta forma, se anunció que no se justificaba que continuasen las operadoras en forma dispersa, por lo cual se iniciaba la etapa de coordinación de las mismas, con vista a su integración. Así, se anunció el inicio del siguiente esquema de coordinación:

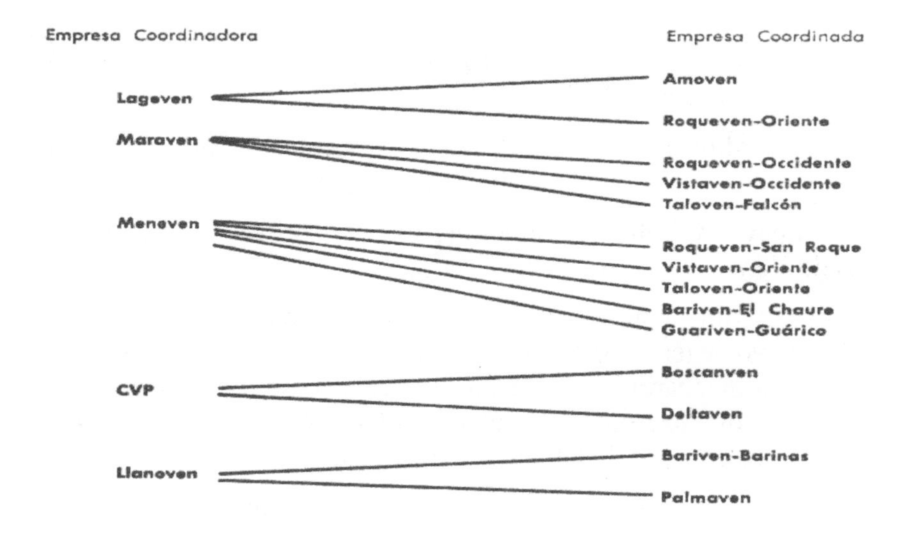

[49] Petróleos de Venezuela, *Informe Anual 1976*, p. 7.

CUADRO Nº 3

PROCESO DE COORDINACION DE LA INDUSTRIA PETROLERA NACIONALIZADA INICIADO EN DICIEMBRE DE 1976

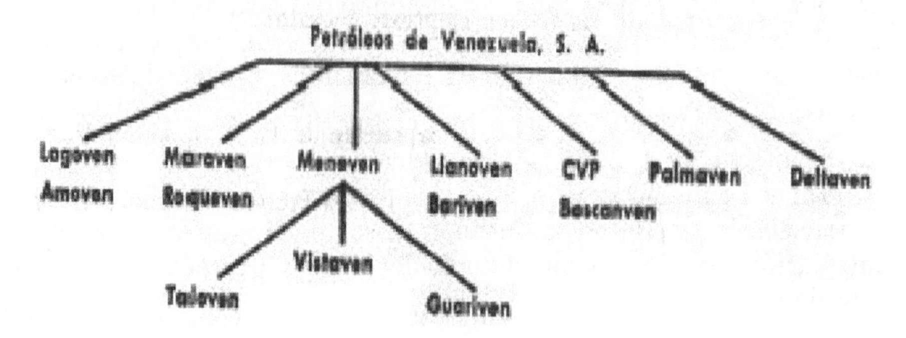

Palmavén y Deltavén siguieron reportando directamente a Petróleos de Venezuela S. A.[50]

La coordinación así iniciada, abarcó los aspectos financieros, administrativos y técnicos de la industria. Las empresas

Palmavén y Deltavén siguieron reportando directamente a Petróleos de Venezuela S. A.[51]

La coordinación así iniciada, abarcó los aspectos financieros, administrativos y técnicos de la industria. Las empresas coordinadoras, además, comenzaron a recibir cuenta de las empresas coordinadas, por lo que comenzaron a reportar a Petróleos de Venezuela S. A. sólo 7 empresas, en lugar de las catorce iniciales.

Las empresas coordinadas, sin embargo, continuaron conservando su entidad empresarial y personalidad jurídica. En esta forma se abría el proceso de integración de las empresas operadoras, el cual se desarrolló durante el año 1977.

---

50 Véase la información del Vicepresidente de Petróleos de Venezuela en *El Nacional,* p. D-9. Caracas, 11 de diciembre de 1976.

51 Véase la información del Vicepresidente de Petróleos de Venezuela en *El Nacional,* p. D-9. Caracas, 11 de diciembre de 1976.

Durante este año 1977, en efecto, se desarrolló el siguiente esquema de racionalización de la industria, agregándose en el sistema de coordinación, criterios geográficos:

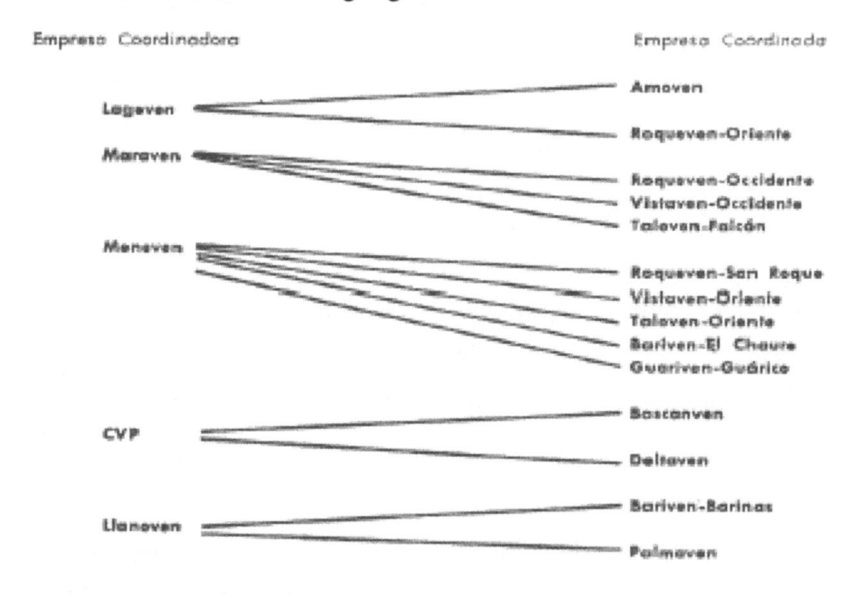

CUADRO Nº 4

PROCESO DE REESTRUCTURACION DE LA INDUSTRIA PETROLERA NACIONALIZADA

ENERO, 1978

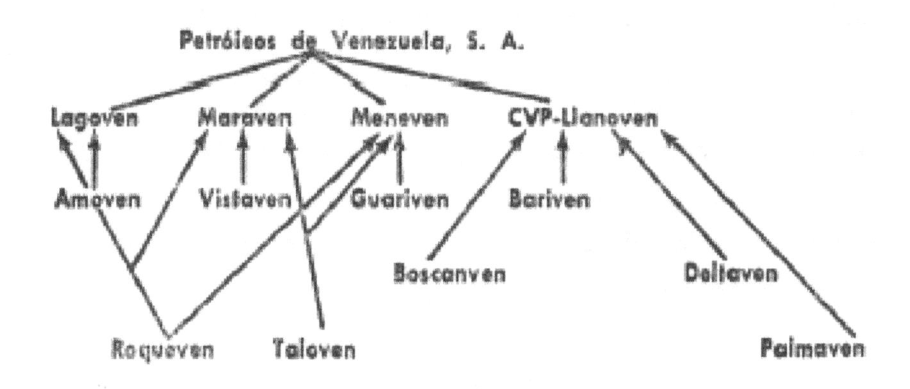

Se llegó, así, en 1977, a un esquema de coordinación y organización de cinco empresas operadoras.[52]

En enero de 1978, en esa forma, materialmente había concluido el proceso de reestructuración de las empresas operadoras, habiéndose reducido las 14 empresas iniciales a cuatro grupos operadores, a cargo de las siguientes empresas, tal como lo anunció el Vicepresidente de Petróleos de Venezuela S. A.

1. Lagoven, empresa que absorbió las operaciones de Amoven y las actividades de Roqueven en el Oriente del país;

2. Maraven, empresa que absorbió las actividades de Roqueven en Occidente, así como los campos de Mará de Vistaven y los campos de Taloven en el Estado Falcón;

3. Meneven, empresa que absorbió las operaciones de Talovén, Guariven y Vistaven en Oriente y el Estado Guárico, así como las operaciones de la refinería El Chaure, en el Estado Anzoátegui;

4. CVP-Llanoven, grupo que estaba en proceso de fusión y que concluía las operaciones de la empresa Boscanven en el Occidente, así como las actividades de producción de Bariven en el Estado Barinas. Este grupo debía absorber también las operaciones de las empresas Palmaven y Deltaven.[53]

[52] Petróleos de Venezuela, *Informe Anual 1977,* p. 7.

[53] Véase la información de J. C. Arreaza en *El Nacional,* p. D-13. Caracas, 28 de enero de 1978. *Cfr.* en la Presentación de Julio César Arreaza ante la XIII Asamblea de ARPEL, México, abril, 1978.

CUADRO Nº 5

PROCESO DE RACIONALIZACION DE LA INDUSTRIA

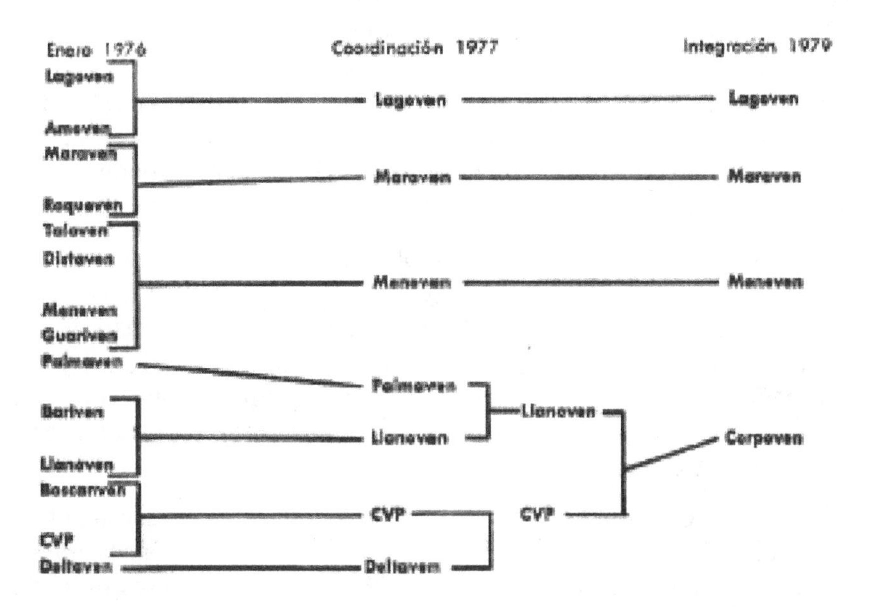

Además, mediante la Ley de Conversión del Instituto Venezolano de Petroquímica en Compañía Anónima, del 18 de julio de 1977,[54] se autorizó al Ejecutivo para proceder a dicha conversión mediante decreto, [55] lo cual se hizo en diciembre de 1977,[56] y además, para aportar las acciones de Petroquímica de Venezuela S. A. (Pequivén), "en el aumento de capital que a efectos de su adquisición, pudiera hacer la empresa de propiedad exclusiva del Estado Petróleos de Venezuela S. A.."[57] Las referidas acciones, emitidas originalmente a nombre de la República de Venezuela,[58] fueron traspasadas a Petróleos de Venezuela S A. el 1º de marzo de 1978[59] habiéndose

---

54 Véase en *Gaceta Oficial* Nº 31.278, del 18-7-1977.

55 Véase el decreto Nº 2.454, del 22 de noviembre de 1977, en *Gaceta Oficial* Nº 31.369, del 25 de noviembre de 1977.

56 Petróleos de Venezuela, *Informe Anual 1911,* p. 6.

57 Art. 2º de la Ley de Conversión.

58 Artículo 2º del decreto.

59 Petróleos de Venezuela, *Informe Anual 1918,* p. 5.

concretado en 1978, por el Ejecutivo Nacional, mecanismos que permitieron proveer los fondos necesarios para el saneamiento de la industria petroquímica.[60] Petróleos de Venezuela S. A., en efecto, había manifestado al Ejecutivo Nacional durante 1977, su "confianza en que el Ejecutivo Nacional cumplirá su ofrecimiento de sanear financieramente a la Petroquímica antes de dicho traspaso, a fin de no comprometer los fondos destinados a las inversiones en el sector petrolero en pagar los déficits y pérdidas acumuladas en el citado Instituto."[61]

Por otra parte, el Instituto Tecnológico Venezolano del Petróleo (INTEVEP), como Fundación adscrita a Petróleos de Venezuela S. A., comenzó sus actividades de investigación relacionadas con las operaciones de la industria en 1976, [62] habiendo sido transformado en Compañía Anónima en mayo de 1979, siendo Petróleos de Venezuela S. A. su único accionista, convirtiéndose, por tanto, en la sexta empresa filial de esa empresa. [63]

El proceso de integración y racionalización de la industria petrolera nacionalizada, tendiente a estructurar cuatro empresas operadoras, puede decirse que concluyó en 1979. En efecto, en noviembre de 1978 Petróleos de Venezuela S. A. constituyó la empresa Corpoven, la cual recibió todo el personal de las siguientes seis empresas operadoras del llamado Grupo CVP-Llanovén, con quienes, además, celebró sendos convenios de operación: CVP y Llanovén, Boscanvén, Barivén, Deltavén y Palmavén.

A partir del 1° de enero de 1979, además, el Ministerio de Energía y Minas redeterminó las áreas de actividad de las mencionadas empresas, asignándose todas a Corpoven.

---

60 *Idem.*

61 Petróleos de Venezuela, *Informe Anual 1977,* p. 6.

62 Petróleos de Venezuela, *Informe Anual 1976,* p. 24.

63 Véase el discurso de Julio César Arreaza, Presidente Encargado de Petróleos de Venezuela ante la XXXV Asamblea Anual de Fedecámaras, Porlamar, 18 de junio de 1979. INTEVEP S. A. fue inscrita en el Registro Mercantil de la Circunscripción Judicial del Distrito Federal y Estado Miranda el 31 de mayo de 1979, bajo el N° 15 del tomo 65-A segundo.

En la Asamblea General de agosto de 1979, el capital de Corpoven fue aumentado y con ello adquirió los activos de las empresas fusionadas.

En 1979, por tanto, se cumplió el proceso de racionalización de la industria, habiéndose integrado las catorce operadoras iniciales en las siguientes cuatro: Lagoven, Maraven, Meneven y Corpoven.[64] En relación a este proceso, el Vicepresidente de Petróleos de Venezuela expresó en junio de 1979, lo siguiente:

> El proceso se inició en 1977 con la etapa de *coordinación,* mediante la cual siete empresas filiales de Petróleos de Venezuela, de las catorce existentes, presentaban cuenta directamente a la Casa Matriz, coordinando las cinco mayores de ellas a siete de menor tamaño.
>
> Al finalizar 1977 establecimos un mecanismo de absorción que desembocó, al iniciarse el presente año, en cuatro grandes empresas operadoras: Lagoven, Maraven, Meneven y Corpoven.
>
> Hemos estado especialmente atentos a la preservación de la confianza y de la motivación del personal durante un proceso que incide directa e indirectamente sobre su futuro y sus carreras.
>
> Creemos haber llevado el proceso con buen éxito, ayudados por la gran disciplina y sentido de responsabilidad de los Presidentes, Directores, Ejecutivos y demás trabajadores de las empresas filiales.
>
> El proceso de racionalización abre nuevas oportunidades de desarrollo profesional al crecer el tamaño de las empresas y al concretarse la expansión de actividades de la industria; permite una mejor planificación de carreras, al disminuir el número de empresas y uniformarse los procedimientos de evaluación de puestos y de evaluación de desempeño en el trabajo; aumenta la oportunidad de una libre intercambiabilidad de recursos humanos entre las empresas del Sector Petrolero y –por extensión–

[64] Petróleos de Venezuela, *Informe Anual 1978,* pp. 4 y 57.

con las empresas del Sector Petroquímico, así como el Instituto de Tecnología Aplicada INTEVEP; facilita grandemente a la Casa Matriz un conocimiento más directo de los recursos humanos, lo cual incide positivamente sobre su óptima utilización, y en ningún caso la remuneración y otras condiciones de trabajo del personal son desmejoradas al pasar de una a otra empresa.[65]

CUADRO Nº 6

ORGANIZACION DE LA INDUSTRIA PETROLERA NACIONALIZADA

AGOSTO, 1979

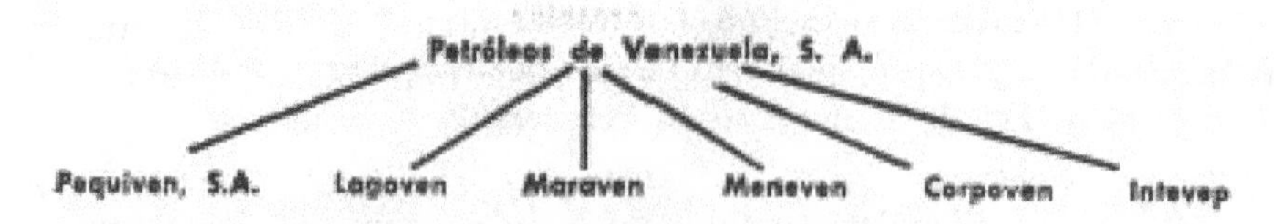

3. *El proceso de conversión de la industria petrolera en industria nacionalizada*

Sin duda, al momento de iniciarse la nacionalización de la industria petrolera, resultaba claro que los problemas jurídicos que planteaba dicho proceso no eran los de mayor importancia ni los más complejos. Tal como lo señalaba a comienzos de 1975 el Presidente de la Comisión Permanente de Minas e Hidrocarburos de la Cámara de Diputados, los de mayor entidad y complejidad eran los problemas organizativos y administrativos, "es decir, los relativos a cómo se va a operar la industria nacionalizada y a cómo se va a realizar el traspaso de numerosas y complicadas estructuras operativas al dominio de la Nación."[66]

Por ello, la principal preocupación que originaba el proceso de conversión de la industria petrolera en industria nacionalizada era sin

---

[65] Presentación del doctor Julio César Arreaza, Presidente de la Delegación Venezolana ante la XIV Asamblea Ordinaria de Arpel Río de Janeiro, mayo 30-junio, 1°, 1979.

[66] Véase las declaraciones de Arturo Hernández Grisanti en *El Nacional,* 11 de enero de 1975, p. D-l.

duda, la que surgía de los problemas administrativos y organizativos, pues, ante todo, se buscaba que dicho proceso no afectara la marcha de la industria.

La forma más simple, jurídicamente hablando, para asegurar esa conversión sin afectar la operación de la industria, hubiera sido la transferencia de las acciones de las empresas concesionarias al Estado. Así se expresaba el Viceministro de Minas e Hidrocarburos en octubre de 1974, cuando aún la Comisión Presidencial para la Reversión Petrolera no había terminado su informe:

> Este gobierno estudia estructurar una compañía matriz que tenga como finalidad la orientación de las grandes líneas de la gestión petrolera. Esta compañía coordinará las actividades de las empresas operativas de la industria que deberán conservar –las empresas– sus estructuras actuales. Esas empresas simplemente cambiarán de dueños, pero seguirán operando en la misma forma con el objeto de no producir distorsiones en la industria.[67]

El cambio de dueño, en todo caso, no era tan simple jurídica y políticamente hablando.

La preocupación por el mantenimiento de la estructura administrativa de las empresas nacionalizadas, a corto plazo, en todo caso, fue una constante.[68] Ella llevó a los representantes de la Federación de Cámaras y Asociaciones de Producción (Fedecámaras), la mayor organización de productores y comerciantes privados, a plantear, en el voto salvado que formularon a algunos artículos del Proyecto de Ley de Nacionalización Petrolera, lo siguiente:

> El Anteproyecto de Ley que Reserva al Estado la Industria y el Comercio de los Hidrocarburos, debe estar fundamentado en dos principios esenciales, a saber: a) desde el punto de vista estructural, que el Anteproyecto consagre procedimientos adecuados y convenientes para que la transferencia de la operación del control absoluto de la industria petrolera al Estado, se haga en

---

67 Véase las declaraciones de Fernando Báez Duarte en *El Nacional,* 5 de octubre de 1974, p. D-l.

68 *Cfr.* las conclusiones del Congreso de Economía Petrolera y Minera en *El Nacional,* Caracas, 8 de noviembre de 1974, p. D-8.

forma gradual y constante, de manera que el Estado pueda absorber dicha actividad en la medida en que haya creado y puesto en funcionamiento las estructuras de organización administrativa necesarias para esta finalidad...

...No obstante la extremada acuciosidad de los mantenedores del Anteproyecto en el propósito de prever los menores detalles, el instrumento se encuentra inconcluso, pues no establece un régimen transitorio que facilite y ordene la transferencia gradual de los bienes afectos a las concesiones de acuerdo a la capacidad de absorción que el Estado pueda crear e incrementar para recibirlos, sin provocar interrupciones del proceso productivo. Además, el Anteproyecto, cualesquiera que fueren las modificaciones que le sean introducidas por el Ejecutivo y el Legislativo, impone la aprobación anterior de otro instrumento legal que cree las estructuras básicas de la Casa Matriz y de las diversas empresas operativas que sustituyan la acción de las actuales compañías extranjeras radicadas en nuestro país. De lo contrario, no existirán los mecanismos indispensables para recibir las instalaciones y otros bienes cuyo tránsito al dominio del Estado se pauta en el Anteproyecto de Ley Orgánica aprobado por la Comisión Presidencial. [69]

En efecto, tal como se indicó, en el Proyecto de Ley que Reserva al Estado la Industria y el Comercio de los Hidrocarburos elaborado por la Comisión Presidencial, no se previo norma alguna que regulara el proceso administrativo de conversión de la industria petrolera en industria nacionalizada,[70] lo cual no se planteó, tampoco, ni en el Informe ni en el texto del Proyecto elaborado por la Comisión Permanente de Minas e Hidrocarburos de la Cámara de Diputados.[71] En este Informe, sin embargo, se señaló que la Comisión había analizado argumentos sobre la alternativa de que la República, en lugar de adquirir los bienes de la industria como establecía

69 Véase el texto en El Nacional, Caracas, 14 de febrero de 1975, p. D-l.

70 Véase el Informe de la Comisión Presidencial de la Reversión Petrolera, *cit.*, pp. 1-76.

71 Véase el texto en *Revista Resumen,* N° 84, 15 de junio de 1975, p. 27.

el Proyecto, comprase las empresas concesionarias mediante la adquisición de sus acciones, y se concluyó diciendo lo siguiente:

> Esta alternativa se descartó por diversas razones, entre las cuales mencionamos: impracticidad de una acción de este tipo en el caso de empresas multinacionales cuyos accionistas se encuentran fuera de la jurisdicción nacional y las acciones muchas veces dispersas en multitud de manos; perjuicio del Estado al asumir el pasivo de las empresas cuyo alcance sería difícil de preestablecer con exactitud en razón de los múltiples y complejos vínculos de éstas en el exterior; conveniencia de que las empresas sigan existiendo como tales, a fin de responder ante el Estado de cualquier responsabilidad pendiente después de la nacionalización.[72]

Esta argumentación, sin duda, descartaba la vía fácil de transición y conversión de las empresas concesionarias en empresas nacionalizadas mediante la adquisición de las acciones de aquéllas. Resultaba necesario, por ello, regular en la ley otro mecanismo de conversión y transición, que el Ejecutivo Nacional no tenía precisado.[73]

En la segunda discusión del Proyecto de Ley en la Cámara de Diputados, sin embargo, se solucionó este problema, al agregarse al artículo 6° relativo a las bases para la organización y gestión de la industria nacionalizada, una nueva base, la 4°, del siguiente tenor:

---

72 *Idem,* p. 22. *Cfr.* lo expresado por Román J. Duque Corredor: *El Derecho de la Nacionalización Petrolera,* Caracas, 1978, p. 182; y Andrés Aguilar: "Régimen Legal de la Industria y Comercio de los Hidrocarburos", en *Boletín de la Academia de Ciencias Políticas y Sociales,* Nos. 66-67, Caracas, 1976, p. 196.

73 El Presidente de la República, en su discurso del 5 de julio de 1975, señaló, en efecto, que: "Tan pronto como sea promulgada la ley se procederá a dictar el decreto creando la Empresa Matriz, bajo forma de sociedad anónima, que se llamará "Petróleos de Venezuela," Petroven... Asimismo entrarán a funcionar, inicialmente, tantas empresas operadoras como las que vienen actuando con el carácter de concesionarias, conservando en lo posible la estructura y organización de éstas. Las acciones de las empresas operadoras pertenecerán a Petroven...", en *El Nacional,* pp. 1-10. Caracas, 6 de julio de 1975.

Cuarta: A los solos fines de agilizar y facilitar el proceso de nacionalización de la industria petrolera, el Ejecutivo Nacional constituirá o hará constituir las empresas que estime conveniente, las cuales, al extinguirse las concesiones, pasarán a ser propiedad de la empresa (matriz) prevista en la base segunda de este artículo.

Este agregado fue explicado por el Presidente de la Comisión Permanente de Minas e Hidrocarburos, señalando que establecía un "mecanismo de transición menos perturbador, para que no haya baches y permita al Estado mantener la eficiencia de la industria... Esto se hace necesario porque el Estado venezolano no adquiere empresas, no adquiere acciones de Creole, Shell, Mene Grande y otras compañías sino que va a adquirir bienes, activos y equipos, y va a formar compañías nuevas. Esas compañías nuevas pueden formarse dentro del lapso de 120 días, y al cabo de éste, cuando se produzca el avenimiento o la sentencia de la Corte Suprema de Justicia fijando la indemnización, por un lado, el Estado pagará la indemnización por los activos, y por las instalaciones materiales, y por otro, adquiere las acciones de estas compañías recién formadas, pagando, como se dijo, el capital que las petroleras hayan invertido en ellas."[74]

Y efectivamente así se realizó el proceso de conversión de la industria petrolera en industria nacionalizada.[75]

En efecto, como se dijo, luego de publicada la Ley Orgánica que Reserva al Estado la Industria y el Comercio de los Hidrocarburos, el 29 de agosto de 1975, con fecha 30 de agosto del mismo año y por decreto Nº 1.123, se creó Petróleos de Venezuela como Casa Matriz de la industria petrolera nacionalizada, cuyos estatutos sociales debido a su forma societaria, se registraron el 15 de septiembre de 1975.

La base segunda de la Ley de Reserva señalaba que el Ejecutivo Nacional debía atribuir a una de las empresas que creara "las funciones de coordinación, supervisión y control de las actividades de

---

[74] Véase las declaraciones de Arturo Hernández Grisanti en *El Nacional,* Caracas, 24 de julio de 1975, p. D-3.

[75] *Cfr*. Román J. Duque Corredor: El derecho de la nacionalización petrolera, *cit*., p. 186.

las demás, pudiendo asignarle la propiedad de las acciones de cualesquiera de esas empresas", y esto se atribuyó a Petróleos de Venezuela.

Es de destacar que a pesar de las diversas opiniones que se habían expresado a favor de que la Casa Matriz se formara partiendo de la estructura de la Corporación Venezolana del Petróleo,[76] se optó por la solución de crear una nueva empresa, Petróleos de Venezuela S. A., y convertir a la CVP en una operadora más, filial de aquélla. Así, la base tercera de la Ley Orgánica de Reserva estableció que el Ejecutivo Nacional debía llevar a cabo "la conversión en sociedad mercantil de la Corporación Venezolana del Petróleo creada mediante decreto N° 260, del 19 de abril de 1960." A tal efecto, el Ejecutivo Nacional, mediante decreto N° 1.127, del 2 de septiembre de 1975, publicado en *Gaceta Oficial* en diciembre de dicho año[77] dispuso que la CVP continuaría "girando ininterrumpidamente a partir de su inscripción en el Registro de Comercio, como una sociedad mercantil anónima" con la misma denominación.[78] En el mismo decreto se dispuso que las acciones de la sociedad anónima CVP serían "asignadas en propiedad a Petróleos de Venezuela", a cuyo nombre debían ser emitidas,[79] y se autorizó al Procurador General de la República para efectuar la inscripción del Documento Constitutivo y Estatutos en el Registro Mercantil, lo cual se hizo el 18 de diciembre de 1975.[80]

Así, la Corporación Venezolana del Petróleo, que era la única empresa estatal pública, se convirtió en la primera empresa filial de Petróleos de Venezuela.

---

76 *Cfr.,* por ejemplo, la opinión de Rubén Sader Pérez: "La empresa estatal y la nacionalización petrolera", en *El Nacional,* Caracas, 18 de enero de 1975, p. D-14.

77 Véase en *Gaceta Oficial* N° 30.864, del 5 de diciembre de 1975.

78 Artículo 1.

79 Artículo 2.

80 Véase el documento inscrito en el Registro Mercantil de la Circunscripción Judicial del Distrito Federal y Estado Miranda, bajo el N° 24 del tomo 58-A Segundo, en *El Universal,* Caracas, 26 de diciembre de 1975, pp. 3-6.

En cuanto a las otras empresas concesionarias,[81] en virtud de lo establecido en la señalada base cuarta de la Ley Orgánica de Reserva, se estableció en las Actas de Avenimiento suscritas por ellas y el Procurador General de la República, la obligación de las mismas de "constituir una compañía anónima y de la autorización para el uso de los bienes", la cual se estableció en la Parte IV, con el siguiente tenor:

> 1. A los fines previstos en la base cuarta del artículo 6º de la Ley Orgánica que Reserva al Estado la Industria y el Comercio de los Hidrocarburos, el concesionario deberá constituir, conforme a documento constitutivo y características específicas que serán comunicados al concesionario por el Ejecutivo Nacional mediante Oficio del Ministro de Minas e Hidrocarburos, una compañía anónima cuyas acciones quedarán traspasadas en su totalidad a Petróleos de Venezuela al extinguirse las concesiones de hidrocarburos el 31 de diciembre de 1975, correspondiendo a esta última pagar en efectivo en esa misma fecha por dichas acciones un precio igual al capital suscrito y pagado. El pago de dicho precio se efectuará en dólares de los Estados Unidos de América al cambio de Bs. 4,20 por dólar. En el caso de que se hubieren hechos adquisiciones de bienes, previamente autorizadas por el Ministerio de Minas e Hidrocarburos, se pagarán los desembolsos correspondientes que hubieren tenido lugar.
>
> 2. El concesionario, dentro de los diez (10) días continuos y siguientes a la fecha de inserción en el Registro Mercantil del documento constitutivo de dicha empresa, deberá proceder a adquirir la totalidad de las acciones de la empresa constituida. Fuera de esta modificación el concesionario no podrá introducir ningún cambio en el documento constitutivo ni en las características específicas dichas, sin la previa autorización del Ministerio de Minas e Hidrocarburos. Asimismo, el concesionario se obliga en su condición de accionista, a que la indicada empresa no asumirá obligaciones de carácter financiero sin la autorización previa del Ministerio de Minas e Hidrocarburos.

---

[81] De las trece empresas concesionarias privadas, sólo tres eran de capital venezolano o mayoritariamente venezolano: Mito-Juan; la S. A. Petrolera Las Mercedes y Talon.

3. Dentro de los quince (15) días siguientes a la constitución de dicha compañía, el concesionario le encomendará la operación de las concesiones indicadas en la sección 1° del capítulo 1°, operados por el concesionario y cuando fuere el caso, la operación de las concesiones de otros titulares y que actualmente opera el concesionario, así como el uso de los bienes afectos a dichas concesiones, a los fines de la operación y bajo la única responsabilidad del concesionario, y le transferirá el personal que sea necesario para la continuidad regular y eficiente del manejo de dichas concesiones. Es entendido que la sustitución de patrono ocurrirá, sin solución de continuidad de la relación laboral, y que el concesionario conservará los derechos sobre los bienes y la titularidad de las concesiones hasta la fecha de extinción de éstas.

4. Igualmente a los fines de la operación, el concesionario encomendará a dicha compañía el uso de los bienes afectos a las concesiones en las cuales terceras personas, si fuere el caso, tengan participación.

5. El concesionario autorizará al titular de las concesiones de hidrocarburos en las cuales tenga participación, para encomendar a la empresa que ésta constituya conforme a lo previsto en la base cuarta del artículo 6° de la Ley Orgánica que Reserva al Estado la Industria y el Comercio de los Hidrocarburos, el uso de la parte que le pertenece en los bienes afectos a dichas concesiones, a los fines de la operación y bajo la única responsabilidad del concesionario. Es entendido que el concesionario conservará los derechos sobre esa parte de dichos bienes hasta la extinción de las concesiones.[82]

En cumplimiento de estas cláusulas de las Actas Convenios, en la segunda quincena de diciembre de 1975, los concesionarios crearon las empresas mencionadas[83] conforme al modelo de Documento

[82] Véase las referidas Actas Convenios en *Gaceta Oficial* N° 1.784, Extr., del 18 de diciembre de 1975.

[83] Véase, por ejemplo, las informaciones en *El Nacional*, Caracas, 26 de diciembre de 1975, pp. C-2 y D-2; y 27 de diciembre de 1975, p. C-6; y en *El*

Constitutivo-Estatutos que les fue suministrado por el Ejecutivo Nacional.[84] En dichos documentos se previeron dos cláusulas que precisan el proceso de traslado de acciones, así:

> *Cláusula Trigésima Séptima:* Las acciones de la sociedad serán traspasadas en su totalidad a "Petróleos de Venezuela", sociedad anónima, de la cual es accionista única la República de Venezuela, al extinguirse las concesiones de hidrocarburos el 31 de diciembre de 1975.
>
> *Cláusula Trigésima Octava:* Cuando las acciones de la sociedad pasen a ser propiedad de "Petróleos de Venezuela", de acuerdo con la base cuarta del artículo 6° de la Ley Orgánica que Reserva al Estado la Industria y el Comercio de los Hidrocarburos, el Presidente de Petróleos de Venezuela, o a falta de éste, el Vicepresidente, o a falta de los anteriores cualquier otro miembro del Directorio de dicha empresa que éste designe, ejercerá la representación de los accionistas en las Asambleas y las presidirá, Petróleos de Venezuela podrá reservarse el manejo de las finanzas de la sociedad.

De acuerdo con esta cláusula, a partir del 1° de enero de 1976, cuando las acciones de estas empresas se traspasaron a Petróleos de Venezuela, la Casa Matriz comenzó, realmente, a manejar la industria petrolera, habiéndose reservado, además, el manejo de las finanzas de las sociedades, en virtud de las decisiones de las Asambleas Extraordinarias de las empresas operadoras, con el objeto de optimizar el rendimiento de los ingresos totales generados por estas empresas.[85]

Este proceso de transición de la industria, para facilitar la conversión de las empresas concesionarias en empresas nacionalizadas

---

Universal, Caracas, 26 de diciembre de 1975, pp. 2-3 y 2-4; y 27 de diciembre de 1975, p. 1-10.

[84] Véase las características sobresalientes de este Documento Constitutivo. Estatutos en Andrés Aguilar M.: "Régimen Legal de la Industria y Comercio de los Hidrocarburos", *loc. cit.,* pp. 198 y ss.

[85] Petróleos de Venezuela, *Informe 1976,* p. 3. *Cfr.* Andrés Aguilar M.: "Régimen Legal de la Industria y el Comercio de los Hidrocarburos", *loc. cit.,* pp. 199 y 200.

aseguró la continuidad de la empresa, lo cual se facilitó por varios factores que destacaba el Presidente de Petróleos de Venezuela en 1976: "la supervivencia de las unidades administrativas existentes para el momento de la nacionalización; la dotación de recursos humanos adecuados; el apoyo tecnológico indispensable para las operaciones de la industria y la colocación asegurada de un volumen inicial de hidrocarburos en el mercado internacional."[86]

4. *El proceso de creación y formalización jurídica de la industria petrolera nacionalizada*

Tal como se señaló, el Proyecto de Ley Orgánica elaborado por la Comisión Presidencial de Reversión Petrolera no establecía mecanismos flexibles para la creación y formalización jurídica de las empresas de la industria petrolera nacionalizada, sino que remitía a otra ley que debía dictarse.[87] Esto fue eliminado por el Ejecutivo Nacional, y en el Proyecto de Ley que presentó a la consideración del Congreso, sólo se estableció que las actividades reservadas podían ser realizadas "por medio de entes de su propiedad", agregándose un nuevo artículo, el 6°, en el cual se establecieron las bases para la organización de la administración y gestión de las actividades reservadas.

De dicho artículo, así como de los otros relativos a los entes que debían configurar la industria petrolera nacionalizada, sin embargo, se aprecia la intención, tanto de los proyectistas como del legislador, de que las empresas que se constituyeran para manejar la industria petrolera nacionalizada tuvieran la forma jurídica de sociedad anónima.

---

86 Véase Rafael Alfonso Ravard: 1973-1978. *Hacia la Normalidad Operativa, Tres años de Petróleos de Venezuela, como casa matriz de la Industria Petrolera Nacional*, Caracas, 1978. p. 110.

87 Como se dijo, el artículo 5° del Proyecto disponía que las actividades reservadas podían ejercerse "por entes de la propiedad exclusiva del Estado creados mediante leyes especiales." Véase el *Informe* de la Comisión Presidencial de la Reversión Petrolera, *cit.,* p. 1-76. Véase, además, el texto en *El Nacional,* Caracas, 5 de diciembre de 1974, p. D-2.

A. *La intención de los proyectistas de 1974*

Si se analiza el contenido del Informe de la Comisión Presidencial de la Reversión Petrolera de 1974, puede apreciarse claramente que la intención, desde el punto de vista jurídico-administrativo del proceso de nacionalización de la industria petrolera, fue la creación de la "Administración Petrolera Nacional" como entidad de carácter estatal, que formaba parte de la Administración descentralizada y que, por tanto, se proyectaba como separada y distinta de la Administración Central.

En efecto, de acuerdo al Informe sobre el Aspecto Operativo de la Comisión, se señala que "no obstante que la APN representará una entidad independiente distinta de la Administración Pública, eso no la hará ajena al Estado venezolano, de quien recibirá las directrices contenidas en los Planes de la Nación, a quien rendirá cuenta de sus resultados y para quien habrá de trabajar. Lo que se desea es mantener a la APN al margen de normas y prácticas burocráticas concebidas fundamentalmente para organismos públicos y no para entidades modernas y complejas dedicadas a la producción en gran escala con destino a transacciones cuantiosas y frecuentes."[88] Conforme a ello se concibió a la APN "como una organización integrada verticalmente, multiempresarial y dirigida por una Casa Matriz"[89] de propiedad exclusiva y única del Estado.[90] Las empresas de la APN debían también ser "de la propiedad exclusiva del Estado" y debían "constituirse como sociedades aptas para actuar con entera eficiencia en el campo mercantil."[91] Cada una de dichas empresas debía "tener personalidad jurídica y patrimonio propio y distinto del Fisco Nacional."[92] Tomadas en conjunto, se señalaba en el Informe "las empresas de la APN deberán caracterizarse por disponer de autonomía administrativa, autosuficiencia económica y capacidad para la renovación de sus cuadros gerenciales. Siendo así la APN representará una

---

88 Véase Comisión Presidencial de la Reversión Petrolera, *Informe,* p. 51. Caracas, 1974.

89 *Idem,* p. 50.

90 *Ibidem,* p. 51.

91 *Ibidem,* p. 50.

92 *Ibidem,* p. 50.

entidad dependiente y distinta de la Administración Pública venezolana, de allí la designación que ha recibido: Administración Petrolera Nacional."[93] Lo sustancial del Informe sobre el Aspecto Operativo fue recogido en el Informe Central de la Comisión,[94] donde se insistió, por ejemplo, en la "independencia" y "autonomía administrativa"[95] de la APN, la "propiedad exclusiva del Estado" sobre las empresas de la APN,[96] y el "régimen propio de administración de personal independiente de la Administración Pública" de la APN.[97]

En todo caso, tal como se indica en el Apéndice A del Informe sobre "Pautas para ser consideradas en la elaboración de los Estatutos de las Empresas de la APN", ésta constituiría el "aparato administrativo del Estado"[98] o en otro término "la organización empresarial del Estado venezolano" para "manejar la industria petrolera del país una vez nacionalizada dicha industria."[99] Se insistía, sin embargo, que las empresas de la APN "deberán tener la forma de sociedades aptas para actuar con entera eficiencia en el campo mercantil."[100]

En definitiva, la intención del Informe de la Comisión Presidencial de la Reversión Petrolera fue la de estructurar la Administración Petrolera Nacional, como una organización administrativa del Estado separada de la Administración Central, con autonomía e independencia administrativa, y por tanto, formando parte de la administración descentralizada, pero sujeta a sus propias normas, inclusive en materia de personal; se trataba, en todo caso, de estructurar personas jurídicas estatales pero con forma de sociedades anónimas, es decir, con forma de derecho privado. Las empresas de la APN y la Casa Matriz debían ser, entonces, personas estatales con forma jurídica de derecho privado.

---

93 *Ibidem,* pp. V-50 y V-51.

94 *Ibidem,* pp. 1-38 y ss.

95 *Ibidem,* pp. 1-38 y 1-40.

96 *Ibidem,* p. l-3ª.

97 *Ibidem,* p. 13.

98 *Ibidem,* p. V-107.

99 *Ibidem,* p. V-108.

100 *Ibidem,* pp. V-109 y V-110.

B. *El criterio de la Ley Orgánica de Reserva de 1975*

El criterio de los proyectistas de 1974 puede decirse que se siguió en el Proyecto de Ley que reserva al Estado la Industria y el Comercio de los Hidrocarburos y en la ley promulgada el 29 de agosto de 1975. En efecto, la ley dispuso expresamente que "el Estado debía ejercer las actividades reservadas, directamente por el Ejecutivo Nacional o por medio de entes de su propiedad",[101] con lo cual teóricamente el legislador dejó a la decisión del Ejecutivo Nacional el atender la industria nacionalizada a través de la propia Administración Central ("directamente por el Ejecutivo Nacional", dice el artículo 5°) o a través de la Administración descentralizada del Estado ("por medio de entes de su propiedad" agrega el mismo artículo 5°). Sin embargo, a pesar de esta aparente libertad, en realidad la ley dio directamente la pauta al Ejecutivo Nacional para la administración de la industria petrolera a través de formas descentralizadas. El artículo 6° de la ley, en efecto, precisa que a los fines de ejercer las actividades nacionalizadas, "el Ejecutivo Nacional organizará la administración y gestión de las actividades reservadas" en la siguiente forma:

1. Creará, con las formas jurídicas que considere conveniente, las empresas que juzgue necesario para el desarrollo regular y eficiente de tales actividades, pudiendo atribuirles el ejercicio de una o más de éstas, modificar su objeto, fusionarlas o asociarlas, extinguirlas o liquidarlas y aportar su capital a otra u otras de esas mismas empresas. Estas empresas serán de la propiedad del Estado, sin perjuicio de lo dispuesto en la base segunda de este artículo, y en caso de revestir la forma de sociedades anónimas, podrán ser constituidas con un solo socio.

2. Atribuirá a una de las empresas las funciones de coordinación, supervisión y control de las actividades de las demás, pudiendo asignarle la propiedad de las acciones de cualesquiera de esas empresas.

3. Llevará a cabo la conversión en sociedad mercantil de la Corporación Venezolana del Petróleo creada mediante decreto N° 260, de 19 de abril de 1960.

---

[101] Artículo 5°.

4. A los solos fines de agilizar y facilitar el proceso de nacionalización de la industria petrolera, el Ejecutivo Nacional constituirá o hará constituir las empresas que estime conveniente, las cuales, al extinguirse las concesiones, pasarán a ser propiedad de las empresas previstas en la base segunda de este artículo.

5. A los fines de proveer a la empresa prevista en la base segunda de recursos suficientes para desarrollar la industria petrolera nacional, las empresas operadoras constituidas conforme a las bases primera, tercera y cuarta, según sea el caso, entregarán mensualmente a aquélla una cantidad de dinero equivalente al diez por ciento (10%) de los ingresos netos provenientes del petróleo exportado por ellas durante el mes inmediatamente anterior. Las cantidades así entregadas estarán exentas del pago de impuesto y contribuciones nacionales y serán deducibles para las empresas operadoras a los fines del impuesto sobre la renta.

6. El artículo 7° de la ley agrega, además, que "las empresas a que se refiere el artículo anterior se regirán por la presente ley y sus reglamentos, por sus propios estatutos, por las disposiciones que dicte el Ejecutivo Nacional y por las del derecho común que les fueren aplicables."

7. El artículo 8° de la ley señala por último, que "los directivos, administradores, empleados y obreros de las empresas a que se refiere el artículo 6° de la presente ley, inclusive los de la Corporación Venezolana del Petróleo una vez convertida en sociedad mercantil, no serán considerados funcionarios o empleados públicos." Sin embargo, "a los directivos o administradores se les aplicarán las disposiciones de los artículos 123 y 124 de la Constitución."

De acuerdo a estas normas, no hay duda en que la intención del legislador fue estructurar la Administración Petrolera Nacional a través de empresas del Estado (entes o personas estatales) con forma de sociedad mercantil y por tanto con un régimen preponderantemente de derecho privado.

La aparente posibilidad de que el Estado pudiera ejercer las actividades reservadas "directamente por el Ejecutivo Nacional"[102] en

102 Artículo 5°.

cuanto se refiere a las actividades que se venían realizando por empresas privadas de capital extranjero y que se nacionalizaban, estaba desvirtuada en la propia ley,[103] al "sugerir" la constitución de empresas (entes de propiedad del Estado, como lo señala el artículo 5°) con forma de sociedad mercantil.

Por supuesto, para realizar actividades nuevas en relación a las que efectivamente se nacionalizaron, el Ejecutivo Nacional puede hacerlo directamente y de hecho se realizan algunas en la actualidad.[104]

C. *El sentido del decreto de creación de Petróleos de Venezuela S.A., de 1975, y la forma jurídica de las operadoras*

Conforme a la orientación señalada, el Ejecutivo Nacional, mediante el decreto Nº 1.123, de 30 de agosto de 1975,[105] considerando que era "de prioritaria necesidad proceder a la constitución e integración de las empresas estatales que tendrán a su cargo la confirmación y desarrollo de la actividad petrolera reservada al Estado", decretó la creación de una empresa estatal, bajo la forma de sociedad anónima, que cumplirá la política que dicte en materia de hidrocarburos el Ejecutivo Nacional, por órgano del Ministerio de Minas e Hidrocarburos, en las actividades que le sean encomendadas.[106] El decreto de creación de la empresa se registró en el Registro Mercantil de la Circunscripción Judicial del Distrito Federal y Estado Miranda bajo el Nº 23, tomo 99-A, con fecha 15 de septiembre de 1975.[107] No hay duda, por tanto, de que la naturaleza jurídica de Petróleos de Venezuela S. A., conforme a lo que se dijo anteriormente en relación a la distinción entre los sujetos de derecho vinculados al sector público, es la de una persona estatal con forma jurídica de derecho privado.

---

103 Artículos 6º 7º y 8º.

104 *Cfr.* Andrés Aguilar M.: "Régimen Legal de la Industria y el Comercio de los Hidrocarburos", *loc. cit.,* pp. 13 y 14.

105 Véase en *Gaceta Oficial* Nº 1.770, Extr., de 30-8-1976. Como se dijo, el decreto de creación fue modificado mediante decreto Nº 250, del 23-8-1979, en *Gaceta Oficial* Nº 31.810, del 30-8-1979.

106 Artículo 1º.

107 Véase en *Gaceta Municipal* del Distrito Federal N° 413, Extr., de 25-9-1975.

Es decir, es una "empresa estatal" o empresa del Estado, de propiedad íntegra del mismo y que responde a las políticas que aquél dicte, y como tal, está integrada dentro de la organización general de la Administración del Estado, como ente de la administración descentralizada, pero con forma jurídica de sociedad anónima, es decir, de persona de derecho privado.

En cuanto a las empresas operadoras, resulta clara la intención del legislador de crearlas con forma de sociedades anónimas, cuyas acciones debían ser tenidas en propiedad por la empresa Matriz Petróleos de Venezuela. La propia Ley Orgánica de Reserva, como se dijo, en su base tercera, había dispuesto la conversión del Instituto Autónomo Corporación Venezolana del Petróleo en sociedad anónima, lo cual se cumplió en diciembre de 1975. En ese mismo mes, y conforme a la base cuarta, se constituyeron las restantes trece empresas operadoras, también con forma societaria.

De esta manera, tanto Petróleos de Venezuela S. A., como las catorce operadoras iniciales se constituyeron, en el ordenamiento jurídico venezolano, como personas jurídicas estatales con forma de derecho privado; y en el ámbito económico, como empresas públicas o, más propiamente, como empresas del Estado. En la actualidad, igual naturaleza jurídico-económica tienen las seis filiales de Petróleos de Venezuela: las cuatro operadoras petroleras (Lagoven, Maravén, Meneven y Corpoven); la empresa Petroquímica (Pequiven); y la empresa de investigaciones petroleras (INTEVEP).

IV. RÉGIMEN JURÍDICO-ADMINISTRATIVO DE PETRÓLEOS DE VENEZUELA, S. A.

1. *El cuadro normativo general*

La identificación de la naturaleza jurídica de Petróleos de Venezuela S. A. como persona estatal con forma jurídica de derecho privado, plantea, sin duda, como consecuencia, que el régimen jurídico aplicable a la misma sea un régimen preponderantemente de derecho privado. Preponderantemente, debido a su forma, pero no exclusivamente. Por su carácter estatal está sometida a un régimen, también, de derecho público.

En efecto, de acuerdo a la Ley Orgánica que reserva al Estado la Industria y el Comercio de los Hidrocarburos, y a los antecedentes e intenciones de los proyectistas, Petróleos de Venezuela S A., es una *sociedad anónima* que, como tal y por la flexibilidad e independencia de su administración, está sometida a todo el régimen de derecho privado de las sociedades anónimas. Sin embargo, es la propia Ley Orgánica la que establece el régimen excepcional, al indicar en su artículo 7° que las empresas del Estado que se constituyan conforme a ella, entre los cuales está Petróleos de Venezuela, S. A., "se regirán *por la presente ley y sus reglamentos,* por sus propios estatutos, *por las disposiciones que dicte el Ejecutivo Nacional* y por las del derecho común que les fueren aplicables." Además, la Cláusula Tercera de los Estatutos de la empresa, expresamente lo ratifica: "La sociedad se regirá *por la Ley Orgánica que Reserva al Estado la Industria y el Comercio de los Hidrocarburos, por los reglamentos de ella,* por estos Estatutos, *por las disposiciones que dicte el Ejecutivo Nacional* y por las del derecho común que le fueren aplicables."

Por otra parte, Petróleos de Venezuela S. A. está sometida, en cuanto le sean aplicables, a las normas respecto a las concesiones de hidrocarburos que "contengan las leyes, reglamentos, decretos, resoluciones, ordenanzas y circulares" dictados por las autoridades públicas competentes. [108]

Conforme a estas disposiciones, ciertamente, Petróleos de Venezuela S. A. tiene "un régimen legal que permite diferenciarlas claramente, no sólo de la Administración Pública centralizada y de los institutos autónomos, sino también de otras empresas del Estado";[109] para ello basta tener en cuenta que muy pocas empresas del Estado están sometidas, irrestrictamente, a "las *disposiciones que dicte el Ejecutivo Nacional"* como está Petróleos de Venezuela S. A., lo cual abre un amplio margen a la aplicación de normas de derecho público a la empresa, por vía de actos administrativos unilaterales, sin necesidad de acudir a las fórmulas societarias, como la Asamblea, por ejemplo.

---

[108] Artículo 7° de la Ley Orgánica.

[109] Véase Andrés Aguilar M.: "Régimen Legal de la Industria y el Comercio de los Hidrocarburos", *loc. cit.,* p. 18.

Cláusulas de esa naturaleza también se encuentran en los Estatutos de la empresa CVG Ferrominera del Orinoco C. A., creada con motivo de la nacionalización de la industria de la explotación del mineral de hierro.[110]

Por tanto, sin lugar a dudas, la empresa Petróleos de Venezuela S. A. está sometida a un régimen jurídico peculiar, de derecho privado, como sociedad mercantil (sus Estatutos y las disposiciones del derecho común que le sean aplicables) y de derecho público (la Ley Orgánica, sus reglamentos y las disposiciones que dicte el Ejecutivo Nacional).

2. *Régimen jurídico derivado de la forma jurídica de derecho privado*

A. *La personalidad jurídica propia*

El primer elemento del régimen jurídico de derecho privado de la empresa Petróleos de Venezuela S. A. es su personalidad propia, de derecho privado, surgida del acto de registro en el Registro Mercantil de los Estatutos de la misma, dictados por el citado decreto N° 1.123, de 30 de agosto de 1975, acto de registro efectuado el 15 de septiembre de 1975; y no emanada directamente de la ley.

En esto, como se dijo, la Ley Orgánica varió el sentido de la normativa del Proyecto de Ley de la Comisión Presidencial de Reversión Petrolera. Esta había propuesto que los entes que se constituyeran para operar la industria nacionalizada fueran "creados mediante leyes especiales",[111] con lo cual, la sola creación de la personalidad jurídica de los entes directamente por ley hubiera abierto una presunción en favor de la personalidad de derecho público de los mismos y eventualmente, de la preponderancia del régimen de derecho público.

La Ley Orgánica, sin embargo, varió esta norma, y como se ha visto, atribuyó al Ejecutivo Nacional la facultad de elegir la forma jurídica que juzgara conveniente para la personalidad de las empre-

---

110 Véase las cláusulas 2ª, 18, 34 y 35 de los Estatutos, en el diario *El Bolivarense,* Ciudad Bolívar, pp. 13 y ss. Ciudad Bolívar, 27-12-1975.

111 Artículo 5° del Proyecto.

sas, "sugiriendo", en todo caso, que se escogiera la forma mercantil de derecho privado, la sociedad anónima, tal como se hizo posteriormente.

Ahora bien, el hecho de que la empresa Petróleos de Venezuela S. A. tenga una personalidad jurídica propia y distinta de la República y de los otros entes territoriales, la convierte en un centro autónomo de imputación de intereses, lo que da origen a un régimen jurídico propio desde el punto de vista patrimonial, de la responsabilidad de orden tributario, de carácter contractual, etc., distinto del de la República. Como consecuencia, y en general, no se aplican a Petróleos de Venezuela S. A., por ejemplo, las normas de la Ley Orgánica de la Hacienda Pública Nacional que rigen la Administración del patrimonio de la República.

B. *El patrimonio propio*

La empresa Petróleos de Venezuela S A., por otra parte, tiene un patrimonio propio, distinto del patrimonio de la República. Las acciones de la empresa, en todo caso, son de la exclusiva propiedad del Estado venezolano, como único accionista;[112] pero "sus acciones no podrán ser enajenadas ni gravadas en forma alguna."[113]

El capital originalmente suscrito de Bs. 2.500.000.000,00 fue pagado en un 40 por ciento, quedando al Ejecutivo Nacional determinar "la forma y oportunidad del pago de la parte de capital no enterado en caja", lo cual se hizo el 2 de enero de 1976.[114]

En la gestión financiera y patrimonial, la empresa tiene expresamente atribuidas facultades para "adquirir, vender, enajenar y traspasar, por cuenta propia o de terceros, bienes muebles e inmuebles; emitir obligaciones, promover, como accionista o no, otras sociedades civiles o mercantiles y asociarse con personas naturales o jurídicas, todo conforme a la ley; fusionar, reestructurar o liquidar empresas de su propiedad; otorgar créditos, financiamiento, fianzas, avales o garantías de cualquier tipo, y, en general, realizar todas

---

112 Artículo 6°, base Primera de la Ley Orgánica.

113 Cláusula Sexta de los Estatutos.

114 Cláusula Cuarta.

aquellas operaciones, contratos y actos comerciales que sean necesarios o convenientes para el cumplimiento del mencionado objeto.[115]

Sin embargo, para realizar esa gestión patrimonial, la empresa está sometida, como se dijo, a las "disposiciones que dicte el Ejecutivo Nacional", y entre ellas, es el Ejecutivo Nacional quien debe fijar el monto del fondo de reserva de la empresa.[116]

Por su actividad patrimonial, en todo caso, Petróleos de Venezuela está sujeta "al pago de los impuestos y contribuciones nacionales establecidos para las concesiones de hidrocarburos," pero no está sujeta "a ninguna clase de impuestos estadales ni municipales."[117]

C. *Los objetivos propios*

De acuerdo a la Ley Orgánica, la empresa matriz de la industria petrolera nacionalizada, Petróleos de Venezuela S. A., tiene por objeto fundamental la "coordinación, supervisión y control de las actividades de las demás empresas",[118] y tal como lo precisa la Cláusula Segunda de sus Estatutos, "la sociedad tendrá por objeto planificar, coordinar y supervisar la acción de las sociedades de su propiedad, así como controlar que estas últimas en sus actividades de exploración, explotación, transporte, manufactura, refinación, almacenamiento, comercialización o cualquiera otra de su competencia en materia de petróleo y demás hidrocarburos, ejecuten sus operaciones de manera regular y eficiente." En la realización de dicho objeto, en todo caso, la empresa está sometida a "las disposiciones que dicte el Ejecutivo Nacional" como se dijo, además de toda la otra normativa que le es aplicable.

No hay que olvidar, en todo caso, que Petróleos de Venezuela es una empresa del Estado, que realiza esos objetivos por cuenta del Estado, que es quien se ha reservado la industria y el comercio de los hidrocarburos. Por ello, el propio decreto de creación de la empresa,

---

[115] Cláusula Segunda.

[116] Cláusula Cuadragésima Quinta, numeral 1°.

[117] Artículo 7° de la Ley Orgánica.

[118] Artículo 6°, base Segunda de la Ley Orgánica.

modificado en 1979, considerando que ella tiene a su cargo "la continuación y desarrollo de la actividad petrolera reservada al Estado", precisa que ésta "cumplirá y ejecutará la política que dicte en materia de hidrocarburos el Ejecutivo Nacional, por órgano del Ministro de Energía y Minas en las actividades que le sean encomendadas."[119]

D. *La organización propia*

Petróleos de Venezuela S. A. fue concebida como una empresa matriz de toda la industria petrolera nacionalizada. Como tal, se la dotó de la organización propia de una sociedad anónima. Sin embargo, la organización societaria de la empresa está condicionada por la intervención de órganos estatales extraños, formalmente, a los órganos societarios.

La Asamblea, por ejemplo, no existe en cuanto a tal. Siendo la República la única accionista, la Asamblea puede ser una sola persona: el Ministro de Energía y Minas, y en realidad cuando ejerce los derechos accionarios de la República manifiesta una voluntad unilateral de ésta, a través de un acto administrativo. Los estatutos de Petróleos de Venezuela, sin embargo, han abierto la posibilidad de que los derechos accionarios de la República en la Asamblea estén representados por varios Ministros designados por el Presidente de la República, en cuyo caso, la Asamblea siempre estaría presidida por el Ministro de Energía y Minas.[120] La decisión conjunta de estos Ministros, aun cuando no revista la forma de Resolución, también sería un acto administrativo individual.

Por otra parte, tal asamblea se reúne ordinariamente mediante convocatoria que debe formular el Directorio de la empresa con 15 días de anticipación mediante aviso publicado en la prensa de Caracas.[121] Sin duda, esta es una de las cláusulas sin mayor sentido de los Estatutos, pues no parece razonable que se convoque al Ministro de Energía y Minas, por ejemplo, y a los otros Ministros que puedan representar las acciones de la República en la Asamblea, por la prensa. En todo caso, esta situación se corrige en el caso de las

---

[119] Artículo 2° del decreto N° 1.123, del 30 de Agosto de 1975.

[120] Cláusula Undécima de los Estatutos.

[121] Cláusula Novena de los Estatutos.

Asambleas Extraordinarias; éstas se reúnen por iniciativa del Ejecutivo Nacional, mediante oficio dirigido por el Ministro de Energía y Minas al Directorio, o por convocatoria escrita de éste dirigida al Ejecutivo Nacional por órgano del Ministro de Energía y Minas.[122]

Por otra parte, al contrario de lo que normalmente sucede en las sociedades anónimas, la Asamblea como tal, no designa a los miembros del Directorio de Petróleos de Venezuela; éste está integrado por once miembros "designados mediante *decreto* por el Presidente de la República" junto con sus suplentes;[123] correspondiendo al Presidente en el mismo decreto de nombramiento, el señalamiento de los Directores que deberán dedicarse en forma exclusiva a sus funciones dentro de la sociedad.[124] En estos supuestos se confirma que el accionista único, la República, ejerce sus derechos accionarios como tiene que ser: unilateralmente, a través de actos administrativos (decretos) individuales.

Por otra parte, en cuanto al personal de Petróleos de Venezuela S. A., la Ley Orgánica fue precisa: los directivos, administradores, empleados y obreros de las empresas nacionales, no son considerados como funcionarios o empleados públicos;[125] por tanto, no están sometidos a la Ley de Carrera Administrativa ni al sistema de administración de personal vigente en el sector público centralizado y descentralizado constituido a través de formas de derecho público (institutos autónomos). Sin embargo, aclara la Ley Orgánica, a los directivos o administradores se les aplica las incompatibilidades previstas en los artículos 123 y 124 de la Constitución: el no desempeño, a la vez, de un destino público remunerado; y la no contratación con la República, los Estados, los Municipios y las demás personas jurídicas de derecho público. Además de estas incompatibilidades, por supuesto, a dichos directivos o administradores se les aplican las incompatibilidades electorales previstas en la Constitución: no pueden ser elegidos senadores o diputados en los términos del artículo 140, ordinal 3°, que se refiere a los funcionarios y empleados de "empresas en las cuales el Estado tenga participación decisiva."

---

[122] Cláusula Novena de los Estatutos.

[123] Cláusula Decimaséptima.

[124] Cláusula Vigésima.

[125] Artículo 8°.

En relación a la incompatibilidad prevista en el artículo 124 de la Constitución, es necesario hacer la siguiente precisión: dicho artículo establece que "nadie que esté al servicio de la República, de los Estados, de los Municipios y *demás personas jurídicas de derecho público* podrá celebrar contrato alguno con ellos, ni por sí ni por interpuesta persona ni en representación de otro, salvo las excepciones que establezcan las leyes."

Esta norma, por tanto, no es directamente aplicable a Petróleos de Venezuela S. A., pues, tal como se señaló, no se trata de una persona jurídica de derecho público, sino de una persona jurídica de derecho privado.

Fue necesario prever expresamente en la Ley Orgánica, la aplicabilidad de dicha incompatibilidad, para que procediera respecto de los directores o administradores de Petróleos de Venezuela, tal como lo sugirió el Contralor General de la República.[126]

En el mismo sentido, no tratándose de funcionarios públicos, los directivos o administradores de Petróleos de Venezuela S. A., ya que esta persona jurídica tiene forma de derecho privado, los cargos que éstos ocupan no son destinos públicos remunerados.

Para la aplicación, a ellos, de la incompatibilidad prevista en el artículo 123 de la Constitución en el sentido de que no puedan, además, y a la vez, ocupar un destino público remunerado, fue necesaria la previsión expresa en la Ley Orgánica.

Por último, debe señalarse que los "administradores" de Petróleos de Venezuela, es decir, los miembros de la Junta Directiva, a los solos efectos de la ley contra el enriquecimiento ilícito de funcionarios o empleados públicos, de 31 de marzo de 1964,[127] "se consideran funcionarios o empleados públicos", por lo que rige, para ellos, la obligación de presentar declaraciones juradas de bienes.[128]

---

126 Véase la opinión del Contralor General de la República sobre el articulado del Proyecto de Ley Orgánica que Reserva al Estado la Industria y el Comercio de los Hidrocarburos, en *Revista Control Fiscal,* N° 77, p. 46. Caracas, 1975.

127 Gaceta Oficial N° 902, Extr., de 31 de marzo de 1964.

128 Artículos 2° ordinal 3°, y artículo 3° de la ley.

3. *Régimen jurídico derivado del carácter de persona jurídica estatal*

Petróleos de Venezuela S. A. no sólo es una persona jurídica de derecho privado creada por el Estado, sino que además, es una persona jurídica estatal, y como tal, está sometida a un régimen de control por parte de diversas instancias estatales; y goza de una serie de prerrogativas.

A. *El régimen de control*

Uno de los elementos de mayor importancia que caracteriza a las personas jurídicas estatales, derivado precisamente de su integración a la estructura general del Estado, es el régimen de control que se traduce en relaciones concretas entre la persona jurídica estatal descentralizada y la Administración Central. Por supuesto, el ámbito y modalidades de este control depende de la forma jurídica adoptada en el proceso descentralizador: si se trata de la adopción de formas jurídicas de derecho público, aquéllos serán, normalmente, *más* intensos y directos; si se trata, como en el caso de Petróleos de Venezuela S. A., de la adopción de formas jurídicas de derecho privado, aquéllos serán normalmente, de menor intensidad e indirectos.

En efecto, en la actualidad puede decirse que Petróleos de Venezuela S. A. está sometida a diversos tipos de controles públicos: control parlamentario, control fiscal, control administrativo y control accionario.

a) *El control parlamentario*

En cuanto al control parlamentario, es de destacar que conforme al artículo 160 de la Constitución, como toda persona jurídica, Petróleos de Venezuela S. A., está obligada a comparecer mediante sus representantes ante los cuerpos legislativos y sus comisiones, y "a suministrarles las informaciones y documentos que requieran para el cumplimiento de sus funciones." En todo caso, conforme al artículo 230 de la propia Constitución, las modalidades del control del Congreso sobre los intereses del Estado en Petróleos de Venezuela S. A. pueden ser reguladas mediante ley.

b) *El control fiscal externo*

En lo que se refiere al control fiscal, Petróleos de Venezuela S. A., como toda empresa del Estado, está sometida al control de la Contraloría General de la República, que se traduce en un control de auditoría y control de gestión. En este sentido expresamente, la Ley Orgánica de la Contraloría General de la República otorga competencia al organismo contralor, en relación a las empresas del Estado, "para practicar auditorías y ejercer funciones de control de gestión, a fin de verificar si la actividad de las referidas empresas se adecúa a las decisiones adoptadas y a los planes y objetivos que le hubieran sido señalados; similares facultades de control podrá ejercer sobre las personas jurídicas en que las empresas del Estado tengan participación y en las demás instituciones promovidas por entes públicos."[129] Queda claro, en todo caso, que respecto de las empresas del Estado, entre las cuales se encuentra Petróleos de Venezuela S. A., el control externo a cargo de la Contraloría es un control limitado: sólo puede consistir en la práctica de auditorías y en el control de gestión, y este último, sólo con el fin de verificar la adecuación de Petróleos de Venezuela S. A. a las decisiones adoptadas en la propia empresa o a los planes y objetivos que le han sido señalados por el Ejecutivo Nacional. Para el cumplimiento de estas tareas, la Contraloría General de la República estableció en Petróleos de Venezuela S. A. una Oficina de Control Externo[130] a cargo de un Contralor Delegado. Corresponde particularmente a los funcionarios de esta Oficina ejercer las atribuciones previstas en el artículo 17 del Reglamento de la Ley Orgánica de la Contraloría General de la República, según el cual Petróleos de Venezuela S. A. está obligada a poner sus libros, comprobantes de contabilidad y demás documentos a la disposición de los funcionarios que destaque la Contraloría para ejercer las funciones de control previstas en la ley.

Debe señalarse, además, que en virtud de que la Ley Orgánica de Crédito Público –tal como se verá– se aplica a Petróleos de Venezuela, en cuanto al control externo a cargo de la Contraloría General de la República sobre Petróleos de Venezuela, aquélla tiene

---

129 Artículo 64 de la Ley Orgánica de la Contraloría General de la República.

130 Véase Resolución N° 3 de 12 de mayo de 1977, de la Contraloría General de la República, publicada en *Gaceta Oficial* N° 31.236, de 17 de mayo de 1977.

funciones de control financiero y de control perceptivo[131] sobre las operaciones de crédito público que realice la empresa. Por último, también debe señalarse que la Contraloría General de la República tiene atribuida competencia para vigilar que los aportes, subsidios y otras transferencias que eventualmente haga la República a Petróleos de Venezuela S. A., se inviertan en las finalidades para las cuales se efectúan, por lo que podría, además, practicar inspecciones y establecer los sistemas de control que estime conveniente.[132]

En esta forma, es necesario tener en cuenta que aparte de las regulaciones que directamente establece la Ley Orgánica de la Contraloría General de la República y que permiten un control externo sobre las empresas del Estado, diversas normas particulares –algunas con el rango de Leyes Orgánicas, como la Ley de Crédito Público– establecen competencias específicas en materia de control sobre empresas del Estado, a la Contraloría General de la República.

c) *El control administrativo*

Por otra parte, además del control parlamentario y del control fiscal, Petróleos de Venezuela S. A. también está sometido a mecanismos de control administrativo, los cuales se refieren a la política de la empresa, a su régimen financiero y a su régimen presupuestario.

a') *El control político por el Ejecutivo Nacional*

En efecto, ante todo es necesario señalar que la empresa Petróleos de Venezuela debe cumplir y ejecutar "la política que dicte en materia de hidrocarburos el Ejecutivo Nacional, por órgano del Ministerio de Energía y Minas, en las actividades que le sean encomendadas", según lo dispone el artículo 1° del decreto N° 1.123, de 30 de agosto de 1975, de creación de Petróleos de Venezuela S. A. De acuerdo a esta norma, como ente de la Administración Descentralizada, Petróleos de Venezuela es una institución del Estado, ejecutora de la política de hidrocarburos que dicte el Ejecutivo Nacional. Sin duda, esta es la primera manifestación del control administrativo que se ejerce sobre la empresa: la posibilidad que tiene el Ejecutivo Nacional de definirle la política que debe seguir en el campo de la

---

131 Artículo 16.

132 Artículo 78 de la Ley Orgánica de la Contraloría General de la República.

industria petrolera; y esta definición de política no se realiza por medio de las formas societarias –es decir, mediante la Asamblea–, sino por decisiones unilaterales del Ejecutivo Nacional.

Debe indicarse, además, dentro de esta misma orientación, que el decreto Nº 1.454, de 9 de marzo de 1976,[133] mediante el cual se aprobó formalmente el V Plan de la Nación, lo hizo de obligatorio cumplimiento por parte de las empresas del Estado, entre las cuales está Petróleos de Venezuela S. A., la cual debe ajustarse, en su actuación, a las estrategias, políticas, programas y metas del Plan."[134]

Por otra parte, como se ha visto, Petróleos de Venezuela S. A., se rige, además de por la Ley Orgánica que Reserva al Estado la Industria y el Comercio de los Hidrocarburos, por los reglamentos de ella, por sus Estatutos, y por las disposiciones del derecho común que le sean aplicables, "por las disposiciones que dicte el Ejecutivo Nacional",[135] con lo que se abre un campo muy amplio para el ejercicio de un control administrativo de parte del Ejecutivo Nacional sobre la empresa. En ejercicio de esta potestad del Ejecutivo, inclusive de carácter estatutario, éste puede determinar las modalidades y formas como Petróleos de Venezuela deba realizar determinadas funciones.

Por ejemplo, la Asamblea de Petróleos de Venezuela S. A. tiene competencia para "decidir la constitución de sociedades operadoras que tendrán por objeto realizar las actividades y negocios inherentes a la industria petrolera que les determine la misma Asamblea y sobre la reestructuración de sociedades ya existentes, cuyas acciones les sean transferidas en propiedad a los mismos fines."[136] Conforme a la Ley Orgánica que Reserva al Estado la Industria y el Comercio de los Hidrocarburos, se dejó a la exclusiva competencia del Ejecutivo Nacional la creación de las empresas que juzgara necesarias para el desarrollo regular y eficiente de las actividades reservadas, así como para "modificar su objeto, fusionarlas o asociarlas, extinguirlas y liquidarlas y aportar su capital a otra u otras de esas mismas empre-

---

133 Véase en *Gaceta Oficial* Nº 186, Extr., del 11 de marzo de 1976.

134 Artículo 3º.

135 Cláusula Tercera de los Estatutos.

136 Cláusula Décima Cuarta de los Estatutos.

sas",[137] pudiendo asignarle a Petróleos de Venezuela S. A. la propiedad de las acciones de cualesquiera de esas empresas";[138] y se estableció expresamente –en la Ley Orgánica– que todas esas empresas, incluyendo a Petróleos de Venezuela S. A., se regirían por la misma Ley Orgánica y sus reglamentos, por sus propios Estatutos, por las disposiciones que dicte el Ejecutivo Nacional y por las del derecho común que le fueren aplicables.[139] Conforme a ello, por tanto, la propia Ley Orgánica excluyó del ámbito del legislador ordinario la regulación de las actividades de Petróleos de Venezuela S. A., por lo que, por ejemplo, ésta no está sometida a lo previsto en el artículo 10 de la Ley de Presupuesto para el Ejercicio Fiscal 1979, que exige la autorización previa de las Comisiones de Finanzas del Congreso o de su Comisión Delegada para la constitución de sociedades, y la suscripción y enajenación de acciones, por los institutos autónomos y por las compañías –como Petróleos de Venezuela S. A.– en las que el Estado tenga más del 50 por ciento de las acciones.

En todo caso, debe recordarse que algunos entes del Estado han sido excluidos de esta obligación de requerir la autorización previa de las Comisiones del Congreso en sus propias leyes reguladoras. Tal ha sido el caso de la Corporación Venezolana de Fomento, cuya ley exige solamente la autorización previa del Ejecutivo Nacional[140] y del Fondo de Inversiones de Venezuela, cuya ley excluye, inclusive, la autorización previa y formal del Ejecutivo Nacional.[141]

En este mismo orden de ideas, en virtud de que Petróleos de Venezuela S. A. está sometida a las disposiciones que dicte el Ejecutivo Nacional, podría surgir la duda sobre la aplicabilidad o no, y el ámbito y alcance en su caso, del decreto Nº 280, de 8 de abril de 1970[142] que contienen el Reglamento de Coordinación, Administración y Control de los Institutos Autónomos de la Administración Pública

---

137 Artículo 6º, base Primera.

138 Artículo 6º, base Segunda.

139 Artículo 7º.

140 Véase el artículo 12, Parágrafo único, del Estatuto de la Corporación Venezolana de Fomento en *Gaceta Oficial* Nº 30.668, del 14 de abril de 1975.

141 Véase el artículo 26 del Estatuto del Fondo de Inversiones de Venezuela en *Gaceta Oficial* Nº 30.430, del 21 de junio de 1974.

142 Véase en *Gaceta Oficial* Nº 29.190, del 14 de abril de 1970.

Nacional y que conforme a su artículo 51, sus normas rigen para las empresas del Estado en cuanto sean aplicables. Por supuesto, dada la naturaleza de la actividad de Petróleos de Venezuela S. A., no serían aplicables a dichas empresas las normas del citado reglamento; sin embargo, parecería lo más conveniente que se hiciese una aclaratoria expresa por parte del Ejecutivo Nacional, tal como se ha hecho respecto del Fondo de Inversiones de Venezuela excluido de la aplicación del citado Reglamento en virtud del decreto N° 372, del 27 de agosto de 1974.[143]

Ahora bien, en la reforma de los Estatutos de Petróleos de Venezuela S. A., formulada por el decreto N° 250, del 23 de agosto de 1979, se aclaró y definió expresamente el ámbito del control político-administrativo sobre la empresa, al agregarse a la Cláusula Segunda que se refiere al objeto de la sociedad, lo siguiente:

> "El cumplimiento del objeto social deberá llevarse a cabo por la sociedad *bajo los lineamientos y las políticas* que el Ejecutivo Nacional a través del Ministerio de Energía y Minas establezca o acuerde, en conformidad con las facúltales que le confiere la ley.
>
> Las actividades que realice la empresa a tal fin estarán sujetas a las *normas* de control que establezca dicho Ministerio en ejercicio de la competencia que le confiere el artículo 7° de la Ley Orgánica que Reserva al Estado la Industria y el Comercio de los Hidrocarburos."

Por tanto, a partir de la reforma estatutaria de agosto de 1979, no hay duda respecto de las facultades de control del Ministerio de Energía y Minas sobre la empresa: por una parte, un control previo general de establecimiento de los lineamientos y políticas que deben guiar la acción de la empresa en la realización de su objeto social; y por la otra, la posibilidad de establecer diversos mecanismos de control posterior o concomitante respecto de las actividades que realice la empresa.

---

143 Véase en *Gaceta Oficial* N° 30.495, del 9 de septiembre de 1974.

Además y respecto del control administrativo que el Ejecutivo Nacional puede ejercer sobre Petróleos de Venezuela S. A., deben destacarse las normas de las muy recientes Ley Orgánica de Régimen Presupuestario y Ley Orgánica de Crédito Público, promulgadas el 30 de julio de 1976.[144]

b') *El control presupuestario*

En efecto, la Ley Orgánica de Régimen Presupuestario, que regula "el proceso presupuestario de los organismos del Sector Público", se aplica a todas las personas jurídicas estatales, es decir, que integran el sector público, y entre ellas a aquellas sociedades –como Petróleos de Venezuela S. A.–, en las cuales la República tenga una "participación igual o mayor al cincuenta por ciento (50%) del capital social." Quedan "comprendidas, además, las sociedades de propiedad totalmente estatal –como Petróleos de Venezuela S. A.–, cuya función, a través de la posesión de acciones de otras sociedades, sea coordinar la gestión empresarial pública de un sector de la economía nacional."[145] No existe norma alguna en la Ley Orgánica que excluya a Petróleos de Venezuela C. A. de su ámbito de aplicación.

Ahora bien, conforme a esta Ley Orgánica de Régimen Presupuestario, que tiene el mismo rango legislativo que la Ley Orgánica que Reserva al Estado la Industria y el Comercio de los Hidrocarburos, Petróleos de Venezuela S. A., debería elaborar, conforme a ella, el presupuesto de su gestión, el cual, aprobado por el Directorio, debería ser remitido a través del Ministerio de Minas e Hidrocarburos, a la Oficina Central de Presupuesto y la Oficina Central de Coordinación y Planificación en la forma y fechas que determine el Reglamento de dicha ley.[146] Este Presupuesto de Petróleos de Venezuela S. A., debería ser aprobado por el Ministerio de Minas e Hidrocarburos[147] y posteriormente, debería también ser aprobado por el Presidente de la República en Consejo de Ministros, quien debería decidir "la parte de las utilidades netas que serán ingresadas al Tesoro

144 Véase en *Gaceta Oficial* N° 1.893, Extr., del 30 de junio de 1976.

145 Artículo 1°, ord. 4°.

146 Artículo 60.

147 Artículo 61 y 53.

Nacional y la oportunidad de su entrega",[148] a los efectos de que puedan figurar como ingresos nacionales en la Ley de Presupuesto.[149] En esta forma, la decisión que los Estatutos de Petróleos de Venezuela asignan a la Asamblea en la Cláusula Cuadragésima Sexta sobre la distribución de utilidades, ha de estar en consonancia con la decisión del Ejecutivo Nacional. Queda entendido, en todo caso, que la aprobación del presupuesto de Petróleos de Venezuela por el Presidente de la República en Consejo de Ministros, tal como lo precisa la propia ley, "no significará limitaciones en cuanto a los volúmenes de ingresos y gastos presupuestarios y sólo establecerá la conformidad, entre los objetivos, metas y programas de la gestión empresarial y los contenidos en el Plan de la Nación y en el Plan Operativo Anual."[150]

A los efectos de la elaboración del Presupuesto, en todo caso, Petróleos de Venezuela S. A. se debería atener a la política sectorial que puede impartirle el Ministerio de Energía y Minas,[151] y el mismo debe contener "los estados financieros proyectados, así como toda aquella información económica, financiera y administrativa que se requiera para fines de programación, evaluación y control de su gestión."[152]

Debe señalarse, por otra parte, que cuando las circunstancias lo aconsejen, el Presidente de la República, en Consejo de Ministros, podría limitarle o fijarle a Petróleos de Venezuela, los montos de determinados programas o proyectos, indicando los gastos de operación e inversión que quedarán afectados.[153]

Por último, y también en cuanto a la gestión de su Presupuesto, Petróleos de Venezuela S. A. debería remitir al Ministerio de Energía y Minas, la Oficina Central de Presupuesto, la Oficina Central de Coordinación y Planificación y la Dirección Nacional de Conta-

---

148 Artículo 61.

149 Artículo 18.

150 Artículo 61.

151 Artículo 61 de la Ley Orgánica y artículo 1° del decreto N° 1.123, del 30 de agosto de 1973.

152 Artículo 53, aplicable en virtud de lo previsto en el artículo 61 de la Ley Orgánica.

153 Artículo 62.

bilidad Administrativa, información periódica de su gestión presupuestaría, de acuerdo con las normas que dicte la Oficina Central de Presupuesto.[154]

Debe indicarse, sin embargo, que en general este control presupuestario sobre Petróleos de Venezuela S. A. no se ha aplicado, y hasta 1979 fue el Directorio quien aprobaba el Presupuesto de Petróleos de Venezuela y sus empresas filiales.[155] A nivel gubernamental, en agosto de 1979, se anunció que el Ejecutivo Nacional comenzaría a aprobar el Presupuesto de todas las empresas petroleras nacionalizadas,[156] lo cual se hizo efectivo mediante la reforma de los Estatutos de Petróleos de Venezuela S. A., en los cuales se atribuyó a la Asamblea la facultad de "examinar, aprobar o improbar los presupuestos consolidados de inversiones y de operaciones de la sociedad y de las sociedades o entes afiliados."[157]

c') *El control de las operaciones de crédito público*

En cuanto a la Ley Orgánica de Crédito Público, de 30 de julio de 1976, debe indicarse que la misma también se aplica en principio a todas las personas jurídicas estatales, y entre ellas, a las sociedades –como Petróleos de Venezuela S. A.– en las cuales la República tenga participación igual o superior al 51 por ciento del capital social.[158] Por tanto, todas las operaciones que realice Petróleos de Venezuela S. A., que consistan en la emisión y colocación de bonos u obligaciones de largo y mediano plazo y en las operaciones de tesorería o crédito a corto plazo; en la apertura de crédito con instituciones financieras, comerciales o industriales nacionales, extranjeras o internacionales; en la contratación de obras, servicios o adquisiciones cuyo pago total o parcial se estipule realizar en el transcurso de uno o más ejercicios fiscales posteriores al vigente, en el otorgamiento de garantías; y en la consolidación, conversión o unificación de otras deudas; quedan sometidas a las previsiones –y a las excepciones– de la Ley Orgánica de Crédito Público.

---

154 Artículo 63.

155 Cláusula Vigésima séptima, ordinal A, de los Estatutos.

156 Véase la información *El Nacional,* Caracas, 9 de agosto de 1979, P-A-l.

157 Cláusula Decimatercera, numeral 2° de los Estatutos.

158 Artículo 2, ordinal 2°.

Esta ley, en efecto, respecto las operaciones de crédito público de las sociedades del Estado, exige no sólo la aprobación del Presidente de la República, sino la autorización del Congreso, mediante ley.[159] Sin embargo, expresamente se exceptúa de *"este régimen" de autorizaciones* previstas en el artículo 50, a las empresas creadas o que se crearen de conformidad con la Ley Orgánica que Reserva al Estado la Industria y el Comercio de los Hidrocarburos,[160] por lo que Petróleos de Venezuela S. A. no requiere del consentimiento formal del Presidente de la República en Consejo de Ministros ni del Congreso a través de una ley para realizar operaciones de crédito público. En todo caso, se entiende que la excepción se refiere sólo al régimen de autorizaciones que regula el artículo 50 de la ley, y no al régimen general de la Ley Orgánica. Si ésta hubiese sido la intención, la excepción se hubiese incluido en el artículo 2° de la misma ley.[161] Como consecuencia, y salvo el régimen de autorizaciones, Petróleos de Venezuela S. A. está sometida a las diversas condiciones que deben revestir las operaciones y a los controles de parte del Ministerio de Hacienda,[162] que se integran también dentro de los controles administrativos que se pueden ejercer sobre Petróleos de Venezuela.

d) *El control accionario*

Por último, debe mencionarse que la empresa Petróleos de Venezuela S. A. está sometida, como toda compañía anónima, al control accionario que ejerce el Ejecutivo Nacional como titular de las acciones de la República. La Asamblea de Accionistas de la empresa,

---

159 Artículo 50.

160 Artículo 50, Parágrafo Único.

161 En el Punto de Cuenta llevado por el Ministro de Minas e Hidrocarburos al Presidente de la República el 2 de julio de 1975, contentivo del Proyecto de documento de constitución de Petróleos de Venezuela S. A., se indicaba expresamente que "a fin de evitar cualquier interpretación que pudiese sostener la aplicación de las limitaciones de la Ley de Crédito Público a Petróleos de Venezuela y sus filiales, se recomendaba incluir un aparte al artículo 7° del Proyecto, en el cual se exceptuaban las operaciones de crédito, tanto activas como pasivas, de las empresas petroleras de las normas de la Ley Orgánica de Crédito Público".

162 Artículo 53, por ejemplo.

presidida por el Ministro de Energía y Minas,[163] tiene "la suprema dirección y administración de la sociedad",[164] y la integran, el Ministro de Energía y Minas y los demás Ministros que oportunamente pueda designar el Presidente de la República.[165]

Por tanto, es a través del mecanismo societario de la Asamblea que el Ejecutivo Nacional ejerce indirectamente el más amplio control sobre la empresa.

B. *El régimen de prerrogativas*

La empresa Petróleos de Venezuela S. A. puede decirse que en su actuación externa, no goza de las prerrogativas atribuidas al Estado, sino que se mueve como un sujeto de derecho privado. Como tal, por ejemplo, está sujeta al pago de los impuestos y contribuciones nacionales,[166] por lo que nacionalmente no tiene ningún privilegio fiscal. Sin embargo, no está sujeta a ninguna clase de impuestos estadales ni municipales.[167]

En torno a este privilegio fiscal debe decirse que, sin lugar a dudas, el mismo es inconstitucional, pues no puede una ley nacional eximir de impuestos estadales o municipales, sin violar la autonomía de los Estados y de las Municipalidades. El problema ya ha sido discutido ante la Corte Suprema de Justicia y basta recordar la declaratoria de nulidad del artículo 20 de la ley aprobatoria del contrato celebrado entre el Ejecutivo Nacional y el Banco de Venezuela que estableció una exención de impuestos y contribuciones municipales, pronunciada en virtud de que la Corte lo consideró inconstitucional, por violar el principio de la autonomía del régimen fiscal de los Municipios mantenido en la Constitución.[168]

---

163 Cláusula Undécima.

164 Cláusula Séptima.

165 Cláusula Undécima

166 Artículo 7º de la Ley Orgánica.

167 Artículo 7º *idem.*

168 Véase sentencia de la Corte Plena, de 15 de marzo de 1962, en *Gaceta Oficial* Nº 760, Extr., del 22 de marzo de 1962. Véase la opinión que defiende la

Por otra parte, y en virtud de que la Ley que Reserva al Estado la Industria y el Comercio de los Hidrocarburos, declara de utilidad pública y de interés social las actividades reservadas, así como las obras, trabajos y servicios que fueren necesarios para realizarlas,[169] no hay duda de que le es aplicable a Petróleos de Venezuela S. A., la prerrogativa procesal prevista en el artículo 46 de la Ley Orgánica de la Procuraduría General de la República y que exige a todo juez que decrete un embargo, secuestro, hipotecas, ejecuciones interdictales o alguna medida de ejecución preventiva o definitiva sobre bienes afectados a una actividad de utilidad pública nacional, que antes de la ejecución de cualesquiera de dichos actos, notifique al Ejecutivo Nacional, por órgano del Procurador General de la República, a fin de que se tomen las medidas necesarias para que no se interrumpa la actividad a que esté afectado el bien.

Por último, debe destacarse que en materia de competencia jurisdiccional para conocer de los juicios en que cualquier empresa del Estado, incluida Petróleos de Venezuela S. A., sea parte, la reciente Ley Orgánica de la Corte Suprema de Justicia, de 30 de julio de 1976,[170] estableció la competencia de la Corte para conocer de las acciones que se propongan contra las empresas en la cual "el Estado tenga participación decisiva",[171] con lo cual se ha establecido, además, un fuero a favor de las mismas, lo cual abarca, sin duda, a Petróleos de Venezuela S. A.

De resto, en general, Petróleos de Venezuela S. A., no goza de ninguna de las prerrogativas del Fisco Nacional, por lo que su régimen normal es el del "derecho común" tal como lo precisan sus Estatutos.

4. *Apreciación general*

Del análisis que se ha hecho anteriormente, resulta evidente que Petróleos de Venezuela S. A. es una empresa del Estado, integrada al

---

constitucionalidad de este artículo de Carlos E. Padrón Amaré, en Román J. Duque Corredor: *El Derecho de la Nacionalización Petrolera, cit.*, p. 230.

169 Artículo 1°.

170 Véase en *Gaceta Oficial* N° 1.893, Extr., del 30 de junio de 1976.

171 Artículo 42, ordinal 15°.

Sector Público, es decir, a la estructura general organizativa del Estado, y que forma parte, por tanto, de lo que el derecho positivo denomina los organismos gubernamentales.

Como tal, y conforme a los criterios de clasificación de los sujetos de derecho que hemos adoptado, Petróleos de Venezuela S. A., es una persona jurídica estatal, con forma jurídica de derecho privado (sociedad anónima).

Como persona con forma jurídica de derecho privado, Petróleos de Venezuela S. A. está sometida básicamente a las normas del derecho mercantil. Sin embargo, como se vio, debido a que es una empresa del Estado, en la cual éste es único accionista, las normas de derecho mercantil se encuentran condicionadas por normas de derecho público. Por otra parte, como empresa del Estado, Petróleos de Venezuela S. A. es una persona jurídica estatal con lo que, en paralelo y complementando la normativa del derecho común que se le aplica, está sometida a un régimen de derecho público, que se traduce básicamente en normas de control, de manera de asegurar su integración al Sector Público, y en normas que por ello le conceden ciertas situaciones de prerrogativa en relación a los sujetos de derecho privado.

En definitiva, por tanto, se trata de una persona jurídica estatal, con forma de derecho privado, sometida tanto a un régimen de derecho privado como de derecho público.

V. ASPECTOS DE LA ORGANIZACIÓN DE PETRÓLEOS DE VENEZUELA COMO CASA MATRIZ DE LA INDUSTRIA PETROLERA NACIONALIZADA

Tal como se señaló anteriormente, la industria petrolera nacionalizada, conforme a lo previsto en la Ley Orgánica que reserva al Estado la Industria y el Comercio de los Hidrocarburos, ha seguido un proceso de organización que luego de transcurridos cuatro años de la promulgación de dicha ley, ha dado como resultado una organización integrada de la industria, con una empresa *holding* o casa matriz a la cabeza, Petróleos de Venezuela S. A., y con seis empresas operadoras: cuatro de ellas como empresas petroleras (Maraven, Lagoven, Meneven y Corpoven), una de investigaciones petroleras (Intevep) y otra como empresa petroquímica (Pequiven).

Interesa describir y analizar, ahora, los aspectos básicos de la organización, tanto de Petróleos de Venezuela S. A. como de sus empresas filiales, así como señalar los principios básicos de su funcionamiento e interrelaciones.

1. *Aspectos generales*

Tal como se ha señalado, Petróleos de Venezuela S. A. es una empresa estatal de derecho privado, con forma de sociedad anónima, creada por decreto Nº 1.123, del 30 de agosto de 1975, en el cual se formularon sus estatutos, los cuales fueron posteriormente modificados por decreto Nº 250, del 23 de agosto de 1979.

Conforme a los referidos estatutos, la empresa tiene su domicilio en Caracas, pudiendo establecer sucursales, agencias u oficinas en otros lugares de la República o del exterior.[172] La duración de la empresa se estableció en cincuenta (50) años, contados a partir de la fecha de inscripción del documento constitutivo en el Registro Mercantil, es decir, a partir del 15 del septiembre de 1975.[173]

Además de su objeto específico como empresa petrolera,[174] los cuales se rigen por la Ley Orgánica, los reglamentos de ella, por los Estatutos, por las disposiciones que dicte el Ejecutivo Nacional en base a sus facultades de control y el derecho común,[175] Petróleos de Venezuela S. A. tiene los objetivos generales de toda sociedad mercantil, los cuales debe cumplir con arreglo a las normas del derecho civil y mercantil, tales como: "adquirir, vender, enajenar *y* traspasar, por cuenta propia o de tercero, bienes muebles e inmuebles; emitir obligaciones; promover, como accionistas o no, otras sociedades civiles o mercantiles y asociarse con personas naturales o jurídicas, todo conforme a la ley; fusionar, reestructurar o liquidar empresas de su propiedad; otorgar créditos, financiamientos, fianzas, avales o garantías de cualquier tipo, y, en general, realizar todas aquellas operaciones, contratos y actos comerciales que sean necesarios o convenientes para el cumplimiento del mencionado objeto."

---

[172] Cláusula Primera.

[173] Véase lo indicado en la nota Nº 8.

[174] Cláusula Segunda.

[175] Cláusula Tercera.

La empresa, tal como se señaló en la parte anterior, está sometida a diversos mecanismos de control por parte del Ejecutivo Nacional, y en particular, del Ministerio de Energía y Minas, con el objeto de que su actividad se cumpla con arreglo a las políticas estatales.

Ahora bien, en cuanto a la organización básica de la empresa, deben distinguirse el órgano de dirección general de la empresa, es decir, la Asamblea, de los órganos de administración de la sociedad, integrados por el Directorio y los funcionarios que lo dirigen, el Presidente, los Vicepresidentes y los Directores; el Representante Judicial y los Coordinadores de Funciones.

2. *La Asamblea de Petróleos de Venezuela S. A.*

A. *Carácter y miembros*

La Asamblea, como órgano societario, tiene la suprema dirección y administración de la sociedad[176] y debe ser presidida, siempre, por el Ministro de Energía y Minas.[177]

176 Cláusula Séptima.

177 Cláusula Undécima.

CUADRO Nº 7

ASAMBLEA

PRESIDENTE
VICEPRESIDENTE
DIRECTORIO

COMITE DEL DIRECTORIO
COMITE DEL DIRECTORIO

COMITE EJECUTIVO

CONSULTOR JURIDICO
ASESOR PERSONAL DEL PRESIDENTE
ASISTENTE EJECUTIVO DEL PRESIDENTE Y SECRETARIO DE LA SOCIEDAD

DIRECTORES DE ENLACE
DIRECTORES DE ENLACE

COORDINACIONES	
PLANIFICACION	INFORMACION Y RELACIONES
ORGANIZACION Y RECURSOS HUMANOS	REFINACION
CONTROL Y FINANZAS	MERCADO INTERNO

COORDINACIONES	
COMERCIO Y SUMINISTROS	PETROQUIMICA
EXPLORACION	FAJA PETROLIFERA
COMPUTACION Y SISTEMAS	MATERIALES Y EQUIPO
PRODUCCION	

EMPRESAS FILIALES

Las acciones de Petróleos de Venezuela S. A., que son cien (100), tal como se señaló, son de carácter normativo a favor de la República,[178] y no pueden ser enajenadas ni gravadas en forma alguna.[179]

La representación de dichas acciones, es decir, de la República en la Asamblea corresponde al Ministro de Energía y Minas y a los demás Ministros que oportunamente pueda designar el Presidente de la República.[180]

---

178 Cláusula Quinta.

179 Cláusula Sexta.

180 Cláusula Undécima.

Por tanto, la Asamblea regularmente constituida representa la universalidad de las acciones y sus decisiones, dentro de los límites de sus facultades, son obligatorias para la sociedad.[181] A la Asamblea pueden asistir los Directores de la empresa.[182]

B. *Formalidades de constitución y de realización*

Las Asambleas pueden ser ordinarias o extraordinarias.[183]

La Asamblea ordinaria debe reunirse en el domicilio de la sociedad, es decir, en Caracas, dos veces al año, uno dentro de los noventa días siguientes al cierre de cada, ejercicio anual, es decir, en el primer trimestre de cada año;[184] y otra dentro del último trimestre dé cada año.[185]

La Asamblea ordinaria se debe reunir por convocatoria del Directorio, hecha con quince (15) días de anticipación, por lo menos, mediante la publicación de un aviso en un diario de circulación nacional de la ciudad de Caracas.[186]

En cuanto a las Asambleas extraordinarias, éstas se reunirán en el mismo domicilio, es decir, en Caracas, siempre que interese a la sociedad,[187] correspondiendo la iniciativa de la reunión al Ejecutivo Nacional, mediante oficio dirigido por el Ministro de Energía y Minas al Directorio, o por convocatoria escrita de éste dirigida al Ejecutivo Nacional por órgano del Ministro de Energía y Minas.[188]

En todo caso, trátese de Asambleas Ordinarias o de Asambleas Extraordinarias, de sus reuniones debe levantarse un acta en la cual se indicarán las decisiones adoptadas, la cual debe ser firmada por el Presidente de la Asamblea, es decir, el Ministro de Energía y Minas,

---

181 Cláusula Décima.

182 Cláusula Décima Quinta.

183 Cláusula Octava.

184 Cláusula Cuadragésima Tercera

185 Cláusula Duodécima.

186 Cláusula Novena.

187 Cláusula Duodécima

188 Cláusula Novena.

los demás Ministros designados para representar a las acciones de la República, si fuere el caso, y los Directores de la empresa que estuviesen presentes en la misma.[189]

Las actas serán levantadas por el Secretario de la Asamblea, quien a la vez es el Secretario del Directorio. El Secretario es el funcionario encargado de certificar las copias que de las mismas deben de expedir.[190]

C. *Atribuciones de la Asamblea Ordinaria*

De acuerdo con la Cláusula Décima Tercera de los Estatutos, las atribuciones e la Asamblea Ordinaria son:

1. Conocer, aprobar o improbar el informe anual del Directorio, el balance y el estado de ganancias y pérdidas;

2. Examinar, aprobar o improbar los presupuestos consolidados de inversiones de operaciones de la sociedad y de las sociedades o entes afiliados;

3. Conocer el informe del Comisario;

4. Designar un (1) Comisario y su suplente, de acuerdo con lo previsto en el Código de Comercio;

5. Asignar responsabilidades de Dirección a los Vicepresidentes en aquellas áreas específicas que considere convenientes;

6. Señalar las atribuciones y deberes de los demás Directores;

7. Fijar el sueldo del Presidente, de los Vicepresidentes y demás Directores, así como el del Comisario;

---

189 Cláusula Décima Quinta.

190 Cláusula Trigésima Segunda.

8. Disponer la distribución de utilidades, así como el pago de bonificaciones especiales a los miembros del Directorio, cuando lo considere conveniente;

9. Designar Representante Judicial;

10. Deliberar sobre cualquier otro asunto incluido en la respectiva convocatoria, o que se considere conveniente tratar.

Los proyectos de presupuestos consolidados, el informe anual del Directorio, el balance, el estado de ganancias y pérdidas y el informe del Comisario deberán ser enviados al Ministro de Energía y Minas y a los demás representantes de la República, si los hubiere, con treinta (30) días de anticipación por lo menos a la fecha de la reunión de la Asamblea.

D. *Otras atribuciones de la Asamblea*

Además de las atribuciones antes mencionadas, las Asambleas ordinarias y extraordinarias deben decidir "la constitución de sociedades operadoras que tendrán por objeto realizar las actividades y negocios inherentes a la industria petrolera que les determine la misma Asamblea y sobre la reestructuración de sociedades ya existentes, cuyas acciones le sean transferidas en propiedad a los mismos fines."[191]

3. ***El Directorio de Petróleos de Venezuela S. A.***

A. *Carácter e integración*

El Directorio de la empresa es el órgano administrativo de la sociedad con las más amplias atribuciones de administración y disposición, sin otras limitaciones que las establecidas en la ley, en el decreto de creación de la empresa y en sus Estatutos.[192]

El Directorio está integrado por once (11) miembros designados mediante decreto por el Presidente de la República. Uno de dichos miembros será designado con arreglo a lo dispuesto en la Ley sobre

---

[191] Cláusula Décima Cuarta.

[192] Cláusula Décima Sexta.

representación de los Trabajadores en los Institutos Autónomos, Empresas y Organismos de Desarrollo Económico del Estado. El Presidente de la República podrá designar suplentes llamados a llenar las faltas temporales de cualquiera de los Directores Principales.[193]

De acuerdo al artículo 8º de la Ley que reserva al Estado la Industria y el Comercio de los Hidrocarburos, los miembros del Directorio, así como los otros directivos, administradores, empleados y obreros de la empresa, no se consideran funcionarios o empleados públicos.

En el mencionado decreto de designación se debe indicar los miembros que hayan de ocupar los cargos de Presidente y de los de Vicepresidentes.[194]

No pueden ser Directores de Petróleos de Venezuela durante el ejercicio de sus cargos: los Ministros del Despacho, el Secretario y Subsecretario General de la Presidencia, los miembros de la Corte Suprema de Justicia, el Procurador General de la República y los Gobernadores de los Estados, Territorios Federales y Distrito Federal. Tampoco podrán ser Directores de la Sociedad las personas que tengan con el Presidente de la República o con el Ministro de Energía y Minas parentesco hasta el cuarto grado de consanguinidad o segundo de afinidad.[195]

Asimismo, están inhabilitados para ser Directores de la empresa, los declarados en estado de quiebra o los condenados por delitos castigados con penas de presidio o de prisión.[196]

Ahora bien, tanto el Presidente, los Vicepresidentes, los Directores que se indiquen en el decreto de la designación, deberán dedicarse en forma exclusiva a sus funciones dentro de la sociedad.[197] Contrariamente a lo que sucedió con los miembros del Directorio desde septiembre de 1975 hasta agosto de 1979, de los cuales solamente cuatro eran a dedicación exclusiva, en el actual Directorio de Petróleos de

193 Cláusula Décima Séptima.

194 Cláusula Décima Octava.

195 Cláusula Vigésima Novena.

196 Cláusula Trigésima Primera

197 Cláusula Vigésima.

Venezuela, designado por decreto Nº 255, del 29 de agosto de 1979,[198] todos los Directores Principales, además del Presidente y del Vicepresidente, deben dedicarse al ejercicio de sus funciones dentro de la sociedad a tiempo completo. De los Directores Suplentes designados, dos de ellos también se deben dedicar a sus funciones a tiempo completo.[199]

Los Directores duran dos (2) años en el ejercicio de sus funciones, pero deben continuar en su ejercicio, a pesar del vencimiento de sus períodos, hasta tanto los sustitutos sean designados y tomen posesión de los respectivos cargos.[200]

En caso de falta absoluta de un Director, se debe proceder a la designación de su sustituto, por el tiempo que falte de su respectivo período, y se entiende por falta absoluta: la ausencia ininterrumpida, sin razón que la justifique, a más de cuatro (4) sesiones del Directorio; la ausencia injustificada a más de doce (12) sesiones del Directorio durante un año; la remoción en cualquier otro caso de incumplimiento de las obligaciones inherentes a su cargo; la renuncia y la muerte o la incapacidad permanente.[201]

B. *Incompatibilidad de los Directores*

Además de las incompatibilidades previstas para todos los servidores de la República en los artículos 123 y 124 de la Constitución, y que se aplican a los miembros del Directorio y a todos los administradores de la empresa, los Estatutos de la sociedad prevén dos tipos de incompatibilidades, unas de carácter económico y otras de carácter político.

En efecto, los Directores de Petróleos de Venezuela S. A. no pueden celebrar ninguna clase de operaciones con la sociedad ni con los entes filiales de ella, ni por sí, ni por personas interpuestas, ni en representación de otra persona.

---

198 Véase en *Gaceta Oficial Nº* 31.809, del 29-8-1979.

199 Artículo 3° del decreto.

200 Cláusula Décima Novena.

201 Cláusula Vigésima Primera.

Los Directores deben abstenerse de concurrir a la respectiva sesión de Directorio, en la cual tengan interés o participación de cualquier naturaleza.[202]

Por otra parte, ni el Presidente ni los demás Directores de la sociedad podrán desarrollar actividades como directores de organizaciones políticas mientras estén en el ejercicio de sus funciones.[203]

C. *Formalidades de las reuniones y efectos de las decisiones*

El Directorio debe reunirse cada vez que lo convoque el Presidente, y por lo menos, una vez a la semana. También debe sesionar cada vez que cuatro (4) o más Directores así lo soliciten.[204]

El Presidente y cinco (5) Directores forman quórum y, salvo disposición en contrario, las decisiones son tomadas por la mayoría absoluta de los miembros presentes. En caso de que el Presidente no estuviere de acuerdo con la decisión aprobada, podrá convocar una Asamblea Extraordinaria, la cual decidirá sobre el asunto.[205]

De las decisiones tomadas se debe levantar por el Secretario, acta en el libro especial destinado a tal efecto. Las actas deben ser firmadas por el Presidente, los demás Directores que hubieren concurrido a la sesión y el Secretario.[206]

Los Directores son personal y solidariamente responsables en los términos establecidos respecto a los administradores en el Código de Comercio.[207]

En caso de ausencia de un Director se presume su conformidad con respecto a las decisiones adoptadas, a menos que haga constar el voto salvado en la próxima reunión del Directorio a la cual asista.[208]

---

[202] Cláusula Vigésima Octava.

[203] Cláusula Trigésima

[204] Cláusula Vigésima Segunda.

[205] Cláusula Vigésima Tercera.

[206] Cláusula Vigésima Cuarta.

[207] Cláusula Vigésima Quinta.

[208] Cláusula Vigésima Sexta.

El Directorio debe tener un Secretario, de su libre elección, el cual ejercerá también las funciones de Secretario de la Asamblea. Este debe levantar las actas tanto de la Asamblea como del Directorio, certificar las copias que de las mismas deban expedirse, y desempeñar las demás funciones que le asigne el Directorio.[209]

D. *Atribuciones del Directorio*

Tal como se señaló, como órgano administrativo de la sociedad, el Directorio ejerce la suprema administración de los negocios de la sociedad y, en especial, tiene las siguientes atribuciones:

1. Planificar las actividades de la sociedad y evaluar periódicamente el resultado de las decisiones adoptadas;

2. Dictar los reglamentos de organización interna;

3. Establecer y clausurar sucursales, agencias u oficinas y nombrar corresponsales en el país o en el exterior;

4. Examinar, aprobar y coordinar los presupuestos de inversiones y de operaciones de las sociedades o entes afiliados;

5. Controlar y supervisar las actividades de las sociedades afiliadas y en especial, vigilar que cumplan sus decisiones;

6. Designar los Coordinadores de Funciones.

7. Crear los comités, grupos de trabajo u organismos similares que se consideren necesarios, fijándoles sus atribuciones y obligaciones.

8. Autorizar la celebración de contratos, pudiendo delegar esta facultad de acuerdo con la reglamentación interna especial que al efecto se dictare;

---

[209] Cláusula Trigésima Segunda.

9. Ordenar la convocatoria de la Asamblea;

10. Presentar a la Asamblea ordinaria el informe anual sobre sus operaciones, el balance y el estado de ganancias y pérdidas del ejercicio;

11. Determinar el apartado correspondiente a la reserva legal y los demás que se considere necesario o conveniente establecer;

12. Proponer a la Asamblea la distribución de utilidades y el pago de bonificaciones, si fuere el caso;

13. Nombrar y remover el personal de la sociedad, con arreglo a los reglamentos de organización interna, asignándoles sus cargos, atribuciones y remuneraciones;

14. Controlar y supervisar el entrenamiento y desarrollo del personal de la industria petrolera;

15. Establecer la política general de remuneraciones y jubilación de su personal y de las sociedades o entes filiales;

16. Establecer la política general en lo tocante a la investigación científica, proceso y desarrollo de patentes para la industria petrolera y coordinar su aplicación por las sociedades o entes filiales;

17. Delegar el ejercicio de una o varias de sus atribuciones en uno o más de sus Directores o en otros funcionarios de la sociedad;

18. Proponer a la Asamblea las modificaciones de los Estatutos que considere necesarias, y

19. Cualesquiera otras que le señale la ley o la Asamblea.

En particular, tal como lo prevé la cláusula Cuadragésima Cuarta, el Directorio debe presentar a la Asamblea Ordinaria, un

Informe en el cual se indicará: el resumen general del estado de la sociedad, de las operaciones realizadas en el ejercicio y cualesquiera otros datos que el Directorio considere conveniente citar.

E. *Atribuciones del Presidente y los Vicepresidentes*

La dirección inmediata y la gestión diaria de los negocios de la sociedad están a cargo del Presidente, quien es, además, su representante legal.[210] El Presidente tiene los siguientes deberes y atribuciones:

1. Suscribir la convocatoria de la Asamblea en los casos contemplados en la Cláusula Novena;

2. Convocar y presidir el Directorio;

3. Ejecutar o hacer que se ejecuten las decisiones de la Asamblea y del Directorio;

4. Suscribir todos los documentos relativos a las operaciones de la sociedad, pudiendo delegar esta facultad conforme a los reglamentos de organización interna;

5. Constituir apoderados judiciales o extrajudiciales y factores mercantiles, previa aprobación del Directorio, fijando sus facultades en el poder que les confiera;

6. Ejercer la representación de la sociedad de acuerdo con lo establecido en el presente instrumento, siendo entendido que no tendrá la representación judicial de ella;

7. Resolver todo asunto que no esté expresamente reservado a la Asamblea o al Directorio, debiendo informar a éste en su próxima reunión.[211]

---

[210] Cláusula Trigésima Tercera.

[211] Cláusula Trigésima Tercera.

La empresa, además, puede tener uno o varios Vicepresidentes, según se establezca en el decreto de designación,[212] con los deberes y atribuciones que le asignan los Estatutos, la Asamblea y el Directorio.[213] Este debe determinar, en cada caso, el Vicepresidente que haya de suplir al Presidente en sus faltas temporales.[214] Hasta el presente, en el decreto de designación, sólo se ha nombrado un Vicepresidente.[215]

F. *Atribuciones de los Directores, como Directores de Enlace*

Además de sus responsabilidades como Miembros del Directorio, cada Director tiene responsabilidades específicas, en particular, en cuanto concierne a velar por el eficaz desempeño de una o más actividades específicas. Así, los Directores son Directores de Enlace, en relación a las diversas actividades funcionales previstas en la Cláusula Trigésima Novena de los Estatutos: exploración, producción, transporte, refinación, mercado interno, mercado externo y relaciones internacionales, investigación y protección ambiental, desarrollo de recursos humanos, relaciones industriales, materiales y equipos, administración y finanzas, y cualesquiera otras que se estimen necesarias.

En concreto, en la actualidad, existen Directores de Enlace en las siguientes áreas: 1) Planificación; 2) Organización y Recursos Humanos; 3) Control y Finanzas; 4) Mercado Interno y Exploración; 5) Comercio y Suministros; 6) Petroquímica; 7) Fajas Petrolíferas del Orinoco, y 8) Materiales y Equipo, Producción, Refinación y Computación y Sistemas.

Los Directores como Directores de Enlace, en sus áreas específicas, así, tienen las siguientes actividades:

---

212 Cláusula Décima Octava.

213 Cláusula Trigésima Quinta.

214 Cláusula Trigésima. Sexta.

215 Para el Directorio designado en agosto de 1979. Véase el decreto N° 255, del 29-8-1979, en *Gaceta Oficial* N° 31.809. del 29-8-1979.

1. Inspeccionar, guiar y aconsejar la gerencia funcional respectiva de las compañías operadoras.

2. Verificar que las gerencias funcionales de las compañías operadoras entiendan y apliquen las normas y objetivos de Petróleos de Venezuela.

3. Asesorar las compañías operadoras a fin de que tengan organizaciones gerenciales capaces en las diferentes funciones.

4. Mantener informados al Comité Ejecutivo y al Directorio de las principales actuaciones de las compañías operadoras.

5. Asesorar a los Coordinadores Funcionales sobre todas las normas, objetivos y actividades de la sociedad, y asegurarse de que sean tomadas en consideración en el desarrollo de programas funcionales.

6. Comprobar que los programas funcionales llenan las necesidades de Petróleos de Venezuela y de las compañías operadoras.

7. Proponer al Comité Ejecutivo cambios en los programas funcionales o en las normas.

8. Mantener al Comité Ejecutivo y al Directorio informados del estado general de las funciones y efectividad de los coordinadores responsables de las

G. *El antiguo Comité Ejecutivo del Directorio*

Durante el período 1975-1979, como se dijo, no todos los miembros del Directorio debían ejercer sus funciones a tiempo completo; por ello, el Directorio constituyó el Comité Ejecutivo compuesto por los Directores a dedicación exclusiva y el Presidente y. Vicepresidente de la empresa. Este Comité Ejecutivo, además de ejercer las atribuciones que le delegara el Directorio, asesoraba al Presidente en el desempeño de sus funciones y estudiaba y evaluaba las propuestas que debían ser presentadas al Directorio para su decisión, particularmente los objetivos, planes y programas a largo plazo.

En particular, el Comité Ejecutivo ejercía las siguientes atribuciones:

1. Revisaba y recomendaba al Directorio los objetivos a largo plazo y el tiempo y método para lograrlos;

2. Autorizaba, por delegación del Directorio, la celebración de contratos.

3. Efectuaba revisiones ordinarias de los resultados operativos y financieros, así como de los programas y planes, v. g.:

* Perspectiva de la industria en Venezuela y en el mundo.

* Revisión de la actuación y planificación de cada una de las compañías operadoras.

* Movimientos de personal en la industria.

* Evaluaciones y planes generales para cada función.

* Pronósticos financieros (actualizados por lo menos una vez cada año).

4. Estudiaba y aprobaba para su presentación al Directorio, los proyectos de reestructuración y racionalización de la industria.

5. Presentaba recomendaciones al Directorio en relación con los programas anuales propuestos por las compañías operadoras, incluyendo los presupuestos de capital.

6. Analizaba los proyectos de aumento de presupuesto de la Sociedad y empresas operadoras y hace las recomendaciones pertinentes al Directorio.

7. Recomendaba al Directorio normas de funcionamiento y administración para la sociedad.

8. Aprobaba, con la debida autorización del Directorio, asuntos relacionados con el funcionamiento y administración de las operadoras cuando éstas solicitaban orientación sobre la aplicación de determinadas normas, tales como:

* Condiciones extraordinarias contractuales, financieras o de venta o cualquier otra acción propuesta que pueda sentar precedentes importantes.

* Términos y/o condiciones para hacer o finiquitar reclamos, litigios o controversias.

* Posibles adquisiciones o desinversiones y ventas, traspasos u otras disposiciones de bienes muebles o inmuebles, dentro de los límites que establezca el Directorio.

* Excepciones a las normas.

9. Evaluaba y recomendaba sobre asuntos de la sociedad, tales como:

* Estudios especiales llevados a cabo por los comités interfuncionales e intercompañías.

* Presupuestos de gastos, incluyendo los objetivos de estímulo del empleado y los gastos de contratación profesional y técnica externa.

* Arrendamientos y compromisos similares a largo plazo a ser asumidos por Petróleos de Venezuela.

* Relaciones Públicas y eventos especiales.

* Programas de responsabilidad y seguro de las propiedades.

Ahora bien, a partir de agosto de 1979, en vista de que todos los once miembros del Directorio más dos Directores Suplentes ejercen sus funciones a tiempo completo, las funciones del antiguo Comité Ejecutivo han sido asumidas por el Directorio en pleno.

H. *Los Comités del Directorio*

Para cada una de las actividades funcionales, que son objeto de Coordinación en relación a las empresas operadoras, se ha designado a un Comité del Directorio, presidido por el respectivo Director de Enlace, integrado por 2 o 3 Directores y un funcionario que ejerce la Coordinación funcional, que actúa, además, como Secretario del Comité.

Estos Comités identifican una de las características resaltantes del sistema de gerencia por Comités adoptado por Petróleos de Venezuela.

En la actualidad funcionan los siguientes 13 Comités del Directorio: de Planificación; de Información y Relaciones; de Organización y Recursos Humanos; de Refinación; de Control y Finanzas; de Mercado Interno; de Comercio y Suministros; de Petroquímica; de Exploración; de la Faja Petrolífera del Orinoco; de Computación y Sistemas; de Materiales y Equipos, y de Producción.

4. *El representante judicial*

La sociedad tiene un Representante Judicial, quien es de la libre elección y remoción de la Asamblea, y debe permanecer en el cargo mientras no sea sustituido por la persona designada al efecto. El Representante Judicial es el único funcionario, salvo los apoderados debidamente constituidos facultado, para representar judicialmente a la sociedad, y, en consecuencia, toda citación o notificación judicial de la sociedad debe practicarse en la persona que desempeñe dicho cargo. Igualmente el Representante Judicial está facultado para intentar, contestar y sostener todo género de acciones, excepciones y recursos; convenir y desistir de los mismos o de los procedimientos; absolver posiciones juradas; celebrar transacciones en juicio o fuera de él; comprometer en árbitros arbitradores o de derechos; tachar documentos públicos y desconocer documentos privados, hacer posturas en remates judiciales y constituir a ese fin las cauciones que sean necesarias y, en general, para realizar todos los actos que considere más convenientes a la defensa de los derechos e intereses de la sociedad, sin otro límite que el deber de rendir cuenta de su gestión, por cuanto las facultades que se confieren lo son a título meramente enunciativo y no limitativo.[216]

Sin embargo, el Representante Judicial para convenir, transigir, desistir, comprometer en árbitros arbitradores o de derecho, hacer posturas en remate y afianzarlas, necesita la previa autorización escrita del Directorio.

---

[216] Cláusula Trigésima Segunda.

Todas las anteriores facultades pueden ser ejercidas por el Representante Judicial, conjunta o separadamente con otro u otros apoderados judiciales que designe la sociedad.[217]

El Representante legal, a la vez es el Consultor Jurídico de la empresa, y tiene las siguientes funciones básicas:

1. Informar y asesorar al Presidente y al Directorio acerca de los aspectos legales de la organización y funcionamiento de Petróleos de Venezuela.

2. Emitir dictámenes sobre los asuntos que le sean especialmente sometidos por el Presidente, el Comité Ejecutivo y el Directorio.

3. Guiar funcionalmente a los consultores jurídicos de las empresas operadoras.

Además, los siguientes son los deberes y responsabilidades principales del Consultor Jurídico:

1) Recomendar las políticas concernientes a los aspectos legales de las diversas actividades de la sociedad para la orientación y debido control de toda la organización.

2) Informar y recomendar los requisitos legales, procedimientos y documentación en relación con:

a. El establecimiento de la estructura corporativa.

b. La tramitación de asuntos oficiales.

c. El mandamiento de las actividades de la sociedad y de las empresas operadoras.

d. Impuestos nacionales y extranjeros.

---

[217] Cláusula Trigésima Octava.

3) Participar en la formulación de las políticas concernientes a las principales relaciones contractuales o acciones sujetas a las leyes nacionales, estadales o municipales.

4) Disponer y coordinar el trabajo de asesores jurídicos internos o externos.

5) Supervisar la preparación y presentación de documentos legales, informes para las dependencias gubernamentales; y, personalmente, elaborar y presentar cualquier documento de índole legal que revista singular importancia o complejidad.

6) Velar por el mantenimiento de registros completos de contratos y otros registros y documentos corporativos de carácter legal.

7) Asistir a las reuniones del Comité Ejecutivo, el Directorio y otros comités de los cuales forme parte.

8) Mantener contacto directo con los Directores y Coordinadores de la Sociedad y con la Presidencia y consultores jurídicos de las empresas operadoras, para el mejor desempeño de sus actividades.

5. *La coordinación de funciones*

A. *Los coordinadores funcionales*

El sistema de coordinación de funciones es el sistema básico en la organización de Petróleos de Venezuela. En cada área funcional que puede determinarse conforme a lo previsto en la Cláusula Trigésima Novena,[218] no sólo se ha designado un Director de Enlace y se

[218] Conforme a esta cláusula, se pueden designar Coordinadores Funcionales en las siguientes áreas: 1) Explotación; 2) Producción; 3) Transporte; 4) Refinación; 5) Mercado Interno; 6) Mercado Externo y relaciones internacionales; 7) Investigación y protección ambiental; 8) Desarrollo de recursos humanos; 9) Relaciones industriales; 10) Materiales y equipos; 11) Administración y finanzas, y 12) Cualesquiera otros que se estimen necesarias.

ha constituido un Comité del Directorio, sino que se ha designado un funcionario, con la denominación de Coordinador Funcional, con las siguientes atribuciones y obligaciones:

1. Asesorar, en las funciones que les hayan sido encomendadas, a las empresas filiales de la sociedad;

2. Examinar e informar al Directorio, a través del Presidente, sobre los proyectos que se presenten en las actividades de su incumbencia;

3. Evaluar periódicamente los proyectos aprobados, informar al Directorio, a través del Presidente, sobre su ejecución y recomendar los ajustes que consideren pertinentes, y

4. Cualesquiera otras que les asigne el Directorio.[219]

Para la designación de los Coordinadores de Funciones se debe tomar en cuenta la formación profesional universitaria de los candidatos o su preparación equivalente, así como su experiencia en las áreas que les hayan de ser encomendadas.[220]

Los Coordinadores de Funciones deberán dedicarse en forma exclusiva al desempeño de sus cargos y su ejercicio se ajustará a lo establecido en el respectivo reglamento de organización interna.[221]

En la actualidad, tal como se señaló, se han designado Coordinadores en las siguientes áreas funcionales: Planificación; Información y Relaciones; Organización y Recursos Humanos; Refinación; Control y Finanzas; Mercado Interno; Comercio y Suministros; Petroquímica; Exploración Faja Petrolífera del Orinoco; Computación y Sistemas; Materiales y Equipos, y Producción.

---

219 Cláusula Cuadragésima.

220 Cláusula Cuadragésima Primera.

221 Cláusula Cuadragésima Segunda.

B. *Funciones de los Coordinadores Funcionales*

Los Coordinadores Funcionales tienen las siguientes atribuciones y obligaciones:

1) Asesorar en las funciones que les hayan sido encomendadas a las empresas filiales de la sociedad.

2) Examinar e informar al Presidente o al Director de Enlace en quien éste delegue, sobre los proyectos que se presenten en las actividades de su incumbencia.

3) Evaluar periódicamente los proyectos aprobados, informar al Presidente o al Director de Enlace en quien éste delegue, sobre su ejecución y recomendar los ajustes que consideren pertinentes.

4) Mantenerse al día en el desarrollo y evolución de su función en la industria.

5) Llevar a cabo los estudios básicos, incluyendo evaluación y planificación a largo plazo, y el avalúo de las actividades de la industria.

6) Proporcionar asesoramiento técnico y especializado *y* servicios al Directorio y sus comités y a otros ejecutivos de la casa matriz.

7) Revisar los programas y proyectos del presupuesto de capital en sus funciones, propuestos por las compañías operadoras.

8) Asegurar el desarrollo del personal técnico y gerencial de la industria en la función respectiva y mantener informado al Presidente o al Director de Enlace en quien éste delegue.

9) Mantener contactos apropiados con los otros Coordinadores Funcionales para obtener y proporcionar opiniones y asesoramiento en las respectivas actividades funcionales.

C. *El Comité de Operaciones*

El Comité de Operaciones ha sido establecido con el objeto de coordinar los programas de operaciones que afectan las disponibilidades de petróleo para la venta. Tiene como propósito fundamental asegurar la consistencia de los diversos programas de operaciones con los objetivos generales y particulares de suministro, programas y proyectos principales de inversión y las metas de ventas.

El Comité de Operaciones está compuesto por los Coordinadores de Exploración, Producción, Refinación, Planificación, Suministro y Comercio, Mercado Interno y Control y Finanzas. Un miembro del personal de la Coordinación de Suministro y Comercio ejercerá las funciones de Secretario.

El Directorio puede designar un Director para presidir el Comité; en caso contrario, la presidencia estará a cargo de uno de los Coordinadores miembros del Comité y es rotada trimestralmente entre ellos. Las reuniones tienen la frecuencia necesaria, pero por lo menos una vez a la semana, y a ellas pueden ser invitados ejecutivos de Petróleos de Venezuela y de las empresas operadoras cuando vayan a ser tratados temas que requieran su presencia.

Las funciones básicas del Comité de Operaciones son las siguientes:

1) Estudiar y opinar sobre los proyectos de presupuesto de las compañías operadoras antes de su presentación al Comité Ejecutivo y al Directorio.

2) Recibir informes mensuales sobre la ejecución de los programas de operación, evaluarlos y presentar recomendaciones.

3) Estudiar y emitir opiniones sobre materias que afectan la disponibilidad de petróleo, tales como:

- Programas de perforación y desarrollo de nueva capacidad de producción de petróleo y gas natural.
- Programas de recuperación secundaria o terciaria.

- Programas de mantenimiento y reparación de instalaciones de producción.
- Proyectos de inversiones en refinerías, plantas de gas y plantas de líquidos de gas natural.
- Programas de mantenimiento mayor de plantas, tanqueros, etc.
- Proyectos de inversión en facilidades de almacenamiento, embarque, muelles, unidades flotantes, tanqueros, etc.

Por conducto de los Directores de Enlace asignados a las funciones en él representadas, el Comité de Operaciones mantendrá informado de sus actividades al Presidente y al Comité Ejecutivo y recibirá las instrucciones pertinentes.

D. *Funciones específicas de algunas de las Coordinaciones*

a) *La Coordinación de Exploración*

La Coordinación de Exploración tiene como funciones básicas, lograr un conocimiento cabal del subsuelo, acometer la búsqueda exitosa de hidrocarburos y asegurar un nivel óptimo de reservas.

A tal efecto, tiene los siguientes deberes y responsabilidades principales: coadyuvar en la formulación de la política exploratoria nacional, extensiva a las áreas aún no asignadas a la industria nacionalizada; revisar y evaluar las actividades exploratorias de las afiliadas; vigilar el cumplimiento de los programas exploratorios aprobados; guiar, coordinar y asesorar técnicamente a las empresas afiliadas en aspectos especiales de sus programas, y realizar estudios, recomendar proyectos y propiciar acciones pertinentes, con y a través de las afiliadas.

Para el cumplimiento de estas atribuciones, la Coordinación de Exploración tiene las siguientes gerencias: Gerencia de Áreas Libres; Gerencia Geoeconómica, y Gerencia de Programas.

b) *La Coordinación de Producción*

La Coordinación de Producción abarca, entre otras, las actividades relacionadas con la cuantificación, extensión y desarrollo de reservas de hidrocarburos; la perforación y reacondicionamiento de pozos; producción, transporte, almacenaje y embarque de petróleo y gas desde el yacimiento hasta el punto de entrega a barcos, refinerías y sistemas comerciales de distribución; el levantamiento artificial y recuperación adicional de hidrocarburos; la extracción, fraccionamiento, almacenaje y embarque de líquidos de gas natural y las facilidades y servicios que complementan las operaciones de producción; transporte y embarque de crudos, gas y líquidos de gas natural.

Para el logro de estos objetivos, la coordinación tiene los siguientes deberes y responsabilidades principales: coadyuvar en la formulación de la política de producción nacional; asegurar la disponibilidad económica de crudos, gas y líquidos de gas a corto, mediano y largo plazo, de acuerdo con los objetivos establecidos; establecer metas y estrategias de producción de hidrocarburos con las empresas filiales, consistentes con las metas y lineamientos de Petróleos de Venezuela; maximizar el aprovechamiento económico del gas y sus derivados; asegurar la suficiencia en los planes de inversión en instalaciones de producción; establecer las bases técnico-económicas para la preparación de los presupuestos de inversiones de producción; analizar, evaluar, jerarquizar y consolidar las inversiones de producción presupuestadas por las empresas filiales y hacer recomendaciones al respecto; coordinar estudios de factibilidad económica para el desarrollo de nuevas áreas; maximizar el aprovechamiento de los recursos humanos; revisar la suficiencia numérica y cualitativa de los recursos humanos y hacer recomendaciones al respecto; evaluar la asistencia tecnológica y transferencia de tecnología foránea y asistir y apoyar a las empresas filiales en sus esfuerzos por desarrollar tecnología propia y reducir su dependencia de la tecnología foránea; establecer las bases para la cuantificación de reservas y elaboración de pronósticos; establecer criterios y políticas de conservación y protección del medio ambiente, los cuales deben ser consistentes con las normas legales y reglamentarias vigentes, así como velar por su cumplimiento; asegurar el mayor aprovechamiento intercompañías de pozos e instalaciones, tales como: plantas de gas, plantas eléctricas, plantas de tratamiento, estaciones de flujo, oleoductos, gasoductos, terminales, etc.; evaluar la eficacia técnico-económica operacional de la industria en materia de producción; mantener al día los costos de producción de crudos, segregaciones, gas y productos del gas natural y establecer las bases para su determinación; conocer en forma general las operaciones de producción de las empresas filiales, siguiendo la evolución y solución de los problemas importantes y el progreso de los proyectos mayores y especiales; conocer y mantenerse al día en las innovaciones y últimos adelantos tecnológicos de producción desarrollados dentro o fuera del país, y mantener contacto en materia de producción con el Ministerio de Minas e Hidrocarburos y demás Ministerios e Institutos del Ejecutivo Nacional, particularmente en los asuntos que afectan a toda la industria.

Para el cumplimiento de estas actividades, la Coordinación de Producción tiene las siguientes gerencias: operaciones; gas y energía; explotación y planificación.

c) *La Coordinación de Refinación*

La Coordinación de Refinación tiene las siguientes funciones básicas: coordinar y asesorar en las actividades funcionales relacionadas con refinación dentro de Petróleos de Venezuela y con las empresas subsidiarias. Estas actividades incluyen planificación a mediano y largo plazo, así como evaluación de operaciones.

Con tal objeto, tiene los siguientes deberes y responsabilidades principales: La coordinación inicia o coordina estudios de planificación para instalaciones de refinación y evalúa las proposiciones de inversión para recomendaciones al Comité de Operaciones, al Director de Enlace y al Comité Ejecutivo para su aprobación; La Coordinación se mantiene al día sobre las actividades de competidores y evalúa el efecto de éstos sobre Petróleos de Venezuela; desarrollar y presentar índices de rendimiento operacional para información de Petróleos de Venezuela y las empresas subsidiarias; participar en la formulación de programas de investigación y estudios de ingeniería, evaluar la efectividad de los contratos de tecnología, así como asegurar el apoyo tecnológico entre operadores, y evaluar la efectividad de las organizaciones de refinación de las subsidiarias en término de los resultados obtenidos y de la planificación hacia el futuro.

Para el cumplimiento de estas actividades, la Coordinación de Refinación cuenta con dos gerencias: de Planificación y de Evaluación.

d) *La Coordinación de Mercado Interno*

Esta Coordinación de Mercado Interno tiene las siguientes funciones básicas: coordinar y asesorar las actividades funcionales relacionadas con el mercado interno y las empresas operadoras subsidiarias. Estas actividades incluyen planificación, financiamiento, importación, transportación, suministro, almacenamiento, distribución y expendio de los productos derivados de hidrocarburos en el territorio nacional.

Para el cumplimiento de esas funciones, la Coordinación iniciará o revisará y recomendará para su aprobación al Comité de Operaciones, al Director de Enlace o al Comité de Mercado Interno de Petróleos de Venezuela, según competa: programas, proyectos o actividades desarrolladas por las empresas operadoras o por el personal de la Coordinación; para lo cual, deberá mantenerse al día sobre el desarrollo del mercado interno e innovaciones con técnicos de mercado, operaciones, nuevos productos, equipos, etc., así como mantener contacto con las casas matrices de las ex concesionarias con el propósito de conservar el nivel tecnológico en el mercado interno; consolidará los programas de ventas a corto, mediano y largo plazo, preparados por las empresas subsidiarias, para su presentación a los Comités de Operaciones y Mercado Interno; coordinará la creación y funcionamiento de la empresa operacional que se ocupará de la logística de transporte y distribución para el mercado interno a nivel nacional; e intervendrá y mediará en las diferencias de opinión o de interpretación referente a las normas, operaciones o procedimientos relativos a las actividades en este mercado.

Estas funciones la cumplen la Coordinación de Mercadeo Interno a través de las siguientes gerencias: Ventas, Operaciones, Planificación *y* Tecnología.

e) *La Coordinación de Comercio y Suministro*

La Coordinación de Comercio y Suministro tiene las siguientes funciones básicas: asistir al Director de Enlace y al Comité de Comercio y Suministro a nivel del Directorio en el proceso de elaborar e implantar normas, directrices, orientaciones y estrategias para las empresas operadoras subsidiarias en materia de Comercio y Suministro; coordinar, supervisar y controlar las actividades de comercialización y suministros de crudo y productos de la industria; fijar, mantener y fortalecer la estructura de precios del petróleo venezolano, sin desconocer las realidades del mercado internacional; velar que se mantenga un volumen adecuado de ventas a largo plazo a mercados estables y remuneradores; desarrollar normas y directrices en materia de transporte marítimo, incluyendo la contratación y adquisición de buques, y servir de fuente principal de información, análisis y recomendaciones para el Directorio en materia de Comercio y Suministro.

Para el cumplimiento de tales funciones, tiene los siguientes deberes y responsabilidades principales en las siguientes áreas: Comercio: recomendar normas y directrices; optimización de resultados consolidados; informe mensual al Directorio. Mercado, Precios, Ventas, Oportunidades y Limitaciones; coordinar ventas de volúmenes adicionales; manejo de solicitudes de compra; analizar y recomendar sobre ventas no tradicionales; establecer sistemas de información y dirigir Subcomité de Comercio.

En el área del Análisis Comercial: evaluar alternativas en comercio y suministro preparar las bases económicas para operaciones de ventas; analizar y recomendar ajustes en precios; participar en desarrollo de precios notificados y deliberaciones sobre estrategias; revisar análisis económico de las subsidiarias; asistir en la conducción de relaciones con organismos públicos, y servir de enlace con la Coordinación de Planificación.

En el área de Suministro: coordinar actividades de suministros; racionalizar y reducir costos; recomendar normas y directrices; informe mensual al Directorio (producción y disposición, inventarios, problemas operacionales, oportunidades y limitaciones); analizar y recomendar en materia de suministros y fletamentos, y dirigir el Subcomité de Suministro.

En el área de las Relaciones Internacionales: coordinar la preparación de informes sobre mercados internacionales; estudiar las condiciones de demanda, suministros mundiales y del país; servir de apoyo para contactos con organizaciones internacionales (OPEP,

ARPEL, Empresas Estatales); realizar estudios en materia energética; servir de apoyo para los contactos con oficinas en el exterior, y supervisar y mantener el Centro de Información.

Para el cumplimiento de estas actividades, la Coordinación cuenta con tres gerencias: de Suministro, de Relaciones Internacionales y de Planificación Comercial.

f) *La Coordinación de Organización y Recursos Humanos*

Tiene las siguientes funciones básicas: asegurar la disponibilidad para Petróleos de Venezuela y las compañías operadoras del personal calificado a todos los niveles para el mejor desenvolvimiento de las operaciones presentes y futuras mediante la elaboración y aplicación de normas efectivas de selección, empleo, ubicación, separación, remuneración, adiestramiento, desarrollo y bienestar de trabajadores, y planificación de la estructura organizativa de Petróleos de Venezuela para el desempeño de sus funciones de la manera más eficiente, así como la progresiva modificación de las organizaciones de las empresas operadoras, a fin de hacerlas más homogéneas entre sí y con la casa matriz.

Para el cumplimiento de estas funciones, se le han asignado los siguientes deberes y responsabilidades: en el área de los Recursos Humanos: preparar normas de Relaciones Industriales aplicables al personal de PDVSA, así como desarrollar planes para el bienestar de los trabajadores: asesorar al personal gerencial y supervisorio en todo lo concerniente a la administración de su personal; selección temprana del personal con potencial para cargos ejecutivos y gerenciales y elaborar planes para su desarrollo recabar de las operadoras toda la información relativa a movimiento de personal, entrenamiento, ubicación del personal en las diversas funciones, etc.; revisar y asesorar sobre las políticas, normas, planes y sistemas aplicables al personal en todas las empresas, planificar su estandarización a mediano y largo plazo; analizar y asesorar sobre los cambios importantes en políticas y normas de personal, planes, etc., que proyecten las empresas operadoras; promover los estudios preparatorios para las contrataciones colectivas, ejerciendo la representación y enlace de PDVSA durante la ejecución de las mismas y en las negociaciones; y conocer los nuevos métodos en la administración de personal y mejor utilización del personal a nivel nacional e internacional para aprovecharlos dentro de las características propias de la industria.

En el área de Organización: preparar y mantener al día los organigramas de PDVSA, con indicación de la relación entre el Directorio, Comité Ejecutivo, Presidencia, Vicepresidencia, Directores, Comités Permanentes y Temporales del Directorio, Comités Funcionales, Coordinadores, el resto de la organización y las empresas operadoras; preparar y mantener al día el manual de organización de PDVSA con indicación clara de las funciones, líneas de autoridad y de contacto, así como el Reglamento Interno para los Directores y sus Suplentes, descripción de puestos, esquema de remuneración y ubicación de los puestos y los sistemas y procedimientos a ser aplicados en el funcionamiento de PDVSA; y revisar las estructuras organizativas de las operadoras y compararlas para determinar similitudes y diferencias; proponer los cambios en las mismas que se consideren necesarios. Analizar los cambios proyectados en las estructuras organizativas de las operadoras y asesorar a la gerencia en todos aquellos casos que por su importancia y alcance deban recibir aprobación.

Para el cumplimiento de estas actividades, la coordinación tiene las siguientes gerencias: Recursos Humanos y Organización y Remuneración.

6. *Otros órganos*

Dentro de la organización básica de Petróleos de Venezuela S. A., además del Comisario designado cada año por la Asamblea Ordinaria, el cual tiene las atribuciones previstas en el Código de Comercio,[222] están previstos el Asesor Principal del Presidente y el Asistente Ejecutivo del Presidente y Secretario de la Sociedad.

A. *La Asesoría del Presidente*

El Asesor del Presidente, particularmente en el campo de las relaciones públicas, tiene a su cargo desarrollar y administrar las

---

222 Cláusulas Cuadragésima Séptima y Cuadragésima Octava.

políticas y los programas de la sociedad, destinados a proyectar y mantener su imagen pública en el país y en el exterior, así como asegurar relaciones favorables con el sector público, el sector privado, el personal y las comunidades donde opera la sociedad. Asesora y asiste a las empresas operadoras en el desempeño de sus responsabilidades de relaciones públicas.

En particular son sus deberes y responsabilidades principales, las siguientes:

1) Desarrollar y recomendar políticas y programas para lograr el entendimiento y el apoyo necesarios a la filosofía básica, a las políticas aprobadas y a las acciones tomadas por la sociedad; y divulgar e interpretar las políticas y programas aprobados entre el personal, los clientes, los representantes de los poderes públicos y el público en general.

2) Planificar, dirigir y coordinar los programas de relaciones públicas de la sociedad y asesorar y asistir a las empresas operadoras en esas actividades.

3) Coordinar la utilización de todos los recursos de la sociedad para anticipar y obtener solución rápida y efectiva de problemas graves que afecten las relaciones con los clientes, empleados, el público y los poderes públicos.

4) Desarrollar, recomendar y ejecutar programas de publicidad institucional y los integra con los de las empresas operadoras cuando sea necesario.

5) Intervenir en el trabajo destinado a la participación de la sociedad en organizaciones de carácter regional y nacional; comerciales e industriales; cívicas y otras calificadas, para emitir opiniones y adoptar actitudes de interés público.

6) Obtener y presentar a la Presidencia la evaluación continua de la imagen de la sociedad frente a sus diferentes públicos y del ambiente en que opera, para lograr así una comprensión más profunda de lo que éstos piensan y esperan.

7) Coordinar y vigilar los programas y presupuestos de relaciones públicas de las empresas operadoras, para asegurarse de que se elaboren y ejecuten en conformidad con la política los objetivos y los planes establecidos.

8) A solicitud del Presidente, desempeñar deberes especiales y actuar como vocero en el campo de las relaciones públicas.

9) Mantener contacto directo y con la frecuencia necesaria con los Directores y Coordinadores de la sociedad y con las empresas operadoras, para el mejor desempeño de sus actividades.

10) Mantener contacto con la Oficina Central de Información, a fin de establecer planes y programas de mutua colaboración, así como también cuidar que la política de relaciones públicas de la empresa guarde armonía con la del Estado.

B. *La Secretaría de la Sociedad*

El Asistente Ejecutivo del Presidente y Secretario de la Sociedad es, a la vez, Secretario de la Asamblea y del Directorio y antes, del Comité Ejecutivo; asiste al Presidente en sus actividades y vela por el ordenado y eficaz funcionamiento de la Secretaría de la Presidencia; coordina el trabajo de los Comités en la presentación de sus programas e informes de progreso; tiene a su cargo la organización de todas las reuniones de la Asamblea, del Directorio y del Comité Ejecutivo, la preparación del Orden del Día y la elaboración de las Actas donde quede constancia de las decisiones tomadas. Las actas de las reuniones de la Asamblea y del Directorio serán asentadas en libros especiales, deberán ser firmadas por el Presidente de la Asamblea, los demás representantes designados por el Presidente de la República y por los Directores presentes, en el caso de las Asambleas; y por el Presidente de la Sociedad, los demás Directores que hubieren concurrido a la reunión y el Secretario cuando se trate de reuniones del Directorio. De las decisiones del Comité Ejecutivo se dejará constancia en minutas preparadas al efecto.

Los deberes y responsabilidades fundamentales de este funcionario son los siguientes:

1) Asistir al Presidente en sus actividades.

2) Velar por el ordenado y eficaz funcionamiento de la Secretaría de la Presidencia.

3) Coordinar el trabajo de los Comités en la presentación de sus programas e informes de progreso.

4) Preparar el Orden del Día de las Asambleas y de las reuniones del Directorio y del Comité Ejecutivo, según las instrucciones del Presidente.

5) Levantar las actas de las reuniones y tenerlas a disposición de los Directores para consulta.

6) Preparar la correspondencia, según las instrucciones que reciba del Presidente.

7) Proponer sistemas y procedimientos para la presentación de asuntos a la consideración de la Asamblea, del Directorio y del Comité Ejecutivo y una vez aprobados, velar por su cumplimiento.

8) Velar porque esté disponible toda la información necesaria sobre los asuntos a tratar.

9) Convocar, por instrucciones del Presidente, a otros funcionarios a las reuniones del Directorio y del Comité Ejecutivo para la presentación de asuntos.

10) Mantener en custodia los documentos corporativos.

11) Mantener contacto con los Directores y Coordinadores, según sea conveniente para el mejor desempeño de sus actividades.

CUARTA PARTE: ALGUNOS ASPECTOS DEL RÉGIMEN DE FUNCIONAMIENTO DE PETRÓLEOS DE VENEZUELA S.A. COMO EMPRESA DEL ESTADO

Sección primera: Sobre la personalidad jurídica de Petróleos de Venezuela S.A.: persona jurídica estatal con forma de derecho privado

Apenas se constituyó la empresa Petróleos de Venezuela S.A. en 1975, el Consultor Jurídico recién designado de la empresa, Dr. Andrés Aguilar Mawdsley solicitó mi opinión jurídica sobre el tema de la naturaleza jurídica de la empresa, y en particular le explicara en el marco de la clasificación tradicional de la doctrina del derecho administrativo que distinguía entre personas públicas y personas privadas, en cuál de esas categorías encajaba PDVSA.

Ello me llevó a estudiar el tema de la personalidad jurídica en el derecho público y replantear completamente la validez y sentido de esa que era la clasificación tradicional que en mi criterio estaba superada, debiendo en realidad enfocarse la clasificación de las personas en otros sentidos, distinguiendo más bien, entre personas jurídicas estatales y no estatales y entre personas jurídicas de derecho público y de derecho privado, concluyendo con que PDVSA en realidad lo que era, como empresa del Estado, es una persona jurídica estatal con forma de derecho privado. Esta distinción, por lo demás, es la que luego se acogió en la Constitución de 1999.

El estudio resultante fue publicado posteriormente como: “La distinción entre las personas públicas y las personas privadas y el sentido de la problemática actual de la clasificación de los sujetos de derecho,” en la *Revista de la Facultad de Derecho*, Nº 57, Universidad Central de Venezuela, Caracas 1976, pp. 115-135; y en la *Revista Argentina de Derecho Administrativo*, Nº 17, Buenos Aires 1977, pp. 15-29.

En el universo de las entidades que con personalidad jurídica actúan en el mundo contemporáneo, no hay duda de que la clásica distinción entre personas públicas y personas privadas resulta insuficiente para clasificarlas. El proceso de publicizacíón del campo de lo privado, tan característico de la ruptura de los moldes clásicos del Estado liberal abstencionista; y la privatización jurídica del campo de lo público por la tendencia creciente del Estado de despojarse de su *imperium*, han provocado la obsolecencia y, a veces, imposibilidad, de aquella distinción otrora simple. En efecto, esa distinción identificaba la persona pública con las organizaciones integradas al Estado (inicialmente las personas territoriales y posteriormente los establecimientos públicos) que adoptaban solamente las formas jurídicas originarias del derecho público (instituto autónomo, por ejemplo) y que, como consecuencia, estaban regidas por el derecho público; y en el mismo sentido, identificaba a las personas privadas con las organizaciones establecidas por los particulares (sociedades y fundaciones) que adoptaban solamente las formas jurídicas originarias del derecho privado (asociación civil, por ejemplo) y que, como consecuencia, estaban regidas por el derecho privado.

La realidad jurídica actual, por el contrario, muestra que esa distinción tradicional se ha roto totalmente, al menos en relación a los elementos que le daban sentido.

I. LA INTERAPLICACIÓN DEL DERECHO PÚBLICO Y DEL DERECHO PRIVADO A LOS DIVERSOS SUJETOS DE DERECHO

En efecto, y para comenzar por el último de los elementos de la distinción, no puede decirse, en la actualidad, que el derecho público o el derecho privado sean el orden jurídico exclusivo de determinados sujetos de derecho: derecho público para sujetos estatales y derecho privado para los particulares.

En efecto, las personas jurídicas creadas por los particulares, si bien están sometidas a una regulación que les es propia (derecho privado), ella ni es exclusiva ni excluyente. No es exclusiva, pues el derecho privado se aplica, sin discusión, en la actualidad, a todos los sujetos de derecho calificados usualmente como públicos, y en este sentido, a entidades tradicionalmente públicas, como las personas públicas territoriales, en campos, como el de la responsabilidad administrativa, por ejemplo. Cuando el Estado era irresponsable, por supuesto, como sucedió en el absolutismo, para superar las injusticias que ello provocaba, hubo que acudir a la ficción del Fisco que, como persona estatal, sí estaba sometida al derecho privado. Así surgió la doble personalidad del Estado (Estado-Nación y Estado-Persona –Fisco–) superada desde el siglo pasado. El sometimiento del Estado al Derecho –Estado de Derecho– dio origen a la reafirmación de la personalidad única del Estado sometido tanto a normas de derecho público como de derecho privado.

Por otra parte, no es excluyente, pues además de las normas de derecho privado que se aplican como normativa propia a los particulares y a sus organizaciones, también se aplican a éstos –que cada vez más se mueven bajo la sombra del Estado–, normas de derecho público, otrora reservadas a los entes del Estado.

Por su parte, y bajo el otro ángulo, el derecho público tampoco es, en la actualidad, el cuerpo normativo exclusivo de las entidades públicas. La superación de las consecuencias de la consideración del Estado de Derecho como Estado Liberal-Abstencionista, mediante el desarrollo progresivo de mecanismos de intervención del Estado en la actividad de los particulares y de participación estatal en actividades netamente económicas, inclusive sin carácter subsidiario frente a aquéllos, ha provocado la aplicación sucesiva del derecho público a entidades de particulares, tal como ha sucedido en el campo financiero. ¿Quién duda, por ejemplo, que muchas veces un banco privado no esté sometido a mayores controles y normas propias del derecho público, que muchas entidades autónomas del mismo Estado? El derecho público, por tanto, aun cuando es la normativa propia de las organizaciones del Estado, ni es exclusiva de ellas ni, como se dijo, excluye la aplicación a las mismas, de normas de derecho privado.

En la actualidad, por tanto, hay una interaplicación evidente de normas de derecho público y normas de derecho privado a todos los sujetos de derecho. Lo único válido, en este campo, es la constatación de que, generalmente, por la integración de los entes a la organización del Estado o por los fines de interés social que desarrollan los sujetos estatales o particulares, o al contrario, por el carácter exclusivamente particular y privado de los sujetos, habrá una preponderancia, en el régimen jurídico de los mismos, de normas de derecho público o de normas de derecho privado. Sólo el análisis del derecho positivo, en cada caso concreto, permitirá establecer el ámbito y significado de dicha preponderancia; pero ello no arrojará ninguna luz sobre la naturaleza estatal o no estatal del sujeto o sobre la forma jurídica que se haya adoptado para que actúe en la vida jurídica.

Como consecuencia, los criterios que tratan de establecer una distinción entre personas públicas y personas privadas basados en "el régimen jurídico en que se mueven"[1] o en el "régimen jurídico a que están sometidas dichas entidades,"[2] ante la interacción permanente de las normas de derecho público y de derecho privado a los sujetos de derecho, en realidad no pueden tener valor como tales, pues, a lo sumo, lo que podrá resultar será una preponderancia de régimen jurídico de derecho público o de derecho privado.

Esta preponderancia, en todo caso, resultará de la integración o no del ente a la estructura organizativa del Estado y de la forma jurídica adoptada para su personificación, y en todo caso, será una consecuencia proveniente del derecho positivo, y no la causa de una pretendida distinción.

II. LA VARIEDAD DE LAS FORMAS JURÍDICAS ADOPTADAS PARA LOS SUJETOS DE DERECHO

Tal como se dijo, la distinción entre personas públicas y personas privadas, entre otros factores, reposaba sobre la distinción de las formas jurídicas adoptadas: los entes públicos adoptan las formas

---

1 Enrique Sayagués Laso, *Tratado de Derecho Administrativo,* tomo I, Montevideo, 1953, p. 175.

2 Eloy Lares Martínez, *Manual de Derecho Administrativo,* Caracas, 1975, p. 350.

jurídicas admitidas por el derecho público, y los particulares, para actuar, utilizaban sólo las formas jurídicas reguladas y admitidas por el derecho privado. Así había una perfecta identificación entre la naturaleza del ente –pública o privada– con la forma jurídica adoptada –de derecho público o de derecho privado–.

Ahora bien, cuando el Estado actuaba sólo bajo sus formas jurídicas político-territoriales (Nación, Estados-Provincias, Municipios-Comunas) no era difícil identificar las formas jurídico-públicas con la naturaleza pública del ente; bajo esta misma orientación, cuando el Estado, a comienzos de siglo, comenzó a utilizar la personalidad jurídica no territorial para realizar actividades en forma indirecta (descentralización funcional), creó la figura jurídico-pública del "establecimiento público," recogida en nuestro derecho positivo (Art. 538 del C.C.). Hasta aquí, la identificación de persona pública con forma jurídico-personificada de derecho público era completa: las personas públicas tenían la forma jurídica que el derecho positivo admitía como propias de las entidades estatales; en cambio, las personas particulares estaban revestidas de la forma jurídica que destinaba la legislación civil-mercantil para ellas: sociedades, asociaciones, fundaciones.

Sin embargo, esta identificación otrora absoluta, fue quebrantada en todos los países contemporáneos con motivo de los efectos de las crisis de la pre y postguerra. El derecho, sin duda, producto de la lucha de intereses, también ha sido y es producto de las crisis. Pues bien, aquellas crisis y sus componentes: intervención del Estado en la economía, nacionalizaciones, asunción o creación ex novo de empresas, provocaron que el Estado se saliera de sus moldes clásicos y acudiera a utilizar otras formas previstas en el Derecho positivo que los usos político-económicos habían reservado a los particulares; la forma societaria, civil y mercantil, y la forma fundacional. Así aparecieron innumerables organizaciones del Estado –estatales– con formas jurídicas de derecho privado: sociedades mercantiles de capital totalmente público o mixto, asociaciones civiles y fundaciones en las cuales el Estado era el único fundador.

Como consecuencia de ello, no pudo sostenerse más que las formas jurídicas de las personas jurídicas se correspondía con la naturaleza de las mismas: públicas o privadas. La forma jurídica personificada consagrada en el derecho positivo adquirió, así, su real sentido, el de una pura y simple forma, neutra, por tanto, en relación al contenido estatal o no de la organización, al carácter público o no de la actividad que ésta pudiese realizar, o al régimen jurídico de derecho público o de derecho privado que pudiera serle aplicable.

Por otra parte, no sólo fue el Estado el que recurrió a formas anteriormente reservadas a los particulares, sino que el propio derecho positivo, desde antes, venía reconociendo a ciertas corporaciones privadas carácter de persona jurídica de derecho público, aun sin revestir las formas tradicionales del derecho positivo. Así, por ejemplo, a los Colegios profesionales se los reconoció como personas jurídicas de derecho público –corporaciones o establecimientos públicos corporativos–, a pesar de estar constituidos por particulares –profesionales– que, por ello, teóricamente debían acudir a las formas tradicionales que el derecho les reservaba –asociaciones civiles–.[3] Estas corporaciones, aun cuando se trata de asociaciones de particulares, no ha habido duda en considerarlas siempre y tradicionalmente como personas de derecho público, aun cuando no integradas en la estructura general del Estado.

Como consecuencia de lo expuesto, resulta con evidencia que no es posible identificar la persona pública o privada, como antes se hacía, en base a la forma jurídica adoptada para operarla. Esta, la forma, no puede, en la actualidad, prejuzgar sobre la naturaleza –pública o privada, o estatal o no estatal– del ente. El Estado, para realizar sus actividades, acude a formas originarias del derecho público (establecimientos públicos) o a formas originarias del derecho privado (sociedades mercantiles); y los particulares, por su parte, acuden normalmente a formas originarias del derecho privado, pero pueden acudir a formas originarias del derecho público (establecimientos públicos corporativos) o participar en ellas (establecimientos públicos asociativos).

En todo caso, y ello es incontestable, la forma jurídica regulada por el derecho positivo es un dato de extraordinaria importancia

---

3 El artículo 4° de la Ley de Ejercicio del Periodismo que creó el más reciente Colegio Profesional en nuestro país se ilimitó a crear dicho Colegio "con personalidad jurídica y patrimonio propio."

–como tal forma y exclusivamente como ella– para la comprensión de todo el fenómeno de la personalidad jurídica. De acuerdo a ello, las personas morales se clasifican en personas de derecho público (formas originarias del derecho público) o personas de derecho privado (formas originarias del derecho privado). Pero ello, como forma, no significa absolutamente nada ni sobre quién ni cómo las constituyen, ni sobre la naturaleza de la actividad que realizan –pública o privada–, ni sobre su integración o no a la estructura organizativa del Estado, ni sobre el régimen jurídico –público o privado– que preponderantemente les es aplicable.

En este sentido, por ejemplo, son personas jurídicas de derecho público en nuestro derecho positivo las siguientes: las personas político-territoriales (República, Estados federados, Municipalidades) y los establecimientos públicos (personas de derecho público no territoriales) corporativos (Colegios Profesionales, Universidades Nacionales), institucionales (Institutos Autónomos) y asociativos (el Banco Central de Venezuela, por ejemplo). Son personas jurídicas de derecho privado, al contrario, las asociaciones civiles (aun las creadas por el Estado), las sociedades mercantiles (aun las creadas por el Estado y donde éste sea único accionista) y las fundaciones (aun las creadas por el Estado, y donde éste sea el único fundador). Frente a esta clasificación y a pesar de que la forma jurídica de la persona no prejuzga sobre el régimen jurídico que le es aplicable, existe, sin embargo, una presunción en relación a la preponderancia de este régimen: las personas jurídicas constituidas con formas jurídicas originarias del derecho público tienen una presunción de preponderancia del derecho público en su régimen jurídico; al contrario, las personas jurídicas constituidas con formas jurídicas originarias del derecho privado, tienen una presunción de preponderancia del derecho privado en su régimen jurídico.

III. LA INTEGRACIÓN DE LOS DIVERSOS SUJETOS DE DERECHO A LA ORGANIZACIÓN DEL ESTADO

Otra de las premisas de la formulación clásica de la distinción entre personas públicas y personas privadas era la integración o no de las mismas a la organización general del Estado, es decir, que formaran parte de lo que en general se denomina Administración

Pública (directa a indirecta) del Estado. Las personas públicas, en esta forma, creadas con formas jurídicas de derecho público y con régimen de derecho público, estaban integradas a la estructura del Estado y, por tanto, eran personas estatales; las personas privadas, en cambio, creadas por particulares, con formas jurídicas de derecho privado y sometidas a un régimen de derecho privado, no estaban integradas a dicha estructura organizativa del Estado y, por tanto, eran personas no estatales.

Sin embargo, este elemento de la distinción, al igual que los anteriormente analizados, fue también cuestionado por efecto de la propia realidad jurídico-administrativa, que demostró que no podía establecerse identificación alguna entre persona pública y persona estatal o persona privada y persona no estatal.[4]

En efecto, la intervención del Estado en el proceso económico llevó a éste a crear entes jurídicos con forma de derecho privado (sociedades anónimas) con un régimen de derecho positivo, casi íntegramente de derecho privado. Estos entes, a pesar de ello, sin embargo, son personas jurídicas estatales en el sentido de que están integrados dentro de la estructura general de la Administración descentralizada del Estado. Tal es el caso, por ejemplo, de las empresas creadas por el Estado o por establecimientos públicos económicos, que a pesar de su forma societaria y de su régimen jurídico, se consideran, económicamente, como parte del sector público, y jurídicamente, como parte de la Administración Pública descentralizada.[5]

Por el contrario, algunas personas jurídicas de derecho público, con un régimen preponderante de derecho público, como son algunos establecimientos públicos corporativos como los Colegios Profesionales, sin embargo, no pueden considerarse como personas estatales –a pesar de su forma de derecho público–, ya que no están integradas a la estructura general del Estado ni se las considera parte del sector público.

La integración de determinados sujetos de derecho a la estructura general del Estado, por tanto, si bien es otro dato de enorme importancia para la comprehensión de todo el universo de las personas

---

4 Véase en este sentido el esfuerzo de E. Sayagués Laso, *op. cit.,* tomo I, p. 175.

5 La Compañía Anónima de Administración y Fomento Eléctrico, por ejemplo.

jurídicas, responde a criterios también de carácter formal (orgánico) y no puede prejuzgar sobre la naturaleza (pública o privada) del ente. No puede decirse, en efecto, que toda persona jurídica integrada a la organización administrativa descentralizada del Estado es una persona pública, pues hemos visto cómo personas con formas jurídicas de derecho privado y régimen jurídico preponderante de derecho privado, son parte integrante de la estructura estatal (sociedades anónimas de capital totalmente público, por ejemplos), y al contrario, cómo personas jurídicas con formas de derecho público y régimen jurídico preponderante de derecho público, no son parte integrante de la estructura general del Estado ni de su administración indirecta o descentralizada (los Colegios Profesionales).

Ahora bien, así como no puede, en la actualidad, identificarse la "persona pública" pura, simple y exclusivamente con aquel sujeto de derecho sometido a un régimen preponderante o no de derecho público; ni con aquel que tenga una forma jurídica originaria del derecho público; tampoco puede identificarse con aquellos sujetos integrados a la estructura del Estado. Persona pública y persona estatal son dos nociones distintas, que obedecen a distintas fundamentaciones (naturaleza del ente en un caso y organización formal en el otro), y por ello no deben confundirse. Lamentablemente, en muchos casos, aun cuando se reconoce que la distinción tradicional entre persona pública y persona privada no puede plantearse en los mismos términos que le dieron origen, sin embargo, se acude a la distinción entre persona estatal y no estatal para fundamentar la misma distinción superada entre personas públicas y personas privadas, identificando en definitiva lo estatal con lo público y lo no estatal con lo privado, lo cual, evidentemente, no es adecuado.

En este sentido, por ejemplo, si se analizan muchos de los intentos de la doctrina más moderna para establecer un criterio de distinción entre personas públicas y personas privadas, resulta que, en realidad, lo que se está distinguiendo son las personas estatales de las no estatales, según su integración o encuadramiento a la organización del Estado.

En efecto, por ejemplo, uno de los elementos que José Antonio García Trevijano Fos aporta para la distinción es que los entes públicos son "los que están con el ente de cobertura en una relación de derecho público, de manera que se encuadran en su organización general."[6] En similar posición se coloca Fernando Garrido Falla, quien insiste en que "el criterio fundamental para saber si una persona jurídica debe considerarse como de derecho público (es) su encuadramiento en la organización estatal",[7] aun cuando llega a la conclusión de que las sociedades anónimas creadas por el Estado están deliberadamente desplazadas de su propia organización administrativa.[8]

Salvo esto último, en realidad, el criterio de base que aducen ambos autores para distinguir las personas públicas de las privadas es válido para distinguir las personas estatales de las no estatales, lo cual, por sí mismo, no prejuzga sobre su naturaleza ni sobre su régimen jurídico.

Por otra parte, la distinción que hace Charles Eisenmann entre personas públicas y privadas, también, en realidad, es una distinción entre personas estatales y no estatales. En efecto, parte Eisenmann de la consideración de que la distinción entre personas públicas y personas privadas, sometidas las primeras a un régimen de derecho público y las segundas a un régimen de derecho privado –único sentido de dicha clásica distinción, en nuestro criterio–, ya no existe; pero concluye señalando que "la distinción entre las instituciones públicas y las instituciones privadas se fundamenta esencialmente sobre la incidencia patrimonial o financiera de sus actividades; más exactamente, sobre el régimen jurídico de esta incidencia."[9] En base a ello, señala que las personas públicas serían aquellas en las cuales el costo de su actividad afecta un patrimonio público, es decir, está cubierto esencialmente por recaudaciones autoritarias sobre patrimonios particulares, o por una masa de bienes y dinero que se separan, para constituirse en patrimonio distinto, del patrimonio de una colectividad

---

6 Véase José Antonio García Trevijano Fos, *Tratado de Derecho Administrativo,* tomo II, vol. I, Madrid, 1971, pp. 338 y 339.

7 Fernando Garrido Falla, *Tratado de Derecho Administrativo,* vol. I, Madrid, 1973, pp. 342 y 343.

8 *Idem,* p, 343.

9 Véase Charles Eisenmann, Prefacio al libro de Edaminondas P. Spiliotopoulos, *La distinction des Institutions Publiques et des Institutions Priveés en Droit Français,* París, 1959, pp. III y IV.

territorial.[10] En realidad, este criterio de distinción fundado sobre la incidencia patrimonial o financiera de los entes, es una consecuencia de la distinción admitida por el derecho positivo entre personas estatales y no estatales: La actividad de las primeras, al estar integradas a la organización general del Estado, tiene una incidencia patrimonial y financiera en un patrimonio público; pero no puede servir de fundamento para la pretendida distinción entre personas públicas y personas privadas, cuyo origen tuvo otro sentido: el distinto régimen jurídico.

Una problemática similar se ha planteado al estudiar a las empresas públicas, pero se ha resuelto identificando el término "empresa pública" con toda organización económica para la producción de bienes y servicios del Estado. En efecto, la noción de empresa pública no responde tampoco a una determinada forma jurídica de la organización económica, sino a la integración o no de dicha organización a la estructura general del Estado, o a la participación patrimonial del Estado en la misma.[11] Así, hay empresas públicas sin personalidad jurídica integradas a la Administración Central del Estado (algunos Fondos constituidos como patrimonios autónomos, por ejemplo); y empresas públicas con personalidad jurídica (Administración descentralizada) originaria del derecho público (institutos autónomos con fines económicos) o del derecho privado (sociedades mercantiles de capital público, a las cuales se denomina convencionalmente, empresas del Estado). En todos estos casos la empresa pública, como noción diferenciada de la empresa privada, está fundamentada en la integración de la organización económica al sector público o en la participación del Estado en su patrimonio.

Pero, tal como se ha visto, la construcción de este criterio de empresa pública vinculado al carácter "estatal" de la organización, ha obedecido a criterios y épocas distintas a la construcción de la diferencia entre persona pública y persona privada, e identificar "persona pública" con "persona estatal" significaría desconocer el origen de aquella distinción y la realidad jurídica actual.

---

10 *Idem,* p. 5.

11 *Idem,* p. 6.

CONCLUSIÓN: EL SENTIDO DE LAS CLASIFICACIONES

1. *Apreciación general*

Como conclusión de lo planteado anteriormente puede afirmarse que la distinción entre persona pública y persona privada puede tener sentido cuando se comparan realidades extremas: por ejemplo, la República, por una parte, como persona político-territorial (forma jurídica originaria del derecho público) sometida preponderantemente a un régimen de derecho público; y por la otra, una sociedad mercantil entre comerciantes (forma jurídica originaria de derecho privado) sometida preponderantemente a un régimen de derecho privado. Para comparar y diferenciar estas realidades extremas –únicas que existían, jurídicamente hablando, durante el siglo pasado– la distinción podría utilizarse, y argumentarse, además, que como consecuencia de la calificación, las personas públicas, normalmente, serían las creadas por ley en virtud del interés público que persiguen; que están sometidas vinculatoriamente a la Ley; que gozan de potestad de impertum; que tienen una indisponibilidad patrimonial y el sometimiento a un régimen financiero de derecho público; que producen actos administrativos en su actuación frente a los particulares (con las consiguientes garantías procesales para estos y privilegios y prerrogativas de la administración: presunción de legitimidad, ejecutividad, ejecutoriedad, etc.) controlables, además, ante la jurisdicción contencioso-administrativa; y que están sometidas a un control público (político o de tutela).

Sin embargo, cuando no se trata de distinguir realidades extremas y relativamente simples de diferenciar –y no hay que olvidar que la simpleza de las realidades a distinguir, el criterio para diferenciarías consecuencialmente era un criterio simplista– no puede seguirse aferrando el análisis jurídico a aquel mismo criterio de diferenciación.

El problema, en todo caso, es un problema de derecho positivo, y la distinción entre personas públicas y personas privadas, en la actualidad, no es posible hacerla en términos absolutos y teóricos, pues ese criterio de distinción entre esas realidades no sólo no proviene del derecho positivo, sino que no responde a la consecuencia que se perseguía cuando se formuló: distinguir el régimen jurídico –de derecho público o de derecho privado– aplicable a los sujetos de derecho.

En la actualidad, al contrario, el derecho positivo y la teoría jurídica nos muestran, en realidad, sólo dos criterios para afrontar la multitud de realidades personificadas del Estado: la integración o no de la persona jurídica a la estructura general del Estado (que formen o no parte de la denominada Administración descentralizada); y la forma jurídica adoptada por la entidad, sea originaria del derecho público u originaria del derecho privado.

Como consecuencia de ello, frente a una persona jurídica determinada, dos son las preguntas que hay que formularse: ¿está o no integrada a la estructura general de la Administración del Estado y en qué forma? es decir, ¿es una persona jurídica estatal o no estatal?; y ¿qué forma jurídica reviste la entidad? ¿Tiene una forma jurídica originaria del derecho público o del derecho privado?

La respuesta a estas preguntas dará, sin duda, una serie de datos que podrán contribuir a construir, en el caso concreto, las modalidades de su régimen jurídico y determinar las preponderancias que pueda haber del derecho público o del derecho privado. De resto, en nuestro criterio, no tiene mayor sentido que se intente encasillar los sujetos de derecho dentro de las nociones persona pública o persona privada, pues ello, en definitiva, no aporta nada desde el punto de vista del derecho positivo, salvo que se confunda –como es frecuente– persona pública con persona estatal, lo cual, en nuestro criterio, es incorrecto.

Por otra parte, si se realiza el derecho positivo venezolano, tal como se dijo, en la clasificación de los sujetos de derecho sólo se distinguen los dos grupos señalados: personas jurídicas de derecho público y personas jurídicas de derecho privado, por una parte; y personas estatales y personas no estatales, por la otra.

A. *Las personas de derecho público y las personas de derecho privado*

En efecto, en relación al primer grupo, es la propia Constitución la que da origen a la distinción, en su artículo 124. Conforme a éste, "Nadie que esté al servicio de la República, de los Estados, de los Municipios y demás personas jurídicas de derecho público podrá celebrar contrato alguno con ellos, ni por si ni por interpuesta persona ni en representación de otro, salvo las excepciones que establezcan las leyes." No hay duda, el Constituyente, en esta forma, ha atendido a la forma del sujeto de derecho –persona de derecho público– para establecer la incompatibilidad.

En este mismo sentido el propio Código Civil, al enumerar las personas jurídicas, luego de identificar las personas político-territoriales (Art. 19, ord. 1°) y mencionar a las iglesias y a las universidades (Art. 19, ord. 2°), hace referencia a que también son personas jurídicas "todos los seres o cuerpos morales de carácter público" (Art. 19, ord. 2°); y esta expresión no puede ser tomada sino en sentido formal: personas jurídicas de derecho público, pues el ordinal siguiente del mismo artículo 19 identifica a las personas jurídicas de derecho privado: "Las asociaciones, corporaciones y fundaciones lícitas de carácter privado", cuya personalidad se adquiere mediante la protocolización de su acta constitutiva en la Oficina Subalterna respectiva. La distinción entre personas jurídicas de derecho público y personas jurídicas de derecho privado, en nuestro criterio, resulta entonces evidente del propio artículo 19 del Código Civil, y entre otros elementos de distinción, está el dato de la adquisición de la personalidad: en las personas jurídicas de derecho público generalmente es ex lege o en virtud de la Constitución; en cambio, en las personas jurídicas de derecho privado, es en virtud de la protocolización de su acta constitutiva.

Conforme a esta misma orientación, estimamos que cuando algunas leyes se refieren a "personas morales de carácter público", tal como lo hace la Ley de Abogados para hacer obligatoria la retasa para quienes las representen en juicio, (Art. 26), en realidad se refieren a personas jurídicas de derecho público, es decir, con forma jurídica de derecho público, por lo que los representantes de una empresa del Estado, constituida como sociedad anónima, en nuestro criterio, no estarían incluidos en la retasa obligatoria de honorarios a que se refiere esa norma.

Por último, debe señalarse que las recientes Leyes Orgánicas de Crédito Público y de Régimen Presupuestario del 30 de julio de 1976, han utilizado, la frase "personas de derecho público" (Art. 2°, ordinal 1° y Art. 1°, ordinal 3°, respectivamente) en el mismo sentido ya apuntado.

B. *Las personas estatales y las personas no estatales*

Por otra parte, la propia Constitución, al establecer, en otra norma, otra incompatibilidad pero de orden electoral, ha atendido, más que a la forma jurídica del ente, a su integración o no a la estructura general del Estado que se manifiesta por la participación patrimonial de éste. Tal es el caso de la incompatibilidad que tienen para ser Senadores o Diputados, "los funcionarios o empleados nacionales, estatales o municipales, de institutos autónomos o de empresas en las cuales el Estado tenga participación decisiva" (Art. 140, ordinal 3°). En este mismo sentido, cuando la Constitución define al ámbito del ejercicio del control del Congreso sobre los entes jurídicos, lo define bajo el ángulo patrimonial: entes en los cuales tenga interés la República (Art. 230) y que, en definitiva, generalmente integran la estructura organizativa del Estado.

Por otra parte, en el orden legal, el derecho positivo ha adoptado, en muchos casos, el criterio de distinción entre personas estatales y no estatales para una determinada regulación, sin atender a su diversa forma jurídica. Tal es el caso de la Ley que establece el régimen para la conciliación, compensación y pagos de deudas entre organismos gubernamentales y entre estos y los Estados o los Municipios de 1-de septiembre de 1975.[12] En dicha Ley, "organismos gubernamentales" equivale a lo que aquí hemos denominado personas estatales, pues se identifican por su integración a la organización general del Estado. De acuerdo al artículo 1° de dicha Ley, en efecto se entiende por organismos gubernamentales a los efectos de esta Ley:

"1. Los órganos del Poder Nacional y los Institutos Autónomos;

2. Las sociedades en las cuales la República, y los Institutos Autónomos tengan participación mayor de cincuenta por ciento del capital social y las fundaciones dirigidas por ellos;

3. Las empresas en las cuales las sociedades y fundaciones a que se refiere el ordinal anterior tengan participación mayor del cincuenta por ciento de su capital social y las fundaciones dirigidas por ellos;

---

[12] Véase *Gaceta Oficial,* N° 30.800, de 20 de septiembre de 1975.

> 4. Los Fondos y Patrimonios separados que se crearen de conformidad con la Ley."

De la sola lectura de la enumeración anterior, a los efectos de dicha Ley, es claro que las entidades a las cuales se aplica, es a las personas estatales, que se denominan "organismos gubernamentales," independientemente de su forma jurídica –se incluyen allí indistintamente, a la República, los institutos autónomos, las empresas del Estado y las fundaciones creadas por el Estado, por ejemplo–, y el criterio que utiliza para identificar estas personas estatales –organismos gubernamentales– es la integración a la estructura general del Estado, en unos casos identificada a través de aportes patrimoniales del mismo.

En este mismo sentido, otras leyes han utilizado el mismo criterio de distinción entre sujetos de derecho, basado en su integración o no a la estructura general de la organización del Estado. Esto lo ha hecho la Ley de remisión, reconversión y consolidación de las deudas de los productores agropecuarios, de 2 de julio de 1974, [13] al establecer en su artículo 1° lo siguiente:

> "La presente Ley tiene por objeto establecer las condiciones mediante las cuales se efectuará la reconversión de la deuda agraria campesina en los casos en que los acreedores sean personas naturales o jurídicas de carácter privado; y la remisión de la deuda agraria campesina y la consolidación de la deuda agraria empresarial en los casos en que los acreedores sean el Estado, sus organismos de crédito agrícola o pecuario, los bancos del Estado o aquellos en los cuales tenga hasta un 50 por ciento de su capital, las corporaciones, las empresas agroindustriales con mayoría de capital del Estado o cualesquiera otros organismos o entidades de carácter público entre cuyas funciones esté la de atender financieramente a la producción agrícola o pecuaria."

De la enumeración anterior resulta también como evidente la distinción entre personas jurídicas estatales y no estatales a los efectos de la reconvención, remisión y consolidación de la deuda agraria. En las personas estatales, que se denominan "organismos o entidades de

---

[13] Véase *Gaceta Oficial,* N° 30.448, de 15 de junio de 1974.

carácter público," se incluyen, independientemente de su forma jurídica: a la República, los institutos autónomos, las empresas del Estado y cualesquiera otra persona jurídica integrada a la estructura general del Estado, es decir, que forme parte del sector público.

En la reciente Ley Orgánica de Régimen Presupuestario del 30 de junio de 1976, [14] por otra parte, se recoge la misma distinción entre personas jurídicas estatales y no estatales según su integración o no al Sector Público, básicamente según criterios presupuestarios. En tal sentido, el artículo 1° de dicha Ley Orgánica, establece lo siguiente:

> "Artículo 1°. La presente Ley establece los principios y normas básicas que regirán el proceso presupuestario de los organismos del Sector Público, sin perjuicio de las atribuciones que, sobre control externo, la Constitución y las leyes confieren a los órganos de la función contralora.
>
> Están sujetos a las disposiciones de la presente Ley:
>
> 1. El Poder Nacional.
>
> 2. Los Estados y los Municipios,
>
> 3. Los Institutos Autónomos, los servicios autónomos sin personalidad jurídica y demás personas de derecho público en las que los organismos antes mencionados tengan participación.
>
> 4. Las sociedades en las cuales el Poder Nacional y demás personas a que se refiere el presente artículo tengan participación igual o mayor al cincuenta por ciento (30%} del capital social. Quedarán comprendidas, además, las sociedades de propiedad totalmente estatal, cuya función, a través de la posesión de acciones de otras sociedades, sea coordinar la gestión empresarial pública de un sector de la economía nacional.

---

[14] Véase *Gacela Oficial*, N° 1.893, Extra., de 30 de julio de 1976.

5. Las sociedades en las cuales las personas a que se refiere el ordinal anterior tengan participación igual o mayor al cincuenta por ciento (50%).

6. Las fundaciones constituidas y dirigidas por alguna de las personas referidas en el presente artículo, o aquéllas de cuya gestión pudiera derivarse compromisos financieros para esas personas."

En sentido similar, la Ley Orgánica de Crédito Público de 30 de julio de 1976,[15] establece en su artículo 2° lo siguiente:

"Artículo 2°. Están sujetos a las disposiciones de la presente Ley:

1° La República, los Estados, las Municipalidades, los Institutos Autónomos y demás personas de derecho público;

2° Las sociedades en las cuales la República y demás personas a que se refiere el presente artículo tengan participación igual o superior al cincuenta y uno por ciento (51%) del capital social;

3° Las sociedades en las cuales las personas a que se refiere el ordinal anterior tengan participación igual o superior al cincuenta y uno por ciento (51%);

4° Las fundaciones constituidas y dirigidas por alguna de las personas referidas en el presente artículo, o aquéllas de cuya gestión pudieran derivarse compromisos financieros para esas personas."

En estas dos normas, sin duda, entre las personas jurídicas estatales, que integran el sector público, se incluyen las personas político-territoriales, los Institutos Autónomos, las empresas del Estado y las Fundaciones creadas por el Estado, independientemente de la forma jurídica que revistan.

---

[15] Véase *Gaceta Oficial,* N° 1.893. Extr., de 30 de julio de 1976.

Por último, y dentro de este análisis del derecho positivo en torno a la distinción entre personas jurídicas estatales y no estatales, debe citarse a la Ley sobre representación de los trabajadores en los Institutos Autónomos, empresas y organismos de desarrollo económico del Estado, de 28 de agosto de 1969.[16] El Reglamento de esta Ley, dictado por Decreto N° 1.542, de 27 de abril de 1976,[17] en efecto, precisa qué ha de entenderse por tales organismos, en la forma siguiente:

> "Artículo 2°. A los fines de la representación de los trabajadores, prevista en la Ley, se entiende por:
>
> Institutos Autónomos: Todos aquellos organismos calificados y constituidos como tales por la Ley que los crea.
>
> Empresas del Estado: Todas las sociedades, cualquiera sea su naturaleza o forma de constitución, en las que el Estado, por sí mismo o a través de organismos públicos o privados dependientes de él, tengan participación mayoritaria en su capital.
>
> "Organismos de Desarrollo Económico del Estado: Cualquier otro ente de derecho público creado por el Estado a esos fines, que tenga personalidad jurídica propia."

Tanto en la Ley de representación de los trabajadores en los institutos autónomos, empresas y organismos de desarrollo del Estado, como en su Reglamento, la identificación de esas entidades se hace independientemente de su naturaleza jurídica, y lo que las califica realmente, es su carácter estatal ("del Estado"), es decir, integrados a la estructura organizativa general del Sector Público.

En virtud de lo señalado, por tanto, la realidad jurídica positiva venezolana nos muestra lo siguiente, en base a tos dos criterios señalados:

---

16 Véase en *Gaceta Oficial,* N° 29.008, de *29* de agosto de 1969

17 Véase en *Gaceta Oficial,* N° 30.984, de 19 de mayo de 1976

2. *El criterio de la integración a la estructura general del Estado*

Tomando el criterio de la integración de los sujetos de derecho a la organización general del Estado como criterio de distinción de los sujetos de derecho, resultan dos tipos de personas jurídicas: personas jurídicas estatales y no estatales.

A. *Las personas jurídicas estatales*

Conforme a lo dicho, serían personas jurídicas estatales las que estarían enmarcadas dentro de la estructura organizativa general del Estado (su Administración Pública, Central o Descentralizada), es decir, las siguientes:

a) Las personas político-territoriales (República, Estados Federados, Municipalidades) con forma jurídica de derecho público y con un régimen preponderantemente de derecho público.

b) Los establecimientos públicos, es decir, personas jurídicas creadas por el Estado mediante Ley o en virtud de una Ley, con una forma jurídica de derecho público, y un régimen jurídico preponderantemente de derecho público. Entre estos se destacan algunos establecimientos públicos corporativos (Universidades Nacionales) que tienen un fuerte régimen de derecho público pero una relativamente amplia autonomía funcional; los establecimientos públicos institucionales (los Institutos Autónomos) que también tienen un fuerte régimen de derecho público y una débil autonomía en virtud de la sujeción al control de tutela; y los establecimientos públicos asociativos creados por Ley con forma jurídica de sociedad anónima (Banco Central de Venezuela o Fondo de Inversiones de Venezuela) con fuerte régimen de derecho público y donde el control de tutela se ha revestido de la forma jurídica de control accionario por parte de la Administración Central, lo que les da una relativamente mayor autonomía que los anteriores.

c) Las empresas del Estado, es decir, las sociedades mercantiles de capital público (aportado por la Administración Central o por entes de la Administración descentralizada) y cuya forma jurídica, por tanto, es originaria del derecho privado, con un régimen preponderantemente de derecho privado y la sujeción al Estado básicamente a través del control accionario, lo que les da una relativamente amplia autonomía de acción.

d) Las personas jurídicas con forma de derecho privado constituidas por el Estado (asociaciones civiles, fundaciones), sometidas a un régimen preponderantemente de derecho privado y a un régimen estricto de control a través de los medios societarios o fundacionales.

B. *Las personas jurídicas no estatales*

De acuerdo a lo ya analizado, serían personas jurídicas no estatales las que no están integradas en la estructura organizativa general del Estado, es decir, ni en su Administración Central ni Descentralizada, y serían las siguientes:

a) Las personas jurídicas creadas por particulares y que permanecen bajo el control de éstos, bajo las formas originarias del derecho privado y no sometidas al control de tutela ni accionario del Estado, aun cuando si al control público o económico de orden general. En este grupo estarían, inclusive, aquellas sociedades mercantiles en las cuales el Estado tenga una participación minoritaria.

b) Las personas jurídicas integradas por particulares bajo una forma jurídica de derecho público, como los establecimientos públicos corporativos de carácter profesional (colegios profesionales), sometidos a un régimen preponderante de derecho público, pero con una autonomía completa frente al Estado, pues no están sometidos a control de tutela alguno.

3. *El criterio de la forma jurídica adoptada*

Tomando el criterio de la forma jurídica adoptada por el sujeto de derecho, formas originarias del derecho público o formas originarias del derecho privado, resultan dos tipos de personas jurídicas: personas jurídicas de derecho público y personas jurídicas de derecho privado.

A. *Las personas jurídicas de derecho público*

Conforme a lo dicho anteriormente, serían personas jurídicas de derecho público, aquellas que han adoptado las formas jurídicas originarias del derecho público: las personas político-territoriales y los establecimientos públicos corporativos, institucionales y asociativos. Normalmente estas personas jurídicas son creadas por la Constitución (personas político-territoriales), por la Ley (algunos establecimientos públicos corporativos, los establecimientos públicos institucionales –institutos autónomos– y los establecimientos públicos asociativos) o en virtud de una Ley por acto de particulares (como algunos establecimientos públicos corporativos –Colegios profesionales–) o por acto del Ejecutivo Nacional (como las Universidades Nacionales).

B. *Las personas jurídicas de derecho privado*

Siguiendo también lo señalado anteriormente, serían personas jurídicas de derecho privado las constituidas por el Estado o por los particulares con formas jurídicas originarias de derecho privado, como serían las sociedades mercantiles, las asociaciones civiles y las fundaciones.

Sección Segunda: Sobre los fondos de divisas de Petróleos de Venezuela S.A. y su catalogación cono reservas internacionales

El texto que forma parte de esta sección es el de la Opinión Jurídica que di a la Presidencia de Petróleos de Venezuela S.A. con motivo de la decisión del Gobierno de considerar los fondos en divisas de la empresa como parte de las reservas monetarias internacionales. El texto fue publicado como "El régimen jurídico de los fondos de divisas de PDVSA y la centralización de las reservas monetarias internacionales por el Banco Central de Venezuela," en mi libro *Estudios de derecho público (Labor en el Senado 1982),* Tomo I, Ediciones del Congreso de la República, Caracas 1983, pp. 161-181.

I. EL PROYECTO DE LEY DE REFORMA PARCIAL DE LA LEY DEL BANCO CENTRAL DE VENEZUELA, DE OCTUBRE DE 1982

Tal como lo indica la Exposición de Motivos del Proyecto de Ley de Reforma Parcial de la Ley del Banco Central de Venezuela presentada a la Cámara de Diputados por un grupo de parlamentarios con fecha 20 de octubre de 1982, el "propósito esencial" del mismo es "restituir a la industria petrolera venezolana el control independiente de sus reservas en divisas" (Pág. 11); y que "de ahora en adelante, al aplicarse de nuevo el esquema operativo financiero con el cual venía trabajando, la industria podrá ir acumulando reservas en divisas que le garanticen la seguridad necesaria en la continuidad de sus operaciones" (Pág. 11).

Para lograr tal objetivo, el Proyecto de Reforma contiene dos artículos, que proponen agregar dos Parágrafos Únicos al Artículo 2° y al Artículo 90 de la ley.

El Artículo 2° de la Ley del Banco Central de Venezuela, establece lo siguiente:

Artículo 2°. El Banco Central de Venezuela tendrá como finalidades esenciales crear y mantener condiciones monetarias, crediticias y cambiarías favorables a la estabilidad de la moneda, al equilibrio económico y al desarrollo ordenado de la economía, así como asegurar la continuidad de los pagos internacionales del país, y a tal efecto le corresponde:

1. Regular el medio circulante y en general la liquidez del sistema financiero con el fin de ajustarlo a las necesidades del país.

2. Procurar la estabilidad del valor interno y externo de la moneda.

3. Centralizar las reservas monetarias internacionales del país y vigilar y regular el comercio de oro y de divisas.

4. Ejercer, con carácter exclusivo, la facultad de emitir billetes y acuñar monedas.

5. Regular las actividades crediticias de los bancos y demás institutos de crédito a fin de armonizarlas con los propósitos de la política monetaria y fiscal, así como el necesario desarrollo regional y sectorial de la economía nacional para hacerla más independiente.

6. Orientar la política general de las instituciones de crédito del Estado y las actividades financieras de otras entidades públicas capaces de influir en el mercado monetario y de capitales.

7. Promover la adecuada liquidez y solvencia del sistema bancario.

8. Ejercer los derechos y asumir las obligaciones de la República de Venezuela en el Fondo Monetario Internacional, en todo lo concerniente a la suscripción y pago de las cuotas que le correspondan, a las operaciones ordinarias con dicha institución y a los derechos especiales de giro, según lo previsto en el Convenio Constitutivo del mismo, suscrito en fecha 22 de julio de 1944, sancionado por ley de 25 de setiembre de 1945 y reformado posteriormente por ley de fecha 26 de agosto de 1968.

9. Efectuar las demás operaciones y servicios que establezcan otras leyes de la República y las compatibles con su naturaleza de Banco Central, dentro de las limitaciones previstas en la presente ley.

El Proyecto de Reforma propone agregar al mencionado Artículo 2°, particularmente en relación a su Ordinal 3°) un Parágrafo Único que establece lo siguiente:

> "Parágrafo Único: Lo dispuesto en el Numeral 3°) del presente artículo no se aplicará a las divisas originadas por las actividades de las empresas constituidas conforme al Artículo 6° de la Ley que reserva al Estado la Industria y el Comercio de los Hidrocarburos. Esta excepción incluye las cantidades que en lo adelante deberán entregar en divisas a Petróleos de Venezuela S.A., las empresas operadoras, por un monto equivalente al porcentaje determinado en la base quinta de ese mismo artículo.
>
> Lo establecido en el encabezamiento de este parágrafo no se aplicará a las divisas que las empresas a que él se refiere, deban vender para cubrir sus requerimientos de moneda nacional a fin de efectuar pagos en el país y, en consecuencia, estas cantidades serán de venta obligatoria al Banco Central de Venezuela."

Por otra parte, el Artículo 90 de la Ley del Banco Central establece lo siguiente:

> "Artículo 90. - Los billetes y monedas de curso legal serán libremente convertibles al portador y a la vista, y su pago será efectuado por el Banco Central de Venezuela en letras o giros a la vista, extendidos sobre fondos depositados en bancos de primera clase del exterior y denominados en monedas extranjeras de las cuales se pueda disponer libremente.
>
> No obstante, el Banco Central de Venezuela, en circunstancias excepcionales, y en defensa de la continuidad de los pagos internacionales del país, o para contrarrestar movimientos perjudiciales de capital, podrá establecer las limitaciones o restricciones que considere convenientes a la libre convertibilidad de la moneda nacional, previo-acuerdo con el Ejecutivo Nacional."

El Proyecto de Reforma de la ley propone agregarle al Artículo 90, un Parágrafo Único con el siguiente texto.

"Parágrafo Único: En la situación prevista en el único aparte del presente artículo, no se aplicará la excepción establecida en el encabezamiento del Parágrafo Único del Artículo 2º de esta ley."

Ahora bien, para analizar el mencionado Proyecto de Reforma, resulta indispensable analizar las medidas adoptadas por el Ejecutivo Nacional y el Banco Central de Venezuela, en el convenio cambiarlo celebrado con fecha 27 de setiembre de 1982 con fundamento en los Artículos 2°, Ordinal 3°, 31, Ordinal 11, 91, literal b) y 92 de la Ley del Banco Central de Venezuela, y que han implicado el establecimiento de la obligación a Petróleos de Venezuela S.A., y sus empresas filiales de vender, obligatoriamente, al Banco Central de Venezuela, la totalidad de las divisas originadas por su actividad económica desarrollada conforme a lo establecido en el Artículo 6° de la Ley Orgánica que reserva al Estado la Industria y el Comercio de los Hidrocarburos. Ha sido como reacción contra esa medida de orden cambiario, según se expresa en la Exposición de Motivos del Proyecto de Ley de Reforma, que éste se presentó a la consideración de las Cámaras Legislativas.

II. LA CENTRALIZACIÓN DE LAS RESERVAS MONETARIAS INTERNACIONALES POR EL BANCO CENTRAL DE VENEZUELA

El Artículo 2° de la Ley del Banco Central de Venezuela establece, como finalidad de esta institución, "crear y mantener condiciones monetarias, crediticias y cambiarías favorables a la estabilidad de la moneda, al equilibrio económico y al desarrollo ordenado de la economía, así como asegurar la continuidad de los pagos internacionales del país," y a tal efecto le asigna, entre otras atribuciones, la siguiente:

"Centralizar las reservas monetarias internacionales del país y vigilar y regular el comercio de oro y de divisas" (Ord. 3º).

Por su parte, el Artículo 94 de la misma ley al referirse a "las reservas internacionales en poder del Banco Central de Venezuela" precisa la forma en la cual deben estar representadas (oro, depósitos en divisas, documentos pagaderos en el exterior, valores públicos extranjeros o internacionales, derechos especiales de giro, etc.), y agrega que "se considerará como parte de las reservas internacionales el monto de la posición crediticia neta de la República en el Fondo Monetario Internacional.

Estas normas plantean, al menos, cuatro interrogantes que deben dilucidarse jurídicamente:

En primer lugar, ¿la expresión reserva monetaria internacional es equivalente a reserva internacional?

En segundo lugar, si la respuesta a la pregunta anterior es afirmativa, ¿las "reservas monetarias internacionales del país" que indica el Artículo 2° de la ley son las mismas "reservas internacionales en poder del Banco Central de Venezuela" a que alude el Artículo 94 de la misma ley?

En tercer lugar, si la respuesta a la pregunta anterior es afirmativa, ¿pueden haber reservas monetarias internacionales en el país que no estén en poder del Banco Central de Venezuela?

En cuarto lugar, ¿qué significa que el Banco Central centralice las reservas internacionales o que éstas estén en su poder?

1. En cuanto a la primera de las preguntas que nos hemos formulado, puede responderse que, en realidad, las expresiones reservas monetarias internacionales, y reservas internacionales, son equivalentes. Ello resulta claro, en primer lugar de la doctrina económica,[1] y en segundo lugar, de las propias expresiones de la Ley del Banco Central de Venezuela. Las reservas internacionales, como lo indica R. J. Crazut son "el conjunto de recursos y de facilidades financieras

1 Véase Ernesto Peltzer, "Las Reservas Monetarias Venezolanas en el Ciclo Económico," *Ensayos sobre Economía*, Caracas 1965, pp. 279 y ss.; Carlos Rafael Silva, *Concepto, Composición y Función de las Reservas Monetarias Internacionales. Análisis Pormenorizado del caso Venezolano*, Caracas 1965, p. 14; y Rafael J. Crazut, *El Banco Central de Venezuela*, Caracas 1980, pp. 127 ss.

de que disponen los países para afrontar sus pagos externos y saldar sus déficit de balanza de pagos"; [2] y las reservas monetarias, tal como las entiende E. Peltzer, son "aquellos instrumentos de pago que se usan en el intermedio internacional." [3] En ambos casos, se trata de instrumentos de pago externos, lo cual le da su carácter de reservas, por una parte monetarias y por la otra, internacionales.

2. En cuanto al segundo interrogante, sobre si las reservas internacionales del país son las mismas que están en poder del Banco Central de Venezuela, en principio debe también darse una respuesta afirmativa.

El signo común que lleva a un instrumento de pago internacional a ser considerado como parte de las reservas internacionales de Venezuela, es que "se encuentren en poder de las autoridades monetarias" como lo dice R. J. Crazut[4] o como lo afirma E. Peltzer,[5] "que se encuentren en manos de las autoridades monetarias mismas" o sean de "accesibilidad para las autoridades monetarias del país." (*idem*). En este mismo sentido, como lo afirma Carlos Rafael Silva, las reservas monetarias internacionales deben estar "bajo control y disposición de las autoridades monetarias nacionales."[6]

Por tanto, las reservas monetarias internacionales del país, que el Banco Central debe centralizar son, sin duda, sólo aquellas que se encuentran en su poder o en sus manos o a las cuales tiene acceso.

En cuanto al tercer interrogante, es decir, determinar si hay reservas monetarias internacionales del país que no estén en poder del Banco Central, la respuesta debe ser negativa, salvo que exista una excepción legal expresa.

---

2 Véase Rafael J. Crazut, *El Banco Central de Venezuela*, *cit.* p. 127.

3 Véase Ernesto Peltzer, "Las Reservas Monetarias Venezolanas en el Ciclo Económico," *loc. cit*, p. 281.

4 Véase Rafael J. Crazut, *El Banco Central de Venezuela*, *cit.* p. 127.

5 Véase Ernesto Peltzer, "Las Reservas Monetarias Venezolanas en el Ciclo Económico," *loc. cit*, p. 281.

6 Véase Carlos Rafael Silva, *Concepto, Composición y Función de las Reservas Monetarias Internacionales. Análisis Pormenorizado del caso Venezolano*, Caracas 1965, p. 14.

En efecto, ciertamente que la precisión de qué ha de entenderse por reserva monetaria "no es del todo fácil,"[7] pues en diferentes épocas han sido englobadas en ellas, variados haberes, bienes raíces e inclusive, piedras preciosas. Asimismo, también se han incluido en el concepto, instrumentos de pago en poder de la banca comercial, cuando son destinados a pagos internacionales.

Sin embargo, de acuerdo a la Ley del Banco Central, parece claro que el concepto de reserva monetaria internacional está ligado al carácter de instrumento de pago de las mismas, que deben reunir varias condiciones: 1. deben usarse en el intercambio internacional; 2. deben encontrarse en manos del Banco Central, como autoridad monetaria; 3. deben ser aceptados por el sistema financiero internacional; 4. deben mantenerse con criterios de seguridad, liquidez y de rentabilidad.

En todo caso, entre las condiciones mencionadas, debe destacarse que la que caracteriza a las reservas monetarias internacionales como que sean del país, es que estén en poder de la autoridad monetaria, es decir, del Banco Central de Venezuela, salvo que una ley expresamente establezca otra cosa, como sucede con los activos sobre el exterior que se encuentran en poder del Fondo de Inversiones de Venezuela y que constituyen, de acuerdo a la ley de creación de esta persona jurídica de derecho público, reservas internacionales del país, aun cuando no estén bajo el control directo del Banco Central de Venezuela.

Ahora bien, salvo la excepción legal de los fondos del Fondo de Inversiones de Venezuela, cabe preguntarse, entonces, ¿cómo pueden llegar a poder del Banco Central tales instrumentos de pagos internacionales, que forman las reservas monetarias internacionales en los términos del Artículo 3° de su ley? Básicamente, a través de dos medios: cuando el Banco Central compra oro o compra cambio extranjero (divisas) (v.g. Art. 44, Ord. 3° y Art. 76, Ords. 1° y 2°).

Es decir, el oro que está en las bóvedas del Banco Central o en bancos del exterior, y el que compre en el futuro; y las divisas que tiene el Banco Central en su poder o depositadas en el exterior o en

---

7 Véase Ernesto Peltzer, "Las Reservas Monetarias Venezolanas en el Ciclo Económico," *loc. cit*, p. 280.

documentos o valores públicos o extranjeros o en derechos especiales de giro, o que adquiera en el futuro, constituyen las reservas internacionales del país.

Por supuesto, la adquisición de oro o de divisas las debe hacer el Banco Central, conforme a sus atribuciones legales y sólo puede hacerse en los casos autorizados por la ley: La compra de oro en los términos del Artículo 44, Ordinales 3° y 76, Ordinales 1° y 91, literal a) de la Ley del Banco Central; y la compra de divisas, conforme al mismo Artículo 44, Ordinales 3° y 76, Ordinal 2°, y al Artículo 31, Ordinales 11 y 91, literal b) y 92 de la misma Ley del Banco Central de Venezuela.

Por supuesto, el oro y las divisas adquiridas, por el Banco Central, y que forman las reservas monetarias internacionales del país, forman parte de sus activos.

Lo anterior nos permite contestar el cuarto de los interrogantes mencionados: la exigencia de que el Banco Central de Venezuela deba centralizar las reservas monetarias internacionales, sólo se refiere a las que están en su poder, lo que significa, salvo la excepción legal del caso del Fondo de Inversiones de Venezuela, que no hay reservas monetarias internacionales que no estén en poder del Banco, es decir, que no haya adquirido mediante la compra de oro o de divisas.

Por lo tanto, los instrumentos de pago en oro o en divisas en poder de la banca comercial o de las empresas públicas o privadas o de particulares, no son parte de las reservas internacionales del país en los términos de los Artículos 3° y 94 de la Ley del Banco Central de Venezuela.

Por supuesto, que conforme a la ley, los fondos representados por ese oro o divisas en poder de personas extrañas al Banco Central podrían llegar a configurar reservas monetarias internacionales del país, si se obligara a los bancos y particulares a vender oro al Banco Central; si se estableciera un control de cambios, centralizándose en el Banco Central la compra de divisas; o si se obligara a las empresas públicas o privadas a repatriar los fondos en divisas que tengan en el extranjero a través del Banco Central y su conversión obligatoria en bolívares por el Banco Central de Venezuela. Esto es lo que jurídicamente se ha hecho con las medidas adoptadas el 27 de setiembre de 1982 respecto de todas las empresas del Estado.

Salvo estos casos, y la excepción del Fondo de Inversiones de Venezuela, sólo el oro y las divisas en poder del Banco Central constituyen las reservas monetarias internacionales del país.

III. LOS FONDOS EN DIVISAS DE PETRÓLEOS DE VENEZUELA S.A. Y EL RÉGIMEN DE LA INDUSTRIA PETROLERA NACIONALIZADA.

La Ley Orgánica que reserva al Estado la Industria y el Comercio de los Hidrocarburos de 1975 al prever las bases de organización para la administración y gestión de la industria petrolera nacionalizada, estableció que la empresa que asumiría las funciones de coordinación, supervisión y control de la industria, que es Petróleos de Venezuela S.A., debía tener "recursos suficientes para desarrollar la industria petrolera nacional" y a tal efecto estableció que ' 'las empresas operadoras constituidas conforme a las bases primera, tercera y cuarta, según el caso, entregarán mensualmente a aquélla una cantidad de dinero equivalente al diez por ciento (10%) de los ingresos netos provenientes del petróleo exportado por ellas durante el mes inmediatamente anterior. Las cantidades así entregadas estarán exentas del pago de impuesto y contribuciones nacionales y serán deducibles para las empresas operadoras a los fines del impuesto sobre la renta' ' (Art. 6°, base quinta).

Esta norma persigue el logro de la autosuficiencia financiera de la industria petrolera nacional, al establecer claramente el motivo del aporte de las operadoras a PDVSA: que disponga de los recursos suficientes para desarrollar la industria petrolera nacional. Sin embargo, para financiar las cuantiosas inversiones de la industria en el futuro, de manera que se mantenga el programa de expansión de la industria, así como para la reposición de activos, además del aporte previsto en la base quinta del Artículo 6° de la Ley Orgánica, se ha acortado la constitución de un fondo de reserva formado por el producto neto de las operaciones de las empresas filiales, una vez pagados los costos y los impuestos.

Con estos fondos, PDVSA cuenta, con seguridad, con autosuficiencia financiera, la cual según lo afirmado por el Presidente de PDVSA, Gral. Rafael Alfonso Ravard, "garantiza la provisión de los fondos que una industria dinámica y competitiva requiere en el momento apropiado dentro de una proyección que no admite errores, tergiversaciones ni titubeos porque de lo contrario las consecuencias podrían ser sencillamente funestas para todo el país."[8] En otras palabras, la previsión de los fondos necesarios para atender el desarrollo de la industria petrolera "permite ver con confianza la posibilidad de enfrentar con recursos propios los grandes programas y proyectos que plantea la realidad de la industria petrolera en la actualidad, con independencia suficiente, de juicio y de criterio, sin las limitaciones y cortapisas que un sistema distinto de financiamiento impondría cada vez que fuéramos a realizar cualquier proyecto."[9]

Los fondos de Petróleos de Venezuela, constituidos en la forma señalada, tienen por función, por encargo de la Ley Orgánica que reserva al Estado la industria petrolera, dotar a dicha empresa "de recursos suficientes para desarrollar la industria petrolera nacional." Se trata, por tanto, de fondos propios que tiene como persona jurídica, cuyo manejo está sometido a las normas que rigen la industria y a los estatutos de la empresa.

No se trata, en forma alguna, de reservas monetarias internacionales pues no constituyen instrumentos de pago en poder del Banco Central, ni tienen por función ni servir de respaldo o de garantía para la circulación monetaria interna del país, ni de servir de instrumento de pago en las transacciones internacionales.

Por otra parte, el Banco Central no tiene, en forma alguna, accesibilidad a los fondos de Petróleos de Venezuela, depositados en divisas en el exterior, por lo que no pueden considerarse como que dichos fondos de PDVSA formen parte de las reservas monetarias internacionales de Venezuela.

Por supuesto, con las medidas adoptadas el 27 de setiembre de 1982, mediante las cuales se obliga a Petróleos de Venezuela S.A. a vender, obligatoriamente, al Banco Central de Venezuela la totalidad de las divisas originadas por sus actividades, incluyendo las cantidades que conforman los fondos destinados al desarrollo de la industria petrolera nacional y que se encontraban depositados en divisas en el exterior, dichas divisas que en el futuro estarán bajo el control y

---

8 Véase Gral. R. Alfonzo Ravard, *7 años de una gestión*, Caracas 1982, p. 336.

9 *Ídem*, p. 350.

poder del Banco Central de Venezuela, constituirán parte de las reservas internacionales del país, en los términos del Artículo 2°, Ordinales 3° y 92 de la Ley del Banco Central de Venezuela.

IV. EL CONVENIO CAMBIARIO DEL 27 DE SETIEMBRE DE 1982 Y SUS EFECTOS RESPECTO A PDVSA

Ahora bien, precisado el concepto de reservas monetarias internacionales y la naturaleza de los fondos que Petróleos de Venezuela S.A. mantenía en el exterior para el desarrollo de la industria petrolera, que no constituyen reservas monetarias internacionales, cabe preguntarse ¿podían legalmente adoptarse las medidas tomadas por la República y el Banco Central de Venezuela con fecha 27 de setiembre de 1982 mediante el Convenio suscrito con base a lo establecido en el Artículo 2°, Ordinal 3°, 21, Ordinal 11, 91, literal b), y 92 de la Ley del Banco Central de Venezuela?

La respuesta a esta pregunta implica que precisemos, en primer lugar, cuáles son, prácticamente, las medidas adoptadas en relación a Petróleos de Venezuela S.A., y sus filiales, y en segundo lugar, cuál es el fundamento legal de las mismas.

1. La decisión adoptada respecto a Petróleos de Venezuela S.A., y sus filiales con fecha 27 de setiembre de 1982, en resumen, es la siguiente:

El establecimiento de una obligación a Petróleos de Venezuela S.A. y a sus empresas filiales de vender, obligatoriamente, al Banco Central de Venezuela, la totalidad de las divisas originadas en su actividad regulada en la Ley Orgánica que reserva al Estado la Industria y el Comercio de los Hidrocarburos. Esta venta obligatoria de divisas al Banco Central de Venezuela comprende también, las cantidades que las empresas operadoras del sector petrolero deben transferir a Petróleos de Venezuela S.A. para constituir el fondo previsto en la base quinta del Artículo 6° de la Ley que reserva al Estado la Industria y el Comercio de los Hidrocarburos (Cláusula Primera del Convenio).

La prohibición a Petróleos de Venezuela S.A. y sus empresas filiales, de mantener depósitos en moneda extranjera en el exterior (Cláusula Tercera del Convenio).

La obligación a Petróleos de Venezuela S.A. y sus empresas filiales de transferir al Banco Central de Venezuela los saldos en moneda extranjera que se encontraran en poder de dichas empresas con fecha 27-9-82; y la obligación de esas empresas de endosar, para su cobro, al Banco Central de Venezuela, los documentos de crédito a favor de ellas en moneda extranjera que tenían sobre plazas del exterior (Cláusula Tercera del Convenio).

Como consecuencia de las obligaciones y prohibiciones antes indicadas, el Banco Central debe abonar en cuentas que a tal efecto debe abrir en su contabilidad, a favor de Petróleos de Venezuela S.A. y cada una de sus empresas filiales, el contravalor, en bolívares, de las divisas que adquiera conforme a la obligación de venta de divisas que se establece respecto a las empresas mencionadas (Cláusula Segunda del Convenio). El contravalor mencionado resulta de la adquisición por el Banco Central de Venezuela, de las divisas, al tipo de cambio de Bs. 4.2925 por dólar USA (Cláusula Quinta del Convenio).

El Banco Central de Venezuela está obligado a suministrar las divisas que requieran Petróleos de Venezuela S.A, y sus empresas filiales, y que sean necesarias para atender sus operaciones, a cuyos efectos éstas deben formular solicitudes ante el Banco Central de Venezuela (Cláusula Décimo Tercera del Convenio). El Banco Central venderá las mencionadas divisas a las empresas al tipo de cambio de Bs. 4.2925 por dólar USA (Cláusula Séptima del Convenio).

Cuando las circunstancias así lo justifiquen, a juicio del Directorio del Banco Central de Venezuela, este organismo puede autorizar que se mantengan en poder de Petróleos de Venezuela S.A. o de sus empresas filiales operadoras del sector petrolero nacionalizado fondos denominados en divisas (Cláusula Cuarta del Convenio). En estos casos, las empresas tendrán a su cargo su administración de conformidad con los objetivos o fines invocados en la correspondiente solicitud de autorización (Cláusula Cuarta del Convenio).

2. El conjunto de prohibiciones y obligaciones antes descrito, impuesto a Petróleos de Venezuela S.A. y sus empresas filiales, derivan de una decisión básica adoptada por el Ejecutivo Nacional y el Banco Central de Venezuela y que es la obligación impuesta a Petróleos de Venezuela S.A. y sus empresas filiales de vender obligatoriamente, al Banco Central de Venezuela la totalidad de las divisas

originadas por su actividad económica. ¿Podía legalmente tomarse esa decisión en el Convenio celebrado entre el Ejecutivo Nacional y el Banco Central de Venezuela? La respuesta a esta interrogante tiene que ser, indudablemente, negativa.

En efecto, la motivación central de las medidas se ha establecido en lo dispuesto en el Artículo 2°, Ordinal 3° de la Ley del Banco Central de Venezuela, que atribuye al instituto emisor al centralizar las reservas internacionales del país. Hemos dicho que los fondos que mantenía Petróleos de Venezuela S.A., en el exterior no formaban parte de las reservas monetarias internacionales a tenor de lo dispuesto en los Artículos 3°, Ordinal 3° y 92 de la Ley del Banco Central de Venezuela, por lo que no podía el Ejecutivo Nacional y dicho Banco, en el Convenio mencionado, fundamentarse en esas normas para imponer la obligación a Petróleos de Venezuela S.A. y sus empresas filiales de vender obligatoriamente las divisas en su poder al Banco Central.

El Comunicado publicado en la prensa el día 28 de setiembre de 1982 señala que las medidas adoptadas se realizan en ejecución del mandato del Artículo 2°, Numeral 3° de la Ley del Banco Central, y que se trata de cumplir expresas disposiciones legales que hasta ahora no se habían llevado a la práctica. Ello no es correcto. La venta obligatoria de divisas que se impone a Petróleos de Venezuela S.A. y sus empresas filiales no era posible dictarla en ejecución del Artículo 2°, Ordinal 3° de la Ley del Banco Central de Venezuela, porque como quedó dicho, los fondos que tenían en el exterior no constituían reservas monetarias internacionales que el Banco Central decidía asumir y controlar y que se ordenaban centralizar.

En realidad, la verdadera motivación de las medidas se expresa en el Comunicado mencionado al señalarse que "era necesario y aconsejable concentrar en manos del instituto emisor el mayor volumen posible de reservas internacionales de divisas." Eso, es lo que, en efecto, se ha hecho, al obligarse a Petróleos de Venezuela S.A. y sus empresas filiales a vender sus fondos en divisas al Banco Central de Venezuela: ahora se ha concentrado en manos del instituto un mayor volumen de reservas internacionales. Por ello, en realidad, la aplicación del Artículo 2°, Ordinal 3° de la Ley del Banco Central, no constituye la motivación de las medidas, sino que ahora debe regir las consecuencias de ellas. No es con motivo de que los fondos en divisas de Petróleos de Venezuela S.A. y sus empresas filial« constituyeran reservas internacionales, que se impone a las empresas la obligación de su venta al Banco Central de Venezuela, sino al revés; que con motivo de esa obligación de venta de las divisas al Banco Central que se impone a esas empresas, que las divisas ahora adquiridas por el Banco Central de Venezuela devienen reservas monetarias internacionales. Por tanto, las medidas mencionadas no pueden tener su fundamento en el Artículo 2°, Ordinal 3° de la Ley del Banco Central de Venezuela.

3. Pero además del fundamento legal errado del Artículo 2°, Ordinal 3°, el Convenio celebrado entre el Ejecutivo Nacional y el Banco Central de Venezuela se fundamenta en el Artículo 31, Ordinal 11, 91, literal b) y 92, de la Ley del Banco Central de Venezuela. Estas normas disponen lo siguiente:

> Artículo 31.- El Directorio (del Banco Central de Venezuela) ejercerá la suprema dirección de los negocios del Banco, y en particular, sus atribuciones serán las siguientes:
>
> 11. Fijar por acuerdo con el Ejecutivo Nacional, los precios en bolívares que han de regir para la compra-venta de cambio extranjero.
>
> Artículo 91 - El Banco Central de Venezuela regulará, dentro de los términos de la autorización que para el efecto le otorgue el Ejecutivo Nacional, lo siguiente:
>
> b). La negociación de divisas en el país.
>
> Artículo 92. - En el Convenio que celebre el Banco Central de Venezuela con el Ejecutivo Nacional para fijar el o los tipos de cambio del bolívar, se establecerán los márgenes de utilidad que podrán obtener tanto el Banco Central de Venezuela como los bancos comerciales que intervengan en la compra-venta de divisas.

En realidad los Artículos 31, ordinal 11 y 92 regulan las bases del Convenio que se celebra tradicionalmente entre el Ejecutivo Nacional y el Banco Central para fijar los tipos de cambio del bolívar en relación a la compra-venta de cambio extranjero o divisas. Nada autoriza de estas normas para que en ese convenio se obligue a personas naturales o jurídicas públicas o privadas que tengan fondos en divisas en el extranjero, a venderlas obligatoriamente al Banco Central de Venezuela. Sólo cuando esas personas jurídicas, en virtud de sus decisiones personales o estatutarias, decidieran traer al país fondos en divisas y decidieran vender tales divisas al Banco Central de Venezuela, deben aceptar los tipos de cambios regulados en el convenio mencionado, en virtud de la autorización legal prevista en esas normas de los Artículos 31, Ordinal 11 y 92 de la Ley del Banco Central de Venezuela.

En cuanto al Artículo 91, literal b) de la Ley del Banco Central de Venezuela, atribuye al instituto emisor la facultad de regular la negociación de divisas en el país, conforme a la autorización que reciba del Ejecutivo Nacional, pero no autoriza ni a éste ni al Banco Central, a establecer en un convenio, obligación alguna respecto a personas naturales o jurídicas de que vendan obligatoriamente divisas que tengan en el extranjero al Banco Central de Venezuela. Sólo cuando esas personas jurídicas, en virtud de sus decisiones personales o estatutarias, decidieran traer al país fondos en divisas, la negociación de las mismas en el país tendría que someterse a las regulaciones que establezca el Banco Central de acuerdo al Artículo 91, literal b) de la Ley del Banco Central de Venezuela.

Por tanto, nada autoriza en los Artículos 31, Ordinal 11, 91, literal b) y 92 de la Ley del Banco Central de Venezuela, a obligar a personas jurídicas, públicas o privadas, y en particular a Petróleos de Venezuela S.A. y sus empresas filiales, a vender obligatoriamente al Banco Central de Venezuela las divisas que resulten de sus operaciones y que posea en el exterior.

V. EL RÉGIMEN DE PDVSA Y LA ILEGALIDAD DEL CONVENIO CAMBIARIO

Petróleos de Venezuela S.A., y sus empresas filiales son empresas del Estado constituidas, conforme a la autorización contenida en el Artículo 6° de la Ley que reserva al Estado la Industria y el Comercio de los Hidrocarburos, como sociedades mercantiles de capital público y con un único accionista. Por tanto, conforme a esa autorización de la Ley Orgánica y como persona jurídica, esas empresas deben regirse por el ordenamiento especial jurídico público derivado de la Ley Orgánica, las normas que rigen el funcionamiento de las sociedades mercantiles y por sus propios Estatutos adoptados por el Ejecutivo Nacional, representante de la Re pública como único accionista. Por tanto, las decisiones que conciernen a Petróleos de Venezuela S.A. y sus empresas filiales deben adoptarse por el Ejecutivo Nacional y los demás entes públicos, como el Banco Central de Venezuela, en el marco del ordenamiento jurídico público, privado y estatutario que las rigen.

En ese sentido, ninguna norma del ordenamiento jurídico autoriza al Ejecutivo Nacional y al Banco Central de Venezuela en el Convenio previsto en los Artículos 31, Ordinal 11 y 92 de la Ley del Banco Central de Venezuela, a imponer a Petróleos de Venezuela S.A. y sus empresas filiales, la obligación de traer al país sus fondos de divisas establecidos para el financiamiento de la industria petrolera, de venderlos obligatoriamente al Banco Central de Venezuela y de mantenerlos obligatoriamente en bolívares. Al haberlo hecho en esa forma, tanto el Ejecutivo Nacional como el Banco Central de Venezuela, se extralimitaron en sus atribuciones.

Por supuesto, la obligación que se impone ilegalmente en el mencionado convenio a Petróleos de Venezuela S.A. y sus empresas filiales, se pudo haber adoptado legal y regularmente, por las vías previstas en el ordenamiento jurídico aplicable a las mismas.

Conforme al Artículo 7° de la Ley que reserva al Estado la Industria y el Comercio de los Hidrocarburos, Petróleos de Venezuela S.A. y sus empresas filiales "se regirán por la presente Ley y sus Reglamentos, por sus propios estatutos, por las disposiciones que dicte el Ejecutivo Nacional y por las del derecho común que les fueren aplicables." Esto mismo se dispone en la Cláusula Tercera del Decreto N° 250 del 27 de agosto de 1979 que contiene el Acta Constitutiva y Estatutos de Petróleos de Venezuela S.A. Por otra parte, la Cláusula Segunda de dichos estatutos autoriza al Ejecutivo Nacional a definir los lineamientos conforme a los cuales se debe desarrollar el objeto social de Petróleos de Venezuela S.A., correspondiendo además, a la Asamblea de la empresa, conforme a la Cláusula Séptima "la suprema dirección y administración de la sociedad."

Por tanto, si el Ejecutivo Nacional, decidió definir como lineamiento para la realización del objeto social de la empresa, que ésta y sus filiales debían traer al país todas las divisas que tenían en el exterior y venderlas al Banco Central y tener, por tanto, sus fondos en bolívares, ello debió acordarse por la vía legal estatutaria, mediante una reunión de la Asamblea, a través del Ministro de Energía y Minas y de los demás ministros que designe el Presidente de la República que conforme a la Cláusula Undécima ejercen la representación de la República en la Asamblea de la empresa.

Sólo después que se hubiera celebrado la Asamblea de Petróleos de Venezuela S.A. con la participación necesaria del Ministro de Energía y Minas, el Ejecutivo Nacional podía celebrar con el Banco Central de Venezuela el Convenio previsto en los Artículos 31, Ordinal 11 y 92 de la Ley del Banco Central de Venezuela, no para imponer obligaciones y prohibiciones, sino para regular la forma y tipo de cambio para la compraventa de divisas por Petróleos de Venezuela S.A. y sus empresas filiales al Banco Central de Venezuela.

Al no haberse adoptado las medidas del 27 de setiembre de 1982 en esa forma, en un todo de acuerdo a los mecanismos estatutarios de las empresas, la única vía que tenía el Ejecutivo Nacional, conforme al ordenamiento jurídico vigente, para obligar a Petróleos de Venezuela S.A. y sus empresas filiales a vender obligatoriamente al Banco Central de Venezuela las divisas que perciban por sus actividades y prohibirle a esas empresas tener divisas en el exterior era a través de un Decreto-Ley dictado en virtud de la restricción a la libertad económica, en ejecución del Decreto N° 674 de 8 de enero de 1962, cuyo Artículo 4° se dejó vigente por el Acuerdo del Congreso de la República de 6 de abril de 1962.

En efecto, técnica y jurídicamente la medida adoptada se configura como un control de cambios respecto de los organismos del sector público. El establecimiento de un control de cambios, aun cuando sea sólo para los entes del sector público, en ausencia de previsión legal expresa, sólo puede adoptarse jurídicamente por Decreto-Ley en base a la restricción de la libertad económica, como sucedió con el control de cambios establecido mediante el Decreto-Ley N° 390 de 8 de noviembre de 1960,[10] que confirmó, modificó y amplió el Decreto-Ley N° 178 de 15 de agosto de 1944 también dictado en restricción de la libertad económica.

CONCLUSIÓN

Ahora bien, en base a lo anteriormente expuesto, el Proyecto de Ley de Reforma de la Ley del Banco Central de Venezuela, al proponer agregar al Artículo 2°, el Parágrafo Único, mencionado, parte de un supuesto falso: que los fondos que mantenía Petróleos de Venezuela S.A. en el exterior son o pueden ser reservas monetarias internacionales, lo cual no es correcto, jurídicamente hablando, de acuerdo al ordenamiento jurídico vigente.

Por tanto, si los fondos de PDVSA en divisas originados por las actividades de las empresas constituidas conforme a la Ley Orgánica que reserva al Estado la Industria y el Comercio de los Hidrocarburos, no constituyen reservas monetarias internacionales, mal podría establecerse la excepción que se plantea en el Proyecto de Ley de Reforma, que busca no aplicar a esos fondos la facultad del Banco Central de centralizar las reservas monetarias internacionales.

El Proyecto de reforma, por tanto, no tiene asidero jurídico, pues parte de un falso supuesto: que esos fondos en divisas de PDVSA eran, son o serán reservas monetarias internacionales, de acuerdo al ordenamiento vigente.

Por supuesto, la reforma sólo se justificaría jurídicamente si en ella se comenzara por declarar que los fondos en divisas de PDVSA y de sus filiales sí constituyen reservas monetarias internacionales, aun cuando no estén en poder del Banco Central de Venezuela, y en virtud de esa declaratoria, establecer la excepción legal, de que no necesitan ser centralizadas por el Banco Central de Venezuela, que es lo que persigue la reforma.

En cuanto a la propuesta de agregar un Parágrafo Único al Artículo 90, no sólo no se justifica porque no es procedente la reforma al Artículo 2° como antes se mencionó, sino porque la facultad y mecanismo que se prevé en el Artículo 90 no está vinculada a las

---

[10] Véase *Gaceta Oficial* N° 26403 del 10-11-60.

reservas monetarias internacionales. Es decir, la posibilidad que atribuye el Artículo 90 al Banco Central, previo acuerdo con el Ejecutivo Nacional, de establecer limitaciones o restricciones que considere convenientes a la libre convertibilidad de la moneda nacional, no tiene relación con la noción de reserva monetaria internacional, por lo que 'la excepción de la excepción' que establece no tiene justificación, ni aun cuando se declare que los fondos en divisas que pudiere tener PDVSA en el exterior son reservas monetarias internacionales, lo cual no es cierto, como se ha dicho.

Sección Tercera: Sobre los contratos de interés público nacional de Petróleos de Venezuela y la aprobación legislativa

El texto que forma parte de esta sección es el de la Opinión Jurídica que di a la Presidencia de Petróleos de Venezuela S.A. con motivo de la discusión parlamentaria sobre si era necesaria o no la aprobación por parte del Congreso del contrato suscrito por la empresa con la empresa Veba Oel para la adquisición de acciones de una refinería en el Ruhr, Alemania. El texto fue publicado como "La aprobación legislativa de los contratos de interés nacional y el contrato Pdvsa-Veba Oel, en mi libro: *Etudios de derecho público (Labor en el Senado),* Tomo II, Ediciones del Congreso de la República, Caracas 1985, pp. 65-82.

La Comisión Permanente de Energía y Minas del Senado, nos solicitó en mayo de 1983 opinión jurídica sobre el contrato firmado por PDVSA y la empresa Veba Oel AG de la República Federal Alemana, la cual formulamos básicamente, respecto a la necesidad o no de que dicho contrato fuera aprobado por el Congreso y, en particular, respecto a la aplicabilidad o no, a dicha contratación, del artículo 126 de la Constitución. En efecto, a pesar de que se nos requirió "opinión jurídica sobre el contrato", es obvio que no se trataba de analizar todas las implicaciones que dicho contrato pudiera tener en el mundo del derecho, sino particularmente, si el mismo debió o no ser sometido a la aprobación del Congreso de la República.

Para ello resultaba indispensable, en primer lugar, analizar la ubicación y contenido del artículo 126 de la Constitución y determinar los casos de requerimiento legislativo de intervención del Congreso, mediante aprobaciones o autorizaciones, en contratos de interés nacional del sector hidrocarburos y, en segundo lugar, precisar si el mencionado contrato requería o no de aprobación legislativa. Con base a ello en los términos siguientes, formulamos nuestra opinión:

I. LA UBICACIÓN DEL ARTÍCULO 126 EN LA CONSTITUCIÓN Y SUS CONSECUENCIAS

El artículo 126 de la Constitución, en efecto, establece lo siguiente:

> Artículo 126. Sin la aprobación del Congreso, no podrá celebrarse ningún contrato de interés nacional, salvo los que fueren necesarios para el normal desarrollo de la administración pública o los que permita la Ley. No podrá en ningún caso procederse al otorgamiento de nuevas concesiones de hidrocarburos ni de otros recursos naturales que determine la Ley, sin que las Cámaras en sesión conjunta, debidamente informadas por el Ejecutivo Nacional de todas las circunstancias pertinentes, lo autoricen, dentro de las condiciones que fijen y sin que ello dispense del cumplimiento de las formalidades legales.
>
> Tampoco podrá celebrarse ningún contrato de interés público nacional, estadal o municipal con Estados o entidades oficiales extranjeros, ni con sociedades no domiciliadas en Venezuela, ni traspasarse a ellos, sin la aprobación del Congreso.
>
> La Ley puede exigir determinadas condiciones de nacionalidad, domicilio o de otro orden, o requerir especiales garantías, en los contratos de interés público.

Para interpretar esta norma con todas sus implicaciones, hay que partir de una breve consideración sobre su ubicación en el texto constitucional, lo cual, permite aclarar cuál es el ámbito de su aplicación.

En efecto, este artículo forma parte del Capítulo I, Disposiciones Generales, del Título IV, relativo al Poder Público, del texto fundamental. Por tanto, es una norma que está destinada a regular la actividad contractual de los órganos que ejercen el Poder Público en sus dos vertientes constitucionales de distribución: por una parte, en su distribución vertical, fundamento de la forma Federal del Estado (Poder Público Nacional, Poder Público Estadal, y Poder Público Municipal); y en su distribución horizontal, básicamente a nivel nacional (Poder Legislativo Nacional, Poder Ejecutivo Nacional y Poder Judicial).

Por tanto, en principio, esta norma como todas las otras del Capítulo I del Título IV, se destinan a regular la actividad de los órganos que ejercen el. Poder Público, y los cuáles, en cuanto a personas jurídicas se refiere, son los que actúan, básicamente, en representación de las personas político- territoriales que conforman la organización política del Estado venezolano, es decir, la República, los Estados y los Municipios.

Sin embargo, es evidente que la estructura del Estado venezolano, además de responder a un principio de descentralización territorial, que origina esos tres niveles de personas político-territoriales (República, Estados y Municipios), también responde a un principio de descentralización funcional, en cada uno de esos tres niveles. En esta forma, tanto la República, como los Estados y los Municipios, para la realización de sus fines, han venido constituyendo diversas personas jurídicas descentralizadas, tanto de derecho público como de derecho privado, por lo cual, necesariamente, algunas de las normas de dicho Capítulo I del Título IV de la Constitución, también se aplican a estos entes descentralizados funcionalmente. Así, por ejemplo, el Artículo 124 de la Constitución hace referencia a las personas jurídicas de derecho público, y en nuestro criterio, el Artículo 126 de la Constitución utiliza un concepto amplio de "administración pública" como actividad, que permite pensar que se destina a regular los contratos que celebren no sólo los entes político-territoriales (la República, los Estados y los Municipios), sino las personas jurídicas de derecho público constituidas por ellos (los institutos autónomos, por ejemplo) y las personas jurídicas de derecho privado constituidas también, por esos mismos entes (las empresas del Estado, por ejemplo).

Ello resulta lógico, además, del proceso de descentralización funcional del Estado venezolano, que ha provocado que la parte fundamental de las actividades públicas se cumpla, actualmente, a través de los mismos.

Ahora bien, puntualizado el ámbito de aplicación del Capítulo I del Título IV de la Constitución, donde está ubicado el Artículo 126 de la Constitución, procede efectuar el estudio de esta norma.

II. LOS CONTRATOS DE INTERÉS NACIONAL Y SU APROBACIÓN LEGISLATIVA

La primera parte del Artículo 126 de la Constitución, como hemos dicho, establece lo siguiente:

> "Sin la aprobación del Congreso no podrá celebrarse ningún contrato de interés nacional, salvo los que fueren necesarios para el normal desarrollo de la administración pública o los que permita la Ley."

Independientemente de la polémica doctrinal que desde hace años ha surgido en torno a sobre si la noción de contrato de interés nacional es o no equivalente a la de contrato administrativo, en realidad, lo que esta parte del artículo plantea, como interrogante que tiene que ser resuelto a los efectos de determinar su aplicabilidad al contrato celebrado entre PDVSA y la Empresa Veba Oel AG es, en primer lugar, la determinación de la frontera entre contratos de interés nacional y contratos que no son de interés nacional y, en segundo lugar, dentro de los primeros, es decir, de los contratos de interés nacional, cuáles son, sin embargo, aquellos "necesarios para el normal desarrollo de la administración pública" y, por tanto, no requieren de aprobación legislativa, y cuáles tampoco requieren de dicha aprobación, porque así lo permita la Ley. Esta problemática ya la hemos estudiado en una comunicación que en diciembre del año 1981 dirigimos al Presidente del Senado, cuyo contenido ratificamos ahora, en los siguientes términos:

1. *La noción del contrato de interés nacional*

La expresión "interés nacional," para calificar determinados contratos, sin duda, constituye un concepto jurídico indeterminado o impreciso, que establecido en el texto constitucional, da amplio margen al Legislador para determinar o precisar, discrecionalmente, su contenido. Por tanto, en definitiva, determinar con precisión qué es "interés nacional" (Arts. 101 y 126), "interés público" (Art. 127), "conveniencia nacional" (Art. 97), "interés social" (Arts. 96 y 105), "función social" (Art. 99), "utilidad pública" o "interés general" (Art. 99) "beneficio colectivo" (Art. 108), es una tarea que corresponde al Legislador.

Por tanto, ante todo, un contrato será de "interés nacional" cuando así lo determine el Legislador. Sin embargo, no es frecuente que la Ley califique expresamente, en los términos del Artículo 126 de la Constitución, a un contrato "como de interés nacional." Por ello los esfuerzos doctrinales que se han hecho tendientes a determinar su naturaleza, por contraposición a unos contratos que no son de interés nacional.

A. Podría decirse, así, que contrato de interés nacional, es aquel que interesa al ámbito nacional (en contraposición al ámbito estadal o municipal), porque ha sido celebrado por una persona jurídica estatal nacional, de derecho público (la República o un instituto autónomo) o de derecho privado (empresa del Estado). Por tanto, no serían contratos de interés nacional aquellos que son de interés estatal o municipal, porque sean celebrados por personas jurídicas estadales de los Estados o de los Municipios, incluyendo los Institutos Autónomos y empresas del Estado de esas entidades político-territoriales. En nuestro criterio, esta es la interpretación más directa respecto a lo que se entiende, en el Artículo 126 de la Constitución, por "interés nacional," contrapuesto a "interés estadal" o "interés municipal."

Todos los contratos de interés nacional, estadal o municipal, serían, por supuesto, contratos de "interés público" (Art. 127) [1] en el mismo sentido que la noción de Poder Público (Título IV de la Constitución) comprende al Poder Nacional, a los Poderes Estadales y a los Poderes Municipales.

De acuerdo a este criterio, los contratos celebrados por un Estado miembro de la Federación o sus Institutos Autónomos o empresas del Estado estadales, o por un Municipio o sus institutos Autónomos o empresas del Estado Municipales, no serían contratos de interés nacional, en los términos del Artículo 126 de la Constitución.

En nuestro criterio, en ausencia de una precisión del Legislador sobre qué ha de entenderse por "interés nacional", la única interpretación que admite el texto constitucional para identificar los "contratos de interés nacional" son los que corresponden al ámbito nacional, por contraposición al estadal o municipal. Por eso, en principio,

---

1 Véase Eloy Lares Martínez, "Contratos de interés nacional" en *Libro Homenaje al Profesor Antonio Moles Caubet*, Tomo I, Caracas 1981, p. 117.

aquéllos requieren aprobación del Congreso, órgano que ejerce el Poder Legislativo Nacional (Título V) y éstos no lo requieren. Los contratos de interés de los Estados o Municipios, por tanto, no serían contratos de interés nacional.

B. En la doctrina nacional se ha querido precisar cuantitativamente la noción de contrato de interés nacional, al identificarse con un "tipo especial de contratos, por su importancia, por su magnitud económica, por sus consecuencias." Por ejemplo, Gonzalo Pérez Luciani, señala que "de no existir diferencias cualitativas entre los diversos contratos que pudiere celebrar la Administración para calificar a unos como de "interés nacional" y a otros no, la única posibilidad es que las notas diferenciales sean exclusivamente cuantitativas." De las diversas normas transcritas puede deducirse que la preocupación del Constituyente ha girado en tomo a cuestiones como las siguientes: los compromisos económicos o financieros que pudieran resultar a cargo del Estado; el temor a que se malgasten o dilapiden los fondos públicos; la necesidad de conservar los bienes patrimoniales o los recursos naturales del Estado, o que los mismos no sirvan para beneficiar a unos pocos en detrimento de todos; los requerimientos de control, sobre los poderes de la Administración, para evitar abusos, favoritismos, etc. Esas características cuantitativas son las que han movido al Constituyente para considerar a unos contratos como de "interés nacional."[2] Una interpretación similar la hace José Melich Orsini, al señalar que un contrato de interés público (comprendido los de interés nacional) es el que contiene "una gran contratación hecha por la Administración Pública Nacional que justifique, a los fines de control, la intervención del Congreso."[3]

Este criterio cuantitativo de interpretación sobre qué ha de entenderse por contrato de interés nacional, por sí sólo, es inadmisible para trazar el límite entre los contratos que sean de interés nacional y los

---

2 Véase Gonzalo Pérez Luciani, "Dictamen sobre los contratos de interés público, de interés nacional y los contratos de empréstito público," 1973, citado por Fermín Toro Jiménez, *Manual de Derecho Internacional Público*, Vol, 1, Caracas 1982, p. 473).

3 Véase José Melich Orsini, "La noción del contrato de Interés Público" en *Revista de Derecho Público*, N° 7, Editorial Jurídica Venezolana, Caracas 1981, p. 61

que no lo sean, y requeriría, para su vigencia, de una Ley que lo determine. El Legislador, en efecto, tendría que establecer el límite "cuantitativo" o de "gran contratación," para que se pudiera exigir, como condición de eficacia contractual, la aprobación del Congreso. Lo cierto es que esa intervención parlamentaria no puede quedar sujeta a interpretaciones o a apreciaciones cuantitativas que, sin precisión legal, serían variables. Por tanto, el criterio cuantitativo no es admisible para determinar los contratos de interés nacional, sino cuando una Ley establezca que aquellos de determinada cuantía, importancia o naturaleza lo sean, a los efectos de quedar sujetos a la aprobación del Congreso.[4]

C. Otra posición doctrinal, elaborada bajo el ángulo del derecho internacional, sostiene que por contratos de interés público (comprendidos los de interés nacional) "debe entenderse pura y simplemente aquellos contratos celebrados por el Estado... que puedan dar origen a reclamaciones extranjeras." Es la posición de Fermín Toro Jiménez, quien agrega que no serían contratos de interés público (incluyendo los de interés nacional) "todos aquellos en que no pueda plantearse la posibilidad de una reclamación extranjera, ni directamente, a través de una reclamación diplomática, ni indirectamente mediante el ejercicio de una acción contra el Estado venezolano ante los tribunales de un Estado extranjero, conforme a la legislación de ese mismo Estado. Estos contratos serían aquellos celebrados por el Estado venezolano o demás *entes públicos con personas naturales o jurídicas venezolanas."*[5]

Esta interpretación tampoco es admisible, no sólo por su visión limitada respecto de los efectos internacionales de los contratos públicos, sino porque el mismo Artículo 126 de la Constitución le da una connotación de derecho interno a los contratos de interés nacional, al admitir que una categoría de ellos pueden ser "necesarios para el normal desarrollo de la administración pública" aun cuando no se celebren con personas jurídicas extranjeras.

---

4 Véase Eloy Lares Martínez, "Contratos de interés nacional," *loc. cit.*, p. 136.

5 Véase Fermín Toro Jiménez, *Manual de Derecho Internacional Público*, Tomo I, Caracas 1982, pp. 481 y 482.

Por otra parte, es una interpretación que identifica, en los términos de los Artículos 126 y 127, los contratos de "interés público" con los de "interés nacional" lo cual no autoriza la Constitución. No se olvide que los primeros constituyen el género y los segundos una especie.

En todo caso, la interpretación de qué ha de entenderse por contrato de interés nacional, no puede estar basada en la sola posibilidad de reclamaciones extranjeras, derivadas contra el Estado del vinculo contractual. La Constitución, en forma alguna, autoriza a esta interpretación, máxime cuando regula con precisión los casos de contratos celebrados por los entes públicos con personas jurídicas extranjeras (Art. 126, penúltimo aparte y Art. 127).

Como conclusión, por tanto, en ausencia de una legislación que determine con precisión qué ha de entenderse por contrato de interés nacional, la única interpretación que autoriza el texto mismo de la Constitución para diferenciar "contratos de interés nacional" de aquellos que no lo son, es la que deriva del principio de la repartición vertical del poder, en nuestro sistema federal o político territorial. Así, contratos de interés nacional son los celebrados por las entidades políticas y administrativas nacionales (República, institutos autónomos y otros establecimientos públicos estatales nacionales y empresas del Estado nacionales). En consecuencia, no son contratos de interés nacional los celebrados por los Estados y Municipios, sus institutos autónomos estadales o municipales y sus empresas del Estado estadales o municipales.

En consecuencia, sólo los primeros, los contratos de "interés nacional' están sometidos, como principio, al requisito de aprobación por el Congreso que prevé el Artículo 126 de la Constitución en su primera parte' y, en cambio, los segundos, es decir, los contratos de interés estadal o municipal, no están sometidos al requisito de aprobación del Congreso para su celebración.

2. *La exigencia de aprobación del Congreso en los contratos de interés nacional*

De lo señalado anteriormente puede concluirse, como principio general, que todos los contratos de interés nacional, es decir, que sean celebrados por entes públicos o administrativos nacionales

(República, institutos autónomos nacionales, otros establecimientos públicos estatales nacionales y empresas del Estado. nacionales), estarían sujetos a la aprobación del Congreso, que, como requisito, se configura como una formalidad posterior a la conclusión del contrato. Conforme a esto, por tanto, el contrato celebrado entre PDVSA y las empresas Veba Oel AG, sería un contrato de interés nacional, el cual en principio, estaría sujeto a la aprobación del Congreso. Sin embargo, la Constitución en el Artículo 126, establece que si bien todos los contratos de interés nacional, para ser celebrados, requieren de la aprobación del Congreso ello es así, "salvo los (contratos de interés nacional) que fueren necesarios para el normal desarrollo de la administración pública o los que permita la Ley." Esta norma, por las excepciones que formula, plantea varios problemas interpretativos.

A. Ante todo, el Artículo 126 de la Constitución distingue dos categorías de contratos de interés nacional: aquellos que no son necesarios para el normal desarrollo de la administración pública y aquellos que, en cambio, sí lo son. Sólo los primeros están sometidos al requisito de aprobación del Congreso.

Sin embargo, necesariamente aquí se nos plantea el problema, de nuevo, de establecer la frontera entre uno y otro contrato; en otras palabras, se plantea el problema de determinar cuándo un contrato de interés nacional es necesario para el normal desarrollo de la administración pública y cuándo no.

Ello exige definir criterios, en primer lugar, sobre lo que es o no "necesario" y en segundo lugar, sobre lo que es o no "normal desarrollo." Estamos aquí, de nuevo, ante conceptos jurídicos imprecisos o indeterminados que sólo el Legislador podría definir con precisión, para lo cual podría optar por varios criterios, incluso el de carácter cuantitativo. Mientras ello no se haga, nada autoriza al intérprete a calificar en forma definitiva a un contrato de interés nacional como sujeto o no a la aprobación legislativa. Puede, sin duda, haber apreciaciones, pareceres u opiniones, pero no criterios jurídicos definitivos. Como lo indicamos en otro lugar, "para ello se requiere una normativa legal que lo especifique."[6] De lo contrario, como lo afirma Eloy Lares Martínez, "dentro de esa primera excepción, pueden considerarse incluidos, si no la totalidad, la inmensa mayoría de los contratos que celebra el Ejecutivo Nacional, cualesquiera fuesen su magnitud, importancia y trascendencia en el desarrollo nacional."[7]

Ahora bien, tratándose de una excepción a la regla constitucional, es de interpretación estricta, y la aplicación de la misma, en principio, requeriría de urna Ley que determine cuáles son los contratos de interés nacional necesarios para el normal desarrollo de la administración pública y que, por tanto, no estarían sometidos a la aprobación posterior del Congreso. Mientras esto no ocurra, todos los contratos de interés nacional tendrían que someterse a ese requisito de aprobación parlamentaria. Ello, sin duda, paralizaría y entrabaría el normal funcionamiento y desarrollo de la administración del Estado, y para evitar eso, la misma Constitución previo otra excepción que, materialmente, convierte la regla misma en la excepción.

B. En efecto, el Artículo 126 de la Constitución somete a aprobación legislativa los contratos de interés nacional, "salvo... los que permita la Ley," lo que significa, como lo hemos indicado en otro lugar, "atribuidos por Ley a cualquier autoridad pública sin indicación de la intervención del Poder Legislativo, De ello se desprende que en realidad, en la práctica, la excepción es la regla general, pues la mayoría de los contratos administrativos no requieren la intervención a posterior! del Congreso Nacional, por lo cual el requisito de aprobación legislativa es excepcional" [8]

Con esta apreciación coincide Eloy Lares Martínez al señalar que "la segunda de las excepciones indicadas exime de la aprobación legislativa los contratos "que permite la Ley," esto es, aquellos que, en

---

6 Véase Allan R.-Brewer-Carías, "La evolución del concepto de contrato administrativo" en *Libro Homenaje al Profesor Antonio Moles Caubet,* Tomo I, Caracas 1981, p. 53.

7 Véase Eloy Lares Martínez, "Contratos de interés nacional," *loc. cit.*, p. 139.

8 Véase Allan R. Brewer-Carías, "La formación de la voluntad de la Administración Pública Nacional en los Contratos Administrativos" en *Revista de la Facultad de Derecho, U.C.V.*, N° 28, Caracas 1964, pp. 61 a 112; reproducido en Allan R. Brewer-Carías, *Jurisprudencia de la Corte Suprema 1930-1975 y Estudios de Derecho Administrativo*, Tomo III, Vol. 2, Caracas 1977, p. 485.

virtud de disposición legal, pueden celebrarse y ejecutarse sin necesidad de la referida aprobación. Esta excepción procede, no sólo cuando los preceptos legales referentes a determinados contratos los provean en todos sus trámites sin señalarles la necesidad de aprobación legislativa (sería un caso de permisión implícita), o cuando los. eximan de manera expresa, de la necesidad de dicha aprobación (aprobación explícita)."[9] En igual sentido, Luis Henrique Farías Mata señala que "en cuanto a los permitidos por, la Ley, resulta también lógico que escapen a la posterior intervención parlamentaria puesto que previamente ha sido autorizada su celebración in genere por el propio Poder Legislativo, mediante Ley." [10]

En consecuencia, en realidad, conforme a lo previsto en el Artículo 126 de la Constitución, los contratos de interés nacional que en la actualidad deben someterse a la aprobación del Congreso, en ausencia de una Ley que determine cuáles son los necesarios para el normal desarrollo de la administración, son aquéllos que celebren les entes de derecho público y que no están regulados en modo alguno en leyes. Al contrario, si una Ley establece la posibilidad de celebración del contrato y no prevé la aprobación parlamentaria, significa que ha sido el mismo Legislador quien ha "permitido," por ley, la celebración del contrato sin aquella aprobación. A esta situación conduce la redacción del Artículo 126 de la Constitución, en cuanto a las excepciones a la aprobación parlamentaria en los contratos de interés nacional.

Por tanto, la aprobación del Congreso respecto de contratos de interés nacional, en la realidad, es absolutamente excepcional, pues el Legislador, en base a lo establecido en la Constitución, ha permitido ampliamente la celebración de dichos contratos, sin prever ni regular la intervención legislativa. En consecuencia, puede afirmarse que cuando en una Ley se prevé que un ente público nacional puede realizar determinadas actividades u operaciones que pueden resultar en la celebración de contratos, y no prevé la aprobación parlamentaria, ésta no procede ni podría, en forma alguna, invocarse una supuesta ineficacia del contrato por su omisión (nunca se trataría de invalidez, pues la aprobación del Congreso prevista en el Artículo 126 de la Constitución es posterior a la conclusión del contrato).

---

9 Véase Eloy Lares Martínez, "Contratos de interés nacional," *loc. cit.*, p. 139.

10 Véase Luis Henrique Farías Mata, *La Teoría del Contrato Administrativo en la Doctrina, Legislación y Jurisprudencia Venezolanas,* Caracas 1968, p. 54.

3. *La intervención del Congreso en los contratos de interés nacional celebrados en el sector hidrocarburos*

En base a lo anteriormente señalado, en el sector de los hidrocarburos, en la actualidad, y estando regulado éste, básicamente, por la Ley Orgánica que reserva al Estado la Industria y el Comercio de los Hidrocarburos, la intervención del Congreso en el proceso de conclusión de los contratos de interés nacional en el área, depende de lo establecido en la Constitución y la Ley.

A. En cuanto a lo previsto en la Constitución, debe señalarse que la segunda parte del primer párrafo del Artículo 126, al establecer en un determinado supuesto la necesaria intervención del Congreso, confirma la interpretación señalada anteriormente.

En dicha parte, el Artículo 126 establece lo siguiente:

> "... No podrá en ningún caso procederse al otorgamiento de nuevas concesiones de hidrocarburos ni de otros recursos naturales que determine la Ley, sin que las Cámaras en sesión conjunta, debidamente informadas por el Ejecutivo Nacional de todas las circunstancias pertinentes, lo autoricen, dentro de las condiciones que fijen y sin que ello dispense del cumplimiento de las formalidades legales."

En esta norma, por tanto, se requiere una autorización previa de las Cámaras Legislativas en sesión conjunta, para el otorgamiento de nuevas concesiones de hidrocarburos, norma que ha quedado suspendida en su vigencia, en virtud de la reserva al Estado de la industria y el comercio de los hidrocarburos, mediante Ley Orgánica.

B. Pero a nivel legislativo, en el sector hidrocarburos se ha establecido expresamente la intervención del Congreso, después de la vigencia de la Constitución, en la conclusión de determinados contratos de interés nacional.

En tal sentido, aun cuando haya sido derogada parcial y tácitamente por la Ley Orgánica que reserva al Estado la Industria y el Comercio de los Hidrocarburos, la Ley de Hidrocarburos, en su reforma de 1987, estableció la necesaria aprobación por las Cámaras en sesión conjunta de las bases de contratación de los contratos de servicios (Art. 3, aparte segundo, letra c). Con ello se confirma, también, la interpretación que hemos señalado anteriormente.

C. En la Ley Orgánica que reserva al Estado la Industria y el Comercio de los Hidrocarburos de 1975, en el mismo sentido, se estableció en su Artículo 5° la necesaria intervención previa de las Cámaras Legislativas mediante una autorización, para la celebración de convenios operativos para la realización de las actividades reservadas al Estado.

Ahora bien, salvo estos supuestos, la Ley Orgánica que reserva al Estado la industria y el Comercio de los Hidrocarburos, ha permitido a los entes estatales que ejercen las actividades reservadas al Estado, desarrollarlas mediante actos jurídicos, inclusive mediante contratos, sin que estos tengan que someterse a la aprobación del Congreso. En consecuencia, el contrato celebrado entre PDVSA y la empresa Veba Del AG, aun tratándose de un contrato de interés nacional, no tenía que someterse a la aprobación del Congreso, por permitir la Ley su realización por PDVSA, al no prever dicha intervención legislativa.

III. EL CONTRATO CELEBRADO ENTRE PDVSA Y LA EMPRESA VEBA OEL AG Y SU CELEBRACIÓN SIN APROBACIÓN LEGISLATIVA

El contrato celebrado entre PDVSA y la empresa Veba Oel AG., en vista del interés de PDVSA de tener acceso al mercado de la República Federal Alemana con el fin de asegurar la colocación a largo plazo de sus crudos y productos petroleros, tiene por objeto fundamental establecer entre las dos empresas "una amplia cooperación a largo plazo con respecto a la industria petrolera y petroquímica en la República Federal Alemana, con particular énfasis en el procesamiento de crudos pesados y extrapesados venezolanos," y a tal efecto, PDVSA se compromete a adquirir el 50% de las acciones de la empresa Ruhr Oel GmbH, la cual es propietaria de dos refinerías.

El contrato celebrado por PDVSA con la empresa Veba Oel AG, por tanto, tiene por objeto adquirir las acciones de una empresa domiciliada en la República Alemana, que se ocupa de refalar crudos.

Este contrato, en forma alguna, tenía que haber sido sometido a la aprobación del Congreso, por lo siguiente:

1. En primer lugar, porque si bien puede considerárselo como un contrato de interés nacional, la Ley Orgánica que reserva al Estado la Industria y el Comercio de los Hidrocarburos permite su celebración a los entes previstos en su Artículo 6°, y particularmente a la empresa Petróleos de Venezuela S. A., la cual se rige por sus Estatutos contenidos en el Decreto N° 1.123 de 30-8-75 modificados por Decreto N° 250 de 23-08-79,[11] sin exigir la aprobación legislativa para ese tipo de convenios, conforme a lo establecido en el Artículo 126 de la Constitución.

2. En segundo lugar, porque el referido contrato tampoco se puede considerar como un convenio de asociación de los regulados en el Artículo 5° de la Ley Orgánica que Reserva al Estado la Industria y el Comercio de los Hidrocarburos, en virtud de que éstos se refieren a las actividades reservadas al Estado y que enumera el Artículo 1° de dicha Ley y, en cambio, el contrato celebrado entre PDVSA y la empresa Veba Oel AG, no se refiere a dichas actividades reservadas al Estado.

Por tanto, dicho contrato no requería la previa autorización de las Cámaras Legislativas en sesión conjunta en los términos del Artículo 5o de la mencionada Ley Orgánica.

En efecto, la compra de acciones de una sociedad constituida en el extranjero, no es una actividad reservada al Estado venezolano; la refinación de crudos realizada en el extranjero, así sea de crudos venezolanos, tampoco es una actividad reservada al Estado venezolano; y la venta y comercialización de productos refinados en el extranjero, resultantes de crudos venezolanos, tampoco es una actividad reservada al Estado. Lo contrario sería absurdo, pues las leyes venezolanas no pueden regular ni reservar al Estado, actividades realizadas en el exterior, ni siquiera las que impliquen refinar crudos venezolanos en el exterior o comercializar productos derivados de la refinación de crudos venezolanos en el exterior.

3. En tercer lugar, porque aun cuando se trata de un contrato de interés público nacional celebrado con una sociedad no domiciliada en Venezuela, no se ejecuta en el país.

---

[11] Véase *Gaceta Oficial* N° 31.810 de 30-8-79.

En efecto, el segundo párrafo del Artículo 126 de la Constitución establece lo siguiente:

> "...Tampoco podrá celebrarse ningún contrato de interés público nacional, estadal o municipal con Estados o entidades oficiales extranjeros, ni con sociedades no domiciliadas en Venezuela, ni traspasarse a ellos, sin la aprobación del Congreso."

Esta norma, cuyo origen está parcialmente, en las Constituciones de 1893, 1901, 1925 y luego, en la Constitución de 1947, se refiere a contratos de interés público nacional, estadal y municipal, cuyos derechos y obligaciones se ejecutan básicamente en el país.

En efecto, en su origen, en la Constitución de 1893, se había establecido pura y simplemente la prohibición al Gobierno Nacional o a los Estados de "traspasar" contratos de interés público a Gobiernos Extranjeros (Art. 149). Posteriormente, en la Constitución de 1901 se estableció que las sociedades que se formaran en ejercicio de contratos de interés público, debían establecer su domicilio legal en el país (Art. 139); y luego, en la Constitución de 1925 se agregó a la prohibición mencionada, el que no podían hacerse contratos de interés nacional con sociedades no domiciliadas legalmente en Venezuela ni admitirse el traspaso a ellas de los contratos celebrados con terceros (Art. 50). Posteriormente, en la Constitución de 1947, que orienta la norma actual, se estableció la prohibición general así: "Ningún contrato de interés público nacional, estadal o municipal podrá ser celebrado con gobiernos extranjeros, ni traspasarse a ellos en todo, o en parte. Tampoco podrán celebrarse con sociedades que no estén domiciliadas en Venezuela, ni traspasarse a éstas los suscritos con terceros" (Art. 107), Sin embargo, se estableció la posibilidad de celebrar tales contratos con entidades oficiales o semioficiales extranjeras con personería jurídica autónoma, con la autorización de las Cámaras Legislativas (Art. 107).

En estas normas, como en la norma de la Constitución actual, se trata de una prohibición y exigencia establecidas respecto de contratos con efectos en el derecho interno venezolano, es decir, de contratos a ser ejecutados en Venezuela, no aplicándose en absoluto a contratos de interés público que pudieran ser ejecutados en el exterior o que pudieran tener efectos en el derecho internacional.

Respecto de estos, hay otras normas expresas en la Constitución, que exigen la intervención del órgano legislativo.

En efecto, si se trata de contratos con Estados extranjeros o entidades oficiales extranjeras a ser ejecutados en el campo de las relaciones internacionales o en el exterior, al ser Tratados o Convenios internacionales requieren de aprobación legislativa mediante Ley, pero en virtud del Artículo 128 de la Constitución; o si se trata de contratos de empréstito público, celebrados con sociedades no domiciliadas en Venezuela, también requieren de autorización legislativa por Ley especial, pero en virtud del Artículo 231 de la Constitución.

Por tanto, en el caso de los contratos de interés público a celebrarse con sociedades no domiciliadas en Venezuela, a los cuales se refiere el segundo párrafo del Artículo 126 de la Constitución, por el origen y evolución constitucional de la norma, estimamos que se trata de los contratos estatales a ser ejecutados en el territorio venezolano, celebrados con sociedades no domiciliadas en Venezuela, los que requieren de aprobación del Congreso. Por tanto, un contrato de interés público celebrado con una sociedad no domiciliada en Venezuela, para ser ejecutado en el exterior, no requiere de la aprobación del Congreso conforme a este segundo aparte del Artículo 126 de la Constitución. En cambio, si requeriría de dicha aprobación, en virtud de la primera parte de dicho Artículo, si la Ley no permitiera su realización sin la aprobación del Congreso.

Por tanto, al contrato celebrado entre PDVSA y la empresa Veba Oel AG, sociedad extranjera no domiciliada en el país, a pesar de ser un contrato de interés público nacional, en virtud de que tiene por objeto la cooperación entre las dos empresas respecto de la industria petrolera y petroquímica en la República Federal Alemana, y la adquisición de unas acciones de una empresa extranjera para refinar crudos venezolanos, y por tanto, no tener lugar su ejecución en el territorio nacional, no se le aplica la exigencia del segundo párrafo del Artículo 126 de la Constitución, y tampoco, por esa vía, debía ser aprobado por el Congreso.

CONCLUSIÓN

En virtud de lo anteriormente expuesto, puede concluirse en lo siguiente:

1. El contrato celebrado entre PDVSA y la empresa Veba Oel AG es un contrato de interés nacional.

2. En virtud de que la Ley Orgánica que reserva al Estado la Industria y el Comercio de los Hidrocarburos no exige la aprobación legislativa para este tipo de contratos y permite su celebración por parte de los entes indicados en el Artículo 6°, Petróleos de Venezuela S. A., conforme a sus Estatutos, podía celebrar dicho contrato sin necesidad de someterlo a la aprobación del Congreso.

3. No puede considerarse a dicho contrato como un convenio de asociación a los efectos del Artículo 5° de la Ley Orgánica que reserva al Estado la Industria y el Comercio de los Hidrocarburos, en virtud de que no tiene por objeto la realización de actividades reservadas por dicha Ley al Estado venezolano.

4. A pesar de que se trata de un contrato de interés público nacional celebrado con una sociedad extranjera no domiciliada en el país, el contrato suscrito entre PDVSA y la empresa Veba Oel AG no requiere aprobación del Congreso en los términos establecidos en el segundo párrafo del Artículo 126 de la Constitución, en virtud de que esa parte del Artículo se aplica exclusivamente a contratos cuya ejecución se lleve a cabo en el exterior.

Sección Cuarta: Sobre Petróleos de Venezuela S.A. como instrumento del Estado

Este es el texto del estudio sobre "El carácter de Petróleos de Venezuela S.A. como instrumento del Estado en la Industria Petrolera," en *Revista de Derecho Público*, Nº 23, Editorial Jurídica Venezolana, Caracas, julio-septiembre 1985, pp. 77-86.

I. LA RESERVA DE LA INDUSTRIA PETROLERA AL ESTADO

Mediante la Ley Orgánica que reserva al Estado la Industria y el Comercio de los Hidrocarburos del 29 de agosto de 1975,[1] el Estado Venezolano nacionalizó esta industria, transformando de manera general en el sector, la propiedad privada de las empresas petroleras en propiedad pública, mediante la reserva que hizo de la industria y el comercio de los hidrocarburos; y adquiriendo la propiedad de las empresas, reestructuró, así, la economía nacional. El Estado, mediante la Ley de reserva de 1975, por supuesto, no nacionalizó los recursos naturales del subsuelo y entre ellos los hidrocarburos, pues estos nunca han sido bienes susceptibles de apropiación privada, y siempre, en toda la historia de la República, han sido de propiedad pública. Lo "que se nacionalizó fue la actividad industrial y comercial en relación a los hidrocarburos.

El fundamento constitucional de la nacionalización en Venezuela está en la figura de la reserva de actividades económicas por el Estado, prevista en la Constitución vigente de 1961, siguiendo la orientación establecida en la Constitución de 1947. En efecto, el artículo 97 de la Constitución establece expresamente la posibilidad que tiene el Estado de "reservarse determinadas industrias, explotaciones o servicios de interés público por razones de conveniencia nacional." Se

---

[1] Véase *Gaceta Oficial* N° 1.769 Extra, de 29-8-75.

abrió así la posibilidad, no sólo de que el Estado realice actividades empresariales, sino que las realice en forma exclusiva, reservada, excluyendo a los particulares del ámbito de las mismas. Esta reserva, sin duda, tiene por efecto fundamental establecer una limitación a la libertad económica de los individuos, excluyéndola del sector reservado. En esta forma, la reserva de actividades económicas por parte del Estado conlleva básicamente una prohibición impuesta a los particulares de realizar actividades propias del sector reservado, lo que afecta tanto a aquellos particulares o empresas que venían realizando actividades en el sector, como a cualquier particular o empresa que pretendiera, en el futuro, realizar dichas actividades. Después de la reserva, por tanto, los particulares que operan en el sector no pueden continuar realizando sus actividades, y hacia el futuro, ningún otro particular puede realizar nuevas actividades en el sector. La libertad económica en el mismo ha sido excluida y es imposible ejercerla.

En materia petrolera, la Ley de reserva, además, estableció la obligatoriedad para todas las empresas concesionarias que operaban en la industria y el comercio de los hidrocarburos que el Estado se reservó por razones de conveniencia nacional, de transferirle a éste la propiedad de los bienes pertenecientes a las mismas, afectados a la actividad reservada, mediando indemnización. Por tanto, la reserva no fue el único elemento del proceso de nacionalización. Este conllevó fundamentalmente una prohibición impuesta a los particulares de realizar actividades propias del sector reservado o nacionalizado, lo que afectó tanto a aquellos concesionarios o empresas que venían realizando actividades en el sector, como a cualquier otro particular o empresa, hacia el futuro. Después de la reserva, los concesionarios o empresas que operaban en el sector, no debían continuar realizando sus actividades; y hacia el futuro ningún otro particular podía ni puede realizar nuevas actividades en el sector. Por ello, la nacionalización no se agotó con la reserva, sino que requería de actos complementarios mediante los cuales se asegurara que la gestión de las empresas y bienes existentes afectados a la industria y el comercio de los hidrocarburos, lo cual se nacionalizaba, se transfirieran al Estado, y que la actividad productiva o de servicios no se detuviera ni entorpeciera.

De allí que la reserva estuviese acompañada, como lo exige el ordenamiento jurídico venezolano, de la expropiación de los bienes afectados a los procesos productivos o de servicios de la empresa que operaban en el sector nacionalizado, para asegurar el traspaso rápido de los bienes de los concesionarios al Estado, mediante justa indemnización con las garantías de un debido proceso.

La nacionalización petrolera en Venezuela, por tanto, se hizo con estricto apego al ordenamiento jurídico vigente, además de haber sido un proceso político, políticamente realizado, sin la producción de conflictos con las empresas concesionarias, y sometido a un amplísimo debate político-democrático en el país. Por eso, la nacionalización petrolera en Venezuela, afortunadamente, no fue un proceso que condujo a confrontaciones con las empresas transnacionales, es decir, no fue un proceso traumático, sino que se caracterizó por ser una nacionalización concentrada, para cuya realización se acudió a las figuras que permitía el ordenamiento jurídico: la reserva al Estado de sectores económicos y el pago de la indemnización por la apropiación, por el Estado, de los bienes que estaban afectados a la actividad reservada; sin que esto se hubiese realizado violentando ni el orden jurídico ni el derecho que correspondía a las empresas transnacionales. Venezuela, así, indemnizó la nacionalización, o si se quiere, evitó el conflicto.

Ahora bien, la Ley Orgánica que reserva al Estado la Industria y el Comercio de los Hidrocarburos, de 1975, estableció, siguiendo la orientación constitucional, "que se reserva al Estado", por razones de conveniencia nacional, todo lo relativo a "la exploración del territorio nacional en búsqueda de petróleo, asfalto y demás hidrocarburos; a la explotación de yacimientos de los mismos; a la manufactura o refinación, transporte por vías especiales y almacenamiento; al comercio exterior e interior de las sustancias explotadas y refinadas, y a las otras que su manejo requiera, en los términos señalados por esta Ley" (art. 1).

Este artículo de la Ley estableció, en primer lugar, la reserva a favor del Estado de la actividad económica relacionada con la industria y comercio de los hidrocarburos. La consecuencia fundamental de esta reserva, fue en primer lugar, la extinción de las concesiones otorgadas para la exploración de los hidrocarburos a empresas particulares, con anterioridad a la Ley, extinción que se hizo efectiva el día 31 de diciembre de 1975; y en segundo lugar, el establecimiento de un monopolio de derecho a favor del Estado ya que, conforme a lo que establece el artículo 5º de la Ley, el Estado ejercerá todas esas actividades reservadas "directamente por el Ejecutivo Nacional o por medio de entes de su propiedad", pudiendo celebrar los convenios operativos necesarios para la mejor realización de sus funciones, sin que en ningún caso estas gestiones afecten la esencia misma de las actividades atribuidas.

Por ello, no sólo se trató de establecer una reserva a favor del Estado, sino que la Ley, además, conllevó a una verdadera nacionalización, es decir, a la asunción por parte del Estado de las actividades económicas que venían estando a cargo de las empresas concesionarias. A tal efecto, la Ley, estableció los mecanismos necesarios para expropiar a dichas empresas, si acaso no se llegaba a un arreglo amigable o avenimiento en relación al monto de la correspondiente indemnización. De acuerdo a la Ley Orgánica (arts. 12 a 15), el Ministro de Minas e Hidrocarburos presentó a las veintidós empresas concesionarias las ofertas de indemnización, previéndose el pago de acuerdo a dos sistemas: una parte pagada en efectivo, cancelándose el material existente para el 31 de diciembre; y otra para el pago por concepto de equipos e instalaciones, que debía efectuarse en bonos de la deuda pública, conforme a lo autorizado por el artículo 16 de la Ley. Las empresas concesionarias contestaron a la oferta presentada por el Ejecutivo Nacional dentro de los 15 días siguientes, y como consecuencia de ello, se llegó, entre el Ejecutivo Nacional y las empresas concesionarias, a un avenimiento, el cual se hizo constar en las llamadas Actas-Convenios, suscritas por el Procurador General de la República y las empresas concesionarias, conforme a las instrucciones impartidas por el Ejecutivo Nacional por órgano del Ministerio de Minas e Hidrocarburos; Actas de Avenimiento o Convenios cuyos efectos se producirían para la fecha de extinción de las concesiones, es decir, para el 31 de diciembre de 1975. De acuerdo a lo previsto en el artículo 12 de la Ley, el Ejecutivo Nacional, por órgano del Ministerio de Minas e Hidrocarburos, sometió las Actas Convenios a la aprobación y consideración de las Cámaras Legislativas, en sesión conjunta, habiéndose iniciado el debate en el Congreso el día 10 de diciembre. Las Actas Convenios fueron aprobadas y el acuerdo de aprobación respectivo fue publicado el 18 de diciembre de 1975[2] y de acuerdo a dichas Actas se pagó una indemnización estimada para el 31 de diciembre de 1975, a las principales empresas concesionarias y participantes, que ascendió a la cantidad de cuatro mil trescientos cuarenta y siete millones, novecientos treinta mil trescientos cincuenta y dos bolívares (Bs. 4.347.930.352,00).

La Ley había previsto mecanismos para expropiar a las empresas concesionarias si no se lograba el avenimiento previsto en el artículo 12 de la Ley, pero no fue necesario acudir a dicho procedimiento, ya que se logró el acuerdo. En la Cláusula Cuarta de las Actas Convenios suscritas por la República y algunas de las principales empresas concesionarias, se establecieron las bases para que éstas procedieran a constituir sendas compañías anónimas que progresivamente irían asumiendo la operación integral de la industria; compañías anónimas, que luego serían traspasadas a la República, al extinguirse las concesiones el 31 de diciembre de 1975, tal como sucedió, y que luego pasaron a ser filiales de Petróleos de Venezuela, S.A.

II. LA GESTIÓN DE LA ACTIVIDAD RESERVADA A TRAVÉS DE EMPRESAS DEL ESTADO

De acuerdo a la Ley que reserva al Estado la Industria y el Comercio de los Hidrocarburos, el Estado debía ejercer "las actividades reservadas, directamente por el Ejecutivo Nacional o por medio de entes de su propiedad" (art. 15), con lo cual teóricamente, el legislador dejó a la decisión del Ejecutivo Nacional el atender la industria nacionalizada a través de la propia Administración Central ("directamente por el Ejecutivo Nacional", dice el artículo 5°) o a través de la Administración descentralizada del Estado ("por medio de entes de su propiedad" agrega el mismo artículo 5°). Sin embargo, a pesar de esta aparente libertad, en realidad la Ley dio directamente la pauta al Ejecutivo Nacional para la administración de la industria petrolera a través de formas descentralizadas. El artículo 6° de la Ley, en efecto, precisó que a los fines de ejercer las actividades nacionalizadas, "el Ejecutivo Nacional organizará la administración y gestión de las actividades reservadas" en la siguiente forma:

2 Véase *Gaceta Oficial* N° 1.784 Extra, de 18-11-75.

1. Creará, con las formas jurídicas que considere convenientes, las empresas que juzgue necesario para el desarrollo regular y eficiente de tales actividades, pudiendo atribuirles el ejercicio de una o más de éstas, modificar su objeto, fusionarlas o asociarlas, extinguirlas o liquidarlas y aportar su capital a otra u otras de esas mismas empresas. Estas empresas serán de la propiedad del Estado, sin perjuicio de lo dispuesto en la base segunda de este artículo, y en caso de revestir la forma de sociedades anónimas, podrán ser constituidas con un solo socio.

2. Atribuirá a una de las empresas las funciones de coordinación, supervisión y control de las actividades de las demás, pudiendo asignarle la propiedad de las acciones a cualquiera de esas empresas.

3. Llevará a cabo la conversión en sociedad mercantil de la Corporación Venezolana del Petróleo creada mediante decreto Nº 260, de 19 de abril de 1960.

4. A los solos fines de agilizar y facilitar el proceso de nacionalización de la industria petrolera, el Ejecutivo Nacional constituirá o hará constituir las empresas que estime convenientes las cuales, al extinguirse las concesiones, pasarán a ser propiedad de las empresas previstas en la base segunda de este artículo.

5. A los fines de proveer a la empresa prevista en la base segunda de recursos suficientes para desarrollar la industria petrolera nacional, las empresas operadoras constituidas conforme a las bases primera, tercera y cuarta, según sea el caso, entregarán mensualmente a aquélla una cantidad de dinero equivalente al diez por ciento (10%) de los ingresos netos provenientes del petróleo exportado por ellas durante el mes inmediatamente anterior. Las cantidades así entregadas estarán exentas del pago de impuesto y contribuciones nacionales y serán deducibles para las empresas operadoras a los fines del impuesto sobre la renta.

El artículo 7º de la Ley agrega que "las empresas a que se refiere el artículo anterior se regirán por la presente Ley y sus reglamentos, por sus propios estatutos, por las disposiciones que dicte el Ejecutivo Nacional y por las del derecho común que les fueren' aplicables."

El artículo 8° de la Ley señala, por último, que "los Directivos, Administradores, empleados y obreros de las empresas a que se refiere el artículo 6° de la Ley, inclusive los de la Corporación Venezolana del Petróleo una vez convertida en sociedad mercantil, no serán considerados funcionarios o empleados públicos." Sin embargo, "a los Directivos o administradores se les aplicarán las disposiciones de los artículos 123 y 124 de la Constitución."

De acuerdo a estas normas, no hay duda en que la intención del Legislador fue estructurar la Administración Petrolera Nacionalizada a través de empresas del Estado (entes o personas estatales), con forma de sociedad mercantil y por tanto, con un régimen mixto de derecho público y de derecho privado, aun cuando preponderantemente de derecho privado, dada la forma jurídica societaria elegida.

La aparente posibilidad de que el Estado pudiere ejercer las actividades reservadas "directamente por el Ejecutivo Nacional" en cuanto se refiere a las actividades que se venían realizando por empresas privadas de capital extranjero y que se nacionalizaban, estaba desvirtuada en la propia ley (arts. 6, 7 y 8), al "sugerir" la constitución de empresas (entes de propiedad del Estado, como lo señala el artículo 5°) con forma de sociedad mercantil.

En efecto, al día siguiente de la promulgación de la Ley de Nacionalización de la Industria Petrolera, el Presidente de la República "considerando" que era "de prioritaria necesidad proceder a la constitución e integración de las empresas estatales que tendrán a su cargo la continuación y desarrollo de la actividad petrolera reservada al Estado", dictó el Decreto N° 1.123 del 30 de Agosto de 1975,[3] mediante el cual se creó a Petróleos de Venezuela, S.A., como "una empresa estatal, bajo la forma de Sociedad Anónima, que cumplirá y ejecutará la política que dicte en materia de hidrocarburos el Ejecutivo Nacional por órgano del Ministerio de Minas e Hidrocarburos, en las actividades queje sean encomendadas" (art. 1), dictándose además, sus estatutos (art. 2).

[3] Véase *Gaceta Oficial* N° 1.770 Extra, de 30-8-75,.

La empresa se creó con un capital representado en acciones de la exclusiva propiedad de la República, como única accionista, y los estatutos sociales de la misma fueron registrados en el Registro Mercantil respectivo el día 15 de septiembre de 1975 Nº 23, Tomo 99-A.[4]

Conforme a la orientación señalada; por tanto, el Ejecutivo Nacional, procedió a la creación de una empresa estatal, bajo la forma de sociedad anónima, que debe cumplir la política que dicte en materia de hidrocarburos el Ejecutivo Nacional, por órgano del Ministerio de Minas e Hidrocarburos, en las actividades que le sean encomendadas (art. 1). Petróleos de Venezuela, S.A., por tanto es una "empresa estatal" o empresa del Estado, de propiedad íntegra del mismo y que responde a las políticas que aquel dicte, y como tal, está integrada dentro de la organización general de la Administración del Estado, como ente de la administración descentralizada, pero con forma jurídica de sociedad anónima, es decir, de persona de derecho privado.

En cuanto a las empresas operadoras, resultó clara la intención del legislador de crearlas con forma ele sociedad anónima, cuyas acciones debían ser tenidas en propiedad por la empresa matriz Petróleos de Venezuela, S.A. La propia Ley Orgánica de Reserva, como se dijo, en su base tercera, había dispuesto la conversión del Instituto Autónomo Corporación Venezolana del Petróleo en sociedad anónima, lo cual se cumplió en diciembre de 1975. En ese mismo mes, y conforme a la base cuarta se constituyeron las restantes trece empresas operadoras, también con forma societaria.

De esta manera, tanto Petróleos de Venezuela, S.A., como las catorce operadoras iniciales se constituyeron en el ordenamiento jurídico venezolano, como personas jurídicas estatales con forma de derecho privado; y en el ámbito económico, como empresas públicas o, más propiamente, como empresas del Estado. En la actualidad, igual naturaleza jurídico-económica tienen las filiales de Petróleos de Venezuela: las cuatro operadoras petroleras (Lagoven, Maraven, Meneven y Corpoven); la empresa Petroquímica (Pequiven); la empresa de investigaciones petroleras (Intevep); y la empresa para compras y suministros (Bariven).

---

4 Véase en *Gacela Municipal del Distrito Federal*, Nº 413 de 25-9-75.

III. LA SUJECIÓN DE PETRÓLEOS DE VENEZUELA, S.A. A LAS POLÍTICAS Y PRESCRIPCIONES QUE ESTABLEZCA EL EJECUTIVO NACIONAL EN EL SECTOR

La identificación de la naturaleza jurídica de Petróleos de Venezuela, S.A. como persona estatal con forma jurídica de derecho privado, plantea, sin duda, como consecuencia, que el régimen jurídico aplicable a la misma sea un régimen mixto, tanto de derecho público como de derecho privado, aun cuando preponderantemente de derecho privado, debido a su forma, pero no exclusivamente.

En efecto, de acuerdo a la Ley Orgánica que reserva al Estado la Industria y el Comercio de los Hidrocarburos, y a los antecedentes e intenciones de los proyectistas, Petróleos de Venezuela, S.A., es una sociedad anónima que, como tal y por la flexibilidad c independencia de su administración, está sometida al régimen de derecho privado de las sociedades anónimas. Sin embargo, es la propia Ley Orgánica la que establece el régimen excepcional, al indicar en su artículo 7° que las empresas del Estado que se constituyeron conforme a ella, entre las cuales está Petróleos de Venezuela, S.A., se regirán por la presente ley y sus reglamentos, por sus propios estatutos, por las disposiciones que dicte el Ejecutivo Nacional y por las del derecho común que les fueren aplicables." Además, la Cláusula Tercera de los Estatutos de la empresa que fueron reformados por el Decreto N° 250 de 23 de agosto de 1979,[5] expresamente lo ratificó: "La sociedad se regirá por la Ley Orgánica que Reserva al Estado la Industria y el Comercio de los Hidrocarburos, por los reglamentos de ella, por estos Estatutos, por las disposiciones que dicte el Ejecutivo Nacional y por las del derecho común que le fueren aplicables."

Conforme a estas disposiciones, ciertamente, Petróleos de Venezuela, S.A. tiene un régimen legal que permite diferenciarla claramente, no sólo de la Administración Pública centralizada y de los institutos autónomos, sino también de otras empresas del Estado; y para ello basta tener en cuenta que muy pocas empresas del Estado están sometidas, irrestrictamente, a "las disposiciones que dice el Ejecutivo Nacional" como está Petróleos de Venezuela, S.A., lo cual

---

5 Véase *Gaceta Oficial* N° 31.810 de 30-8-79.

abre un amplio margen a la aplicación de normas de derecho público a la empresa, por vía de actos administrativos unilaterales, sin necesidad de acudir a las fórmulas societarias, como la Asamblea, por ejemplo, así como a la posibilidad de que el Ejecutivo Nacional le imparta las instrucciones necesarias.

En la gestión financiera y patrimonial, la empresa tiene expresamente atribuidas facultades para "adquirir, vender, enajenar y traspasar, por cuenta propia o de terceros, bienes muebles e inmuebles; emitir obligaciones, promover como accionista o no, otras sociedades civiles o mercantiles y asociarse con personas naturales o jurídicas, todo conforme a la ley; fusionar, reestructurar o liquidar empresas de su propiedad; otorgar créditos, financiamiento, fianzas, avales o garantías de cualquier tipo, y, en general, realizar todas aquellas operaciones, contratos y actos comerciales que sean necesarios o convenientes para el cumplimiento del mencionado objeto (Cláusula Segunda de los Estatutos). Sin embargo, para realizar esa gestión patrimonial, la empresa está sometida, como se dijo, a las disposiciones que dicte el Ejecutivo Nacional.

De acuerdo a la Ley Orgánica, la empresa matriz de la industria petrolera nacionalizada, Petróleos de Venezuela, S.A., tiene por objeto fundamental la "coordinación, supervisión y control de las actividades de las demás empresas" (art. 6°, Base Segunda de la Ley Orgánica), y tal como lo precisa la Cláusula Segunda de sus Estatutos, "la sociedad tendrá por objeto planificar, coordinar y supervisar la acción de las sociedades de su propiedad, así como controlar que estas últimas en sus actividades de exploración, explotación, transporte, manufactura, refinación, almacenamiento, comercialización o cualquier otra de su competencia en materia de petróleo y demás hidrocarburos, ejecuten sus operaciones de manera regular y eficiente." En la realización de dicho objeto, en todo caso, la empresa está sometida a las disposiciones que dicte el Ejecutivo Nacional, además de toda la otra normativa que le es aplicable.

No hay que olvidar, en todo caso, que Petróleos de Venezuela es una empresa del Estado, que realiza esos objetivos por cuenta del Estado, que es quien se ha reservado la industria y el comercio de los hidrocarburos. Por ello, el propio decreto de creación de la empresa, modificado en 1979, considerando que ella tiene a su cargo "la continuación y desarrollo de la actividad petrolera reservada al Estado", precisa que ésta cumplirá y ejecutará la política que dicte en materia de hidrocarburos el Ejecutivo Nacional, por órgano del Ministro de Energía y Minas en las actividades que le sean encomendadas (art. 2).

Petróleos de Venezuela, S.A. fue concebida como una empresa matriz de toda la industria petrolera nacionalizada. Como tal, se la dotó de la organización propia de una sociedad anónima. Sin embargo, la organización societaria de la empresa está condicionada por la intervención de órganos estatales extraños, formalmente, a los órganos societarios.

La Asamblea, por ejemplo, sustantivamente no existe en cuanto a tal. Siendo la República la única accionista, la Asamblea puede ser una sola persona: el Ministro de Energía y Minas, quien en realidad cuando ejerce los derechos accionarios de la República manifiesta una voluntad unilateral de ésta, generalmente, a través de un acto administrativo. Los estatutos de Petróleos de Venezuela, sin embargo, han abierto la posibilidad de que los derechos accionarios de la República en la Asamblea estén representados por varios Ministros designados por el Presidente de la República, en cuyo caso, la Asamblea siempre estaría presidida por el Ministro de Energía y Minas (Cláusula Undécima). La decisión conjunta de estos Ministros, aun cuando no revista la forma de Resolución, también sería un acto administrativo individual.

Por otra parte, al contrario de lo que normalmente sucede en las sociedades anónimas, la Asamblea como tal, no designa a los miembros del Directorio de Petróleos de Venezuela; éste está integrado por once miembros "designados mediante decreto por el Presidente de la República" junto .con sus suplentes (Cláusula Décima Séptima); correspondiendo al Presidente, en el mismo decreto de nombramiento, el señalamiento de los Directores que deben dedicarse en forma exclusiva a sus funciones dentro de la sociedad (Cláusula vigésima). En estos supuestos se confirma que el accionista único, la República, ejerce sus derechos accionarios como tiene que ser: unilateralmente, a través de sus órganos mediante actos administrativos individuales. Por ello, Petróleos de Venezuela, S.A. como persona jurídica estatal, también está sometida a un régimen de dirección y control por parte de diversas instancias estatales.

En efecto, uno de los elementos de mayor importancia que caracteriza a las personas jurídicas estatales, derivado precisamente de su integración a la estructura general del Estado, es el régimen de dirección y control que se traduce en relaciones concretas entre la persona jurídica estatal descentralizada y la Administración Central. En esta forma, Petróleos de Venezuela, S.A. está sometida a diversos tipos de controles públicos: control parlamentario, control fiscal y control ejecutivo (administrativo y accionario).

En cuanto al control ejecutivo, ante todo es necesario señalar que la empresa Petróleos de Venezuela, S.A. debe cumplir y ejecutar "la política que dicte en materia de hidrocarburos el Ejecutivo Nacional, por órgano del Ministerio de Energía y Minas, en las actividades que le sean encomendadas", según lo dispone el artículo 1° del Decreto N° 1.123, de 30 de agosto de 1975, de creación de Petróleos de Venezuela, S.A. De acuerdo a esta norma, como ente de la Administración Descentralizada, Petróleos de Venezuela es una institución del Estado (su instrumento), ejecutora de ¡a política de hidrocarburos que dicte el Ejecutivo Nacional. Sin duda, esta es la primera manifestación del control administrativo que se ejerce sobre la empresa: la posibilidad que tiene el Ejecutivo Nacional de definirle la política que debe seguir en el campo de la industria petrolera; y esta definición de política no se realiza necesariamente por medio de las formas societarias –es decir, mediante la Asamblea–, sino por decisiones unilaterales del Ejecutivo Nacional. Dentro de esta orientación, por ejemplo, debe indicarse que el Decreto N° 1.454, de 9 de marzo de 1976[6] mediante el cual se aprobó formalmente el V Plan de la Nación, lo hizo de obligatorio cumplimiento por parte de las empresas del Estado, entre las cuales estaba Petróleos de Venezuela, S.A., la cual debió ajustarse, en su actuación, a las estrategias, políticas, programas y metas del Plan (art. 3).

Por otra parte, como se ha visto, Petróleos de Venezuela, S.A., se rige, además de por la Ley Orgánica que Reserva al Estado la Industria y el Comercio de los Hidrocarburos, por los reglamentos de ella, por sus Estatutos, y por las disposiciones del derecho común que le sean aplicables, por las disposiciones que dicte el Ejecutivo Nacional (Cláusula Tercera de los Estatutos), con lo que se abre un campo

---

[6] Véase *Gaceta Oficial* N° 186, Extr. del 11 de marzo de 1976.

muy amplio para el ejercicio de facultades de dirección y control administrativo de parte del Ejecutivo Nacional sobre la empresa. En ejercicio de esta potestad del Ejecutivo, inclusive de carácter estatutario, éste puede determinar las modalidades y formas como Petróleos de Venezuela deba realizar determinadas funciones, para lo cual no se exige en el ordenamiento aplicable a la empresa, ningún acto formal.

En la reforma de los Estatutos de Petróleos de Venezuela, S.A., formulada por el Decreto Nº 250, del 23 de agosto de 1979, se aclaró y definió aún más expresamente el ámbito del control político-administrativo sobre la empresa, al agregarse a la Cláusula Segunda que se refiere al objeto de la sociedad, lo siguiente:

> "El cumplimiento del objeto social deberá llevarse a cabo por la sociedad bajo los lineamientos y las políticas que el Ejecutivo Nacional a través del Ministerio de Energía y Minas establezca o acuerde, en conformidad con las facultades que le confiere la Ley.
>
> "Las actividades que realice la empresa a tal fin estarán sujetas a las normas de control que establezca dicho Ministerio en ejercicio de la competencia que le confiere el artículo 7 de la Ley Orgánica que Reserva al Estado la Industria y el Comercio de los Hidrocarburos."

Por tanto, a partir de la reforma estatutaria de agosto de 1979, no hay duda respecto de las facultades de dirección y de control del Ministerio de Energía y Minas sobre la empresa: por una parte, potestades de dirección previa general, mediante el establecimiento de los lineamientos y políticas que deben guiar la acción de .la empresa en la realización de su objeto social; y por la otra, la posibilidad de establecer diversos mecanismos de control posterior o concomitante respecto de las actividades que realice la empresa.

De lo anterior resulta claro, en consecuencia, que el Ejecutivo Nacional, a través del Ministerio de Energía y Minas, tiene legal y estatutariamente, las más amplias facultades de dirección y control sobre Petróleos de Venezuela, S.A., poderes que sin embargo, normalmente ha usado de manera de no entorpecer la actividad comercial de la empresa. Estas potestades del Ministerio de Energía y Minas, por otra parte, se corroboran n la Ley Orgánica de la Administración Central de 1976[7] dictada con posterioridad a la Ley de nacionalización de 1975. En dicha Ley Orgánica, entre las atribuciones y deberes comunes de los Ministros, incluso el de Energía y Minas, están las siguientes (art. 20):

1. Orientar, dirigir, coordinar, supervisar y controlar las actividades del Ministerio; y

12. Ejercer la representación de las acciones pertenecientes a la República en las Corporaciones Sectoriales de Empresas del Estado que se les asigne.

En cuanto al Ministerio de Energía y Minas, de acuerdo al artículo 35 de dicha Ley Orgánica, le corresponde "la planificación y la realización de las actividades del Ejecutivo Nacional en materia de minas, hidrocarburos y energía en general, que comprende lo relativo al desarrollo, aprovechamiento y control de los recursos naturales no renovables y de otros recursos energéticos, así como de las industrias minera, petrolera y petroquímica", y en particular, las siguientes actividades:

1. La fijación y ejecución de la política de investigación, desarrollo, fiscalización, control y conservación de los recursos energéticos, así como de la industria petrolera, petroquímica y minera.

2. El fomento de la exploración minera y de hidrocarburos, así como de la explotación de ambos recursos.

3. La planificación y control de la producción, distribución y consumo de las distintas clases de energía.

4. La inspección y fiscalización de las empresas petroleras, petroquímica y minera y de aquellas que ejerzan cualesquiera otras actividades conexas. La liquidación de las rentas correspondientes al ramo de minas e. hidrocarburos.

---

[7] Véase *Gaceta Oficial* Nº 1.932 Extr. de 28-12-76.

5. El control de la administración de las explotaciones establecidas o que estableciere el Estado sobre yacimientos o industrias conexas con la minería o los hidrocarburos. Concertar los arreglos con el capital privado cuyo concurso sea necesario para dichas explotaciones.

6. Los estudios geológicos, la investigación, evaluación y catastro de los recursos mineros y de hidrocarburos, y la preparación, recopilación, conservación y sistemas de utilización de la información correspondiente, en todas sus formas y modalidades.

7. Los programas de producción, el estudio de mercados y el análisis y fijación de precios de los productos de la minería y del petróleo.

8. El estudio del estado económico-financiero de las industrias petroleras, petroquímica y minera existentes en el país. La investigación y el análisis en materia de economía petrolera y minera y la intervención en la conservación y el comercio de los recursos naturales no renovables del país, así como de sus derivados. El estudio y evaluación de los proyectos mineros, petroleros y petroquímicos.

9. En coordinación con el Ministerio del Ambiente y de los Recursos Naturales Renovables, la prevención de la contaminación del medio ambiente derivada de explotaciones energéticas, mineras o de hidrocarburos.

10. La adopción de las medidas que juzgue convenientes acerca de las solicitudes relativas a contribuciones sobre la industria minera y de hidrocarburos.

11. La verificación de si los trabajos de los concesionarios y de las empresas del Estado se ejecutan de conformidad con las disposiciones aplicables, a los efectos de aprobar o no la ejecución de las obras o de su destrucción o traslado, cuando puedan ser afectados los yacimientos o la explotación, manufactura o transporte mismos.

12. La planificación y desarrollo de las industrias minera, petrolera, petroquímica y energética del Estado.

13. Las estadísticas de minas, hidrocarburos y energía en general.

De acuerdo a todas estas atribuciones, el Ministro de Energía y Minas, tiene los más amplios poderes de decisión en relación al desarrollo de la industria petrolera que se realiza a través de Petróleos de Venezuela, S.A., en relación a la cual puede adoptar sus decisiones en la más variada forma: una Resolución Ministerial, una instrucción, una circular, y en general una orden o providencia administrativa que no requiere de forma jurídica precisa alguna.

En efecto, de acuerdo a la Ley Orgánica de Procedimientos Administrativos de 1981, "las Resoluciones son decisiones de carácter general o particular adoptadas por los Ministros por disposición del Presidente de la República o por disposición específica de la Ley", en cuyo caso, "deben ser suscritas por el Ministro respectivo" (art. 16). Por tanto, la formalidad de una "Resolución", publicable en Gaceta Oficial sólo se exige cuando se trata de un acto de efectos generales o que interesen a un número indeterminado de personas (art. 72). Pero si se trata de una decisión del Ministro de Energía y Minas de carácter interno, es decir, destinada a su propia administración ministerial, o a los organismos del sector, de acuerdo a la Ley Orgánica de Procedimientos Administrativos, pueden "adoptar las formas de instrucciones o circulares" (art. 17) e incluso tratarse de "órdenes o providencias" y a tales efectos, la ley no prescribe forma precisa o sacramental alguna. Por tanto, legalmente, una instrucción a un órgano administrativo de la organización ministerial puede ser dada, por ejemplo, en la presentación de una "cuenta", e incluso verbalmente: y en cuanto a las instrucciones a los entes descentralizados que están adscritos al Ministerio, el Ministro puede instituirlos, en cualquier forma, incluso verbalmente; y si se trata de empresas del Estado, ello puede suceder, incluso, mediante opiniones que configuren decisiones de la Asamblea de la empresa.

QUINTA PARTE:
LA DEFENSA DE LAS BASES JURÍDICAS DE LA POLÍTICA DE LA APERTURA PETROLERA

(En colaboración con el profesor Román José Duque Corredor)

En el marco del desarrollo de la política llamada de la "Apertura Petrolera" que permitía la participación de capital privado en las actividades petroleras nacionalizadas, definida conforme a las previsiones del artículo 5 de la Ley de Nacionalización Petrolera de 1975, el Congreso de la República, mediante Acuerdo de fecha 4 de Julio de 1.995, autorizó a Petróleos de Venezuela S.A. y sus empresas filiales para celebrar *Convenios para la Exploración a Riesgo de Nuevas Áreas y la Producción de Hidrocarburos bajo el Esquema de Ganancias Compartidas.*

Dicho Acuerdo fue impugnado por un grupo de ciudadanos, Simón Muñoz Armas, Elías Eljuri Abraham, Trino Alcides Díaz, Alí Rodríguez Araque, Luis Fuenmayor Toro, Adina Bastidas y otros, mediante demanda de nulidad por ilegalidad e inconstitucionalidad intentada el 14 de diciembre de 1.995 ante la Sala Político-Administrativa de la Corte Suprema de Justicia, a la cual se acumularon otra serie de demandas.

Petróleos de Venezuela S.A. nos solicitó, al Dr. Román José Duque Corredor y a mi persona, que estudiásemos la impugnación y si lo considerábamos pertinente que asumiéramos, en su representación, la defensa de la constitucionalidad del Acuerdo que era uno de los pilares del proceso de Apertura Petrolera.

Asumimos la defensa del Acuerdo parlamentario y presentamos ante la Corte Suprema de Justicia el correspondiente escrito de Informes, en el cual ratificamos nuestra oposición a los recursos de nulidad intentados. El texto de los Informes se publicó en el libro Allan R. Brewer-Carías, *Crónica de una Destrucción. Concesión, Nacionalización, Apertura, Constitucionalización, Desnacionalización, Estatización, Entrega y Degradación de la Industria Petrolera,* Editorial Jurídica Venezolana, Caracas 2018, pp. 487-546.

En dichos Informes formulamos los siguientes argumentos en defensa del Acuerdo, los cuales fueron acogidos en su totalidad por la Corte.

CAPITULO I. EL ACTO IMPUGNADO

El acto impugnado es el Acuerdo del Congreso de la República dictado con fundamento en el artículo 5° de la Ley Orgánica que Reserva al Estado la Industria y el Comercio de los Hidrocarburos, el cual estipula que para la celebración de los Convenios de Asociación con entes privados en ella regulados,

> "Se requerirá la previa autorización de las Cámaras en sesión conjunta, dentro *de las condiciones que fijen,* una vez que hayan sido debidamente informadas por el Ejecutivo Nacional de todas las circunstancias pertinentes"

Este Acuerdo del Congreso constituye un acto parlamentario sin forma pero con rango de ley que tiene su fundamento último en el artículo 126 de la Constitución que regula dos formas de intervención del Congreso en la contratación administrativa: la intervención previa, autorizatoria de los contratos de interés nacional, y la intervención posterior, aprobatoria de los mismos. Dicho artículo, en cuanto a la modalidad de autorización previa, en efecto, establece que en ningún caso puede:

> "procederse al otorgamiento de nuevas concesiones de hidrocarburos ni de otros recursos naturales que determine la ley, sin que las Cámaras en sesión conjunta, debidamente informadas

por el Ejecutivo Nacional de todas las circunstancias pertinentes, lo autoricen *dentro de las condiciones que fijen y* sin que ello dispense del cumplimiento de las formalidades legales"

La autorización legislativa previa prevista en el artículo 5° de la Ley Orgánica que Reserva al Estado la Industria y el Comercio de los Hidrocarburos, en consecuencia, participa de la misma naturaleza jurídica de la consagrada en el artículo 126 de la Constitución. En ambos casos, se trata de un Acuerdo del Congreso adoptado por las Cámaras en sesión conjunta, en congruencia con lo dispuesto en la Disposición Transitoria Décima Tercera de la Constitución, que tiene la forma jurídica de un acto parlamentario sin forma pero con rango de ley que, según lo decidido por la Corte Suprema de Justicia al dictar el Acuerdo de interpretación del artículo 42, ordinal 1° de su Ley Orgánica en sentencia de 25-1-94 (que ratifica la de la Sala Político-Administrativa de 14-9-93), son actos estatales:

> "emitidos por los cuerpos legislativos nacionales, en ejecución directa e inmediata de disposiciones constitucionales, teniendo por tanto, sin serlo, rango equiparable al de la Ley." [1]

Siendo estos Acuerdos actos parlamentarios sin forma pero con rango de ley, el contenido de los mismos, como lo dice el artículo 126 de la Constitución y 5° de la Ley Orgánica que Reserva al Estado la Industria y el Comercio de los Hidrocarburos, para el caso de una contratación administrativa específica, es el de autorizarla antes de su celebración *fijando las condiciones* dentro de las cuales los contratos específicos deben celebrarse. Ni la Constitución ni la ley establecen límite o parámetro expreso al Congreso para fijar dichas condiciones, siendo los límites del ejercicio de la competencia por las Cámaras Legislativas, lo que establecen la Constitución y las leyes, de manera que dicha decisión no puede ser inconstitucional ni ilegal, teniendo dichas condiciones jerarquía igual a la de la Ley (Sentencia de la Sala Político Administrativa de 14-09-93).

---

1 Véase en Allan R. Brewer-Carías y Luis Ortiz Álvarez, *Las grandes decisiones de la Jurisprudencia Contencioso-Administrativa 1961-1996,* Caracas 1996, pp. 472-474.

Precisamente por ello, es que carecen de fundamento los impugnantes, quienes partiendo de erradas apreciaciones y falsos supuestos sostienen que las Cláusulas Segunda, Cuarta, Décima y Décima Séptima violarían normas constitucionales; y que las Cláusulas Primera, Segunda, Cuarta, Sexta, Décima y Vigésima Primera violarían diversas normas legales.

A continuación pasamos a contradecir los alegatos y argumentaciones esgrimidos por los recurrentes.

CAPITULO II: IMPROCEDENCIA DE LA DENUNCIA DE INCONSTITUCIONALIDAD E ILEGALIDAD DE LA CLÁUSULA SEGUNDA DEL ARTÍCULO 2° DEL ACUERDO DEL CONGRESO QUE ESTABLECIÓ EL MARCO DE CONDICIONES DE LA AUTORIZACIÓN PARA LA CELEBRACIÓN DE LOS CONVENIOS DE ASOCIACIÓN

Denuncian los recurrentes la supuesta inconstitucionalidad de la Cláusula mencionada, porque en su criterio, el establecer que la Filial designada de PETRÓLEOS DE VENEZUELA S.A., –en adelante PDVSA–, "llevará a cabo los procesos de licitación que sean necesarios para seleccionar a las empresas inversionistas privadas con las cuales celebrará Convenios de Asociación para realizar las actividades descritas en la Condición Primera, conforme al artículo 5° de la Ley Orgánica que Reserva al Estado la Industria y el Comercio de los Hidrocarburos," constituye una transferencia de competencias exclusivas y excluyentes del Ministerio de Energía y Minas a dicha Filial, y que por ello, la Cláusula denunciada infringe lo dispuesto en los artículos 163, 193, 136, ordinal 10° y 190, ordinal 15°, todos de la Constitución, así como el artículo 35, ordinales 1° y 5°, de la Ley Orgánica de la Administración Central. En resumen, los recurrentes, en apoyo a su alegato, sostienen que el artículo 136, ordinal 10°, de la Constitución atribuye al Poder Nacional el régimen y administración de las minas e hidrocarburos, y que por otra parte, el artículo 193 del mismo Texto Fundamental, determina que los Ministros son los órganos directos del Presidente de la República, cuyas competencias se fijan en una Ley Orgánica, en concreto la Ley Orgánica de la Administración Central, que en su artículo 35, ordinales 1° y 2°, define las competencias correspondientes al Ministerio de Energía y Minas, que según el artículo 163, también de la Constitución, no puede ser desconocida por actos con rango de ley ordinaria, en este caso el Acuerdo del Congreso cuya nulidad se solicita parcialmente. Por último, los recurrentes, no obstante asentar que la competencia exclusiva y excluyente para celebrar los convenios de asociación corresponde al mencionado Despacho Ministerial, sin embargo, contradictoriamente también ostentan que la competencia es del Presidente de la República, en razón de lo dispuesto en el ordinal 15 del artículo 190 del Texto Fundamental, que señala: que es una atribución del Presidente de la República "(...) celebrar los contratos de interés nacional permitidos por esta Constitución y las leyes (...)."

En este orden de ideas, los recurrentes afirman, que " (Omissis), la Cláusula Segunda del Artículo 2° del Acuerdo del Congreso de la República de fecha 04-07-95, viola tales principios al transferir competencias que son exclusivas y excluyentes del Ministerio de Energía y Minas al (Sic.) una Filial de PDVSA. Tal es el caso de la competencia para licitar los derechos a ejercer actividades que le han sido previamente otorgados por dicho Ministerio. Insistimos, es al Ministerio de Energía y Minas a quien corresponde la competencia para: 1°) La fijación y ejecución de la política de las industrias petroleras, y 2°) Concertar los arreglos con el capital privado cuyo concurso sea necesario para dichas explotaciones." Y concluyen, afirmando que, "En consecuencia, cualquier contrato, convenio o asociación que se estableciere con particulares sin la intervención directa del Ministerio de Energía y Minas, es nulo de nulidad absoluta por colidir abiertamente con lo dispuesto en los artículos 163, 193 y 136, Ordinal 10° de la Constitución de la República y el artículo 35, Ordinales 1° y 5° de la Ley Orgánica de la Administración Central por lo que pedimos de esta Corte que así se declare."

Ahora bien, los anteriores argumentos resultan improcedentes en razón de que no es cierto que la Cláusula denunciada infrinja las normas citadas, como demostraremos de seguidas:

En efecto, en primer término, en razón de la forma federal del Estado venezolano (art. 2° de la Constitución), y de la existencia de entidades territoriales autónomas (arts. 16 y 25, del mismo Texto Fundamental), una de sus consecuencias es la separación entre el

Poder Público Nacional, Estadal y Municipal, razón por la cual la Constitución delimita las áreas de competencia de cada uno de los niveles territoriales del Poder Público del Estado (art. 117 *ejusdem*). Es así, como cada uno de estos niveles tiene atribuido en la misma Constitución las materias propias sobre las que ejerce su respectiva competencia (Arts. 17, 29, 30 y 136). Por ello, el artículo 136 *ejusdem*, determina las materias sobre las cuales el Poder Nacional puede legislar, según el ordinal 24 del mismo artículo citado. En otras palabras, que el indicado artículo 136 define la competencia del Poder Público Nacional frente a los Poderes Públicos Estadal y Municipal. Por ello, sus ordinales sólo podrían ser violados por los Estados y los Municipios, si en el ejercicio de la función de legislar de sus respectivos Poderes Legislativos locales sobre las materias que les son asignadas, en el ordinal 1° del artículo 20 y en el ordinal 2° del artículo 28 *ejusdem*, respectivamente, legislan sobre las materias que han sido atribuidas al Poder Nacional según el ya varias veces citado artículo 136. En concreto, que el Congreso de la República no podría nunca violar el artículo 136, ya citado, al estarle atribuida precisamente, en el artículo 139 *ejusdem*, la función de legislar sobre todas y cada una de las materias que por esa misma norma corresponden al Poder Nacional. Por el contrario, serían las Asambleas Legislativas de los Estados o los Concejos Municipales al ejercer sus respectivas funciones legislativas quiénes podrían infringir el artículo 136 citado, al legislar sobre alguna de las materias que aparecen atribuidas al Poder Nacional y que no les hubiera sido asignada en virtud del proceso de descentralización a que se contrae el artículo 137 de la Constitución.

Pero, es que además, en segundo término, en el caso de autos, en concreto, no existe violación del ordinal 10° del artículo 136 de la Constitución, por lo que los recurrentes llaman "transferencia de competencias exclusivas y excluyentes del Ministerio de Energía y Minas a una Filial de PDVSA." En efecto, de acuerdo con lo anteriormente expuesto, el mencionado artículo 136, lo que trata es de establecer un reparto de competencias entre el Poder Nacional, el Poder Estadal y el Poder Municipal, pero no específicamente de algún órgano dentro del Poder Nacional. Ello corresponde a la propia Constitución o a las leyes que dicte el Congreso. Por lo demás, si una materia en concreto es inequívocamente atribuida al Poder Nacional, y por ello es de su competencia exclusiva, su Poder Legislativo tiene absoluta libertad de regularla señalando específicamente cuál órgano u órganos habrán de desempeñarla dentro de dicho Poder Nacional. Además, esa asignación de competencias la desarrolla el Poder Legislativo, en ejercicio de la función constituyente, parte en la Constitución, en las normas constitucionales atributivas de competencias directas o específicas, por ejemplo, dentro del Poder Nacional, lo referente al Presidente y a los Ministros; o en ejercicio de la función legislativa, en las respectivas leyes de organización de los órganos de los Poderes Públicos al distribuir dentro de éstos las funciones que les corresponden. Es decir, que no basta con denunciar la violación de los ordinales del artículo 136 del Texto Fundamental, sino que es necesario también denunciar conjuntamente la violación de las normas constitucionales y legales que regulan y desarrollan en concreto esas competencias genéricas del Poder Nacional, a que se contrae el mismo artículo 136, mediante la asignación específica de dichas competencias a sus diversos órganos, en atención igualmente a la repartición administrativa de funciones en cada órgano. Así, del análisis de las normas constitucionales y legales, que en el caso concreto regulan la competencia del Presidente de la República y del Ministerio de Energía y Minas, en lo atinente a la celebración de contratos de interés público, que se denuncian como infringidas, para sustentar la denuncia de inconstitucionalidad de la Cláusula Segunda del artículo 2° del Acuerdo impugnado, así como del análisis de las normas de la Ley Orgánica que Reserva al Estado la Industria y el Comercio de los Hidrocarburos, que asignan al Ejecutivo Nacional y a sus empresas petroleras la gestión y el ejercicio de las actividades de hidrocarburos reservadas, se llega a la conclusión de que, el Congreso de la República no infringió en forma alguna las disposiciones constitucionales denunciadas como infringidas por los recurrentes.

En efecto, si bien es cierto que el Presidente de la República es el Jefe del Ejecutivo Nacional y por ende ejerce el Poder Ejecutivo Nacional (art. 181 *ejusdem*), su competencia para concluir los contratos de la Administración, dentro de las materias atribuidas al Poder Nacional por el referido artículo 136, no resulta ser exclusiva ni excluyente, porque se refiere a aquellos contratos que no estén atribuidos por Ley expresamente a otros funcionarios (art. 190, ord. 15°, en concordancia con el artículo 181, ambos del mismo Texto

Fundamental),[2] quien aclara que la atribución a que se contrae el ordinal 15° del artículo 190 de la Constitución, no es exclusiva del Presidente). En este orden de ideas se tiene que en el propio artículo 126 de la Constitución se habla de contratos de interés nacional celebrados por "la Administración Pública," en general, para su normal desarrollo, lo que da una idea de que, en materia de celebración de este tipo de contratos, no existen competencias exclusivas y excluyentes ni del Presidente, ni de los Ministros. En concreto, por lo que respecta a los Ministros, por ser éstos órganos directos del Presidente de la República, que ejercen junto con éste el Poder Ejecutivo Nacional (arts. 181, ya mencionado, y 193, *ejusdem*), también pueden concluir y celebrar contratos administrativos o de interés público, cuando no haya sido atribuida por ley, a otros funcionarios, esta competencia (art. 193, in fine). En otras palabras, que en principio, al Ministro al que está atribuida la materia del contrato, corresponde la competencia para su respectivo otorgamiento (art. 20, ordinal 17, de la Ley Orgánica de la Administración Central), salvo que, expresamente, corresponda a otro ente administrativo de su sector, en cuyo caso no podría hablarse de competencias exclusivas y excluyentes. Así, por ejemplo, los Institutos Autónomos y las empresas del Estado adscritos o bajo la tutela de los respectivos Ministerios, conforme a las leyes especiales que los rigen, pueden celebrar y concluir contratos de interés público nacional aunque al Ministerio al cual pertenecen esté atribuida en general la materia de los contratos.[3] Se trata, en consecuencia, de una competencia residual en el sentido de que a los Ministerios corresponde, a falta de una atribución directa y expresa, las materias que no hayan sido atribuidas, en la misma forma, a otras dependencias de su organización, o a sus entes descentralizados, como los Institutos Autónomos que le están adscritos o a las empresas estatales que están bajo su tutela.

---

2 Véase en este sentido, Eloy Lares Martínez, *Manual de Derecho Administrativo*, 5ª Ed., UCV, Caracas, 1.983, p. 507.

3 Véase Jesús Caballero Ortiz, *Los Institutos Autónomos*, Ed. Jurídica Venezolana, Fundación Estudios de Derecho Administrativo, Tomo I, 3ª. ed., Caracas, 1.995, pp. 206 a 208. E igualmente del mismo autor, *Las Empresas Públicas en el Derecho Venezolano*, Jurídica Venezolana, Caracas, 1982, pp. 333 a 335.

Por otro lado, los recurrentes sostienen que el Congreso infringió el artículo 163 de la Constitución, cuando en la Cláusula 2a del artículo 2° del Acuerdo objeto del presente juicio, estableció que los procesos de licitación de los Convenios de Asociación los llevaría a cabo la Filial de PDVSA designada, porque siendo un acto legislativo de rango inferior a una ley orgánica, desconoció, en criterio de los mismos recurrentes, que los ordinales 1° y 5°, del artículo 35 de la Ley Orgánica de la Administración Central, atribuyen una competencia exclusiva y excluyente al Ministerio de Energía y Minas para la celebración de tales convenios. A este respecto, rechazamos que estos ordinales contemplen una competencia con la característica que le atribuyen los recurrentes. En efecto, sobre la naturaleza de las normas atributivas de competencia contenidas en la Ley Orgánica señalada, este Máximo Tribunal ha asentado que sólo representan una delimitación formal de las competencias entre los diferentes Ministerios, pero que no representan competencias materiales. En efecto, la Sala Político Administrativa de esta Corte Suprema, respecto de las atribuciones del Ministerio de Energía y Minas, afirmó lo siguiente:

> "Ahora bien, el objeto de aquel Estatuto Orgánico, como el de esta Ley Orgánica, es la *"organización"* de la administración central del Estado, a través de los Ministerios y demás órganos que la integran, para lo cual se atribuye, a cada uno de esos Despachos, la gestión de determinadas materias, es decir, un sector de múltiple actividad estatal. De modo que las normas de aquellos textos son meramente distributivas y especificativas de la competencia administrativa del Estado; esto es que si al Ministerio de Energía y Minas se atribuye la gestión de la "minería," tal atribución de competencia debe entenderse en oposición a la atribuida a los demás Ministerios, a los cuales se la excluye. En otras palabras, estas normas organizativas sólo atribuyen competencias formales a los Diversos Despachos, y no competencias materiales; pues éstas provienen de los ordenamientos reguladores de los diferentes asuntos encomendados por la norma organizativa a cada uno de aquellos Despachos.

Considerar lo contrario es un error común en la Administración Pública venezolana."[4]

Y sobre el mismo tema, en la sentencia citada, concluyó este Máximo Tribunal afirmando lo siguiente:

> "Por tanto, cuando el artículo 30 del Estatuto Orgánico de Ministerios atribuía al Ministerio de Minas e Hidrocarburos "todo lo referente a la intervención, inspección, fiscalización y fomento de la minería," sólo estaba determinando o especificando los asuntos que a dicho Despacho correspondían en la organización estatal; pero no atribuyéndole una competencia material general y abstracta, por así decirlo, en el sentido de que el referido Ministerio pudiera gestionar aquellos asuntos según su leal saber y entender la gestión de esos asuntos continuaba y continúa realizándose de acuerdo con los ordenamientos jurídicos reguladores de cada uno de ellos" [5]

En consecuencia, las competencias atribuidas al Ministerio de Energía y Minas en los ordinales 1° y 5° del artículo 35 de la Ley Orgánica de la Administración Central, respectivamente, referentes a "(...) las industrias petrolera, petroquímica y minera (...) y al "control de la administración de las explotaciones establecidas y que estableciere el Estado sobre yacimientos o industrias conexas con la minería o los hidrocarburos," y finalmente, y en concreto, la competencia para "Concertar los arreglos con el capital privado cuyo concurso sea necesario para dichas explotaciones," no pueden ejercerse con fundamento en aquellas disposiciones, sino conforme al ordenamiento concreto regulador de la actividad de hidrocarburos en Venezuela, y específicamente, conforme a la Ley Orgánica que Reserva al Estado la Industria y el Comercio de los Hidrocarburos.

Este ordenamiento, como se ha demostrado, faculta expresamente tanto a las empresas creadas por el Ejecutivo Nacional como

---

4 Véase sentencia de fecha 07.07.81, Caso "C.A. Industrial Táchira," *Jurisprudencia Venezolana, Ramírez & Garay*, Tomo LXXIV, 1.981, 3er Trimestre, p. 511.

5 *Idem*.

a éste mismo, para gestionar las actividades reservadas de hidrocarburos; y en ejercicio de esa competencia en consecuencia, dichas empresas pueden celebrar y concluir directamente los convenios de asociación.

En efecto, el artículo 5° de la Ley Orgánica últimamente citada, reza así:

> "El Estado ejercerá las actividades señaladas en el artículo 1° de la presente Ley directamente por el Ejecutivo Nacional o por medio de entes de su propiedad, pudiendo celebrar los convenios operativos necesarios para la mejor realización de sus funciones, sin que en ningún caso estas gestiones afecten la esencia misma de las actividades atribuidas.
>
> En casos especiales y cuando así convenga al interés público, el Ejecutivo Nacional o los referidos entes podrán en el ejercicio de cualquiera de las señaladas actividades, celebrar convenios de asociación con entes privados, con una participación tal que garantice el control por parte del Estado y con una duración determinada. Para la celebración de tales convenios se requerirá la previa autorización de las Cámaras en sesión conjunta, dentro de las condiciones que fijen, una vez que hayan sido debidamente informadas por el Ejecutivo Nacional de todas las circunstancias pertinentes."

La interpretación literal, y racional del anterior texto, y su integración con los referidos ordinales 1° y 5°, del artículo 35 de la Ley Orgánica de la Administración Central, siguiendo las reglas de la hermenéutica jurídica contempladas en el artículo 4° del Código Civil, permiten meridianamente concluir que la celebración de los convenios operativos o de asociación a los efectos del ejercicio de las actividades de hidrocarburos reservadas al Estado, es de la competencia del Ejecutivo Nacional, y dentro de éste, por ende del Ministerio de Energía y Minas, cuando tales actividades se ejecuten directamente por el Ejecutivo Nacional, pero igualmente, que también es de la competencia de las empresas de su propiedad, la celebración de dichos contratos, bajo los términos y condiciones previstos en el mencionado artículo 5° de la Ley Orgánica que Reserva al Estado la

Industria y el Comercio de los Hidrocarburos, cuando el Ejecutivo Nacional, como ocurre en el caso de autos –hecho éste que no se controvierte ni discute– al organizar la administración y gestión de las referidas actividades reservadas, crea las empresas que juzgue necesario para el desarrollo regular y eficiente de esas actividades, y resuelve "atribuirles el ejercicio de una o más de éstas, como lo prevé el artículo 6º ejusdem. En este sentido, esta Corte en Pleno, consagró jurisprudencialmente esa interpretación, cuando asentó, en sentencia de fecha 23.04.91 (Caso "LAGOVEN"), que el artículo 5º de la Ley Orgánica citada últimamente, "(...) regula también de una manera general los convenios que pueden celebrar los entes propiedad del Ejecutivo Nacional con los particulares en el ejercicio de la atribución que aquél les haga de las actividades reservadas (…)"[6]

Aún más, la interpretación auténtica del texto del artículo 5º, antes citado, confirma la anterior interpretación gramatical y lógica, teniendo presente sus antecedentes parlamentarios, en concreto la Exposición de Motivos del Proyecto de Ley Orgánica que Reserva al Estado la Industria y el Comercio de los Hidrocarburos, presentado por el Ejecutivo Nacional en fecha 11 de marzo de 1.975, que al justificar dicho texto, que es idéntico al de la Ley vigente, señalaba que, "En razón de la importancia que la industria de los hidrocarburos tiene para el desarrollo presente y futuro del país, el Proyecto no elimina la posibilidad de que, en casos especiales y cuando así se justifique en razón de los más altos intereses nacionales, *puedan el Ejecutivo Nacional o los entes estatales, según fuere el caso,* celebrar convenios de asociación con entes privados, por tiempo determinado, respecto de cualquiera de las actividades atribuidas, (…)"

No cabe duda, pues, que conforme al texto del artículo 5°, anteriormente transcrito, y a la interpretación gramatical, y lógica-racional, integradora y auténtica del mismo, no sólo el Ejecutivo Nacional sino también las empresas que éste hubiere creado para la gestión de las actividades reservadas, en el presente caso las Filiales de PDVSA, tienen capacidad contractual para celebrar, en otras palabras, conducir procesos de licitación para seleccionar las empresas inversionistas privadas con las cuales suscribir convenios de asociación, así como

---

6 Véase Oscar Pierre Tapia, *Jurisprudencia de la Corte Suprema de Justicia*, abril, 1.991, pp. 137 y 138.

para concluirlos, es decir, perfeccionarlos mediante su firma. Por ello, la Cláusula 2° del artículo 2° del Acuerdo del Congreso de fecha 4 de Julio de 1.995, no desconoce ninguna competencia exclusiva y excluyente del Presidente de la República, ni del Ministerio de Energía y Minas, en materia de celebración de contratos de interés nacional o de asociación para la realización de actividades petroleras, respectivamente, cuando estableció que la Filial de PDVSA designada lleve a cabo dichos procesos de licitación.

Por lo demás, la capacidad contractual de los entes creados por el Ejecutivo Nacional para celebrar y concluir directamente los convenios operativos y los convenios de asociación con entes privados, ha sido reconocida unánimemente por la doctrina nacional especializada. Así, por ejemplo, Luis González Berti, teniendo presente el texto del citado artículo 5°, de una manera general considera que los entes de la propiedad del Ejecutivo Nacional creados para ejercer las actividades inherentes a la reserva, pueden celebrar directamente los convenios operativos necesarios para la mejor realización de sus funciones, así como los convenios de asociación. [7]

Por su parte, Enrique Viloria V., afirma, al referirse a la gestión de la industria petrolera nacionalizada por parte del Estado, que: "En el artículo 5 de la Ley de Nacionalización se afirma que el Estado ejercerá las actividades relacionadas con la industria de los hidrocarburos directamente o a través de entes de su propiedad. Sin embargo, según lo que se desprende del conjunto de disposiciones de la Ley, forzoso es concluir que el Estado asumirá las gestión de la industria a través de entes de su propiedad, es decir, de empresas públicas. En otras palabras, la Ley prefirió que la gestión de la industria nacionalizada no fuese realizada directamente por el Ejecutivo Nacional. Así pues, se puede pensar que la expresión según la cual, el Ejecutivo Nacional ejercerá directamente la industria, fue incluida en la Ley para preservar, de acuerdo con la Exposición de Motivos, "la forma tradicional mantenida en nuestras Leyes de Hidrocarburos."[8] En ese mismo orden de ideas se manifiesta Guillermo Altuve Wiliams,

---

7 Véase Luis González Berti, *La Nacionalización de la Industria Petrolera Venezolana*, Ed. Jurídica Venezolana, Caracas, 1982, pp. 172 y 173.

8 Véase Enrique Viloria V., *Petróleos de Venezuela*, Editorial Jurídica Venezolana, Colección Estudios Jurídicos No. 21, Caracas, 1982, p. 70.

cuando considera que la forma como el Estado ejerce la reserva de los hidrocarburos se encuentra definida en la Ley al señalar que puede realizarse a través de entes de su propiedad a los cuales se faculta para celebrar los convenios que son necesarios para llevar a cabo tal ejercicio.[9]

Las argumentaciones doctrinarias anteriores que interpretan auténticamente el texto referido del artículo 5° *ejusdem*, en el sentido de reconocer a las empresas propiedad del Ejecutivo Nacional, que ejercen las actividades reservadas en su nombre, plena competencia para celebrar directamente los convenios operativos, y de asociación, tienen el apoyo de la doctrina que inspiró a los proyectistas que elaboraron el respectivo Proyecto de Ley, que en definitiva se convirtió en la Ley vigente que reservó al Estado la industria y el comercio de los hidrocarburos. En efecto, según la Comisión Presidencial de Reversión, en donde se originó el Anteproyecto de dicha Ley, la organización de la industria petrolera nacionalizada debe descansar fundamentalmente en "la aptitud para actuar con entera eficiencia en el campo mercantil," para lo cual es determinante "su personalidad jurídica y patrimonio propio y distinto del Fisco Nacional," de manera que las empresas de la Administración Petrolera Nacionalizada, "tomadas en conjunto (...), deberán caracterizarse por disponer de autonomía administrativa, autosuficiencia económica, y capacidad propia para la renovación de sus cuadros gerenciales. Siendo así, la Administración Petrolera Nacionalizada, representará una entidad independiente y distinta de la administración pública venezolana."[10] Y precisamente las empresas del Estado que integran esa Administración Petrolera Nacionalizada, de acuerdo con la indicada Comisión, constituyen "el aparato administrativo del Estado," es decir, concretamente "la organización empresarial del Estado venezolano para manejar la industria petrolera del país una vez nacionalizada dicha industria," para lo cual se insistía que "deberán tener la forma de sociedades aptas para actuar con entera eficiencia en el campo

---

[9] Véase *Carta Semanal del Ministerio de Minas e Hidrocarburos*, No. 19, abril 1974.

[10] Véase "Informe de la Comisión Presidencial de Reversión," en *Nacionalización del Petróleo en Venezuela: Textos y Documentos Fundamentales*, Ed. Centauro, Caracas, 1977, p. V-50.

mercantil."[11] Por estas consideraciones, la doctrina especializada, en atención al contenido de los artículos 5° y 6° *ejusdem*, llega a la conclusión que no existe una competencia exclusiva y excluyente del Ejecutivo Nacional para gestionar las actividades reservadas, cuando conforme a dichas normas, afirma que "no hay dada en que la intención del legislador fue estructurar la Administración Petrolera Nacional a través de empresas del Estado (entes o personas estatales) con forma de sociedad mercantil (....)," y por ello, la "aparente posibilidad de que el Estado pudiera ejercer las actividades reservadas *"directamente por el Ejecutivo Nacional "* (art. 5°) en cuanto se refiere a las actividades que se venían realizando por empresas privadas de capital extranjero y que se nacionalizaban, estaba desvirtuada en la propia Ley (arts. 6, 7 y 8) al *"sugerir "* la constitución de empresas (entes de propiedad del Estado, como lo señala el art. 5) con forma de sociedad mercantil."[12]

En ese mismo orden de ideas, de destacar el espíritu del legislador en apoyo de la interpretación literal y lógica-racional de que las empresas Filiales de PDVSA, son entes creados por el Ejecutivo Nacional con plena competencia para la gestión de las actividades reservadas, y por ende para celebrar contratos, se sostiene, que, "En definitiva, la intención del *Informe de la Comisión Presidencial de la Reversión* fue la de estructurar la Administración Petrolera Nacional, como una organización administrativa del Estado separada de la Administración Central, con autonomía e independencia administrativa, y por tanto, formando parte de la Administración Descentralizada, pero sujeta a sus propias normas inclusive en materia de personal; se trataba, en todo caso, de estructurar personas jurídicas estatales pero con forma de sociedades anónimas, es decir, con forma de derecho privado. Las empresas de la Administración Petrolera Nacionalizada y la Casa Matriz debían ser, entonces, personas estatales con forma jurídica de derecho privado."[13] Fue así, entonces, como conforme al sentido y propósito de la Ley, continúa afirmando la doctrina especializada que: "tanto Petróleos de Venezuela S.A., como las

---

[11] Véase Informe citado, pp. V-107 a V-110.

[12] Véase Allan R Brewer-Carías y Enrique Viloria V., *El Holding Público*, Ed. Jurídica Venezolana- SIVENSA, Caracas, 1986, p. 152.

[13] *Idem*, pp. 150-152.

catorce operadoras iniciales se constituyeron en el ordenamiento jurídico venezolano, como personal jurídicas estatales con forma de derecho privado; y en el ámbito económico, como empresas públicas o, más propiamente, como empresas del Estado. En la actualidad, igual naturaleza jurídico-económica tienen las filiales de Petróleos de Venezuela; las cuatro operadoras petroleras (Lagoven, Maraven, Meneven y Corpoven) (*ibídem*, pág. 153). Y la doctrina en cuestión, al resaltar esa característica de empresas públicas de las Filiales de PDVSA, pone de relieve su capacidad y competencia contractual respecto de la celebración de los convenios necesarios para ello, al asentar

> "(...), el hecho de que la empresa Petróleos de Venezuela S.A. –al igual que sus Filiales agregamos nosotros– tenga una personalidad jurídica propia y distinta de la República y de los otros entes territoriales, la convierte en un centro autónomo de imputación de intereses, lo que da origen a un régimen jurídico propio desde el punto de vista patrimonial, de la responsabilidad, de orden tributario, de carácter contractual, etc., distinto del de la República."[14]

En apoyo de la competencia y capacidad contractual de las Filiales de PDVSA, debe recordarse que, precisamente el actual texto del artículo 5° de la Ley vigente, se incorporó para permitir a las empresas del Estado, creadas a los fines de la ejecución de las actividades reservadas, la realización de los convenios de asociación, requeridos para ello. En efecto, en el Mensaje al Congreso de fecha 12-03-75, el Presidente de la República decía, que en tal artículo se incorporó, la figura de los convenios de asociación, "para que los entes estatales, con la previa autorización del Congreso, puedan ir más allá de los convenios operativos con entidades privadas cuando así convenga al interés publico." En este orden de ideas debe recordarse, que en la evolución que el concepto de contrato de interés nacional ha tenido en la legislación, la doctrina en la actualidad ha admitido dentro de estos contratos los celebrados no sólo por los entes del Estado de derecho público, sino también por sus entes de derecho privado como lo son las empresas estatales. En efecto, en atención al texto del artículo 126 de la Constitución, no se distingue a los efectos de su

14 *Idem*, p. 155.

aprobación por el Congreso, si el ente del Estado contratante es de derecho publico o de derecho privado, sino que en el género "contrato de interés nacional," caben también los celebrados por personas jurídica nacionales, de derecho público (la República o un instituto autónomo) o de derecho privado (empresa del Estado). [15] E igualmente, la jurisprudencia del Máximo Tribunal no ha vacilado en calificar de interés público los contratos celebrados por las Filiales de PDVSA.[16]

Dentro del mismo orden de ideas expuesto anteriormente, la intención de dar plena capacidad y competencia contractual a las empresas del Estado a quiénes se encargue la gestión de las actividades reservadas, aparece ratificada en el Anteproyecto de Ley Orgánica de Hidrocarburos, elaborado por la Comisión de Juristas designada mediante Resolución No. 204 del Ministerio de Energía y Minas de fecha 25 de febrero de 1.976, "para estudiar los cambios que sea necesario introducir en la legislación de hidrocarburos y su reglamentación, y presentar al Ejecutivo Nacional, por órgano de este Ministerio, el informe correspondiente, incluyendo los proyectos legales y reglamentarios a que hubiere lugar."

Pues bien, la señalada Comisión, integrada por los juristas Manuel R. Egaña, Guillermo Altuve Wiliams, Álvaro Silva Calderón y Florencio Contreras Quintero, en el mencionado Anteproyecto proponían en cuanto a la competencia de las empresas del Estado, las siguientes normas:

> "Artículo 7°.- El Ejecutivo nacional podrá encomendar cualquiera de las actividades reservadas a Empresas del Estado, determinar áreas geográficas para el ejercicio de dichas actividades y transferirles, a cualquier título, los bienes muebles o inmuebles del dominio privado de la Nación que se requieran para el eficiente ejercicio de las actividades encomendadas."

---

15 Véase Allan R. Brewer-Carías, *Contratos Administrativos*, Ed. Jurídica Venezolana, Caracas, 1992, pp. 28 - 31.

16 Véase Sentencia de la Sala Político Administrativa, 6 de agosto de 1992, (Caso "Asfapetrol").

"Artículo 9°.- Las Empresas del Estado podrán celebrar los contratos que fueren necesarios para el normal desenvolvimiento de la administración que se les confió, cuidando que en ningún caso, llegue a ser afectada la esencia de la reserva atribuida." [17]

Queda evidenciada pues la interpretación auténtica del artículo 5° de la llamada Ley de Nacionalización, a que hemos hecho referencia, al demostrar con el análisis de sus precedentes legislativos y las precisiones doctrinarias y jurisprudenciales citadas, que en el espíritu del legislador estuvo siempre la intención de que las empresas del Estado a quiénes se atribuya la gestión de la reserva de la industria y el comercio de los hidrocarburos tuvieran plena competencia contractual, tanto para celebrar como para concluir los contratos de operación así como los convenios de asociación.

Los recurrentes, en su demanda de nulidad por ilegalidad presentada por ante la Sala Político Administrativa de la Corte Suprema de Justicia, y que se acumuló al recurso de inconstitucionalidad, sostienen además que, "No olvidemos que la Ley Orgánica de la Administración Central fue de posterior promulgación a la LOREICH y que, por principio general del Derecho, posterior prioribus derogant (disposiciones posteriores derogan las anteriores). La Ley Orgánica de la Administración Central fue promulgada el 30 de diciembre de 1.986, y, como ya sabemos, la LOREICH fue sancionada el 21 de agosto de 1.975 con vigencia a partir del 1° de enero de 1.976, cuando quedaron extinguidas las concesiones otorgadas por el Ejecutivo Nacional. De acuerdo con el orden de aplicación de las leyes, obviamente es de preferente aplicación la Ley Orgánica de la Administración Central. Debido a ello, no cabe la menor duda que la administración de los hidrocarburos es de la competencia exclusiva del Poder Nacional y no a través de la matriz filial (Sic) Petróleos de Venezuela, S.A. o de las filiales de ésta, todas creadas en cumplimiento de normativa contenida en la LOREICH."

No obstante, cuando de una materia especial se trata, como es la referente a la nacionalización y a la forma de gestionar las actividades de hidrocarburos, y en concreto, lo relativo a los contratos que

---

[17] Véase *Anteproyecto de Ley de Hidrocarburos*, Colección Justitia et Jus, ULA, Mérida, 1.981, págs. 35 y 36.

pueden celebrar el Ejecutivo Nacional o las empresas de su propiedad, las normas que rigen esa materia especial, reguladas también por leyes especiales, en concreto por la Ley Orgánica que Reserva al Estado la Industria y el Comercio de los Hidrocarburos, no quedan derogadas por otras leyes generales posteriores, aún siendo también orgánicas, como lo es la Ley Orgánica de la Administración Central, que no tienen que ver con competencias específicas de otros entes del Estado. De aceptar esa interpretación, tendría que llegarse al absurdo que, cada vez que se reforme la citada Ley Orgánica quedarían derogadas todas las normas de las leyes especiales que regulan el funcionamiento de los Institutos Autónomos o de las diversas empresas del Estado, que se encuentra previsto en leyes especiales. En todo caso, como lo ha aclarado la jurisprudencia de esta Corte, la preeminencia de las leyes orgánicas sobre las leyes ordinarias "debe entenderse sólo en el caso de que una regula a la otra (...)"; porque si la materia regulada por la ley ordinaria, y por supuesto también si es calificada de orgánica, "es una materia especialísima (...), –como ocurre con la materia de la reserva o nacionalización de los hidrocarburos– lógicamente tendrá preferente aplicación esta última norma legal, pues el carácter singular de ella, así lo exige.[18] E igualmente, ha asentado esa Corte, que la prevalencia de las leyes orgánicas sobre las leyes ordinarias "no puede interpretarse en forma tal que cualquier materia ajena a dicha reserva –la que constitucionalmente corresponden a las leyes orgánicas–, por el hecho de estar incluida en una Ley Orgánica, haya de gozar definitivamente del efecto de la congelación de rango (...)"[19] En ese mismo orden de ideas, la doctrina nacional sostiene que, "la ley orgánica no es como tal, una norma de rango absolutamente preeminente frente a cualquier otra ley que no ostente tal calificativo, ya que dicha preeminencia se limita a las disposiciones legislativas posteriores que desarrollan los principios que ella pauta." Y más concretamente, que "Las leyes orgánicas sólo tienen fuerza derogatoria de las disposiciones de otras leyes posteriores que regulan materias específicas que ella proyecta en sus principios fundamentales. De allí que no pueda mantenerse como regla absoluta que la ley orgánica sea derogatoria de la ley especial, no pudiéndose extender su esfera de

---

18 Véase sentencia de la S.P.A. de fecha 02-08-72, (Caso "A. Socorro vs. MAC").

19 Véase sentencia de la S.C.C. de fecha 29-11-89 (Caso "E, Blanco vs. Agropecuaria Los Molinos").

aplicación a cualquier esfera que sea tratada en la misma. Su preeminencia sólo abarca a las ramas específicas que ella regula, no extendiéndose a todas las cuestiones y disciplinas incidentalmente aludidas en su texto (...). La relación de preeminencia está así limitada a la existente entre la ley orgánica y la ley o leyes de ejecución de la palmera. No puede hacerse una interpretación distinta de la norma, cuando ella claramente dice *"las legas que se dicten en materias reguladas por legas orgánicas "*, esto es, cuando exige que se de la consecuencia que establece, que se trate de las mismas matearas de las leyes orgánicas; no de otras. Si la intención del constituyente hubiese sido otorgarle en todo caso preeminencia a las leyes orgánicas, se habría limitado a señalarlo en forma expresa indicando que las leyes orgánicas prevalecen sobre las leyes especiales. La letra de la disposición no puede ser ignorada, sobre todo si se tiene en cuenta las graves consecuencias que se producirían."[20] En otras palabras, que el principio de la especialidad de la materia sigue rigiendo entre las leyes orgánicas y las leyes ordinarias, en lo que se refiere a los asuntos que constituyen la materia específica de las leyes especiales.

Principio este que también se aplica cuando se trata de conflictos entre leyes orgánicas, que como en el presente caso pretenden configurar los recurrentes. En efecto, ha dicho otra autorizada opinión: "No indica la Constitución la forma de resolver el problema de la colisión de normas pertenecientes a *diferentes legas orgánicas;* pero creemos que en tal caso, debe aplicarse la regla, parcialmente expresada en el artículo 14 del Código Civil, de que la ley especial priva sobre la ley general en la materia de su especialidad, ya que éste no es un simple precepto civil, sino un principio general de Derecho para resolver la colisión de normas jurídicas del mismo rango."[21]

No es cierto, pues, que la referida Ley Orgánica de la Administración Central hubiese derogado la competencia de las empresas filiales de PDVSA para celebrar directamente los convenios de asociación con entes privados, en razón de que, como se ha demostrado, el

---

20 Véase Hildegard Rondón de Sansó, *Ley Orgánica de Procedimientos Administrativos*, Ed. Jurídica Venezolana, Caracas, 1.981, pp. 11 y 12.

21 Véase, José Luís Aguilar Gorrondona, "Las Leyes Orgánicas en la Constitución de 1.961," la *Obra Homenaje a Rafael Caldera*, Tomo III, pp. 1971 y 1972.

contenido especial de la Ley Orgánica que Reserva al Estado la Industria y el Comercio de los Hidrocarburos priva sobre el contenido general de la Ley Orgánica de la Administración Central, que por otro lado, como también se demostró, sólo atiende a la repartición formal y delimitación de las competencias generales entre los diferentes Ministerios.

Por todas las razones expuestas en este Capítulo, debe desestimarse la denuncia de inconstitucionalidad e ilegalidad de la Cláusula Segunda del Artículo 2° del Acuerdo del Congreso de fecha 04-07-95.

CAPITULO III: IMPROCEDENCIA DE LA DENUNCIA DE INCONSTITUCIONALIDAD E ILEGALIDAD DE LA CLÁUSULA CUARTA DEL ARTÍCULO 2° DEL ACUERDO DEL CONGRESO DE FECHA 04-07-95

Denuncian los recurrentes, que la Cláusula Cuarta del ya citado artículo 20. del Acuerdo cuya nulidad parcial solicitan, debe ser anulada por ser violatoria del ya mencionado artículo 35, ords. 1° y 5°, de la Ley Orgánica de la Administración Central, porque en su criterio, la Cláusula en cuestión transfiere competencias de control del Ministerio de Energía y Minas sobre materias de interés nacional, lo cual además, infringe el artículo 163 de la Constitución que consagra el carácter preeminente de las leyes orgánicas, así como, por la misma razón alegada, los artículos 193 y 136, ordinal 10° todos del mismo Texto Fundamental. Asimismo, denuncian los recurrentes, la violación por parte del Congreso, del artículo 5° de la Ley Orgánica que Reserva al Estado la Industria y el Comercio de los Hidrocarburos. Alegan los recurrentes, en el recurso de inconstitucionalidad, que la Constitución define las competencias del Poder Nacional y del mismo modo las leyes orgánicas determinan esas competencias, y en concreto, las del Ministerio de Energía y Minas, y por ello, el control de los convenios de asociación a que se refiere el Acuerdo impugnado es absolutamente intransferible, como se pretende con lo previsto en la referida Cláusula Cuarta.

Igualmente, en el recurso de nulidad por ilegalidad en contra de la misma Cláusula, los recurrentes sostienen, que el control del Estado a que se refiere el artículo 5° de la Ley Orgánica que Reserva al

Estado la Industria y el Comercio de los Hidrocarburos, sólo corresponde al Ministerio de Energía y Minas y en ninguna manera puede ejercerlo la Filial de PDVSA designada, puesto que, a su juicio, el control sobre las actividades reservadas de hidrocarburos es únicamente de la competencia de dicho Despacho. Y que mucho menos puede ejercerlo un Comité de Control con participación de particulares. Finalmente, alegan los recurrentes que, de acuerdo con lo establecido en el Decreto No. 1.123 de fecha 30-08-75, mediante el cual se creó PDVSA, en su artículo 2°, la política en materia de hidrocarburos la dicta el Ejecutivo Nacional; y que por su parte, el Decreto No. 250 de fecha 23-08-79, que reformó el anterior Decreto, determina que las actividades que realice PDVSA, estarán sujetas al control que establezca el Ministerio de Energía y Minas, conforme lo señala el artículo 7° de la Ley Orgánica primeramente citada. Y concluyen afirmando, que la Cláusula Cuarta viola el artículo 5° ejusdem, y el ordinal 5° del artículo 35 de la Ley Orgánica de la Administración Central, así como los Decretos señalados, al atribuirse a un Comité el control de los convenios de asociación, integrados por la Filial de PDVSA y por particulares.

En cuanto a la presente denuncia, en nombre de nuestra representada, rechazamos su argumentación y sostenemos su improcedencia, con fundamento en las siguientes razones:

En primer término, ratificamos la improcedencia de la denuncia de violación del ordinal 10° del artículo 136 de la Constitución, por el razonamiento expuesto en el Capítulo anterior, en razón de que dicha norma no es sino una delimitación de la competencia del Poder Nacional frente a las competencias que los artículos 17, 20, 29 y 30, atribuyen a los Estados y a los Municipios, respectivamente. Y que, como también se sostuvo, la violación del mencionado artículo 136 sólo puede provenir de leyes estadales o de ordenanzas municipales. En segundo término, también ratificamos la argumentación expuesta respecto de la naturaleza de ley distributiva de competencias formales entre los diferentes Ministerios, y no de ley de asignación de competencias materiales específicas, que tiene la Ley Orgánica de la Administración Central, por lo que no puede ser infringida en forma directa.

Aparte de lo anterior, en último término sostenemos que, conforme a la mejor hermenéutica jurídica, el control del Convenio de Asociación a que se contrae el artículo 5° de la Ley Orgánica que Reserva al Estado la Industria y el Comercio de los Hidrocarburos, no es un control externo por parte del Ministerio de Energía y Minas, como lo sostienen los recurrentes, sino un control interno del respectivo convenio, por el ente del Estado contratante, que se establece sobre la base de la participación concertada entre las partes del correspondiente convenio de asociación. En efecto, ello se deduce del texto del último aparte del citado artículo que reza así: " En casos especiales y cuando así convenga al interés nacional, El Ejecutivo Nacional o los referidos entes podrán en el ejercicio de cualquiera de las señaladas actividades, celebrar convenios de asociación con entes privados, con una participación tal que garantice el control por parte del Estado y con una duración determinada. Para la celebración de tales convenios se requerirá la previa autorización de las Cámaras en sesión conjunta, dentro de las condiciones que fijen, una vez que hayan sido debidamente informadas por el Ejecutivo Nacional de todas las circunstancias pertinentes."

Puede observarse que es la forma de **participación** del Ejecutivo Nacional, o en su caso de la empresa del Estado, en el convenio, la que debe determinar el control estatal, dentro de un concepto amplio; y que en el caso específico, ha de entenderse por "Estado," conforme al mismo encabezamiento del referido artículo 5°, tanto a la República por órgano del Ejecutivo Nacional como a los entes de su propiedad, que ejerce en nombre de aquél las actividades reservadas por el artículo 1° *ejusdem*. En efecto, este artículo, por un lado, "reserva al Estado" todas las actividades de hidrocarburos en el territorio nacional, y por otro lado, el encabezamiento del mencionado artículo 5°, entiende por **Estado,** a los efectos del ejercicio de esas actividades reservadas a la República, por órgano del Ejecutivo Nacional y a los entes de la propiedad de ésta, cuando crea estos entes para que por medio de ellos se lleven a cabo tales actividades. En este mismo orden de ideas, la Exposición de Motivos del Proyecto de Ley Orgánica que Reserva al Estado la Industria y el Comercio de los Hidrocarburos, precisa la noción de control, al señalar, "En razón de la importancia que la industria de los hidrocarburos tiene para el desarrollo presente y futuro del país, el proyecto no elimina la posibilidad de que, (...), puedan el Ejecutivo Nacional o los entes estatales, según fuere el caso, celebrar convenios de asociación con entes privados, (...), en forma tal que, de acuerdo con su participación mayoritaria, el Estado conserve en todo caso, el control de las decisiones que se adopten conforme al convenio en cuestión (...). "En otras palabras, que cuando se refiere al control de las decisiones respecto del convenio de asociación basado precisamente en la participación predominante de la República por órgano del Ejecutivo Nacional o de sus entes, se entiende éste como un control contractual, es decir, interno del respectivo convenio, y no de naturaleza administrativa, como el que ejerce el Ministerio de Energía y Minas, de una manera general, sobre las industrias petroleras, mineras y petroquímicas, o en concreto, sobre las explotaciones establecidas o que estableciere el Estado sobre yacimientos o industrias conexas con la minería o los hidrocarburos, a que se contraen los ordinales 1° y 5°, del Artículo 35 de la Ley Orgánica de la Administración Central. Por ello no puede negarse en forma absoluta como lo hacen los recurrentes, que las Filiales de PDVSA no pueden ejercer el control de las decisiones en los convenios de asociación en que sea parte en nombre del Estado.

Abundando en la anterior interpretación, conforme al texto del referido artículo 5° *ejusdem*, la participación estatal que se requiere debe ser tal que garantice el control del Estado, que como se aclaró, de acuerdo a este mismo texto, comprende, a esos efectos, también a los entes que en su nombre ejercen las actividades reservadas. Es decir, tanto a la República, por órgano del Ejecutivo Nacional como a las empresas públicas nacionales. Ahora bien, etimológicamente, "control" es dominio, que en este caso por referirse a las decisiones, se trata de un dominio o control de "lo que se decide o resuelve." Vale decir, para "tomar o hacer tomar una decisión." En otras palabras, un control "determinante." En este sentido, el control como "participación decisiva," lo ha definido la jurisprudencia en repetidas oportunidades a los efectos de precisar lo que ha de entenderse por control o dominio del Estado sobre un ente societario, a que se refieren los artículos 42, ord. 15; 182, ord. 2° y 183, ordinal 16, todos de la Ley Orgánica que rige a este Máximo Tribunal. En efecto, ha dicho esta Corte, que en un supuesto, existe "participación decisiva" "cada vez que la participación económica o financiera del Estado sea mayoritaria, por razón de que en esa situación, la participación mayoritaria, de acuerdo a nuestro sistema, atribuye normalmente a ese participante, la posibilidad cierta de influir determinantemente en la conducción de la empresa" . Y en otro supuesto, "que puede ocurrir que no obstante el interés del Estado en mantener el control en el funcionamiento de la empresa desde su fundación, lo cual viene normalmente determinado por la naturaleza de los negocios y objetivos del ente y conforme a los fines del Estado, para tal supuesto, por no disponer el Estado transitoriamente, de los arbitrios fiscales necesarios para la participación económica o financiera mayoritaria o por otras razones de política administrativa, el Estado conviene en que su participación sea minoritaria, pero se reserva su intervención decisiva en cuanto a la conducción y administración de la empresa, garantizándose así, por ese medio, la tuición de los intereses colectivos en juego dentro del ente empresarial; entonces el requisito de la participación decisiva del Estado también se cumple"[22] Y la Corte en Pleno, en sentencia de fecha 23-04-91, al referirse al control a que se contrae el artículo 5° de la Ley Orgánica que Reserva al Estado la Industria y el Comercio de los Hidrocarburos, observó: que dicho artículo "se refiere, (...), de una manera general a "convenios de asociación con entes privados, con una participación tal que garantice el control por parte del Estado y con una duración determinada," en lugar de "empresas mixtas," que es una especie de asociación, pero no la única, y donde tradicionalmente su control se obtiene por la vía accionaria. Mientras que de acuerdo con el artículo 5°, de la Ley Orgánica citada, lo determinante es el control del convenio, que es una noción más jurídica que económica o patrimonial, y por ello se refiere a "participación" sin calificarla de alguna manera."[23]

También desde el punto de vista legislativo, otro antecedente, además de los señalados que han sido debidamente interpretados por esta Corte, lo constituye el artículo 1° de la Decisión No. 220 del Acuerdo de Cartagena, sustituida por la Decisión N° 291 de abril de 1991, que forma parte de la legislación nacional, que a los efectos de definir lo que debe entenderse por **"capacidad determinante"** en las

---

22 Véase sentencia de la S.C.C. de fecha 23.11.83, en Oscar Pierre Tapia, *Jurisprudencia de la Corte Suprema de Justicia*, No. 11, noviembre 1.983, p. 185; y sentencia de fecha 19-01-84, en *Gaceta Forense* No. 122, Vol. II, p. 377.

23 Véase Oscar Pierre Tapia, *op. cit.*, abril de 1991, p. 137.

decisiones de una empresa por parte del Estado, establecía que es la anuencia o aceptación obligatorias de los representantes de los entes estatales en las decisiones fundamentales para la marcha de determinada empresa.

No cabe duda, pues, que, conforme a los criterios jurisprudenciales, doctrinarios y legislativos anteriores, el control en los convenios de asociación, con una participación tal que garantice su dominio por el Estado, es siempre un control contractual interno o corporativo; o por la vía de la participación económica o financiera mayoritaria en el capital de la empresa o asociación; o también, por la vía de reservarse, en el mismo convenio respectivo, el Ejecutivo Nacional o su ente contratante, según fuere el caso, una intervención decisiva en la conducción y administración de la empresa o asociación, como lo previó el Congreso en la Cláusula Cuarta del artículo 2° del Acuerdo de fecha 04-07-95. En efecto, en esta Cláusula, para "las decisiones fundamentales de interés nacional relacionadas con la ejecución del Convenio," las partes en cada convenio respectivo, acuerdan constituir, antes del inicio de las actividades a que se refiere el convenio, un Comité, denominado "Comité de Control," conformado por igual número de miembros designados por los inversionistas y la Filial de PDVSA, pero que será presidido por un miembro designado por esta última. Ahora bien, para asegurar el control según la Cláusula citada, se requerirá la presencia y el consentimiento de los miembros designados por la Filial, para la validez de las deliberaciones y decisiones, y su Presidente tiene doble voto para resolver los casos de empate. Puede observarse, que no son los particulares quiénes dominan en el referido Comité, ni corresponde a ellos la capacidad determinante en las decisiones fundamentales, sino a los representantes del ente estatal. En efecto, es necesaria su presencia, anuencia o aceptación para que el Comité de Control pueda tomar o no una decisión que, como se expresó anteriormente, se apega al criterio jurídico para calificar a una participación estatal, sin ser financiera ni económicamente mayoritaria, como decisiva o determinante para asegurar el control de la empresa o de la asociación de que se trate.

Tal fue la intención que tuvo el Congreso al incluir en el Acuerdo cuya nulidad se solicita, una Cláusula como la señalada. En efecto, en el Informe de fecha 21-06-95 de la Comisión Bicameral de Energía y Minas, designada para examinar la conveniencia de la celebración de Convenios de Asociación entre entes privados y filiales de PDVSA, para la exploración a riesgo de nuevas áreas y la producción de hidrocarburos bajo el esquema de ganancias compartidas, que propuso al Congreso el proyecto de autorización de dichos convenios y que corre en autos, se expresó lo siguiente:

> "La garantía del Control por parte del Estado es uno de los aspectos más importantes de los Convenios de Asociación. Tal afirmación resalta no sólo del análisis exhaustivo de la Ley de Nacionalización, sino que además, fue uno de los aspectos más debatidos y cuestionados de la solicitud del Ejecutivo a lo largo de las sesiones convocadas por la Comisión Bicameral.
>
> Efectivamente, en tal solicitud, los mecanismos de control estaban en manos de un Comité de Control con representación paritaria de los representantes del ente estatal y de los inversionistas. Si bien la Presidencia de dicho Comité estaba en manos de uno de los representantes del ente estatal, no quedaba claramente establecido la solución de las decisiones del Comité en casos de empate, salvo el hecho de que había un poder de veto por parte de los representantes del Estado.
>
> Sin embargo, tanto en las deliberaciones de la Comisión, como en opinión expresada por la Oficina de Investigación y Asesoría Jurídica del Congreso de la República en su informe de fecha 15 de junio de 1995, fue concluyente la determinación de establecer un esquema que permitiera ejercer el control de una manera positiva, no solamente impidiendo que se tomen acciones en contra del interés nacional, sino también imponiendo los objetivos del Convenio y la posición del Estado en dichos asuntos de interés nacional. A tal efecto, se han redefinido las instancias de control dentro del esquema original propuesto por el Ejecutivo Nacional, de una forma tal que permita la participación

decisiva del Estado en la orientación, dirección y administración de todos los aspectos claves del convenio, y así cumplir cabalmente con lo establecido en la Ley de Nacionalización."[24]

Ese control decisivo, por lo demás, está garantizado, tal como se desprende del Acuerdo Legislativo de fecha 19-06-96, publicado en la *Gaceta Oficial* N° 35.988 de 26-06-96, por el que se autorizaron los Convenios de Asociación, que anexamos marcado "A," por cuanto el Presidente del mencionado Comité de Control ha de ser la persona que postule por escrito el Ministerio de Energía y Minas (art. 2°). De esta forma queda confirmado el control decisivo y determinante del Convenio de Asociación, como lo exige el artículo 5° de la Ley Orgánica que Reserva al Estado la Industria y el Comercio de los Hidrocarburos, y la Cláusula Cuarta del Acuerdo Legislativo de fecha 04-07-95.

No puede afirmarse, pues, teniendo presente todo el análisis anterior, fundado en la interpretación integral del artículo 5° de la Ley Orgánica que Reserva al Estado la Industria y el Comercio de los Hidrocarburos, como lo sostienen los recurrentes, que se hubiere arrebatado al Ministerio de Energía y Minas sus competencias en materia del control externo de las actividades de hidrocarburos y mucho menos su atribución de dirigir la política de hidrocarburos nacional, puesto que de lo que se trata es de definir el control o dominio, que con base en su participación dentro de la asociación, ha de tener el ente estatal contratante, en este caso la Filial de PDVSA, por medio de la cual el Ejecutivo Nacional, ejerce las actividades reservadas, que por no tratarse de una participación ni financiera, ni económicamente mayoritaria, se traduce, para asegurar el control interno de los convenios, en una participación decisiva en la dirección y administración de la asociación surgida del mismo Convenio, es decir, determinante de su capacidad jurídica.

---

24 Véase: República de Venezuela, Congreso de la República, Secretaría, *Informe sobre Convenios de Asociación para la Exploración a Riesgo de Nuevas Áreas y la Producción de Hidrocarburos bajo el Esquema de Ganancias Compartidas*, Caracas, 22 de Junio de 1995, p. 9.

Por todo lo expuesto, la denuncia de inconstitucionalidad y de ilegalidad a que se contrae este Capítulo, debe ser desestimada por resultar improcedente.

CAPITULO IV: IMPROCEDENCIA DE LA DENUNCIA DE INCONSTITUCIONALIDAD E ILEGALIDAD DE LA CLÁUSULA DÉCIMA DEL ARTÍCULO 2 DEL ACUERDO DEL CONGRESO DE FECHA 04-07-95

Los recurrentes, en la demanda de nulidad presentada ante esta Corte Plena así como en la demanda de nulidad presentada por ante la Sala Político Administrativa de este Máximo Tribunal, acumulada a la demanda que cursa ante esta Corte, denuncian la supuesta inconstitucionalidad e ilegalidad de la Cláusula Décima del artículo 2° del Acuerdo, porque en su criterio, al establecer que las actividades que son objeto de los Convenios de Asociación *"siendo además competencia del Poder Nacional, no estarán sometidas al pago de los impuestos municipales ni estadales,"* ello viola los artículos 29, 31, ordinal 3, 162, 177 y 224 de la Constitución, así como del artículo 4, ordinal 2 del Código Orgánico Tributario.

En resumen, lo recurrentes, en apoyo de su alegato y en cuanto a los supuestos vicios de inconstitucionalidad, señalan que dicha cláusula contravendría los artículos 29 y 31 de la Constitución en materia de tributación municipal, pues en la Cláusula se habría establecido una "exención tributaria" que trataría de sustentarse en el artículo 7° de la Ley que Reserva al Estado la Industria y el Comercio de los Hidrocarburos y que no se aplica a las nuevas empresas que se crearían como resultado de los Convenios de Asociación; y contravendría los artículos 162, 177 y 224 de la Constitución, pues violaría el principio de la reserva legal establecida en la última norma, que reserva a la ley la concesión de "exenciones."

En cuanto a los vicios de ilegalidad alegados, los recurrentes denuncian la violación por la Cláusula citada del Acuerdo, del artículo 4, ordinal 2°, del Código Orgánico Tributario que reserva a la ley el otorgamiento de "exenciones y rebajas de impuestos."

Los anteriores argumentos y denuncias de supuestas violaciones de normas constitucionales y legales son totalmente improcedentes, en razón de que no es cierto que la Cláusula denunciada haya establecido una "exención tributaria" sino que, conforme a la competencia expresa establecida en el artículo 136, ordinal 10, en dicho Acuerdo el Congreso, como órgano del Poder Nacional, estableció el régimen tributario aplicable a las actividades de hidrocarburos a desarrollarse mediante los Convenios de Asociación, previendo un régimen de sujeción exclusiva a impuestos nacionales y de *no sujeción* a impuestos estadales y municipales. En esta forma, en dicho régimen, el Congreso teniendo presente la reserva que en esta materia corresponde al Poder Nacional, ratificó que los impuestos estadales y municipales no son aplicables a dichas actividades, con lo cual precisó que las mismas, sólo estarían sometidas a los impuestos nacionales.

En efecto, el artículo 136, ordinal 10 de la Constitución atribuye al Poder Nacional competencia en relación al "régimen y administración de las minas e hidrocarburos." El de esta norma está en que siendo las minas propiedad de los Estados desde la Constitución de 1864 (art. 13, ord. 16), a partir de la Constitución de 1881 se atribuyó al gobierno de la Federación "la administración de las minas (...) con el fin de que las primeras sean regidas por un sistema de explotación uniforme" (art. 13, ord. 15), agregándose expresamente a la competencia del Poder Nacional, en la Constitución vigente de 1961, además de *la administración* de las minas e hidrocarburos, el establecimiento de su *régimen.*

En consecuencia, es competencia exclusiva del Poder Nacional "el *régimen y administración* de las minas e hidrocarburos" (art. 136, ord. 10), por lo que los órganos del Poder Nacional, dentro de sus respectivas competencias orgánicas, pueden establecer o definir dicho régimen. Como parte del mismo, por supuesto, está el *régimen tributario* aplicable a las actividades mineras y de hidrocarburos de manera que *sólo los órganos del Poder Nacional pueden precisar dicho régimen,* dentro de sus respectivas competencias orgánicas.

En este sentido, Federico Araujo Medina y Leonardo Palacios Márquez han señalado lo siguiente al comentar el artículo 136, ordinal 10 de la Constitución:

"Esta reserva general, referida al *régimen y administración* de los hidrocarburos, debe entenderse como una competencia *exclusiva que abarca todo lo relacionado con la legislación, reglamentación y ejecución,* con exclusión de cualquier otra instancia o entidad pública de base territorial, las cuales, por tal reserva, se encuentren impedidas de ejercer cualquier tipo de regulación de naturaleza normativa o de control administrativo.

Los vocablos "régimen" y "administración," fueron empleados por el constituyente originario en la redacción del numeral 10° del artículo 136, *en todo el sentido y extensión del significado del vocablo "régimen."* Ello abarca *cualquier tipo de regulación y control administrativo, organizativo y de naturaleza tributaria.* (Por "régimen" ha de entenderse el sistema de gobierno. La manera de regir o regirse. Normas o prácticas de una organización cualquiera, desde el Estado a una dependencia o establecimiento particular. Guillermo Cabanellas de Torres, *Diccionario Jurídico Elemental,* Editorial Heliasta, S.R.L., Buenos Aires, 1979, p. 277).

La Constitución de 1961 establece, en consecuencia, una competencia exclusiva y un régimen de Derecho Administrativo y Tributario en beneficio del Poder Nacional en todo lo atinente a materia de hidrocarburos. De ello resulta una administración definida por referencia al régimen administrativo, que a su vez define como el derecho común a las actividades del Estado y de las personas públicas (territoriales o no) y a un poder impositivo adjudicado al Fisco Nacional, que lleva a que todo tributo (directo o indirecto) que repercuta o incida económicamente en las actividades de explotación, exploración y comercialización de hidrocarburos, estén reservadas al Poder Nacional.

La *reserva absoluta,* la competencia exclusiva en materia de hidrocarburos prevista en el numeral 10° del artículo 136 –en nuestro criterio– no solamente está referida a Petróleos de Venezuela, S.A. (PDVSA) y sus filiales, sino que, además, incluye a *todos los entes económicos o formas empresariales, sean éstas de sociedades mercantiles o no, dedicadas a la ejecución de contratos asociativos o de asociación que llegaran a constituirse,* crearse o aprobarse, dentro del contexto referencial de la reserva específica a que se refiere la LOREICH, entre las cuales, por supuesto, se encuentran los convenios de ganancia compartida."[25]

La Corte Suprema de Justicia ha interpretado en sentido similar, la reserva al Poder Nacional en cuanto *al régimen* en diversas materias, por ejemplo, en el campo de las telecomunicaciones,[26] y de la navegación.[27] Y en relación a las minas e hidrocarburos conforme al artículo 136, ordinal 10 de la Constitución, la Corte Suprema de Justicia en Sala Político Administrativa en sentencia de 20-7-71, ha señalado que:

"El artículo 136 de la Constitución de la República, específicamente determina las materias que son competencia del Poder Federal y dentro de ellas, en sus ordinales 8° y 10°, están incluidos respectivamente, "La organización, recaudación y control de las contribuciones de minas" y "*El régimen y administración de las minas.*" En consecuencia, *toda regulación sobre tales materias por los poderes Estadal y Municipal, violan lo previsto en el mencionado articulo 136...*"

En el caso bajo análisis, se observa claramente que la Municipalidad del Distrito Lander del Estado Miranda, al regular en la Ordenanza de Arena, Piedras y otras sustancias especificadas en su artículo 1°, y estableciendo sanciones por el incumplimiento de sus normas, violentó flagrantemente el ordinal 10° del artículo 136 de la Constitución de la República, por cuanto *no está facultada para ejercer tal función conferida con exclusividad al Poder Legislativo Nacional,* el cual, en el artículo 7 de la Ley de Minas, reguló tal materia y al efecto establece: "Las piedras de construcción y decoración, o de cualquier otra clase, que

---

25 Véase *Análisis constitucional del Poder Tributario en materia de Hidrocarburos,* Caracas 1995, pp. 72-73.

26 Véase sentencia de la antigua Corte Federal de 12-6-53, *Gaceta Forense* N° 47, 1953.

27 Véase sentencia de la antigua Corte Federal de 22-2-60, *Gaceta Forense,* N° 27, Vol. I, 1960, p. 109; y sentencia de la Corte Suprema de Justicia en Corte Plena de 4-5-88, *Gaceta Forense,* N° 140, Vol. I, 1988.

no son piedras preciosas, mármol, porfirio, kaolin, magnesita, arenas, lodos, yeso, puzolanas, turbas, y sustancias terrenas y el guano, pertenecen al propietario de la tierra, quien las puede explotar sin especiales formalidades..."

Es idéntica la situación con relación al impuesto de explotación de los referidos minerales, prevista en el artículo 9° de la Ordenanza, el cual, en este caso viola el ordinal 8° del mismo artículo 136 de la Constitución de la República. Ambas violaciones ocasionan la nulidad de dicha Ordenanza de conformidad con el artículo 215, ordinal 4 *ejusdem*. (Consultada en original).

La interpretación jurisprudencial de la reserva al Poder Nacional de toda la regulación incluido el régimen tributario de las materias enumeradas en el artículo 136 de la Constitución ha sido ratificada en sentencia reciente de la Sala Político Administrativa del 16-7-96, al señalar:

"De lo anterior se desprende una primera conclusión y es que ni la actividad de telecomunicaciones, *ni ninguna otra de las comprendidas dentro de las atribuciones del Poder Nacional puede admitir regulación directa o inmediata a través de textos normativos subalternos a la Ley*. En otros términos, no pueden ni deben los órganos de la rama ejecutiva del Poder Público Nacional, ni los órganos ejecutivos y legislativos estadales o municipales mediante sus actos típicos y propios invadir tales esferas de actuación por haber sido éstas expresa y precisamente reservadas al órgano legislativo nacional.

...(omissis)...

Ahora bien, estando reservada la actividad antes mencionada al ámbito de la Ley y al Poder Nacional como también lo ratifican los artículos 1° y 4° de la Ley de Telecomunicaciones, resulta incontestable afirmar que *toda su regulación, incluyendo la determinación del pago de tributos así como el régimen para su imposición*, debe igualmente quedar plasmada en el texto legislativo.

Agrega la misma sentencia que:

"En relación con la consagración a nivel nacional de este tributo, es de advertir además que cualquier invasión del Municipio en la materia rentística reservada al Poder Nacional –dentro de la cual, obviamente se incluye la presente– se encuentra especialmente prohibida por el texto constitucional. En efecto, el artículo 34 de la norma fundamental hizo extensiva a los entes municipales la imposibilidad de crear impuesto "sobre las demás materias rentísticas de competencia nacional," previstas para los Estados en el artículo 18, ordinal 3°, *ejusdem*," (consultado en original).

Por ello, a la luz de las consideraciones precedentes, Araujo Medina y Palacios Márquez concluyen en lo siguiente:

"i) Que la atribución de competencia efectuada en materia de régimen y administración de hidrocarburos es una asignación exclusiva, absoluta, en beneficio del Poder Nacional.

ii) Que tal asignación no solamente se refiere al régimen administrativo de control, sino que incluye el régimen tributario.

iii) Que la asignación mediante la técnica de competencia exclusiva, impide a los Municipios y a los Estados incidir o gravar las actividades de hidrocarburos, ya sea mediante las formas estatales descentralizadas de administración pública petrolera o mediante los acuerdos, convenios o sociedades mercantiles que se constituyan o se crearen de conformidad con la reserva específica de la LOREICH.

iv) que tal prohibición constituye una *limitación explícita o directa al ejercicio del Poder Tributario estadal o municipal,* que se traduce en un deber de *abstención o de no intervención* en los asuntos propios del Poder Nacional, como se desprende de los artículos 18 al 34 de la Constitución de la República."[28]

---

[28] Véase Araujo Medina y Palacios Márquez *Op. cit.* pp. 78-79.

La conclusión de todo lo anteriormente expuesto es que la Constitución reserva a los órganos del Poder Nacional, la determinación del régimen tributario de las minas e hidrocarburos y las actividades que se deriven de su exploración, por lo que éstas estarán sujetas a los impuestos que ese régimen, y que sólo ese régimen establecido por dichos órganos del Poder Nacional determine.

En esta forma, las Cámaras Legislativas actuando como cuerpos colegisladores, mediante ley (art. 162 de la Constitución) han establecido aspectos importantes del régimen tributario de las minas e hidrocarburos, no sólo al regular las contribuciones "de minas e hidrocarburos" en la Ley de Minas y la Ley de Hidrocarburos conforme al ordinal 8° del artículo 136 de la Constitución; sino al establecer y ratificar, por ejemplo, en la Ley Orgánica que Reserva al Estado la Industria y el Comercio de los Hidrocarburos, que las empresas de la industria petrolera nacionalizadas sólo están sujetas a impuestos nacionales, al indicar su artículo 7 un régimen de no sujeción a impuestos estadales y municipales, al aclarar que las mismas "no estarán sujetas a ninguna clase de impuestos estadales y municipales."

Esta norma, tampoco puede considerarse como una norma establecedora de una "exención tributaria," sino de definición y de ratificación de un régimen de *no sujeción* impositiva dictado en ejercicio de la competencia que tienen las Cámaras para legislar sobre las materias de competencia del Poder Nacional (art. 139 de la Constitución), entre ellas, para el establecimiento y definición del régimen tributario de las minas e hidrocarburos, y de las actividades relacionadas con las mismas.

En igual forma, en el caso de la Cláusula Décima del artículo 2° del Acuerdo, cuando las Cámaras Legislativas en sesión conjunta y con base en la atribución que le confiere el artículo 126 de la Constitución y el artículo 5° de la Ley Orgánica que Reserva al Estado la Industria y el Comercio de los Hidrocarburos, de fijar las condiciones para la celebración de los Convenios de Asociación; han dispuesto y ratificado, como órgano del Poder Nacional que son, dentro de la competencia orgánica que tienen y de acuerdo al artículo 136, ordinal 10° de la Constitución, el establecimiento del régimen tributario aplicable a dichos Convenios, previendo también un *régimen de sujeción* sólo a impuestos nacionales de manera que las actividades que se realicen mediante los mismos "no estarán sometidos al pago de impuestos municipales ni estadales."

Esta previsión de la Cláusula Décima el artículo 2° del Acuerdo, no consiste en aplicar a las empresas que resulten de los convenios de Asociación la previsión del artículo 7° de la Ley Orgánica que Reserva al Estado la Industria y el Comercio de los Hidrocarburos, como indebidamente lo señalan los recurrentes; sino en el establecimiento y ratificación, por un acto parlamentario sin forma de ley, como órgano del Poder Nacional con competencia constitucional y legal para *fijar las condiciones* de los Convenios de Asociación previstos en el artículo 5° de la mencionada Ley Orgánica, del régimen de sujeción y de no sujeción tributaria de las empresas que se establezcan por los mismos, para cumplir actividades de hidrocarburos, el cual previó un régimen de sujeción a impuestos nacionales exclusivamente, indicando que no estarían sujetos a impuestos estadales y municipales.

Esta condición aplicable a los Convenios de Asociación contenida en un acto parlamentario sin forma de ley, es en definitiva, parte del régimen de los hidrocarburos, y del régimen tributario de los mismos, establecido por un órgano del Poder Nacional competente, como es el Congreso como consecuencia de su poder de *fijar las condiciones* de los convenios de Asociación previstos en el artículo 5 de la Ley que Reserva al Estado la Industria y el Comercio de los Hidrocarburos.

El establecimiento del régimen tributario aplicable a las minas e hidrocarburos por los órganos del Poder Nacional, conforme al artículo 136, ordinal 10 de la Constitución, sea mediante ley (como la Ley que Reserva al Estado la Industria y el Comercio de los Hidrocarburos) o mediante Acuerdos en los que se *fijen las condiciones* de Convenios de Asociación; por tanto, en ningún caso puede identificarse con la figura de la exención tributaria. El régimen tributario que se puede establecer por los órganos del Poder Nacional respecto de las minas e hidrocarburos, así como actualmente dispone en cuanto a los hidrocarburos que no están sometidas sus actividades a impuestos estadales o municipales, podría, al contrario, prever expresamente que si estarían sometidas a dichos impuestos, o a alguno de ellos. Regimentar a cuál tributo estarán sometidas a dichas actividades y a cuál no, es justamente el objeto de la reserva que constitucionalmente tienen los órganos del Poder Nacional para determinar el *régimen tributario* que regirá dichas actividades; lo que en ningún caso puede identificarse con la figura de la exención tributaria.

Como consecuencia de lo expuesto, siendo competencia exclusiva de los órganos del Poder Nacional determinar el *régimen tributario* de las minas e hidrocarburos y de las actividades relacionadas con ellas, cuando esa competencia constitucional la ejercen dichos órganos estableciendo, por ejemplo, la no sujeción a impuestos municipales respecto de las mismas, como lo ha establecido el Acuerdo del Congreso, ello en ningún caso puede considerarse como una violación de la autonomía municipal consagrada en el artículo 29 de la Constitución, que implica la posibilidad de establecer impuestos a las actividades lucrativas realizadas en la jurisdicción municipal respectiva, denominados patentes de industria y comercio a que se refiere el artículo 31, ordinal 3° de la Constitución, pues este sólo se aplicaría a las actividades de minas e hidrocarburos en la medida en que el régimen de éstas, establecido a nivel nacional, lo permitiera. En otras palabras, está reservado a los órganos del Poder Nacional el establecimiento del régimen tributario de las minas e hidrocarburos y sus actividades, por lo que sólo dichos órganos pueden determinar si las mismas sólo están sometidas o sujetas a impuestos nacionales o si por el contrario, también estarían sometidas a impuestos estadales y municipales.

En el caso del régimen tributario de sujeción impositiva establecido en la Cláusula Décima del Acuerdo, las Cámaras Legislativas en sesión conjunta, como órgano del Poder Nacional conforme a la competencia que le asigna la Constitución en el artículo 126 y la Ley que Reserva al Estado la Industria y el Comercio de los Hidrocarburos, en su artículo 5°, han determinado que las actividades que se desarrollen mediante los Convenios de Asociación sólo estarán sujetas a los impuestos nacionales, es decir, que no estarán sujetas a impuestos estadales o municipales. En forma alguna esta determinación viola las normas de los artículos 29 y 31, ordinal 3° de la Constitución que establecen la autonomía municipal y el impuesto de patentes de industria y comercio porque, en relación a las minas e hidrocarburos, esas competencias municipales sólo pueden ejercerse *conforme al régimen* que establezcan los órganos del Poder Nacional, y en el caso sometido a la consideración de esta Corte, dicho régimen establecido en la Cláusula Décima del artículo 2° del Acuerdo respecto de las actividades realizadas mediante los Convenios de Asociación, se ha determinado que las mismas no están sujetas a impuestos municipales.

Por lo demás, y a todo evento, debe señalarse que la Constitución en el mismo artículo 136, ordinal 8º establece como competencia del Poder Nacional la organización, recaudación y control de las contribuciones "de minas e hidrocarburos," mediante lo cual se previó constitucionalmente una reserva específica al Poder Nacional en materia de contribuciones de minas e hidrocarburos, lo que excluye toda posibilidad por parte de los Estados y Municipios de gravar las actividades económicas en materia de hidrocarburos reservadas al Poder Nacional.

En efecto, establecida la competencia expresa del Poder Nacional en materia de contribuciones de minas e hidrocarburos entra en aplicación la norma prohibitiva del artículo 18 de la Constitución, que establece que ni los Estados ni los Municipios (conforme al artículo 34 de la Constitución) podrán crear impuestos sobre las materias rentísticas de la competencia nacional; razón por la cual las patentes de industria y comercio no pueden gravar las minas e hidrocarburos y las actividades económicas que se deriven de ellas.

Por tanto, en ningún caso, el régimen de no sujeción de las actividades de las empresas de hidrocarburos resultantes de los Convenios de Asociación a los impuestos municipales que establece el Acuerdo impugnado, puede considerarse violatorio de la autonomía municipal y de la potestad tributaria municipal, pues conforme al artículo 136, ordinal 8°, las minas e hidrocarburos constituyen una materia rentística reservada al Poder Nacional, no sometida, conforme al artículo 18 de la Constitución, ni a impuestos estadales ni a impuestos municipales.

Por otra parte, la reserva al Estado (en este caso, a la República) de la industria y comercio de los hidrocarburos implica que el ejercicio de esa actividad no debe, en principio, estar sometida a gravamen tributario en virtud de la inmunidad fiscal de la República quien en definitiva es la que desarrolla esa actividad, bien directamente, o bien a través de las formas de administración indirecta que le autorice la Ley Orgánica que Reserva al Estado la Industria y Comercio de los Hidrocarburos. En efecto, al asumir la República en forma exclusiva –régimen de la reserva– la administración y gestión de la industria y el comercio de los hidrocarburos, estas actividades no pueden estar sometidas al pago de impuestos, esto es, el ejercicio de esas actividades no pueden configurar un hecho imponible para otras actividades político territoriales porque de ser así la imposición estaría dirigida a la misma República que se las ha reservado.

Las actividades reservadas a la República no puede ser gravadas tributariamente en razón de que la potestad fiscal, entendida como el "poder coactivo estatal de compeler a las personas para que le entreguen una porción de sus rentas o patrimonios, cuyo destino es el de cubrir las erogaciones que implica el cumplimiento de su finalidad de atender necesidades públicas"[29] sólo pueden ejercerse sobre los particulares de quienes la República obtendrá recursos para cubrir el gasto público y no sobre la República misma, que como personificación nacional del Estado, implicaría una autoimposición.

Las entidades territoriales que conforman el Estado (República, Estados y Municipios) son por naturaleza los acreedores de los tributos, y carecen de capacidad económica que permitan calificarlos como contribuyentes; por otra parte, de constituirse el propio Estado en deudor fiscal operaria una suerte de confusión por reunirse en él mismo las condiciones de acreedor y deudor del tributo. Estas circunstancias determinan la imposibilidad de someter la actividad realizada por los entes territoriales que conforman el Estado al pago de tributos, configurándose la llamada inmunidad fiscal o inmunidad tributaria del Estado.

Así, cuando una actividad contemplada como hecho imponible es realizada por la República, se manifiesta esa inmunidad no pudiendo atribuírsele a ésta el hecho imponible y, en consecuencia, no se produce el efecto de colocar el ente que la realiza, en este caso la República, como sujeto pasivo de la relación tributaria. No es que esté exento o exonerado del pago sino que es inmune porque no le es atribuible el hecho que determina el impuesto.

Con respecto a la República no nace la obligación tributaria porque la República no está sujeta al deber de contribuir para cubrir el gasto público. La riqueza de la República esta destinada por naturaleza a ese fin.

---

[29] Véase Héctor B. Villegas, *Curso de Finanzas. Derecho Financiero y Tributario*, Buenos Aires, 1992, p. 186.

En este orden de ideas, cuando una actividad es reservada a la República, es lógico que ella no sea susceptible de ser gravada, esto es, de configurar un hecho imponible, porque la República es el único que la puede realizar y él goza de inmunidad tributaria.

Sin embargo, la Ley al establecer la reserva puede prever o autorizar formas de administración indirecta, mediante la creación de empresas del Estado o la asociación con empresas privadas dando lugar a empresas de economía mixta. En uno y otro caso éstas aparecen como instrumentos de gestión, debiendo, en principio, participar de la misma inmunidad fiscal de la que goza la República, salvo que la ley expresamente les retire esa inmunidad, como sucede, por ejemplo, con el impuesto sobre la renta.

Así lo ha admitido la jurisprudencia de la Sala Político Administrativa de este Supremo Tribunal en sentencia del 31 de mayo de 1979 en la cual ratifica el criterio anteriormente sostenido en sentencia de 5 de octubre de 1970, de extenderle la inmunidad tributaria de la República a los entes de la Administración Pública Nacional Descentralizada funcionalmente, al señalar lo siguiente:

> "La obligación de "«contribuir a los gastos públicos»," mediante el pago de impuestos, tasas u otras contribuciones, establecidas en el artículo 56 de la Constitución, no incumbe, en principio, al Estado ni a las demás entidades territoriales que lo componen. La relación de derecho público que supone la obligación tributaria tiene como sujeto activo al fisco (sea nacional, estadal o municipal) y como sujeto pasivo a una persona natural o jurídica. Por tanto, es tan contrario a la lógica que el Congreso grave con impuesto nacionales la actividad que desarrollen los Estados o las Municipalidades por intermedio de sus servicios públicos, como que las Asambleas Legislativas o los Concejos Municipales sometan tributación, en sus respectivas jurisdicciones, los servicios públicos que en ellos establezca el Gobierno Nacional. Siendo constitucionalmente uno de los fines del Estado "«promover el bienestar general»" mediante la creación, ampliación y mejoramiento de los servicios públicos a escala nacional, *seria un contrasentido admitir la posibilidad de que las* actividades *que desarrollen con tal fin los diversos órganos de la administración nacional, pueden ser objeto de la contribución*

establecida en el ordinal 3° del artículo 31 de la Constitución, ni aún cuando ellas puedan constituir "«actividades lucrativas»" en el caso de que sean realizadas por particulares en ejercicio de la libertad de industria y comercio.

Esto es aplicable tanto a los servicios centralizados, es decir, aquellos que no tienen personalidad jurídica propia, como a los servicios descentralizados los cuales en conformidad con las legas que los rigen, tienen patrimonio propio y una personalidad similar aunque no idéntica, a la que es característica de los entes territoriales de derecho público."[30]

La noción de instrumento del Estado (o de la República) fue expresamente utilizada por esa misma Sala para sostener la inmunidad tributaria de los entes descentralizados de la Administración Pública Nacional, en sentencia posterior del 11 de junio de 1981, al afirmar que:

"...el mencionado Instituto Autónomo es, precisamente, un *« instrumento del Estado»* para realizar uno de sus "fines" constitucionales: "la promoción del desarrollo económico"... "de toda la región zuliana." En otras palabras, es uno de los «servicios (públicos) descentralizados», que tiene "patrimonio propio y una personalidad similar aunque no idéntica, a la que es característica de los entes territoriales de derecho público." Luego, si –como lo dijo la Corte en aquél fallo (la Sala se refiere al de 5-10-70), cuyos conceptos ratifica en esta oportunidad–, "la obligación de contribuir a los gastos públicos," mediante el pago de impuestos, tasas u otras contribuciones, establecidas en el artículo 56 de la Constitución, no incumbe, en principio, al Estado, ni a los demás entes territoriales que los componen, tal "obligación" constitucional tampoco incumbe a estos entes autónomos, creados por el propio Estado."[31]

En esta forma la jurisprudencia de este Máximo Tribunal ha sostenido el criterio de la inmunidad tributaria de los instrumentos de

30 Véase en *Gaceta Forense* N° 104, 1979, Vol. I, p. 244.

31 Véase en *Revista de Derecho Público* N° 7, julio-sep. 1981, p. 142.

gestión o formas jurídicas utilizadas por la República para la mejor consecución de sus fines o de las actividades que asuma, bajo la política de intervención en la economía del país, tal como es el caso de las actividades de la industria y el comercio de los hidrocarburos, lo que permite afirmar que los entes públicos institucionales, Institutos Autónomos y Empresas del Estado, constituidas para desarrollar dichas actividades son instrumentos de la República y participan de su misma inmunidad fiscal, salvo que la ley expresamente los someta a un tratamiento fiscal distinto.

La Ley Orgánica que Reserva al Estado la Industria y el Comercio de los Hidrocarburos, declara de utilidad pública y de interés social las actividades reservadas, así como las obras, trabajos y servicios que fueren necesarios para realizarlos (artículo 1°), y es en virtud de ello que se declara la reserva, régimen que no ha sido modificado y que se mantiene con los Convenios de Asociación.

La posibilidad de que la República como personificación del Estado Nacional o sus entes, se asocie con inversionistas privados para la exploración y explotación de yacimientos de hidrocarburos no implica modificación en el régimen de la reserva al Estado (la República) de esa actividad.

La celebración de los Convenios de Asociación ha sido autorizada precisamente con fundamento en el artículo 5° de la Ley Orgánica que Reserva al Estado la Industria y el Comercio de los Hidrocarburos, norma en la cual esta prevista la celebración de Convenios de Asociación, de la República o de los entes de su propiedad, con entes privados, manteniéndose la actividad a desarrollar con los inversionista privados dentro del marco de la reserva, toda vez que para la ejecución de los Convenios de Asociación, conforme a las condiciones del Acuerdo, específicamente las contenidas en la cláusula tercera y quinta del artículo 2, debe constituirse una sociedad anónima entre los inversionistas y la filial de Petróleos de Venezuela, empresa mixta en la que la participación de la Empresa Filial de Petróleos de Venezuela representa un rol determinante de la dirección y control de la gestión a realizar.

En efecto, dispone la cláusula quinta del Acuerdo que la "participación de la Filial o la Filial designada se hará mediante acciones doradas, las cuales conferirán prerrogativas a sus representantes en las decisiones sobre materias de trascendencia que, conforme al respectivo Convenio de Asociaciones, deban ser decididas por la Asamblea y la Junta Directiva de la Empresa Mixta. Cuando el ejercicio de la acción dorada haya generado controversias en el seno de la empresa mixta, la Filial Designada tendrá derecho a recurrir al Comité de Control para que éste adopte la decisión final."

Dicho Comité de Control, conforme a la cláusula cuarta del mismo artículo 2 del Acuerdo, está conformado por un número igual de miembros designados por los inversionistas y la filial de Petróleos de Venezuela, S.A. pero está presidido por uno de los miembros designados por la Filial, y para la validez de las deliberaciones y decisiones del Comité se requiere la *presencia y el consentimiento* de los miembros designados por la Filial, teniendo el Presidente voto doble para resolver los casos de empate. El carácter de instrumento del Estado de la empresa que surja de los convenios de asociación, ha sido ratificado mediante el Acuerdo de las Cámaras Legislativas de fecha 19-06-96 (G.O. Nº 35.988 de 22-06-96, que se anexa marcado "A," al precisar que el Presidente de tal Comité ha de ser la persona que postule por escrito al Ministerio de Energía y Minas. (Art. 2º).

Estas condiciones aseguran la intervención decisiva de la República, a través de las Filiales de Petróleos de Venezuela, S.A., en la planificación, coordinación y evaluación de las actividades explotación de los yacimientos de hidrocarburos, actividades objeto de exploración de las nuevas áreas geográficas y la de los Convenios de Asociación, y hacen a las empresas mixtas que con motivo de estos Convenios se constituyen en empresas públicas, aun cuando la participación accionaria del Estado sea minoritaria (35%).

En efecto, como señala Caballero Ortíz:

> "el concepto de empresa pública no conlleva una sustracción total de capital privado.
>
> Las sociedades de economía mixta deben ser consideradas como empresas públicas en dos casos:
>
> a) Cuando el Estado, otra persona pública, o una sociedad cuyas acciones pertenezcan en su mayoría a personas públicas, tengan la mayoría del capital.

b) Cuando –aún en el caso de que personas públicas o sociedades con participación mayoritaria de personas públicas, *no tengan la mayoría del capital– los elementos que se hacen presente en la creación, organización y dirección de la empresa son de tal forma decisivos que aseguran a las personas públicas un papel relevante en la gestión y el control. Tales elementos permiten considerar como empresa pública* al Banco de Desarrollo Agropecuario, en el cual las acciones adquiridas por el Estado no representan sino la mitad del capital del Banco y, sin embargo, la Presidencia del Organismo corresponde siempre al representante del Ejecutivo Nacional.

La propiedad pública mayoritaria de las acciones no es entonces un elemento primordial de la empresa pública, ya que la misma puede ser reemplazada en algunos casos, por determinados elementos que configuran una dirección o control público."[32]

Sin duda las empresas que los inversionistas privados y la Filial de PDVSA constituyan para la ejecución del Convenio de Asociación, desde el punto de vista tributario por la participación decisiva de los entes de la República, será un instrumento del Estado que participará, en principio, de la inmunidad tributaria que beneficia a éste.

Como lo afirmó la Sala Político Administrativa de este Supremo Tribunal en la sentencia antes citada de 11-6-81, los instrumentos del Estado "ya por su propia naturaleza, ya por expresión de la Ley de su creación... *no está sujeto a tributación, es decir, goza de inmunidad tributaria, que es atributo del Estado y de los entes territoriales o institucionales que lo* componen."[33]

En este orden de ideas, es claro que el Acuerdo del Congreso al disponer que las actividades objeto del Convenio de Asociación quedaban sometidas al régimen de la Ley Orgánica que Reserva al Estado la Industria y Comercio de los Hidrocarburos, actividades que siendo además de la competencia del Poder Nacional, no estarían sometidas al pago de impuestos municipales y estadales, actuó en un todo conforme a la Constitución.

---

32 Véase Jesús Caballero Ortiz, *Las Empresas Públicas en el Derecho Venezolano,* EJV, Caracas 1982, p. 107

33 Véase en *Revista de Derecho Público*, N° 7, julio-sept. 1981, p. 133.

Por una parte, la referencia a la competencia del Poder Nacional excluye, como quedó expuesto antes en este mismo Capítulo, cualquier intervención del poder estadal y municipal en la regulación en general, y específicamente en lo atinente al régimen tributario. En esa materia, por ser competencia exclusiva del Poder Nacional, por expresa prohibición de la Constitución, no pueden intervenir los Estados ni los Municipios (artículos 18, ordinal 1°, 34 y 136, ordinal 8°).

Pero es que además, tratándose de actividades reservadas a la República, conforme al artículo 97 de la Constitución, las mismas no pueden estar sujeta a gravamen tributario por los Estados ni los Municipios, independientemente que dichas actividades las ejerza directamente la República o indirectamente a través de sus instrumentos (Empresas Públicas), porque en uno y otro caso es la República quien en definitiva desarrolla la actividad, lo que determina que la misma no sea susceptible de configurar el hecho imponible de impuestos estadales o municipales en virtud de la inmunidad tributaria de los sujetos que la realizan.

Por todas las consideraciones antes expuestas solicitamos de esta Suprema Corte, desestime las denuncias de violación de los artículos 29 y 31, ordinal 3° de la Constitución, alegadas por los recurrentes, por parte de la citada Cláusula Décima del artículo 2° del Acuerdo del Congreso.

En cuanto a las denuncias de supuesta violación por dicha Cláusula de los artículos 224 de la Constitución y 4° ordinal 2, del Código Orgánico Tributario, y consecuencialmente, de los artículos 162 y 177 de la Constitución, también solicitamos sean desestimadas por esta Corte Suprema, pues como se ha dicho, en ningún caso, la referida Cláusula Décima del artículo 2° del Convenio ha establecido una "exención tributaria" respecto de las actividades derivadas de la ejecución de los Convenios de Asociación, cuyas condiciones de celebración han sido fijadas en el Convenio.

La exención tributaria, en efecto, es una excepción al principio de la generalidad del impuesto, que el legislador establece respecto de determinados sujetos o actividades, por razones de conveniencia fiscal o pública, que, aún cuando dada la ordenación general y normal de un tributo están sujetos al mismo, sin embargo, se los exime.

Distinta a la figura de la exención tributaria, es la de la *no sujeción,* como lo ha analizado el maestro tributarista de siempre, Fernando Sainz de Bujanda, al señalar que:

> "quedarán insertos en el ámbito de la no sujeción los hechos que no aparezcan configurados en el ordenamiento como imponibles, es decir, como susceptibles de generar obligaciones de pago. Asimismo, en la esfera subjetiva, el concepto de no sujeción corresponderá a las personas que no se encuentren con los hechos imponibles en la relación prevista por la ley para que les corresponda la posición de sujetos pasivos del gravamen." [34]

La situación de no sujeción, por tanto, aparece cuando los hechos no son considerados como imponibles y por tanto, no generan obligación tributaria y eso, precisamente, es lo que pueden determinar los órganos del Poder Nacional cuando establecen el régimen tributario de las minas e hidrocarburos y ratifican, por ejemplo, que sólo estarán sometidas al pago de impuestos nacionales, lo que implica *no sujeción* a los impuestos estadales y municipales.

Esta determinación del régimen tributario al cual están sometidos las minas e hidrocarburos y las actividades que resulten de los mismos, como se ha dicho, puede establecerse por los órganos del Poder Nacional según su competencia. Ello lo puede establecer el Legislador, conforme a las competencias de las Cámaras Legislativas actuando como cuerpos colegisladores al regular mediante Ley, en general, el régimen de los impuestos nacionales, e incluso de minas e hidrocarburos y en particular, el régimen de la industria petrolera nacionalizada; pero también puede establecerse al prever el régimen de sujeción o no sujeción, por las mismas Cámaras Legislativas actuando en sesión conjunta, al fijar, mediante Acuerdo conforme a sus competencias constitucionales y legales, las particulares que deben regir la celebración de los Convenios de Asociación.

En tal sentido, ni la determinación del artículo 7 de la Ley Orgánica que Reserva al Estado la Industria y el Comercio de los Hidrocarburos ni la determinación de la Cláusula Décima del Artículo 2

---

[34] Véase Fernando Sainz de Bujanda, "Teoría Jurídica de la Exención Tributaria" en *Hacienda y Derecho,* Vol. III, Madrid, 1963, pp. 428-429.

del Acuerdo, pueden considerarse como exenciones tributarias, sino como la determinación de un régimen de no sujeción a los tributos estadales y municipales respecto a las actividades de hidrocarburos, sea las realizadas por las empresas nacionalizadas o con motivo de los Convenios de Asociación. No tratándose de una exención la establecida en dicha Cláusula para las actividades derivadas de los Convenios de Asociación, no resulta aplicable lo previsto en el artículo 224 de la Constitución ni en el artículo 4, ordinal 2 del Código Orgánico Tributario, los cuales, en consecuencia, no pueden considerarse violados por el Acuerdo, como expresamente solicitamos así se decida por esta Suprema Corte.

En todo caso, como se ha dicho el establecimiento de un régimen de no sujeción a determinado tributo de determinadas actividades, corresponde a las Cámaras Legislativas como órganos del Poder Nacional con competencia para establecerla, sea como cuerpos colegisladores, mediante ley, o en sesión conjunta respecto a determinadas contrataciones que se autoricen, mediante Acuerdo. En el caso sometido a consideración de esta Suprema Corte, la determinación de la no sujeción de las actividades derivadas de los Convenios de Asociación a los impuestos estadales y municipales, se ha establecido por un acto parlamentario sin forma de ley que es el Acuerdo impugnado, dentro de las condiciones que fijó, de acuerdo al artículo 126 de la Constitución y 5 de la Ley Orgánica de Reserva al Estado de la Industria y el Comercio de los Hidrocarburos, para dichos Convenios de Asociación.

Por tanto, incluso extrapolando la argumentación de los recurrentes respecto a la supuesta violación de lo previsto en el artículo 224 de la Constitución (conjuntamente con los artículos 162 y 177) y en el artículo 4, ordinal 2 del Código Orgánico Tributario, debe señalarse que no sólo dichas normas resultan inaplicables al caso regulado en la Cláusula Décima del artículo 2° del Acuerdo, por no tratarse de una exención tributaria, por lo que no podrían ser violadas; sino que el régimen de no sujeción respecto de las minas e hidrocarburos que se atribuye al Poder Nacional en el artículo 136, ordinal 10 de la Constitución, no requiere de una Ley (art. 162 de la Constitución), cuando las Cámaras Legislativas lo establecen al fijar las condiciones específicas y particularizadas de celebración de los Convenios de Asociación, conforme a sus competencias constitucionales y legales, como ha sucedido en este caso; de manera que mal podría alegarse violación del principio de legalidad tributaria regulado en los artículos 224 de la Constitución y 4, ordinal 2 del Código Orgánico Tributario.

En todo caso, en particular damos aquí por reproducidos todos los argumentos expuestos por el Consultor Jurídico de Petróleos de Venezuela, S.A. ante el Fiscal General de la República en comunicación de 11-1-96 que anexamos al presente escrito, sobre el tema de la no sujeción impositiva prevista en la mencionada Cláusula Décima del artículo 2 del Acuerdo; y particularmente en el anexo 4 de dicho escrito contentivo del dictamen del Profesor Florencio Contreras Quintero sobre "La industria nacionalizada del petróleo ante la tributación municipal y su incidencia" (1981), y que trata de la no sujeción tributaria a los instrumentos de la acción de gobierno como son las empresas nacionalizadas y a las que estas constituyan mediante los Convenios de Asociación autorizados en el Acuerdo.

Y para el supuesto negado que se desestimase la anterior argumentación respecto de la inaplicabilidad del artículo 224 de la Constitución y del artículo 4°, ordinal 2° del Código Orgánico Tributario, a todo evento, puede aún sostenerse que, en todo caso, que las Cámaras Legislativas en el artículo 2°, en su Cláusula Décima, del Acuerdo del 04-07-95, al contemplar la no sujeción de las actividades de hidrocarburos reservadas, que sean respecto de los Convenios de Asociación, a los impuestos estadales y municipales, no han hecho otra cosa, mediante dicho Acuerdo, que ratificar con espíritu interpretativo y de aclaración, lo que establece el ordinal 8° del artículo 136 de la Constitución, de que por estar la materia tributaria minera y petrolera atribuida al Poder Nacional y de que por ende, conforme a lo previsto en el artículo 18 del mismo Texto Fundamental, les está prohibido a los Estados y Municipios crear tributos sobre esa misma materia. De modo, que más que crear a través del referido Acuerdo, exenciones de lo que se trata es de aclarar y precisar los límites de la potestad tributaria estadal y municipal sobre las actividades de hidrocarburos reservadas, que son objeto de los Convenios de Asociación que se autorizan por el mismo Acuerdo que dictaron para permitir su celebración.

En consecuencia, por todas las razones expuestas en este Capítulo, deben desestimarse las denuncias de inconstitucionalidad e ilegalidad de la Cláusula Décima del artículo 2° del Acuerdo del Congreso de fecha 04-07-95.

CAPITULO V: LA IMPROCEDENCIA DE LA DENUNCIA DE INCONSTITUCIONALIDAD DE LA CLÁUSULA DÉCIMA SÉPTIMA DEL ARTÍCULO 2 DEL ACUERDO DEL CONGRESO DE FECHA 04-07-95

Los recurrentes también denuncian la supuesta inconstitucionalidad de la Cláusula Décima Séptima del artículo 2° del Acuerdo, que establece que *"El modo de resolver controversias en materias que no sean competencia del Comité de Control y que no puedan dirimirse por acuerdo entre las partes, será el arbitraje, el cual se realizará según las reglas de procedimiento de la Cámara Internacional de Comercio, vigentes al momento de la firma del Convenio";* lo que a juicio de los recurrentes sería contrario a la disposición del artículo 127 de la Constitución, pues los Convenios de Asociación cuyas condiciones de celebración fija el Acuerdo, son contratos de evidente interés público cuyas controversias, a juicio de los recurrentes "no pueden dirimirse con arreglo a normas de procedimiento distintas a las que establece la Ley Venezolana."

En cuanto a la denuncia formulada por los recurrentes debe señalarse, ante todo, que evidentemente los Convenios de Asociación autorizados en el Acuerdo de Congreso de 04-07-95, son contratos de interés público nacional conforme al artículo 127 de la Constitución, a los cuales, sin embargo, por su naturaleza industrial y comercial, se les aplica la excepción contenida en la misma norma respecto al principio de la inmunidad jurisdiccional; razón por la cual mal podría alegarse violación de dicha norma. En efecto, en la Cláusula Décima Séptima si bien se deja claramente sentado el mandato de que "el Convenio *se regirá e interpretará de conformidad con las leyes de la República de Venezuela*," en cuanto a la resolución de *algunas* controversias que deriven del mismo (con exclusión de las materias que sean competencia del Comité de Control), precisamente de acuerdo a lo establecido en el Código de Procedimiento Civil, que es una Ley de la República de Venezuela, se la somete a arbitraje que se realizará según las reglas de procedimiento de la Cámara Internacional de Comercio, vigentes al momento de la firma del Convenio. Este previsión de la Cláusula Décima Séptima del artículo 2° del Acuerdo está, en un todo, conforme con lo establecido en el artículo 127 de la Constitución, por lo que no lo contradice en forma alguna .

En efecto, la cláusula expresada en el artículo 127 de la Constitución, tiene por objeto, *primero* estipular que la interpretación, aplicación y ejecución de los contratos de interés público debe someterse a la Ley Venezolana, y *segundo,* que las controversias y dudas que de ellos surjan, deben también someterse al conocimiento de los Tribunales venezolanos; todo ello, si no fuere improcedente de acuerdo con la naturaleza del contrato de interés público. Este principio, que se deriva de esta cláusula, encuentra también su fundamento en el principio universal del derecho internacional, de la inmunidad de jurisdicción de los Estados extranjeros y de sus instrumentalidades.

El texto del artículo 127 de la Constitución, sin embargo, desde el ángulo de la inmunidad jurisdiccional, se aparta del carácter absoluto tradicional que antes tenía, y encaja dentro de la llamada "inmunidad relativa de jurisdicción." En efecto esa norma prescribe que esa cláusula debe estar presente en todos los contratos de interés público (nacional, estadal o municipal) "si no fuere improcedente de acuerdo con la naturaleza de los mismos." Esto conecta la materia de contratos de interés público, con un tema clásico de derecho internacional, que muestra la evolución que la cláusula ha tenido en el derecho contemporáneo, desde una inmunidad absoluta a la inmunidad relativa de jurisdicción.

El origen de esta cláusula, en el sistema constitucional venezolano, se remonta a la Constitución de 1893, en la cual se estableció lo que puede calificarse como el principio de la inmunidad absoluta. El artículo 149 de ese texto dispuso que:

> "...En todo contrato de interés público, se establecerá la cláusula, de que "las dudas y controversias que puedan suscitarse sobre su inteligencia y ejecución, serán decididas por los tribunales venezolanos y conforme a las leyes de la República..."

De acuerdo a esta norma del Texto Fundamental de 1893 la fórmula era distinta al texto vigente: primero, preveía la inmunidad absoluta, y segundo, prescribía la obligación de que en todo contrato se estableciera la cláusula, lo que difiere del sistema actual conforme al cual, en virtud de la Constitución, se entiende incorporada la cláusula a los contratos. En aquel texto sólo se decía que en esos contratos debía incorporarse la cláusula, por lo que la misma tenía neto carácter contractual.

En la Constitución de 1947 cambiaron estos dos elementos: se abandonó el sistema de inmunidad absoluta, sustituyéndose por uno de inmunidad relativa, porque la cláusula se consideraba incorporada en los contratos "si fuera procedente de acuerdo a la naturaleza de los mismos"; y además, se adoptó el esquema actual de considerar incorporada la cláusula aún cuando no estuviera expresa, con lo cual no es necesario que se indique en el texto del contrato que esa cláusula forma parte del mismo, sino que en virtud de la Constitución, ella está incorporada. Este es el esquema que se sigue en el texto de la Constitución actual, que sin embargo, no se siguió en la Constitución de 1953 (vigente hasta 1961), en la cual se volvió al principio de la inmunidad absoluta, pero estableciéndose que la cláusula se consideraba incorporada a los contratos de interés público.

Esta cláusula, tiene una evidente vinculación con el Derecho Internacional, y hoy puede decirse que refleja la situación universalmente aceptada y adoptada en todo el mundo, del principio de la relatividad de la inmunidad de soberanía o de inmunidad jurisdiccional de los Estados.

Por supuesto, ello no implica que también haya unanimidad absoluta en la doctrina en relación a determinar cuándo la *naturaleza* de un contrato implica la renuncia a la inmunidad de jurisdicción. Sobre el particular puede decirse que no hay criterios universalmente aceptados, aún cuando todavía se recurra a la distinción tradicional abandonada en el campo del derecho administrativo, entre los actos de autoridad *(jure imperii)* y los actos de gestión *(jure gestionis)* para la interpretación de los casos en los cuales debe haber inmunidad de jurisdicción. La misma doctrina del Fisco, elaborada también durante el siglo pasado, incluso, tuvo sus repercusiones en el Derecho Internacional en este tema de la inmunidad jurisdiccional.

En todo caso, puede decirse que esas distinciones tradicionales, en el momento actual no tienen valor como tal, porque todo acto del Estado siempre tiene una finalidad pública y no puede decirse que haya actos que el Estado cumple como un particular pura y simplemente, ya que el Estado nunca deja de ser Estado en sus actuaciones.

Sin embargo, la distinción entre actos de autoridad y actos de gestión, con todas sus consecuencias, condicionó la elaboración de un documento, en el ámbito del Derecho Internacional Privado, cuya incidencia en los contratos del Estado fue muy importante en América Latina. Se trata del *Código Bustamante,* es decir, la Convención sobre Derecho Internacional Privado de 1928, que suscribieron casi todos los países de América Latina y, de la cual es parte Venezuela. En esa Convención, puede decirse, se comenzó en el ámbito internacional de América Latina, a abandonar el principio de la inmunidad absoluta de jurisdicción de los Estados.

En efecto, en ese texto se admitió, como principio, que había inmunidad absoluta, pero salvo el caso de que un Estado hubiera admitido una sumisión expresa a la ley extranjera, en cuyo caso habría un consentimiento expreso a someterse a la jurisdicción de Tribunales extranjeros.

En tal sentido, el artículo 333 del Código establece lo siguiente:

> "Art. 333.- Los jueces y Tribunales de cada Estado contratante serán incompetentes para conocer de los asuntos civiles o mercantiles en que sean parte demandada los demás Estados contratantes o sus Jefes, si se ejercita una acción personal, salvo el caso de sumisión expresa o de demandas reconvencionales."

Pero además, en el *Código Bustamante, y* de allí la importancia de este documento en el derecho internacional, también se estableció el principio de que a pesar de la inmunidad establecida, ciertas acciones podían dar origen a la renuncia a la inmunidad de jurisdicción, particularmente las acciones reales vinculadas a la propiedad inmueble y los juicios universales. Sin embargo, para regular esta materia, en 1928, el Código siguió el parámetro de la distinción entre actos de autoridad y actos de gestión.

En efecto, los artículos 334 y 335 del Código establecían lo siguiente:

> "Artículo 334.- En el mismo caso y con la propia excepción, serán incompetentes cuando se ejerciten acciones reales, si el Estado contratante o su Jefe han actuado en el asunto como tales y en su carácter público.
>
> Artículo 335.- Si el Estado contratante o su Jefe han actuado como particulares o personas privadas, serán competentes los jueces o tribunales para conocer de los asuntos en que se ejerciten acciones reales o mixtas, si esta competencia les corresponde conforme a este Código."

Conforme a estas normas, por tanto, si se trata de acciones reales, en asuntos en los cuales el Estado actúa como Poder Público, dictando actos de autoridad, se mantiene el principio la inmunidad absoluta; en cambio, si lo que está envuelto en el asunto, es un acto de gestión en el cual el Estado actúa como particular o persona privada, entonces, puede estar sometido a la jurisdicción de otro Estado.

Es claro, sin embargo, que actualmente esta distinción no puede seguirse sosteniendo, como no se sostiene ya en el Derecho Internacional, sobre todo en virtud de la expansión económica de los Estados, pues ha sido justamente en las últimas décadas que los Estados han venido desarrollando un intenso proceso de intervención en la economía. En este campo de la actuación económica del Estado, ello no puede implicar que en las mismas, los Estados dejen de ser tales Estados soberanos, a pesar de que cumplan actividades comerciales o industriales en cualquier nivel. El tema, se ha discutido en el campo del derecho internacional, llegándose, incluso, a afirmaciones mucho más definidas que las que a veces encontramos en el derecho administrativo interno. Por ejemplo, Ian Sinclair afirma que "es una sobre-simplificación pretender que todas las actividades del Estado en el campo económico -como el manejo estatal de una industria, las compras o ventas del Estado- son necesariamente de naturaleza de "derecho privado" y que cumpliéndolas el Estado actúa como persona privada;" [35] y M. Chetien ha sostenido que "El Estado no adopta acto alguno, ni interviene en cualquier relación jurídica, sin que ello esté motivado, directa o indirectamente, por la necesidad de mantener su alta misión gubernamental... si uno va al fondo de las cosas, el Estado no se puede presentar jamás como una persona privada." [36]

Por tanto, el hecho de que el Estado realice actividades comerciales o industriales, no implica que deja de estar sometido al derecho público y que actúe enteramente regido por el derecho privado.

En consecuencia, abandonada la distinción entre actos de autoridad y actos de gestión, o entre Estado Poder Público, y Estado persona, en el derecho internacional, para evaluar las cláusulas de inmunidad de jurisdicción, la discusión se centra en *la naturaleza de la actividad* del Estado más que en su finalidad, que siempre es pública; y la tendencia es a admitir la excepción al principio de la inmunidad basadas en el carácter comercial de las actividades que realice un Estado, sobre todo en el ámbito internacional, lo que ha provocado la admisión del principio de la inmunidad relativa de jurisdicción.

En esta orientación, varios instrumentos jurídicos internacionales han sido adoptados en los últimos años. El primero de ellos es la *Convención Europea sobre Inmunidad de los Estados* del año 1972, en la cual se señalaron los casos en los cuales los Estados no podían invocar la inmunidad de jurisdicción, los cuales son: cuando se trate de contratos de trabajos o laborales que deben ser ejecutados en el Estado del foro; cuando un Estado tenga oficinas o agencias que realicen actividades industriales, comerciales o financieras, de la misma manera que personas privadas; los procedimientos relativos a patentes, marcas de fábricas y todo lo vinculado al derecho industrial; y las acciones relativas a propiedades inmuebles y sobre sucesiones y donaciones (arts. 5 a 10).

Esta Convención Europea fue seguida, en cuanto al abandono progresivo de la inmunidad absoluta, por una ley muy importante,

---

35 Véase Ian Sinclair, "The Law of Sovereign Immunity: Recent Development," *Recueil des Cours 1980,* Academie International de Droit Comparé, Vol. II, La Haya, 1981, p. 209.

36 *Idem, p.* 209.

que fue la *Ley de Inmunidad de Soberanía de los Estados Unidos* de 1976 (US *Foreign Sovereign Immunity Act* 1976), particularmente por tratarse de un Estado en el cual ha habido, históricamente, muchos conflictos y búsqueda de excepciones al sometimiento de los Estados extranjeros a las leyes americanas. En esa Ley se estableció, como principio, que bajo el ámbito del derecho internacional, los Estados no son inmunes en materia de jurisdicción en relación a sus actividades comerciales (art. 1602), las cuales se definen en el mismo estatuto, como las actividades regulares de conducta comercial, o las transacciones particulares de tal carácter comercial. En este texto, además, se precisa que "El carácter comercial de una actividad debe determinarse en relación a la naturaleza de la conducta, la transacción particular o el acto, antes que en referencia a su objetivo o finalidad" (art. 1603,d).

El mismo principio se adoptó en la *Ley de Inmunidad del Estado,* del Reino Unido, de 1978 *(UK State Immunity Act* 1978), la cual fue también muy importante, porque Inglaterra había sostenido siempre el principio de la inmunidad absoluta. Fue a partir de 1978 cuando se abandonó el principio e, incluso, se definieron los casos a los cuales no se podía alegar la inmunidad jurisdiccional, basado en el principio de la naturaleza comercial de la transacción, tales como: suministros de bienes o servicios; préstamos y transacciones que tienen relación con el financiamiento a los países o garantías o indemnizaciones relativas a estos préstamos y financiamiento, así como cualquier otra transacción o actividad, sea comercial, industrial, financiera, profesional o de carácter similar, en las cuales un Estado entra en relación con otro, sin que quede comprometido realmente el ejercicio de su autoridad soberana (Sección 3).

Esta misma orientación la sigue el *Prospecto de Convención Interamericana de Inmunidad de Jurisdicción de los Estados,* aprobado en 1983 por el Comité Jurídico Interamericano, en el cual se plantea también la excepción a la inmunidad jurisdiccional en el caso de actividades mercantiles y comerciales, en los siguientes términos: "la realización de una determinada transacción o acto comercial o mercantil como parte del desarrollo ordinario de su comercio," agregándose también, los asuntos laborales y contratos de trabajo.

El tema ha tenido y tiene gran importancia en Venezuela, porque toca un principio constitucional que es el contenido en esta cláusula obligatoria; obligatoriedad que está, sin embargo, sujeta a la excepción basada en la naturaleza del contrato, en cuyo caso no se aplica el principio de la inmunidad. En todo caso, planteada la discusión en torno al tema de la naturaleza del contrato, no se pueden dar fórmulas universales. Por ello, a la conclusión que se ha llegado, después de interpretaciones contradictorias, es que el criterio debe basarse en la naturaleza práctica del negocio que está en juego, lo cual tuvo particular aplicación a principios de los años ochenta, con motivo de los contratos de empréstitos públicos y obligaciones financieras que asumía el Estado en territorio de Estado Extranjeros.

Por supuesto, en materia de empréstitos públicos el tema de la inmunidad jurisdiccional se ha planteado desde siempre, y ha habido toda una discusión, tanto en el derecho financiero como en el derecho internacional, sobre la naturaleza de los contratos de empréstitos. En todo caso, si se utiliza la distinción entre actos de autoridad y actos de gestión *(jure imperii jure gestione)* nadie podía afirmar que un contrato de empréstito público no sea un acto de autoridad, y no sea un contrato del Estado sometido al derecho público; más público, en cualquier sentido, que un contrato de empréstitos, no habría. Por ello, la solución al problema no se basa en considerar si el Estado suscribe el contrato haciendo uso de su soberanía o de sus poderes públicos, o si son o no contratos administrativos, sino en la naturaleza de las operaciones. En el caso de los empréstitos, sin duda, el Juez que pueda estar llamado a conocer de un problema judicial en relación a ellos, lo que debe conocer en realidad son cuestiones mercantiles y comerciales. Por eso, y con base en la excepción prevista en la Constitución, los contratos de empréstitos no contienen la cláusula de inmunidad de jurisdicción y por tanto, están sometidos en su ejecución que se produce además fuera del país, a las leyes y a Tribunales donde se realiza la operación. Este además, es el principio aceptado en todos los países en el momento actual.

Por último, debe decirse que este principio constitucional se repite en relación a otros contratos en leyes diversas. Por ejemplo, dicha norma se encontraba expresa en la Ley sobre Concesiones de Obras en caso de Obras Viales y de Transporte del año 1983 (art. 10), y, así mismo, la misma exigencia de la cláusula con la misma excepción de la naturaleza del contrato, está en el Decreto 1.821 de 30-8-91,[37] que estableció las Condiciones Generales de Contratación en los contratos de obras públicas.

En cuanto a los Convenios de Asociación autorizados en el Acuerdo de 04-07-95, a celebrarse entre una de las empresas de la industria petrolera nacionalizada y una empresa privada, indudablemente que en los mismos, dada la naturaleza industrial y comercial de las actividades envueltas en ellos –que no cambian por el hecho de originarse en la explotación de hidrocarburos, lo que ha sido reservado al Estado por ley–, la inclusión de la mencionada cláusula de inmunidad de jurisdicción no es obligatoria, razón por la cual incluso podría haberse incluido una cláusula que estableciera la excepción tanto en cuanto a que la interpretación, aplicación y ejecución del contrato debía someterse a la Ley Venezolana (quedando exceptuadas siempre la aplicación obligatoria de las normas de orden público), como en cuanto a que las controversias y dudas que de ellos surjan, debían también someterse a conocimiento de los Tribunales de la República.

Ahora bien, esta posición de principio, en cuanto a la excepción respecto de la cláusula de inmunidad de jurisdicción y que existe respecto de contratos de interés público de naturaleza comercial o industrial, puede verse modificada y así ha ocurrido con el Acuerdo, por exigencias expresas de las Cámaras Legislativas, como también ha sucedido con la Ley sobre Construcción, Explotación y Mantenimiento de Obras Viales y de Transporte en Régimen de Concesión de 1983 [38] que estableció que "La concesionaria estará sometida al ordenamiento jurídico venezolano y a la jurisdicción de los Tribunales de la República, cualesquiera sea el origen de sus capitales y el de sus accionistas" (art. 10).

En el mismo sentido, en el sector hidrocarburos, y en cuanto a los contratos para la constitución de empresas mixtas, el artículo 3° (Parágrafo Segundo, literal d), numeral 9) de la Ley de Hidrocarburos, estableció que en dichos contratos se debía insertar la cláusula de inmunidad de jurisdicción, con el siguiente contenido:

---

[37] Gaceta Oficial, N° 34.797 de 12-9-91.

[38] *Gaceta Oficial*, N° 3.247 Extraordinaria de 26-8-83.

> "Las dudas y controversias de cualquier naturaleza que puedan suscitarse con motivo de este convenio y que no puedan ser resueltas amigablemente, serán decididas por los Tribunales de Venezuela de conformidad con su leyes, sin que por ningún motivo ni causa puedan ser motivo de reclamaciones extranjeras."

En igual sentido, en la Cláusula Décima Séptima del artículo del Acuerdo se ha establecido que:

> "El convenio se regirá e interpretará de conformidad con las leyes de la República de Venezuela"

Ahora bien, establecida la posibilidad constitucional de la excepción al principio de inmunidad de jurisdicción, en relación a los Convenios de Asociación cuyas condiciones se han fijado en el Acuerdo dictado conforme al artículo 126 de la Constitución y al artículo 5° de la Ley Orgánica que Reserva al Estado la Industria y el Comercio de los Hidrocarburos, es indudable que el Acuerdo podía constitucionalmente, como lo hizo, prever que para la solución de determinadas controversias las partes debían recurrir a la figura del arbitramento para su resolución, conforme a lo establecido en el artículo 2° y 608 del Código de Procedimiento Civil.

Esto exige, en todo caso, analizar la posibilidad misma del recurso al arbitramento en los contratos de interés público nacional, sus limitaciones y el ámbito del mismo.

En efecto, puede señalarse que en todos aquellos supuestos de contratos de interés público en los cuales, por su naturaleza, no sea obligatoria la inclusión de la cláusula de inmunidad jurisdiccional, podría plantearse que es posible que se puedan comprometer las controversias a la decisión de árbitros conforme se establece en el Código de Procedimiento Civil.

Debe señalarse, sin embargo, que el problema de la posibilidad misma de que las controversias derivadas de contratos de interés público puedan ser resueltos por vía de arbitramento, ha sido largamente debatido en la doctrina, y las soluciones del Derecho Comparado son diferentes. Por tanto, no puede considerarse que hay unanimidad al respecto. Lamentablemente la jurisprudencia administrativa en Venezuela no ha tenido la oportunidad de pronunciarse sobre la existencia y validez de cláusulas compromisorias en los contratos de interés público. Sin embargo, valiosas opiniones doctrinales se han dado al respecto.

La Procuraduría General de la República, en 1959, sostuvo el criterio de la improcedencia de la Cláusula arbitral en los contratos de interés público, con razón, pues la Constitución vigente para ese momento, que era la Constitución de 1953, en su artículo 49 establecía el principio de la inmunidad de jurisdicción del Estado consagrado en términos absolutos, y no relativos como se establece en la Constitución vigente. La Procuraduría, en todo caso, hacía una distinción respecto de las cuestiones que podían comprometerse, admitiendo el arbitramento solo sobre cuestiones técnicas pero no de derecho (Véase *Informe de la Procuraduría de la Nación al Congreso,* 1959, Caracas 1960, p. 660). Es decir, según la Procuraduría, antes de 1961, era necesario, al hablar del recurso al arbitramento, distinguir claramente qué cuestiones podían someterse válidamente al mismo. Respecto a las cuestiones técnicas, las discrepancias que podían presentarse entre las partes podían ser resueltas por Tribunales arbitrales. Sin embargo, respecto a las cuestiones sobre interpretación y ejecución del contrato, éstas no podían ser sometidas válidamente a arbitramento.[39] La Contraloría General de la República, al contrario ha estimado que no procede en los contratos administrativos la cláusula de arbitraje, por ser contraria a lo dispuesto en el artículo 127 de la Constitución.[40]

Pero incluso bajo la vigencia de la Constitución de 1953, el profesor Antonio Moles Caubet, en 1960, señaló "que no existe en Venezuela prohibición alguna de la cláusula compromisoria y del subsiguiente procedimiento de arbitraje o arbitramento en los contratos de la administración, sea cualquiera su especie, contratos propiamente administrativos o contratos de derecho privado"; para

---

[39] Véase *Doctrina de la Procuraduría General de la República* 1967, Caracas 1969, pp. 13 y 15.

[40] Véase *Dictámenes de la Consultoría Jurídica,* Tomo III 1938-1968, Caracas 1968, p. 3; y Tomo IV, 1969-1976, Caracas 1976, pp. 20-4-232 y 251. Véase asimismo Luis Brito García, *Régimen Constitucional de los Contratos de Interés Público.* Separata, Contraloría General de la República, pp. 124 ss.

concluir, después de hacer un minucioso examen del problema en el derecho comparado y de la pluralidad de normas que constituyen el ordenamiento jurídico venezolano relacionadas con la materia, que "la Administración tiene poderes para incluir, sea en un pliego de condiciones, sea en el contrato mismo, la cláusula compromisoria que abre entonces el procedimiento de arbitraje."[41]

En todo caso, las soluciones en el derecho comparado no son uniformes, y si bien en 1964, en relación al sistema venezolano, Allan R. Brewer-Carías se inclinaba por no aceptar el recurso al arbitramento en la contratación administrativa, dada la inexistencia de normas expresas que lo autorizara; [42] dicho criterio, luego de la reforma del Código de Procedimiento Civil lo cambió dicho autor, 28 años después, aceptando la figura del arbitramento en los contratos de interés público. [43]

En efecto, en la situación actual de nuestro ordenamiento jurídico, con el principio de inmunidad de jurisdicción establecido en forma relativa en la Constitución, y luego de sancionado el nuevo Código de Procedimiento Civil de 1986, puede admitirse que en los casos en que no sea obligatoria la cláusula de inmunidad jurisdiccional, en los contratos de interés público *es admisible recurrir al arbitramento.* En estos casos, por tanto, todas las controversias que se susciten pueden comprometerse en uno o más árbitros, antes o durante el juicio, *"con tal de que no sean cuestiones sobre estado, sobre divorcio o separación de los cónyuges, ni sobre los demás asuntos en los que no cabe transacción"* (art. 608 CPC). Por tanto, tratándose de entes públicos o de instrumentos de la acción de gobierno y de contratos suscritos por éstos, la única limitación legal que tienen en materia de arbitraje se refiere a los asuntos en los *que no cabe transacción* sobre los cuales, incluso, el juez no puede excitar a conciliación (art. 258 CPC). Esto, por tanto, plantea el tema de la posibilidad de la transacción en derecho público.

---

41 Véase A. Moles Caubet, "El arbitraje y la contratación administrativa," en *Revista de la Facultad de Derecho, UCV,* N° 20, Caracas 1960, pp. 9 y ss.

42 Véase Allan R. Brewer-Carías, *Las Instituciones Fundamentales del Derecho Administrativo y la Jurisprudencia Venezolana,* Caracas, 1964, p. 219.

43 Véase Allan R. Brewer-Carías *Contratos Administrativos,* Caracas 1992, p. 262 ss.

Tal como ha sido definida por el artículo 1713 del Código Civil "la transacción es un contrato por el cual las partes, mediante recíprocas concesiones, terminan un litigio pendiente y precaven un litigio eventual." Se trata entonces de un contrato sinalagmático, concluido entre partes para, mediante recíprocas concesiones, terminar un litigio o la incertidumbre de las mismas sobre una relación jurídica. Se dan, por tanto, dos especies de transacción: una, extrajudicial, que pone fin a la incertidumbre de las partes sobre una relación jurídica –precave un litigio eventual, según nuestro Código Civil–; otra que pone fin a un litigio pendiente.

Se trata, por tanto, de una institución típicamente de derecho civil. Sin embargo el interés que reviste el arreglo amigable de ciertos litigios o de las incertidumbres de las partes en cierto tipo de relaciones jurídicas en que intervienen entes públicos, hacen que en principio pueda admitirse la transacción en materia administrativa, aún cuando para los entes administrativos las posibilidades de transacciones aparecen más reducidas que para los particulares. De ahí que sea necesario precisar, ante todo, los lineamientos generales de las posibilidades para la Administración de celebrar contratos de transacción con los administrados. Para ello, en todo caso, debemos partir de la normativa del Código Civil, aplicable a la Administración dada la ausencia de un régimen legal especial para la transacción en materia administrativa.

En primer lugar, es requisito esencial de la transacción el de la existencia de concesiones recíprocas entre las partes, al renunciar parcialmente a las posiciones extremas en que se habían situado. En todo caso, queda claro que en las recíprocas concesiones se produce el sacrificio, la renuncia o la disposición parcial de las pretensiones de las partes. Por ello el artículo 1714 del Código Civil exige que "para transigir *se necesita tener capacidad para disponer de las cosas comprendidas en la transacción.*" Por tanto, y ello también queda claro, para que las recíprocas concesiones que caracterizan la transacción puedan llevarse a cabo, es necesario que los derechos sobre que versen o más propiamente, las relaciones jurídicas sobre que versen, sean disponibles por las partes, y que éstas tengan capacidad para disponer de ellos.

Aplicado lo anterior a los entes públicos, no sólo rigen entonces en las transacciones que puedan celebrar, las normas ordinarias sobre *competencia* para la formación de todo contrato de la Administración, sino que también rigen algunas normas especiales sobre competencia. De ahí que el artículo 7 de la Ley Orgánica de la Hacienda Pública Nacional, como simple norma de *derecho adjetivo* (y no de derecho sustantivo) establezca que "en ninguna causa fiscal se podrá celebrar transacciones, *sin la autorización* previa del Ejecutivo Nacional dada por escrito y con intervención del Procurador General de la República. En los asuntos que dependan de la Contraloría General de la Nación, la autorización a que se refiere este artículo será impartida previo informe del Contralor de la Nación." Queda claro, en todo caso, que estos requisitos adjetivos no sólo deben cumplirse en las transacciones judiciales, sino también extrajudiciales, pues el concepto de "causa" que emplea el artículo debe interpretarse en sentido amplio.

De lo anterior resulta, por tanto, que no procediendo la transacción en *relación a la competencia* atribuida a los entes públicos, la misma tampoco puede ser materia de compromiso arbitral.

Pero además de la aplicación de las normas generales sobre la competencia a las transacciones que puedan celebrar los entes públicos, es evidente que en ellas tiene una mayor importancia la necesidad de que los derechos o relaciones jurídicas sobre los cuales se van a hacer las recíprocas concesiones sean disponibles, ya que para transigir válidamente hay que poder disponer libremente de los derechos que sean objeto de la transacción. De ello resulta que una transacción no puede recaer sobre derechos inalienables. En derecho público, este aspecto tiene importancia esencial.

En efecto, en primer lugar, la transacción no puede implicar la renuncia ni el relajamiento de normas en cuyas observancias *están interesados el orden público* o las buenas costumbres (artículo 6°, CC), o más generalmente, en las transacciones que celebre un ente público *no pueden renunciarse ni relajarse las normas de orden público y* entre ellas por ejemplo, las que fijan o atribuyan competencias y las de carácter fiscal, y aquellas así calificadas en la legislación especial, como por ejemplo, la *Ley que reserva al Estado la Industria del Gas Natural* de 1971, que establece en su artículo 14 que "las disposiciones de esta Ley tiene *carácter de orden público*." Por tanto respecto de estos aspectos, no proceden compromisos arbitrales.

Pero además, y en segundo lugar, la transacción en materia de derecho público no puede versar sobre el ejercicio de una competencia *obligatoria* de la Administración, pues la característica de las llamadas "concesiones recíprocas," que es la base de la transacción, contraría la esencia de la actividad reglada de la Administración, cuando el ejercicio de esos derechos le venga impuesto por el ordenamiento positivo. En otras palabras, la transacción en materia de derecho público nunca puede versar sobre el ejercicio de una facultad reglada o vinculada de la Administración como sería la competencia tributaria y fiscal en general, sino sólo en los supuestos en que exista una potestad discrecional.

En definitiva, y respecto a lo expuesto en último lugar, podríamos concluir señalando que si bien la posibilidad de la transacción es más reducida en materia de derecho público –administrativo o fiscal–, en todo caso sólo podría proceder con respecto del ejercicio de las facultades discrecionales de la Administración –que dependen de su libre apreciación de la oportunidad o conveniencia– y nunca respecto al ejercicio de facultades vinculadas, regladas u obligatorias de la misma. La limitación, también, rige respecto de los compromisos arbitrales.

El tema ha sido objeto de regulación especial en materia tributaria, por lo que partiendo de las premisas indicadas anteriormente, el *Código Orgánico Tributario* ha establecido expresamente la posibilidad del contrato de transacción judicial en materia tributaria, conforme a las siguientes normas:

> "Artículo 57. La transacción judicial es admisible en cuanto a la determinación de los hechos y no en cuanto al significado de la norma aplicable.
>
> Artículo 58. El Ejecutivo Nacional, por intermedio del Ministerio de Hacienda, podrá autorizar la transacción, previo pronunciamiento favorable del Consejo de Ministros y oída la opinión del Contralor General de la República.

La transacción podrá celebrarse sin la opinión del mencionado funcionario, cuando hayan transcurrido tres (3) meses sin haberse recibido su respuesta. No será necesario el pronunciamiento del Consejo de Ministros, cuando el asunto sometido a transacción no exceda de un millón de bolívares (Bs. 1.000.000,oo). El Consejo de Ministros podrá elevar este límite hasta cinco millones de bolívares (Bs. 5.000.000,oo). El contrato de transacción será otorgado en nombre de las República, por el Procurador General de la República."

De acuerdo a estas normas, por tanto, la transacción judicial en materia tributaria está limitada a cuestiones de hecho y su determinación, por lo que no se permite en cuestiones de derecho, es decir, en cuanto al significado de la norma aplicable. Esta misma limitación se aplicaría, por tanto, a los compromisos arbitrales.

Pero adicionalmente a las limitaciones al recurso de arbitramento derivadas de lo establecido en el artículo 608 del Código de Procedimiento Civil, para el supuesto de que se recurra a árbitros que deben resolver en el exterior, ello no es posible, conforme al artículo 2° del mismo Código, "cuando se trate de *controversias sobre bienes inmuebles situados en el territorio de la República o sobre otras materias que interesen al orden público o a las buenas costumbres*." Por tanto, tratándose de contratos de interés público no podrían ser objeto de arbitramento en el exterior controversias sobre bienes inmuebles situados en el territorio de la República o sobre materias que interesen al orden público.

Salvo estos supuestos, todas las otras cuestiones dentro de los límites del artículo 608 del Código de Procedimiento Civil, antes mencionados, en los contratos de interés público, pueden comprometerse las controversias para ser resueltas mediante arbitramento.

Por último, de acuerdo al Código de Procedimiento Civil, tratándose de árbitros de derecho, éstos deben en principio observar el procedimiento legal, y en las sentencias, las disposiciones del Derecho. En el caso de árbitros arbitradores, estos proceden con entera libertad, según les parezca más conveniente al interés de las partes, atendiendo principalmente a la equidad (art. 618).

En todo caso, las partes pueden indicar a los árbitros de derecho, las formas y reglas de procedimiento que deban seguir y someter a los árbitros arbitradores a algunas reglas de procedimiento (Parágrafo Primero, art. 618). Estas reglas de procedimiento que pueden indicar las partes, bien pueden ser las de la Cámara Internacional de Comercio, como lo ha establecido la Cláusula Décima Séptima del artículo 2° del Acuerdo.

En vista de todo lo anteriormente expuesto, pueden establecerse las siguientes conclusiones.

1. El principio de la inmunidad jurisdiccional del Estado que establece el artículo 127 de la Constitución, de carácter relativo, permite cuando la naturaleza del contrato de interés público lo aconseje, excluir respecto del mismo la aplicación de las leyes venezolanas (con excepción de las normas de orden público) y la jurisdicción de los Tribunales venezolanos.

2. Los contratos de interés público, contenidos en los Convenios de Asociación en ejecución del artículo 5° de la Ley Orgánica que Reserva al Estado la Industria y el Comercio de los Hidrocarburos, por su naturaleza industrial y comercial, son de aquellos que están dentro de las excepciones respecto del principio de inmunidad jurisdiccional del Estado. Por ello, en la Cláusula Décima Séptima del artículo 2° del Acuerdo de 04-07-95, y conforme al artículo 127 de la Constitución, si bien se ha previsto expresamente que se regirán e interpretarán de conformidad con las Leyes de la República de Venezuela, se ha dispuesto la excepción respecto de la cláusula de inmunidad jurisdiccional del Estado, prescribiéndose que las partes contratantes, respecto de controversias que no sean de las materias competencia del Comité de Control, deben recurrir al arbitramento para su solución conforme al Código de Procedimiento Civil (arts. 2 y 608 CPC), lo cual es admisible en los contratos de interés público que no tengan que contener obligatoriamente dicha cláusula.

3. Las limitaciones fundamentales en relación al recurso al arbitramento en los contratos de interés público, como los Convenios de Asociación, son las establecidas en el artículo 608 del Código de Procedimiento Civil, en el sentido de que no pueden comprometerse "cuestiones sobre estado, sobre divorcio o separación de los cónyuges, *ni sobre los demás asuntos en los que no cabe transacción.*" En

cuanto a la transacción, si bien es admisible en materia de contratos de interés público, no puede conllevar a que las partes transijan sin tener capacidad para disponer de las cosas comprendidas en la transacción. Esto implica, en materia de derecho público, que solo los órganos *competentes* para ello pueden transigir, y que además, la transacción no puede recaer sobre *derechos inalienables* respecto de los cuales *no se puede disponer. Por tanto, la transacción no puede implicar renuncia ni relajamiento de normas de orden público o las buenas costumbres* (art. 6 CC), y particularmente de aquellas que establecen una *competencia de ejercicio obligatorio* (reglado para el Estado). En consecuencia, *ninguna de estas cuestiones pueden ser objeto de compromiso arbitral.* En materia tributaria, en todo caso, la transacción judicial sólo es admisible en cuanto a la determinación de los hechos y no en cuanto al significado de la norma aplicable, por lo que un arbitramento no podría incidir sobre esto último.

4. El recurso al arbitramento en los contratos de interés público donde no sea obligatoria la inclusión de la cláusula de inmunidad jurisdiccional, puede conducir inclusive a que los árbitros designados resuelvan en el exterior, conforme al artículo 2 del Código de Procedimiento Civil, sometido, el compromiso arbitral, siempre, a las limitaciones antes mencionadas y adicionalmente a las previstas en dicho artículo en el sentido de que los arbitrajes que se resuelvan en el extranjero "no pueden referirse a controversias para *bienes inmuebles situados en el territorio de la República o sobre otras materias que interesen al orden público o a las buenas costumbres*."

5. El recurso al arbitramento, en todo caso, cuando ello es posible, en los contratos de interés público permite a las partes indicar a los árbitros las reglas de procedimiento que deban seguir, conforme al artículo 618 del Código de Procedimiento Civil, las cuales bien podrían ser las de la Cámara Internacional de Comercio, como ha sucedido con la condición fijada por el Acuerdo del Congreso de 04-07-95 en su Cláusula Décima Séptima del artículo 2°.

En consecuencia, la mencionada Cláusula Décima Séptima del artículo 2° del Acuerdo de 04-07-95 no contradice, en forma alguna, el artículo 127 de la Constitución, y al contrario, se ha adoptado por las Cámaras Legislativas conforme al mismo, razón por la cual solicitamos de esta Suprema Corte desestime los alegatos de supuesta violación de dicha norma formulados por los recurrentes.

CAPÍTULO VI: IMPROCEDENCIA LA DENUNCIA DE ILEGALIDAD DE LA CLÁUSULA PRIMERA DEL ARTICULO 2° DEL ACUERDO DEL CONGRESO DE FECHA 04-07-95

Los recurrentes, en la demanda de nulidad presentada por ante la Sala Política Administrativa de ese Máximo Tribunal, acumulada a la demanda que cursa por ante esta Corte en Pleno, denuncian la violación por parte de la citada Cláusula del Acuerdo mencionado del artículo 5° de la Ley Orgánica que Reserva al Estado la Industria y el Comercio de los Hidrocarburos, porque en su criterio según dicha Cláusula se permite asignar a las Filiales de PDVSA "derechos genéricos para realizar la más amplia gama de actividades que comprende exploración, explotación, transporte, almacenamiento y comercialización de hidrocarburos, esto es, crudos medianos, livianos, pesados, extrapesados, gas natural asociado o libre, en **áreas indeterminadas,** toda vez que el Acuerdo publicado en la Gaceta Oficial No. 35.754 de fecha 14 de Julio de 1.995, si bien menciona un "Anexo B," no lo incorpora como parte constitutiva del mismo tal y como se hizo siempre desde la época concesionaria, hasta los Contratos de Servicios." Y que, "En consecuencia, nos encontramos ante un caso muy general como lo es el otorgamiento de derechos amplísimos en áreas no definidas." Y agregan que según el Artículo 5°, primer aparte, de la Ley Orgánica que Reserva al Estado la Industria y el Comercio de los Hidrocarburos, sólo pueden celebrarse por excepción los convenios de asociación, porque son de carácter restrictivo, y que por ello, no pueden celebrarse en actividades que son objeto normal y ordinario de los entes petroleros propiedad del Estado venezolano, y mucho menos hacerlo en forma global, amplia, general o comprensiva de una pluralidad de casos, y que la norma citada exige especificidad y especialidad de los casos para que pueden celebrarse convenios de asociación. Y concluyen que el Congreso, en virtud de lo establecido en la Cláusula Primera antes citada, permite la celebración de dichos convenios no en casos especiales sino en casos generales, plurales e indeterminados.

En nombre de nuestra representada, rechazamos la anterior denuncia de los recurrentes por no considerarla fundada, en atención a los siguientes razonamientos:

En primer término, el propio texto de la Cláusula en cuestión, contradice la aseveración de los recurrentes de que se trata de una autorización para celebrar Convenios de Asociación en áreas indeterminadas. En efecto, la Cláusula en cuestión reza textualmente así:

> "PRIMERA: El Ejecutivo Nacional, por órgano del Ministerio de Energía y Minas, en uso de sus atribuciones legales, determinará las *Áreas geográficas descritas en el Anexo "B"* (en lo adelante las "Áreas") en favor de una filial de Petróleos de Venezuela S.A. (en lo adelante la "Filial"), para realizar las actividades relacionadas con la exploración y explotación de yacimientos de hidrocarburos, con el transporte por vías especiales, almacenamiento y comercialización de la producción obtenida en las Áreas, y con las obras que su manejo requiera, todo de conformidad con lo dispuesto en la *Ley Orgánica que Reserva al Estado la Industria y el Comercio de los Hidrocarburos*."

Como puede observarse del texto anteriormente transcrito, el Congreso señala que la asignación de Áreas Geográficas a la "Filial" de PDVSA, para la realización de las actividades reservadas, debe ser "determinada" por el Ejecutivo Nacional, término este que deriva del verbo "determinar," que significa lexicográficamente "Fijar los términos de una cosa," o "Señalar, fijar una cosa para algún efecto." De allí, que el Ejecutivo Nacional fija o señala los límites de los espacios en donde la respectiva Filial efectuará en su nombre las actividades indicadas y sobre los cuales celebrará los correspondientes Convenios de Asociación. En otras palabras, que la autorización dada por el Congreso se refiere a extensiones del territorio nacional definidas y precisas, sobre las cuales, según la Cláusula Tercera del artículo 2° del referido Acuerdo, es donde la asociación que quedará constituida con la firma de cada convenio, puede realizar las actividades descritas en la Cláusula Primera.

En efecto, conforme el propio texto de esta última Cláusula, se trata de "Áreas Geográficas descritas en el Anexo "B," es decir, reseñadas como en efecto lo fueron en Anexo "B" del "Informe sobre Convenios de Asociación para la Exploración a Riesgo de Nuevas Áreas y la Producción de Hidrocarburos bajo el Esquema de Ganancias Compartidas," elaborado por la Comisión Bicameral de Energía y Minas del Congreso el 21-06-96, que se promovió en los autos y que sirvió de base al Congreso para dictar su Acuerdo de fecha 04-07-95.

En efecto, el Anexo en cuestión fue considerado por el Congreso para producir el citado Acuerdo, y que por lo demás formó parte de la información pertinente que el Ejecutivo Nacional envió al Congreso para que éste autorizara el Marco de Condiciones de las Cláusulas de los Convenios de Asociación, como lo pauta el ya mencionado artículo 5°. En concreto, que el Anexo "B" al cual se refiere la cláusula primera del artículo 2° del Acuerdo en cuestión, es el del Informe de la mencionada Comisión Bicameral, que se tuvo en cuenta por las Cámaras Legislativas al considerar el proyecto de Acuerdo, que con base a ese informe le propuso aquella misma Comisión.

Esta circunstancia se reconoce en el Considerando Quinto del referido Acuerdo, cuando se expresa que la citada Comisión efectuó "un detenido análisis del marco de condiciones que se ha propuesto para los Convenios de Asociación."

No autoriza, pues, esta Cláusula Primera al Ejecutivo Nacional para que asigne a la respectiva Filial de PDVSA áreas indeterminadas, como lo sugieren los recurrentes. Por lo demás, la no trascripción del mencionado Anexo en la correspondiente publicación de la Gaceta Oficial, –que por lo demás no es determinante del contenido normativo del Acuerdo, sino que forma parte del Informe que le sirvió de fundamento–, en razón del texto de la mencionada Cláusula, no permite deducir que, en todo caso, en ella se consagra una autorización discrecional al Ejecutivo Nacional para que asigne a la Filial de PDVSA áreas no definidas o indeterminadas. Y es que el texto referido además de disponer obligatoriamente que el Ejecutivo Nacional "determinará," es decir, fijará los términos de las Áreas geográficas precisamente a los efectos de la autorización otorgada por el Congreso para celebrar los Convenios de Asociación, señala también que ello ha de hacerlo el Ejecutivo Nacional, "en uso de sus atribuciones legales," y "todo de conformidad con lo dispuesto en la Ley Orgánica que Reserva al Estado la Industria y el Comercio de los Hidrocarburos." En otras palabras, no se trata de una habilitación discrecional para asignar tales áreas en forma indefinida por el Ejecutivo

Nacional, sino reglada, sometida a la legislación que regula esa atribución de otorgar áreas geográficas concretas a las empresas filiales de PDVSA para que efectúen las actividades reservadas; y que por lo que se refiere al caso concreto su determinación fue considerada por el Congreso como se explicó anteriormente.

Es así, que el artículo 6º *ejusdem*, por un lado, faculta al Ejecutivo Nacional, para crear "las empresas que juzgue necesario para el desarrollo regular y eficiente de tales actividades, pudiendo transferirles el ejercicio de una o más de éstas (...)," y por otro lado, el artículo 21 *ejusdem* complementa la disposición citada, agregando, que "el Ejecutivo Nacional por órgano del Ministerio de Minas e Hidrocarburos –hoy de Energía y Minas–, determinará las áreas geográficas en las cuales realizarán sus actividades las empresas que se crearen de conformidad con lo previsto en el artículo 6°, y les adscribirá o transferirá los bienes recibidos del Estado, incluidos aquellos que sean bienes inmuebles del dominio privado de la Nación." De manera, que conjugando estos textos a los cuales remite la Cláusula Primera del artículo 2º del Acuerdo del Congreso, con el propio Texto de esta misma Cláusula, y con la motivación que aparece en el Considerando Quinto del mismo Acuerdo, y teniendo presente el fundamento material que tuvo en cuenta el Congreso como lo fue la información pertinente que le suministró el Ejecutivo Nacional y el citado Informe de la Comisión Bicameral de Energía y Minas, antes citado que le sirvió de apoyo, se concluye que no es cierto que se hubiere contemplado una autorización genérica al Ejecutivo Nacional para asignar áreas indeterminadas o también derechos genéricos a la respectiva Filial de PDVSA para que ésta celebre sobre ellas convenios de asociación. Sino que por el contrario se trata de áreas determinadas y definidas a esos efectos, cuya reseña superficial y alinderamiento aparecerán en los contratos en concreto que se lleguen a celebrar, sobre la base de las Resoluciones del Ministerio de Energía y Minas que fije sus términos especiales. Como en efecto así ocurrió en la Resolución Nº 002 de fecha 16-01-96, publicada en la Gaceta Oficial Nº 35.881 de 17-01-96, que anexamos marcada "B," y en el Acuerdo por el cual se aprobaron los Convenios de Asociación, emitido por el Congreso en fecha 19-06-96, publicado en la Gaceta Oficial Nº 35.988 de fecha 26-06-96, que anexamos anteriormente marcado "A."

En segundo término, tampoco resulta fundada la denuncia de ilegalidad sobre la supuesta autorización para celebrar, bajo la figura de convenios de asociación, negociaciones que son objeto normal y ordinario de los entes petroleros del Estado, y de que la autorización del Congreso se trata de una autorización para celebrar tales convenios en forma global, amplia, general y comprensiva de una pluridad de casos, como lo sostienen los recurrentes en esta misma denuncia. En efecto, al respecto rechazamos tal alegato con fundamento en la siguiente argumentación:

En primer lugar, como lo señala el propio Acuerdo, en su Considerando, Primero, que es uno de sus supuestos no controvertido, la autorización a que se contrae el artículo 1° *ejusdem*, se refiere a *proyectos específicos* de *"Convenios de Asociación para la Exploración a Riesgo de nuevas áreas y la producción de Hidrocarburos bajo el esquema de Ganancias Compartidas" y* no en general para cualesquiera tipo de asociación y para cualquier proyecto. Además de referirse el citado Acuerdo a un Proyecto específico, dichos Convenios se diferencian sustancialmente, por su objeto, de los convenios normales que celebran las filiales de PDVSA; y que hace que en verdad se trate de los *"casos especiales"*, que se refiere el artículo 5° de la Ley Orgánica que Reserva al Estado la Industria y el Comercio de los Hidrocarburos y que se exige como condición para que el Congreso pueda otorgar la autorización respectiva para que el Ejecutivo Nacional o sus empresas petroleras, según el caso, puedan celebrar convenios de asociación en el ejercicio de las actividades reservadas.

En efecto, por un lado, como se asienta en el segundo Considerando del Acuerdo del Congreso, se trata de una asociación con el capital privado para la exploración y descubrimiento, desarrollo y comercialización de nuevas reservas de hidrocarburos, y especialmente de crudos livianos y medianos, es decir, para la realización de proyectos integrales; lo cual de por sí diferencia la asociación de un convenio normal donde no existe tal asociación y tales actividades integradas. Pero es que además, las características de estos convenios permiten calificarlos de especiales.

En efecto, los convenios se caracterizan, en primer término, por el compromiso de los inversionistas de llevar a cabo las actividades exploratorias en el Área por su exclusiva cuenta y riesgo, en base a un Plan de Exploración, aprobado por un Comité de Control dominado mayoritariamente por la Filial de PDVSA, con la finalidad de participar en el desarrollo de los descubrimientos de dicha Área, bajo un Plan, aprobado por el mismo Comité, conforme la figura de un Consorcio que se obligan a constituir los inversionistas con la Filial para financiar dichos desarrollos, en base a un esquema de participación financiera de ambas partes. En segundo término, los convenios en cuestión se distinguen por la aceptación por estas partes de que la producción obtenida en la ejecución de este último Plan, será comercializada por cada una de ellas en proporción a su participación en el Consorcio; así como que las ganancias del Consorcio se distribuirá entre los consorciados, después de deducidos los costos e impuestos. Y en tercer término, los convenios se caracterizan por la aceptación de los inversionistas privados de pagar a la Filial un bono de rentabilidad neta, para que ésta deduzca de ésta sus gastos y para que la pague al Estado en retribución a su interés patrimonial por los derechos que otorgó a la Filial para ejercer en asociación las actividades objeto del Convenio. Estas características otorgan a este tipo de contratos elementos tan especiales que los separan y diferencian de cualesquiera otro contrato que normalmente celebran las filiales de PDVSA. En efecto, este tipo de convenios que permiten incorporar capital privado de grandes empresas de otras regiones desarrolladas del mundo, y cuya finalidad es compartir esfuerzos de investigación y de desarrollo para producir y comercializar productos de países menos desarrollados, y que integran a través de proyectos, las actividades productivas de las empresas participantes en diferentes fases o permiten sus operaciones en actividades relacionadas, en el derecho económico internacional se denominan *"asociaciones comerciales de cooperación estratégica"*, que difieren sustancialmente de los tradicionales contratos de compra-venta o de servicios.[44]

Aparte de la caracterización especial de los convenios a los cuales se refiere el Acuerdo, legalmente, el sentido y significado del calificativo de **especiales** que el artículo 5° *ejusdem* atribuye a los casos en que pueden celebrarse los convenios de asociación, permite señalar que son todos aquellos casos en los cuales por razones técnicas,

---

44 Véase al respecto, J. Antonio Loyola Alarcón, "Estrategias empresariales frente la Globalización Económica," *op. cit.* p. 459.

económicas y financieras resulta conveniente la asociación para obtener los fines perseguidos por el contrato, como en el presente caso la ejecución de proyectos integrales, y que por ello los convenios operativos o de servicios no resultan adecuados. En este orden de ideas, debe recordarse que en su Mensaje del 12 de Marzo de 1.975, un día después de haber sido presentado al Congreso el respectivo Proyecto de Ley, el Presidente de la República al referirse a la modificación efectuada por el Ejecutivo Nacional al Anteproyecto elaborado por la Comisión Presidencial de Reversión que no contemplaba los convenios de asociación, justificó la incorporación de estos convenios al Proyecto, en estos términos: *"Sólo una modificación de fondo contiene el Prospecto y sobre ella asumo particular responsabilidad. Me refiero al Artículo 5°, donde se establece la posibilidad de que los entes estatales, con la previa autorización del Congreso, puedan ir más allá de los convenios operativos con entidades privadas cuando así convenga al interés público."* E igualmente, en la Exposición de Motivos del referido Proyecto presentado al Congreso en fecha 11 de Marzo de 1.975, el Ejecutivo Nacional justificó el agregado de los convenios de asociación, precisamente. "En razón de la importancia que la industria de los hidrocarburos tiene para el *desarrollo presente y futuro* del país (...), por lo cual "el proyecto no elimina la posibilidad de que, en *casos especiales y* cuando así se justifique razón de los más altos intereses estatales, según fuere el caso, celebrar convenios de asociación con entes privados (...)."

Por su parte, la Comisión Bicameral de Energía y Minas del Congreso, en su Informe de fecha 21 de Junio de 1.995 sobre los Convenios de Asociación para la Exploración a Riesgo de Nuevas Áreas y la Producción de Hidrocarburos bajo el Esquema de Ganancias Compartidas, al proponer a las Cámaras Legislativas el proyecto de Acuerdo, que en definitiva resultó aprobado (Anexo "B") al interpretar el requisito de la especialidad del caso para poder celebrar los convenios de asociación, precisó su concepto en los siguientes términos:

> "Para calificar un caso como *especial* se requiere analizar sus características, objetivos y circunstancias en las cuales será ejecutado, dentro del amplio contexto del interés nacional y de la industria petrolera en el largo plazo, a fin de precisar si *se diferencia* de las actividades y proyectos que comúnmente

desarrolla dicha industria. Asimismo, la conveniencia al interés público está supeditada a la determinación de que el proyecto específico rinde utilidad, beneficia o preserva al conjunto social."[45]

Y en cuanto a la especialidad del caso en los convenios autorizados por el Acuerdo cuya nulidad parcial se pretende, y que hace que no se trate de negocios normales, la referida Comisión precisó lo siguiente:

"La determinación de la *especialidad* del caso en estos Convenios se basa en las siguientes afirmaciones:

Las oportunidades de vender más en los mercados mundiales de hidrocarburos, basadas en una demanda que se está incrementando en el orden de 2% anual. Efectivamente, las únicas fuentes de generación de energía cuya demanda ha aumentado en los años recientes son el petróleo y el gas. Los planes de crecimiento de nuestra industria petrolera buscan capturar parte importante de esta demanda incremental; sin embargo, la capacidad de lograrlos por cuenta propia está por debajo de las posibilidades de mercado. En consecuencia, un máximo de aprovechamiento de esas oportunidades en los mercados internacionales pasa por la incorporación de capitales privados que, en sociedad con la industria nacional, incorporen volúmenes adicionales de hidrocarburos venezolanos a dichos mercados."

"La posibilidad de encontrar nuevas reservas, en el orden de 40 mil millones de barriles de petróleo liviano y mediano. Según ha indicado PDVSA, esta posibilidad ha surgido de estudios geológicos realizados recientemente en áreas no exploradas y a profundidades a las cuales no había sido posible llegar por las tecnologías en el pasado."

"La necesidad de acelerar la actividad exploratoria para precisar si esas reservas existen o no y, sobre una base más sólida desarrollar las estrategias de producción petrolera. Esta actividad

---

45 Véase *Informe, cit.*, p. 4.

podría ser completada por PDVSA en unos 35 años si lo hace por su cuenta, lapso que podría reducirse a unos 8 a 10 años con el aporte de socios."

"La conveniencia de importar tecnologías de avanzada, que permitan explorar y producir petróleo a menores costos y con la mayor eficiencia posible, lo cual permitirá a nuestro país mantener una privilegiada posición en el mercado petrolero mundial como un productor de bajos costos. Este logro es el que ha permitido el incremento de la producción en zonas que originalmente eran de altos costos, como es el caso del Mar del Norte; por otra parte, las perspectivas de los precios petroleros en los mercados internacionales, que se vislumbran a niveles similares a los actuales, obligan a mejorar consistentemente los costos de producción en base a esos adelantos tecnológicos. Esta situación de precios moderados ha sido, por otra parte, la base de las directrices que ha impartido el Ejecutivo Nacional a los planes de desarrollo de la industria petrolera, los cuales se sustentan en el aumento de los ingresos a la Nación por la vía de mayores niveles de producción."

"La coyuntura favorable para captar inversiones privadas, comparativamente con otros países petroleros que buscan atraer a las empresas internacionales para aumentar su producción. Esta ventaja no es permanente, y se puede ver afectada con los anuncios de apertura en Irán, Irak y Kuwait. De hecho ya Venezuela compite con una gran cantidad de países que buscan desarrollar sus recursos en el corto y mediano plazo."

"La necesidad de atraer divisas para la inversión en Venezuela, a fin de equilibrar las cuentas económicas del país. La difícil situación de nuestra economía hace resaltar la importancia de convertir a Venezuela en un sitio atractivo para la inversión privada. Siendo el petróleo nuestra principal fuente de ventajas comparativas y competitivas, luce el sector llamado a propiciar un sendero de recuperación económica, tan necesario para lograr una mejoría de las condiciones de nuestra población."[46]

---

[46] *Informe cit.*, pp. 5 a 7.

Y en cuanto al otro requisito de la conveniencia para el interés público de los Convenios de Asociación, exigido por el artículo 5° *ejusdem*, la citada Comisión con relación a los Convenios cuya celebración autorizó, concluyó

> "Las consideraciones anteriores resaltan la *conveniencia al interés público de los Convenios de Asociación* propuestos por el Ejecutivo Nacional. En la medida que estos Convenios propicien la atracción de capitales nacionales y extranjeros para la inversión en Venezuela, y que promuevan una mayor actividad económica en el país, con sus beneficios directos en el fortalecimiento del sector productivo nacional, la transferencia de tecnologías, la generación de empleos y la formación de personal capacitado venezolano, así como la creación de nuevas fuentes de ingresos, efectivamente se estará dotando al país de una vía para resolver buena parte de los problemas económicos que nos agobian."[47]

Adicionalmente a todo lo anteriormente expuesto, debe señalarse que en atención al texto del artículo 6º de la Ley Orgánica que Reserva al Estado la Industria y el Comercio de los Hidrocarburos, en concordancia con sus artículos 5° y 21°, no existe límite alguno en cuanto a la superficie de las áreas que el Ejecutivo Nacional puede asignar y respecto de la atribución de actividades reservadas de hidrocarburos a las empresas que hubiere creado el mismo Ejecutivo Nacional; y en lo atinente al tipo de actividades; puesto que conforme a las normas citadas, a dichas empresas les pueden ser asignadas determinadas áreas geográficas para que en ellas realicen cualesquiera actividades; y si se dan los otros requisitos exigidos por el artículo 5º, ya mencionado, para que también puedan celebrar convenios de asociación, con la aprobación del Congreso; si ello es necesario y conveniente para la ejecución de todas y cada una de tales actividades. En otras palabras, que a aquellas empresas les pueden ser atribuidas ampliamente por el Ejecutivo Nacional la ejecución de todas las actividades reservadas, o algunas de ellas, en las áreas geográficas que determine al efecto, según lo considere conveniente en cada caso el Ejecutivo Nacional, y por ende, el Congreso puede autorizar

[47] *Informe cit.* p. 7.

igualmente, en la forma como lo hizo en el presente caso, la celebración de asociaciones para todas las actividades en cuestión, en tales áreas determinadas, sin que pueda impugnarse esta autorización, como lo han hecho los recurrentes, alegando su supuesto carácter indeterminado o genérico.

Por último, en esta misma denuncia y vinculada a su argumentación relativa a la supuesta ilegalidad por la supuesta asignación de derechos genéricos a la Filial de PDVSA designada, los recurrentes sostiene la nulidad de la Cláusula Primera del Acuerdo del Congreso de fecha 04-07-95, por considerar que infringe el artículo 1.142 del Código Civil –(debe ser el artículo 1.141 *ejusdem*, aclaramos nosotros)–, porque estiman los recurrentes que la Cláusula en cuestión "autoriza la realización de convenios cuyo objeto resulta indeterminado e indeterminable," y concluyen afirmando, que de tal circunstancia se sigue que los convenios a celebrarse en el futuro carecerían igualmente de objeto. Para sostener este alegato sostienen los recurrentes que al no aparecer publicadas "las áreas en las cuales se irían a realizar las actividades autorizadas, la definición del objeto es de imposible realización"(Sic.).

Rechazamos la anterior denuncia con fundamento en la siguiente argumentación:

En primer término, como se demostró, lo cual ratificamos en esta oportunidad, la Cláusula cuya nulidad se pretende no faculta al Ejecutivo Nacional para que asigne a la Filial de PDVSA el ejercicio de actividades reservadas en áreas indeterminadas o indefinidas, sino en áreas cuyos términos a los efectos de los Convenios de Asociación han de ser determinadas por el mismo Ejecutivo Nacional por estar referidas a áreas geográficas que se encuentran descritas en el Proyecto de Marco de Condiciones que el propio Ejecutivo Nacional presentó al Congreso el 7 de diciembre de 1.994, como se desprende del primer considerando del Acuerdo del Congreso. En segundo término, el Ejecutivo Nacional determinó tales áreas mediante un acto posterior, que define claramente los términos de estas áreas, tal como consta de la Resolución N° 002 del 16-01-96 del Ministerio de Energía y Minas, publicada en la Gaceta Oficial N° 35.881 de fecha 17.01.96, que anexamos marcada "B," que fue ratificado por el Congreso en su Acuerdo de fecha 19.06.96, antes referido (Anexo "A"), al autorizar la celebración de Convenios de Asociación en las ocho (8) áreas perfectamente determinadas en la citada Resolución Nº 002 de fecha 16-01-96, actos éstos que precisamente complementan el dispositivo legal contenido en la Cláusula Primera del artículo 2º del Acuerdo del Congreso de 04-07-96.

Y en tercer término, en todo caso, no se configura en el presente supuesto el motivo de nulidad de los contratos contemplado en el artículo 1.141 del Código Civil –(no en el artículo 1.142 ejusdem, como equivocadamente señalan los recurrentes)–, puesto que tal supuesto sólo ocurre cuando en un contrato concreto su objeto no es posible o resulta indeterminado o no determinable, según lo precisa el artículo 1.155 *ejusdem*.

En efecto, como es fácil de entender, el Acuerdo dictado por el Congreso no es ningún contrato, sino como se aclara en su Artículo 2°, su contenido son un conjunto de Cláusulas del Marco de Condiciones. En otras palabras, un acto contentivo de preceptos generales de derecho regulatorios de los Convenios de Asociación para la exploración a riesgo de nuevas áreas y la producción de hidrocarburos bajo el esquema de ganancias compartidas, que llegue a celebrar la Filial de PDVSA designada. Por esta sola circunstancia la denuncia debería ser desestimada por ser inaplicable el artículo 1.141 cuya infracción se pretende delatar ante esa Corte en Pleno. Pero, a mayor abundamiento, en el supuesto negado y no probado de que fuere aplicable, tampoco se configura el motivo de nulidad absoluta de falta de objeto de los contratos a que hacen referencia el artículo 1.141 *ejusdem* ordinal 2°, y el artículo 1.155 *ejusdem*. En efecto, conforme a la mejor doctrina civilista, el objeto de dichos Convenios es susceptible de obtenerse o conseguirse en la realidad, por lo que se trata de un objeto ***posible;*** y además, porque en todo caso en la Cláusula Primera del artículo 2° del Acuerdo del Congreso de 04-07-95 y en los artículos 6° y 21 de la Ley Orgánica que Reserva al Estado la Industria y el Comercio de los Hidrocarburos, existen los elementos necesarios para su determinación, o se encuentran las circunstancias futuras capaces de determinarlo al momento de celebración del contrato respectivo, se trata también de un objeto ***determinado o determinable.***[48]

48 Véase en este orden de ideas, Eloy Maduro Luyando, *Curso de Obligaciones Derecho Civil III*, UCAB, 1.993, pp. 433 y 434.

Circunstancia esta que ya ocurrió al dictar el Ministerio de Energía y Minas su Resolución N° 002 de fecha 16-01-96, que determinó el objeto de los futuros contratos. No existe, pues, el motivo de nulidad denunciado por ser inaplicable, o en todo caso, por resultar improcedente.

CAPÍTULO VII: IMPROCEDENCIA DE LA DENUNCIA DE ILEGALIDAD DE LA CLÁUSULA SEXTA DEL ARTÍCULO 2° DEL ACUERDO DEL CONGRESO DE FECHA 04-07-95

Denuncian los recurrentes en la demanda de nulidad presentada por ante la Sala Político Administrativa de ese Máximo Tribunal, y que también conoce esa Corte en Pleno, la nulidad de la mencionada Cláusula porque consideran que al establecer que en la fase exploratoria el inversionista asume la totalidad de las posibles perdidas, porque actúa a su exclusiva cuenta y riesgo, resulta ser una *cláusula leonina* del Convenio de Asociación, conforme a lo previsto en el artículo 1.664 del Código Civil, lo cual permitiría, según lo alegan los recurrentes, que la República pueda ser objeto de demandas por parte de los inversionistas que hayan obtenido pérdidas en la exploración, y por ello solicitan de esa Corte declare su nulidad.

Rechazamos la anterior denuncia, por considerarla improcedente, con fundamento en los siguientes razonamientos:

El motivo de nulidad denunciado por los recurrentes resulta aplicable a los verdaderos contratos de sociedad, conforme se deduce del texto del citado artículo 1.664, que aparece bajo el **Título X** del Libro Tercero del Código Civil, que se denomina "De La Sociedad," esgrimido en apoyo de su alegato por los recurrentes. En efecto, dicho texto reza textualmente:

> "Es nula la cláusula que aplique a uno de los *socios* la totalidad de los beneficios, y también la que exima de toda parte en las perdidas la cantidad o cosas aportadas por uno o más socios. El socio que no ha aportado sino su industria, puede ser exonerado de toda contribución en las perdidas."

Ahora bien, los Convenios de Asociación cuyo Marco de Condiciones estableció el Congreso en su Acuerdo de fecha 04-07-95, no constituyen una sociedad, en los estrictos términos como se define este contrato en el artículo 1.649 *ejusdem*, en el sentido de que, "El contrato de sociedad es aquél por el cual dos o más personas convienen en contribuir, cada una con la propiedad o el uso de las cosas, o con su propia industria, a la realización de un fin económico común." Por el contrario, en virtud de sus principales elementos y características los Convenios de Asociación regulados en el referido Acuerdo, constituyen contratos especiales que si bien tienen por finalidad la concurrencia de capitales entre los inversionistas y la Filial de PDVSA, para la realización de actividades relacionadas con la exploración y explotación de yacimientos de hidrocarburos, con el transporte por vías especiales, almacenamiento y comercialización obtenido en las áreas asignadas a la Filial, su celebración per se no dé origen a una sociedad estrictamente hablando. Por el contrario, según la Cláusula Quinta del Acuerdo del Congreso, mediante la suscripción del Convenio de Asociación los inversionistas y la Filial contratante, o inclusive otra filial de PDVSA distinta designada por la primera, se comprometen precisamente a constituir posteriormente, mediante otro contrato, una sociedad anónima en Venezuela, en la cual la Filial contratante será accionista de un 35% del capital social y los inversionistas del 65%, con un objeto social especifico diferente al del convenio matriz de dónde surgió. En efecto, esta sociedad anónima tendrá como finalidad únicamente la de dirigir, coordinar y supervisar las actividades de exploración, producción, transporte y comercialización, que a su vez constituyen el objeto concreto del Convenio de Asociación. Aparte de este compromiso, si bien es verdad que los inversionistas se comprometen de llevar a cabo las actividades exploratorias en las áreas por su exclusiva cuenta y riesgo, ello es a cambio de los compromisos de la Filial de PDVSA, o de la filial que se designe, de participar en un 35% junto con los inversionistas en un Consorcio para financiar el desarrollo comercial de los descubrimientos que encuentren los inversionistas, y de darle una participación a los mismos inversionistas en la producción comercial resultante de la ejecución de los planes de desarrollo de las áreas, cuyos derechos reales de extracción seguirán siendo de la Filial contratante, en proporción a las participaciones de las partes en dicho Consorcio. También la actividad de los inversionistas es a cambio del compromiso mutuo de reconocerse un derecho preferente de adquisición de toda la producción e igualmente a cambio del compromiso de la Filial de repartirse los beneficios económicos resultantes de la venta o mercadeo de la producción proveniente de cada área de desarrollo, conforme a un esquema pre-establecido de límites mínimos y máximos de repartición. Es decir, que el "riesgo exploratorio" se asume a cambio de contraprestaciones de la otra parte contratante, es decir, la filial de PDVSA.

En otras palabras, como se expresa en el Informe de la Comisión Bicameral de Energía y Minas del Congreso, antes citado;

> "*Los Convenios de Asociación para la exploración a riesgo de nuevas áreas y la producción de hidrocarburos bajo el esquema de ganancias compartidas representan un caso de asociación muy particular por las características del llamado riesgo exploratorio, el cual se desea que sea asumido por el inversionista privado para que, luego de encontrado un yacimiento con posibilidades de desarrollo comercial, la filial que PDVSA designe decida su participación en el desarrollo específico, con fundamento en su particular criterio estratégico e interés comercial.*"[49]

Ahora bien, el compromiso de ambas partes de constituir una sociedad anónima, con una participación financiera de la Filial de PDVSA contratante, o de otra designada al efecto, de un 35% del capital social, precisamente para dirigir, coordinar y supervisar todas las actividades del Convenio de Asociación, y por ende, las de exploración, y de compartir entre ambas el negocio, con base a un esquema de repartición de beneficios, no obstante que una de Ellas, los inversionistas, asume el riesgo exploratorio, permite sostener que en dichos Convenios se mantienen las bases esenciales del verdadero ánimo asociativo de participación. En efecto, para los inversionistas, la contrapartida de la asunción por su sola cuenta de los costos del financiamiento del riesgo exploratorio es, por un lado, que la Filial participará con él en la actividad exploratoria, a través de la responsabilidad compartida de constituir una sociedad

---

[49] *Informe cit.*, p. 7.

anónima, con aportes económicos de ambos, precisamente para dirigir, coordinar y supervisar, entre otras principales, esta actividad exploratoria. Y por el otro lado, también su contrapartida, es la participación en el negocio que le reconoce la Filial sobre un esquema de participación entre un mínimo y un máximo. En concreto, que, según los términos de la Cláusula Sexta del Acuerdo del Congreso, el hecho de que la Filial contratante no asuma el financiamiento del riesgo exploratorio, sino los inversionistas, no la exime de participar totalmente en esa actividad, inclusive financieramente, sólo que esta participación se limita a las labores de dirección, coordinación y de supervisión de esa misma actividad exploratoria, y además, por otro lado, que el riesgo exploratorio de los inversionistas tiene como contrapartida, además de la participación económica de la Filial en la sociedad anónima que va a realizar los trabajos directivos, de coordinación y supervisorios de esa actividad, el compartir con aquella Filial el negocio en si mismo de la producción y comercialización de los hidrocarburos.

Por otro lado, estos contratos mediante los cuales inversionistas internacionales se asocian a productores nacionales de bienes o materias primas, que no cuentan con los recursos económicos suficientes para ejecutar proyectos completos de producción y comercialización, para alcanzar los principales mercados mundiales, tienen, como ya señalamos, reconocimiento, como contratos especiales, en el derecho económico internacional. En efecto, en las relaciones comerciales entre los inversionistas de países industrializados y los países productores de materias primas, que no cuentan con recursos para colocar esos productos a nivel mundial, han surgido las llamadas ***"asociaciones comerciales de cooperación estratégica",*** cuya finalidad es atraer capitales privados para compartir esfuerzos en materia de investigación y de desarrollo para comercializar un producto o servicio; efectuar transferencias de tecnología; o producir de manera conjunta; mediante acuerdos informales o formales, que pueden entrañar o no formas societarias, o de copropiedad, total o parcial. E igualmente, pueden celebrarse esas asociaciones para integrar actividades productivas de las empresas participantes ampliándolas a diferentes fases (asociaciones verticales); o para permitir su operación en actividades relacionadas (asociaciones horizontales); o para incluir un grupo de productos, tecnologías o servicios (asociaciones de conglomerados).[50]

En concreto, no obstante la advertencia que se hizo de que no se está en presencia de un verdadero contrato de sociedad, sino de un convenio de asociación, y que por ello es inaplicable el artículo 1.664 del Código Civil, sin embargo, a mayor abundamiento, para esclarecimiento de la verdad, puede concluirse que en estos Convenios, existen los elementos definitorios de una verdadera ***asociación.*** En efecto, la regulación entre las partes del Convenio de Asociación de la asunción del riesgo exploratorio para una sola de ellas, como un compromiso para que ambas se obliguen a constituir fondos o patrimonios comunes para participar conjuntamente económica y financieramente, primeramente, en las labores directivas, de coordinación y supervisorias de la exploración; y posteriormente, en la producción y la comercialización de los hidrocarburos obtenidos en las áreas objeto del Convenio de Asociación; así como para repartirse las ganancias o beneficios obtenidos del negocio de la venta de los hidrocarburos producidos en conjunto (Cláusulas Quinta, Sexta, Séptima Octava y Novena del artículo 2° del Acuerdo del Congreso), elimina toda calificación de ***leonina*** que se pretenda atribuir a dichos Convenios. Los elementos anteriormente descritos configuran claramente la voluntad de las partes de cooperar y de colaboración, sin que ninguna de ellas, como participantes o asociados, resulte totalmente beneficiado o totalmente perjudicado.

Además, de lo anterior, que por sí permite desestimar por improcedente la presente denuncia en contra de la validez de la Cláusula Sexta del Acuerdo del Congreso de fecha 04-07-95, en el supuesto negado y no probado que el artículo 1.664 del Código Civil resultara aplicable a los Convenios de Asociación, ocurre que no siendo los recurrentes partes de Convenio alguno de este tipo, carecen de la legitimidad procesal necesaria para alegar la nulidad de dicha Cláusula, en razón de que por tratarse de un motivo de nulidad relativa, en todo caso, procesalmente sólo podría demandarla quien ostente la condición de socio, o de llegar a admitirse la aplicación de dicha norma,

---

[50] Véase, *J. Antonio Loyola Alarcón,* "Estrategias empresariales frente a la Globalización Económica," pp. 459 y 460.

de asociado, pero no los terceros extraños. Aún más, tampoco existe un interés actual por parte de los recurrentes, que legitime su pretensión de nulidad de dicha Cláusula por fundarse en hechos hipotéticos, como lo es la "posibilidad de que la República sea objeto de demandas por parte de los inversionistas que hayan tenido perdidas en la exploración." Por ello, por esta otra razón eminentemente procesal la denuncia a que se refiere este Capitulo debe ser desestimada.

Por todas las razones expuestas, la denuncia de ilegalidad por el supuesto carácter leonino de la Cláusula Sexta del Acuerdo del Congreso de fecha 04-07-95, debe ser declarada sin lugar.

CAPÍTULO VIII: IMPROCEDENCIA DE LA DENUNCIA DE ILEGALIDAD DE LA CLÁUSULA VIGÉSIMA PRIMERA DEL ARTÍCULO 2° DEL ACUERDO DEL CONGRESO DE FECHA 04-07-95

Sostienen los recurrentes que la Cláusula citada contraviene lo dispuesto en el Parágrafo Único del artículo 41 de la Ley de Hidrocarburos, al establecer la posibilidad que la regalía petrolera, denominada impuesto de explotación, pueda ser reducida por el Ejecutivo Nacional desde el mismo momento en que se inicia la explotación cuando se considere que el yacimiento en cuestión no es comercial. Alegan los recurrentes que la rebaja a que se contrae el referido Parágrafo Único sólo procede al incrementarse los costos de producción por agotamiento en los procesos de explotación del yacimiento, pero no en cualquier momento como se prevé en la Cláusula indicada.

Nuestra representada rechaza tal alegato por resultar improcedente conforme a la siguiente argumentación:

La Cláusula Vigésima primera del artículo 2° del mencionado Acuerdo, reza textualmente:

> "El Ejecutivo Nacional podrá establecer un régimen que permita ajustar impuesto establecido en el artículo 41 de la Ley de Hidrocarburos, cuando se le demuestre, en cualquier momento, que no es posible alcanzar los márgenes mínimos de rentabilidad para la explotación comercial de una o más Áreas de Desarrollo durante la ejecución del Convenio. A tales efectos, la Filial realizará las correspondientes comprobaciones de costos de producción por ante el Ministerio de Energía y Minas."

En el anterior texto, aparece claramente una remisión directa al artículo 41 de la Ley de Hidrocarburos, el cual, como se sabe rige para las empresas propiedad del Ejecutivo Nacional a las cuales se les hubiere encomendado el ejercicio de las actividades reservadas, como se desprende de la aplicación a dichas empresas del anterior régimen concesionario en materia de impuestos y contribuciones nacionales en atención al contenido del artículo 6° de la Ley Orgánica que Reserva al Estado la Industria y el Comercio de los Hidrocarburos. Ahora bien, dentro de ese régimen se halla el llamado "impuesto de explotación" conocido como "regalía petrolera," que conforme al ordinal 1° del artículo 41, antes citado, consiste en el pago del 16 y 2/3 por ciento del petróleo crudo extraído, medido en las instalaciones en que se efectúe la fiscalización. El impuesto señalado, según el mencionado ordinal 1° del artículo 41, también citado, puede pagarse "total o parcialmente, en especie o en efectivo, a elección del Ejecutivo Federal." Ahora bien, el artículo 41, en comento, prevé rebajas del señalado porcentaje o participación, en el supuesto contemplado en el Parágrafo Único del ordinal 1° de dicho artículo, "Con el fin de prolongar la explotación económica de determinadas concesiones, (...)" y para ello, "queda facultado el Ejecutivo Federal para rebajar el impuesto a que se refiere este ordinal en aquellos casos en que se demuestre a satisfacción que el costo creciente de producción, incluido en éste el monto de los impuestos, haya llegado al límite que no permita la explotación comercial, (...). En este supuesto, por la utilización del término "prolongar," uno de cuyos significados es "extender una cosa a lo largo" o "hacer que dure una cosa más tiempo de lo regular," cabe, tanto la rebaja para cuando iniciada la explotación comercial y estando en ejecución, no llegue a paralizarse por no ser rentable; como también la rebaja para cuando la no comerciabilidad de la explotación impide iniciarla; e igualmente para cuando la no rentabilidad también impida el reinició de la explotación comercial ya iniciada. De manera, que las rebajas, en cuestión, pueden ser solicitadas en cualesquiera de esos momentos, es decir, desde el inicio del periodo de explotación, precisamente para permitir que comience y durante su ejecución para que no se paralice o se pueda reiniciar, y no como asientan los recurrentes solamente después de iniciada la explotación. Y el Ejecutivo Nacional, por tanto, está facultado para así acordarlo. en cualquiera de esos supuestos.

En este orden de ideas, en la Exposición de Motivos del Proyecto de Ley de Hidrocarburos de 1.943, se señalaba que la facultad de rebajar el impuesto de explotación que se reconoce al Ejecutivo Nacional, se justifica para impedir que la riqueza del subsuelo quede inexplorada, por la suspensión de los trabajos de producción, lo que puede suceder porque no se inicien o porque después de iniciados se paralicen. [51] Y aún más, en base a ese criterio, es por lo que en el Anteproyecto de Ley Orgánica de Hidrocarburos, elaborado por la Comisión designada mediante Resolución No. 204 de 25.02.76 del Ministerio de Energía y Minas, se recogió la interpretación de que el Ejecutivo Nacional queda facultado para *"rebajar en la proporción que juzgue adecuada, cuando sea conveniente al interés del Estado, la participación sobre los hidrocarburos extraídos (...) 1. Estas rebajas podrán llegar hasta la total eliminación de los ingresos referidos"* (Art. 15, Parágrafo Segundo). [52] Lo importante, es pues, la facultad del Ejecutivo Nacional de valorar si la rebaja es o no conveniente al interés nacional, lo cual solo puede ser ponderada por el mismo Ejecutivo Nacional. Por tanto, la Cláusula Vigésimo Primera del artículo 2° del Acuerdo del Congreso, en lugar de contradecir el citado artículo 41 de la Ley de Hidrocarburos, resulta conforme a su disposición referente a las rebajas en materia del impuesto de explotación de los hidrocarburos.

Aparte de lo anterior, que como se ha demostrado resulta conforme con la mejor interpretación auténtica y lógica-racional del texto del mencionado artículo 41 de la Ley de Hidrocarburos, la previsión de la referida Cláusula Vigésimo Primera de permitir al Ejecutivo Nacional establecer un régimen de rebajas para el pago del impuesto de explotación, bien puede ser dispuesta por el Congreso en la regulación que dicte de la explotación realizada por las empresas filiales de PDVSA, mediante Convenios de Asociación, como sucede en el presente caso, en razón de la amplia facultad que le otorgó el legislador en el artículo 5° de la Ley Orgánica que Reserva al

---

51 Véase Dabiel Bendahan, *La Legislación Venezolana sobre Hidrocarburos,* Ediciones de la Bolsa de Comercio de Caracas, 1969, Empresa El Cojo, pp. 114 y 115.

52 Véase Manuel R. Egaña *Anteproyecto de Ley Orgánica de Hidrocarburos*, Colección Justitia et Jus, ULA, Mérida, 1981, pp. 51 y 73.

Estado la Industria y el Comercio de los Hidrocarburos, de fijar las condiciones bajo las cuales han de celebrarse dichos Convenios, para así poder ser autorizados por las Cámaras Legislativas. Regulación esta que ha de estar comprendida en el respectivo Acuerdo Legislativo, de las Cámaras Legislativas, que conforme a lo previsto en los artículos 126 y 138, primer aparte, de la Constitución, en concordancia con el artículo 139 y con la Disposición Transitoria Decimatercera del mismo Texto Fundamental, tiene jerárquicamente el rango de una ley ordinaria, como lo ha reconocido esa Corte en sentencias de fechas 25.01.94 y su Sala Político Administrativa en sentencia de fecha 14.09.93, citadas en el Capítulo I de este escrito. Por ende, a través de ese Acuerdo el Congreso puede definir un régimen legal para los impuestos de hidrocarburos, en atención a lo dispuesto en los ordinales 8° y 10°, del artículo 136 de la Constitución, en concordancia con el artículo 139 *ejusdem*, ya citado, y con la Disposición Transitoria Decimatercera del mismo Texto Fundamental, también citada, y con el artículo 5° de la Ley Orgánica mencionada, como demostramos en el Capítulo IV de este mismo escrito. De allí, que si alguna contradicción pudiera existir entre la Cláusula Vigésimo Primera del artículo 2° del Acuerdo del Congreso y el mencionado artículo 41 de la Ley de Hidrocarburos, –supuesto negado y no probado–, aquélla sería la aplicable y no éste último artículo. Sin embargo, como demostramos anteriormente, no existe contradicción alguna entre ambos dispositivos legales.

Es más, a mayor abundamiento, y para reforzar la argumentación referida a los amplios poderes regulatorios de los Convenios de Asociación por el Congreso para fijar las condiciones para su celebración, incluido los aspectos impositivos, conforme al artículo 5° de la Ley Orgánica que Reserva al Estado la Industria y el Comercio de los Hidrocarburos, en concordancia con los artículos 126 y 136, ordinal 10°, de la Constitución, y con su Disposición Transitoria Décima Tercera; debe recordarse que dada la naturaleza del impuesto de explotación de tratarse de una participación que corresponde al Estado en la producción a cambio de la asignación de los derechos de explotación en sus yacimientos que el Ejecutivo Nacional confiere a un tercero, sujeta a la condición aleatoria de que se encuentre el yacimiento de hidrocarburos y de que se explote, y que por cuanto además se puede pagar en especie y no solo en dinero, se ha estimado que el referido impuesto de explotación no es un verdadero impuesto sino una renta o ingreso derivado de un bien propio de la República.[53] Por esta razón, se ha afirmado por un destacado especialista, que si ello era antes así," Abolido el sistema de concesiones y recuperado por el Estado el derecho de explotar los yacimientos de hidrocarburos, los cuales son bienes suyos, los proventos que el Estado derive de esa explotación se alejan de la figura impositiva y se acercan a los "ingresos del dominio público territorial del Estado," "ingresos originarios " o "ingresos de Derecho Privado", en la clasificación tradicional o clásica de los ingresos estatales." Y que por ello, al analizar la naturaleza del referido proyecto, se llega a la conclusión, que "Desde un punto de vista rigurosamente jurídico, la determinación del monto de la participación económico-financiera del Estado en la industria petrolera nacionalizada no está sujeta, al principio de la legalidad tributaria, consagrado en el articulo 224 de la Constitución, en razón, precisamente, de que no se está en presencia de "tributos ", jurídica y técnicamente entendidos (...)"[54]

La anterior conclusión, basada en la interpretación lógica del texto del artículo 41 de la Ley de Hidrocarburos, con fundamento en su racionalidad, conduce a admitir que para que proceda la rebaja de la regalía no es necesario que el yacimiento esté en explotación, lo cual se confirma con su elemento histórico, al analizarse sus precedentes, como también se explicó. Ahora bien, si se ahonda en la interpretación etimológica y gramatical del término "prolongar," referido a la explotación económica de las concesiones, que es la finalidad perseguida con la rebaja, la anterior interpretación racional resulta congruente con su sentido gramatical. En efecto, "prolongar," es "hacer que una cosa dure más tiempo de lo regular," para lo cual, como se deduce de tal significado, no es necesario que esa cosa exista con anterioridad, sino que también en la realidad pueda existir. En

---

53 Véase, en este orden de ideas, Rufino González Miranda, *Estudios acerca del Régimen Legal del Petróleo en Venezuela*, UCV, 1958, pp. 360, 376, 378, 379 y 384. José Román Duque Sánchez, *Manual de Derecho Minero Venezolano*, 3ª. ed., UCAB, Caracas, 1974, p. 312. Daniel Bendahan, *op. cit.*, p. 73. y, Guillermo Fariñas, *Temas de Finanzas Públicas. Derecho Tributario. El Impuesto sobre la Renta*, EDIME, Caracas, 1.978, p. 230.

54 *Vid*, Manuel R. Egaña, *Anteproyecto de Ley Orgánica de Hidrocarburos*, Colección Justitia et Jus, UIA, Mérida, 1981, ya citada, pp. 47 y 48..

ese sentido, en el caso que nos ocupa, para que la explotación económica pueda mantenerse en el tiempo o prolongarse, basta con que se demuestre el motivo que la justifique, es decir, "el costo creciente de producción," que incluyendo el monto de los impuestos, represente el límite que no permite la explotación comercial; sin que los términos que contemplan tal rebaja permitan presuponer que es condición necesaria que esa explotación exista con anterioridad.

Por otra parte, la finalidad de la rebaja tiene como fundamento económico el ordenamiento de la producción mediante un estímulo a las inversiones, que es la contrapartida a ese sacrificio fiscal.[55] En efecto, la rebaja de la regalía o impuesto de explotación, tiene como objetivo la extensión de la actividad de producción de hidrocarburos para que pueda generar riqueza y empleo en el país y para que pueda mantenerse como fuente generadora de recursos para la economía y para el Fisco Nacional, mediante la aplicación de los otros tributos que le resultan aplicables. Por tanto, si nos encontramos con un caso donde una explotación determinada no resulta viable desde el punto de vista económico sin la aplicación desde sus inicios de la rebaja prevista en la disposición comentada, la exigencia de que dicha actividad comience para después otorgar la rebaja, estaría contradiciendo objetivos fundamentales del Estado en tal materia. En efecto, si en ausencia de la rebaja, la explotación carece de viabilidad desde el punto de vista comercial, quienes pudieran tener interés en la misma, en la medida en que actúen como entes racionales, deberían abstenerse de participar en ésta hasta tanto no se establezca la referida ventaja fiscal.

Esta conclusión es fundamental para determinar, por interpretación a contrario, la intención del Legislador en esta materia. En tal sentido, sería inadmisible asumir que la intención del Legislador es imposibilitar la realización de las explotaciones previstas en la disposición comentada. Con ello, dicho sea de paso, tanto la función recaudatoria como la función de ordenamiento, que corresponden al Estado en materia fiscal, quedarían frustradas.

---

[55] Véase en este sentido Gerloff & Nenmork, Editorial Ateneo, Buenos Aires, p. 220.

Las consideraciones anteriores nos conducen al examen de los principios de hermenéutica, comúnmente admitidos en nuestro Derecho. Así, es principio aceptado de interpretación rectificadora, de la oscuridad de los textos legales, aquél según el cual se supone que el Legislador es razonable y que no hubiera admitido una interpretación de la Ley que conduzca a consecuencias ilógicas o inicuas, es decir, el "argumento a fortiori." Evidentemente, la interpretación conforme a la cual el otorgamiento de la rebaja presupone la realización efectiva de la explotación, al tener como efecto imposibilitar la realización de actividades económicas que el Estado está llamado a incentivas, contradice los objetivos que tuvo el Estado para crear la propia rebaja del impuesto de explotación. Y ello porque con tal rebaja se pretende incentiva la realización de una actividad económica determinada. En efecto, con mayor razón esa finalidad se justifica cuando, aún antes de iniciarse la explotación, se conoce que por su costo creciente no va a ser posible la explotación comercial. Se impone, pues, la interpretación de que no es necesaria una explotación previa para que pueda alcanzarse la finalidad que persigue la norma.

Por otro lado, en el caso de que se perciban antinomias o contradicciones internas en la norma, también por la regla de hermenéutica del "argumento a contrario," se establece que el intérprete debe inclinarse hacia aquella interpretación que permita cumplir la finalidad de la Ley y por ende, es forzoso concluir que, por el carácter ilógico de la interpretación que presupone la existencia de la explotación para otorgar la rebaja de impuesto, la misma debe ser descartada.

En resguardo de la coherencia necesaria que debe tener la interpretación de la disposición bajo estudio, cuando más adelante en la misma se establece como condición para el otorgamiento de la rebaja que se compruebe ante el Ejecutivo Nacional que "...el costo creciente de producción, incluido en éste el monto de los impuestos, haya llegado al límite que no permita la explotación comercial... ," esta expresión debe entenderse, para el caso de explotaciones no iniciadas, en el sentido de que el contribuyente debe demostrar el costo hipotético de producción, incluyendo los impuestos que deberían pagarse, para así determinar la viabilidad comercial de la explotación respectiva.

En razón de los argumentos expuestos, debe concluirse que la rebaja del impuesto de explotación prevista en el aparte único del artículo 41 de la Ley de Hidrocarburos, puede ser otorgada incluso a aquellas explotaciones que no se hayan iniciado, y cuya viabilidad comercial depende del goce del beneficio allí establecido.

Por todas las razones expuestas, solicitamos a la Corte Suprema que desechara por improcedentes las denuncias de ilegalidad que se habían formulado contra del Acuerdo del Congreso de fecha 4 de julio de 1995, y así, se confirmase la validez de las disposiciones impugnadas.

Y así, conforme lo que solicitamos, la Sala Político-Administrativa de la Corte Suprema de Justicia, mediante sentencia de fecha 17 de agosto de 1999, con ponencia de la Presidente Dra. Cecilia Sosa Gómez, declaró sin lugar las acciones intentadas.

SEXTA PARTE:
SOBRE EL DEFINITIVO COLAPSO DE LA INDUSTRIA PETROLERA NACIONALIZADA ENTRE 2002 Y 2018

Estudio preparado para el *Libro Homenaje al profesor Jesús Caballero Ortíz*, organizado por la Fundación de Estudios de Derecho Administrativo, Caracas 2021, versa sobre la evolución de Petróleos de Venezuela S.A., la cual, después de que se creó en 1975 y que durante los últimos lustros del siglo XX fue la empresa del Estado más exitosa en la historia de nuestra Administración Pública, en las dos décadas que han transcurrido del siglo XXI ha pasado a ser una empresa fallida, resultado del despiadado proceso de destrucción institucional desarrollado desde el gobierno.

INTRODUCCIÓN

La empresa *Petróleos de Venezuela S.A.* fue creada como la empresa matriz de la industria petrolera nacionalizada, con la forma de sociedad anónima y con el Estado como único accionista (es decir, como empresa del Estado), de conformidad con lo previsto en la *Ley Orgánica que Reserva al Estado la Industria y el Comercio de los Hidrocarburos* de 29 de agosto de 1975[1] (*Ley de Nacionalización Petrolera*).

---

[1] Ver *Gaceta Oficial* No. 1769, del 29 de agosto de 1975.

El único objeto con el cual fue creada la empresa fue el de gestionar la industria petrolera nacionalizada, desarrollando su actividad con criterio empresarial, con autonomía respecto del Gobierno, y con el fin económico específico de generar ganancias derivadas de su actividad, sin interferencia política, y hacer los aportes económicos al Estado fundamentalmente mediante el llamado impuesto de explotación y el impuesto sobre la renta.

Si bien desde el inicio se dispuso que su Junta Directiva sería designada por el Presidente de la República, la empresa se estableció también desde el inicio como una entidad descentralizada de la Administración Central, sujeta a control de tutela accionarial, pero con la autonomía necesaria para realizar sus actividades industriales y comerciales, sujeta a las reglas del derecho privado, con capacidad de comprar y vender, de demandar y ser demandada, siendo responsable de sus propias finanzas, para lo cual debía ser administrada como una entidad económica separada, no sujeta a las prescripciones presupuestarias que rigen para los órganos de la Administración Central, no estando los miembros de su junta directiva y el resto de su personal sujeto a las normas relativas a los empleados públicos, sino a la legislación laboral.

Así fue que se creó PDVSA, como una empresa comercial cuyo fin era el de generar beneficios económicos empresariales, lo que explica que después de veinte años de operar con tal carácter, en 1994, era catalogada como la segunda mayor empresa petrolera del mundo,[2] y la mayor empresa de cualquier sector de América Latina;[3]

---

[2] Ver "PDVSA, Segunda petrolera más grande del mundo. La empresa estatal Petróleos de Venezuela (PDVSA) es la segunda corporación petrolera más importante del mundo, según la última clasificación de la publicación especializada *Petroleum Intelligence Weekly* (PIW) ," en EFE, *El Tiempo*, Bogotá, 12 diciembre 1994, disponible en: https://www.eltiempo.com/ archivo/documento/MAM-263571

[3] Ver José Toro Hardy, "Sobre la tragedia de la industria petrolera," prólogo del libro: Allan R. Brewer-Carías, *Crónica de una destrucción. Concesión, Nacionalización, Apertura, Constitucionalización, Desnacionalización, Estatización, Entrega y degradación de la Industria petrolera*, Universidad Monteávila, Editorial Jurídica Venezolana, Caracas 2018, p. 20. Disponible en: http://allanbrewercarias.com/wp-content/uploads/2018/06/978980 36542 76-txt-Cr%C3%B3nica-destrucci%C3%B3n-ARBC-PAGINA-WEB.pdf

tiempo en el cual, además de haber consolidado una política de internacionalización del negocio petrolero, comenzaba a consolidar nuevas inversiones en Venezuela con participación de capital privado, mediante Convenios de Asociaciones Estratégicas suscritos con empresas extranjeras en el marco de la política de la Apertura Petrolera aprobada por el Congreso en ejecución de lo previsto en el artículo 5 de la Ley Orgánica de Nacionalización.

Esta situación duró hasta 2002, cuando, de acuerdo con la política definida por el entonces presidente Hugo Chávez, éste designó como Ministro de Energía y Minas a Rafael Ramírez, con muy poca experiencia en el manejo empresarial de la misma, entre otras funciones, con el fin de "tomar control total de PDVSA" para lo cual resultaba "necesario aniquilar su autonomía técnica,"[4] y así, poder "despejar el camino para la politización de la industria petrolera nacional."[5] El mismo Chávez expresó esta meta en un mensaje ante la Asamblea Nacional, acerca de cuán importante era para sus fines políticos la necesidad de "tomar el control de PDVSA," confesando que en 2002 había provocado la crisis de la industria con ese propósito,[6] comenzando por despedir no solo a la plana ejecutiva de

4 Ver José Ignacio Hernández, "La apertura petrolera o el primer intento por desmontar el pensamiento estatista petrolero en Venezuela," prólogo del libro: Allan R. Brewer-Carías, *Crónica de una destrucción. Concesión, Nacionalización, Apertura, Constitucionalización, Desnacionalización, Estatización, Entrega y degradación de la Industria petrolera*, Universidad Monteávila, Editorial Jurídica Venezolana, Caracas 2018, p. 52. Available at: http://allanbrewercarias.com/wp-content/uploads/2018/06/9789803654276-txt-Cr%C3 %B3nica-destrucci%C3%B3n-ARBC-PAGINA-WEB.pdf

5 Ver la referencia en Henry Jiménez Guanipa, "La destrucción y la ruina de Venezuela. ¿cómo llegamos a este punto?, prólogo del libro de: Allan R. Brewer-Carías, *Crónica de una destrucción. Concesión, Nacionalización, Apertura, Constitucionalización, Desnacionalización, Estatización, Entrega y degradación de la Industria petrolera*, Universidad Monteávila, Editorial Jurídica Venezolana, Caracas 2018, p. 68. Disponible en: http://allanbrewercarias.com/wp-content/uploads/2018/06/9789803654276-txt-Cr%C3%B3nica-destrucci%C3%B3n-ARBC-PAGINA-WEB.pdf

6 *Idem.*

PDVSA sino, en apenas unas horas, a 23.000 de sus empleados, entre ellos, a 12.371 profesionales, técnicos y supervisores.[7]

Con ello se inició el proceso de destrucción institucional de PDVSA y de la industria petrolera en el país, para lo cual, en el marco antes reseñado, Chávez designó a Rafael Ramírez como Ministro de Energía y Minas y a partir de entonces, de ser la industria petrolera nacionalizada el negocio exitoso que fue, administrada sin injerencias del gobierno, PDVSA pasó a ser transformada gradualmente en una especie de agencia del mismo, directamente controlada, que asumió específicamente sus políticas sociales, abandonando totalmente su antiguo carácter orientado hacia los negocios, quedando al final reducida a despojos.

Las bases para la adopción de esas decisiones habían comenzado a ser sentadas dos años antes, cuando Chávez al iniciar su gobierno en febrero de 1999 designó a Alí Rodríguez Araque como su Ministro de Energía y Minas, quien desde esa posición, y luego, en 2002, desde la Presidencia de PDVSA dejaría sembrada la semilla de la destrucción de la industria y de la empresa, junto con la destrucción de la propia política de la Apertura Petrolera que había sido tan exitosa.

Alí Rodríguez, así, soterradamente, en el seno del gobierno comenzó a hacer todo lo que no pudo lograr como diputado que en el Congreso los dos períodos constitucionales anteriores, en particular en 1993, cuando se opuso a la aprobación parlamentaria de la política de la Apertura Petrolera y de las Condiciones para las celebración de los Convenios de Asociaciones Estratégicas con empresas petroleras extranjeras para la explotación de la faja Petrolífera del Orinoco; ni como impugnante que fue ante la Corte Suprema de Justicia, del Acuerdo del Congreso de 1994 mediante el cual se fijaron las condiciones y se autorizó la celebración de los Convenios

---

7 Ver la referencia en Eddie A. Ramírez, "Años de desatino (2002-2018)," prólogo del libro: Allan R. Brewer-Carías, *Crónica de una destrucción. Concesión, Nacionalización, Apertura, Constitucionalización, Desnacionalización, Estatización, Entrega y degradación de la Industria petrolera*, Universidad Monteávila, Editorial Jurídica Venezolana, Caracas 2018, p. 37. Disponible en: http://allanbrewercarias.com/wp-content/uploads/2018/06/9789803654276-txt-Cr%C3%B3nica-destrucci%C3%B3n-ARBC-PAGINA-WEB.pdf

de Asociación, pues la demanda fue declarada sin lugar y rechazada por la Corte Suprema en septiembre de 1999.[8]

Esa muy importante decisión se dictó, ya cuando Rodríguez estaba en ejercicio del cargo de Ministro de Energía y Minas, el cual ocupó hasta el año 2000, cuando fue nombrado Secretario General de la OPEP. Dos años más tarde, en 2002, fue nombrado Presidente de PDVSA, para junto con Rafael Ramírez, nombrado en su sustitución como nuevo Ministro de Energía y Minas, proceder a ser los instrumentos del gobierno para asegurarse la toma directa de control de PDVSA y de toda la industria petrolera, y terminar destruyéndolas.

Para este fin, a partir de 2004 y durante todo el gobierno de Chávez, se estableció una perniciosa simbiosis que continuó durante el gobierno de Nicolás Maduro hasta 2019, conforme a la cual, el Ministro del Petróleo, miembro del Gabinete Ejecutivo Nacional, encargado de ejercer el control de tutela sobre PDVSA, comenzó a ejercer simultáneamente el cargo de Presidente de la Junta Directiva de PDVSA, el órgano controlado por el Ministro, transformando a la empresa, *de facto,* en un ente dependiente del gobierno central, donde el Ministro se controlaba a sí mismo como Presidente de la empresa.

Este proceso implicó, progresivamente, que los activos de PDVSA comenzaron a ser usados por parte del gobierno como si se

---

[8] A mí me correspondió, junto con el Dr. Román José Duque Corredor, defender la constitucionalidad y legalidad de los actos parlamentarios relativos a la Apertura Petrolera en ese juicio ante la Corte Suprema , en representación de PDVSA, contra la impugnación de Alí Rodríguez y otros. Véase el texto de la sentencia y todos los documentos del juicio en Allan R. Brewer-Carías, *Crónica de una destrucción. Concesión, Nacionalización, Apertura, Constitucionalización, Desnacionalización, Estatización, Entrega y Degradación de la Industria Petrolera,* Con Notas a manera de Presentación de: José Toro Hardy, Francisco Monaldi, Eddie Ramírez, José Ignacio Hernández, Henry Jiménez Guanipa, Enrique Viloria Vera y Luis Giusti; y un APÉNDICE con los documentos del *Caso del Juicio de nulidad de la autorización parlamentaria* para los contratos de la "Apertura Petrolera" (1996-1999), Colección Centro de Estudios de Regulación Económica-Universidad Monteávila, N° 3, Universidad Monteávila, Editorial Jurídica Venezolana, Caracas, 2018. Disponible en: http://allanbrewercarias.com/wp-content/uploads/2018/06/9789803654276-txt-Cr%C3%B3nica-destrucci%C3%B3n-ARBC-PAGINA-WEB.pdf

tratase de recursos propios; ignorando la condición de empresa del Estado de la misma, para lo cual se comenzó con la reforma de los Estatutos de la misma con el objeto, primero, de establecer un mecanismo de injerencia del Ministro en la gestión de la empresa y, segundo, de permitir la designación a un ministro del Gabinete Ejecutivo como Presidente de su Junta Directiva; despojándose a PDVSA de su independencia, asegurándose un férreo control político de la misma similar al que el gobierno ejerce respecto de los órganos de la Administración Pública Central.

Ello llevó a que se sometiera a la compañía a la obtención de aprobaciones del Ejecutivo Nacional para las decisiones comerciales ordinarias; desviándose las actividades de la compañía del sector petrolero hacia la ejecución de políticas sociales, actuando directamente a nombre del Ejecutivo Nacional. Tal como lo explicó Eddie Ramírez: "Hasta 2002, PDVSA y sus filiales fueron administradas de manera eficiente como un negocio," y luego "pasó de ser una empresa que estaba en el negocio de los hidrocarburos y que ejecutaba programas de responsabilidad social, a una empresa cuya misión es social, que tiene actividades relacionadas con los hidrocarburos." [9]

I. EL ORIGEN DE PDVSA COMO ENTIDAD DESCENTRALIZADA DEL ESTADO CON PROPÓSITOS EMPRESARIALES

Como se ha dicho, inicialmente PDVSA, tal como se estableció expresamente en el *Informe para la nacionalización de la Industria Petrolera* considerado por el Congreso venezolano en 1975, redactado por la Comisión Presidencial de la Reversión Petrolera de 1974, fue creada para la tarea de asumir la administración de la industria petrolera, una vez nacionalizada, como "una entidad independiente distinta de la Administración Pública [Central], sujeta a las directrices insertadas por el Estado contenidas en el Plan de la Nación." El Informe insistió en afirmar que la intención era la de "mantener a la Administración Petrolera Nacional al margen de las normas y prácticas burocráticas concebidas fundamentalmente para organismos públicos y no para entidades modernas y complejas dedicadas a la

---

9 *Ídem*, pp. 38, 41.

producción a gran escala para realizar transacciones cuantiosas y frecuentes." De hecho, la Administración Petrolera Nacional se concibió como "una organización integrada verticalmente, multiempresarial y dirigida por una Casa Matriz de propiedad exclusiva y única del Estado," con sociedades que fueran "aptas para actuar con entera eficiencia en el campo mercantil," actuando con "autosuficiencia y capacidad para la renovación de sus cuadros gerenciales."[10]

Fue de acuerdo con estas recomendaciones que el 29 de agosto de 1975, el Congreso promulgó la *Ley Orgánica que reserva al Estado la Industria y el Comercio de los Hidrocarburos,*[11] cuyo Artículo 5 dispuso, con respecto a las actividades reservadas (desarrolladas hasta ese momento por empresas extranjeras privadas concesionarias), que las mismas deberían ser realizadas "directamente por el Ejecutivo Nacional o a través de entidades de su propiedad." A tal fin, el Artículo 6 de dicha Ley Orgánica dispuso que el Ejecutivo Nacional crearía "con las formas jurídicas que considere conveniente, las empresas que juzgue necesario para el desarrollo regular y eficiente" de las actividades reservadas. Esta disposición también autorizó al Ejecutivo Nacional a "atribuir a una de las empresas las funciones de coordinación, supervisión y control de las actividades de las demás, pudiendo asignarle la propiedad de las acciones de cualquiera de estas empresas."

El Artículo 7 de la Ley Orgánica dispuso que dichas empresas "se regirán por la Ley Orgánica y sus reglamentos, por sus propios estatutos, por las disposiciones que dicte el Ejecutivo Nacional y por las del derecho común que les fueren aplicables."

---

10 Ver las referencias al *Informe* en Allan R. Brewer-Carías, "Consideraciones sobre el régimen jurídico-administrativo de Petróleos de Venezuela S.A.," en Revista *de Hacienda*, No. 67, Año XV, Ministerio de hacienda, caracas, 1977, p. 80. Disponible en: http://allanbrewercarias.net/Content/449725d9-f1cb-474b-8ab2-41efb849fea8/Content/II.4.107.%20CONSID.REG.JUR.ADMIN.PETROLEOS%20VZLA%201977.pdf

11 Ver *Gaceta Oficial* No. 1769 del 29 de agosto de 1975.

Es decir, las empresas propiedad del Estado deberían regirse preponderantemente por el derecho privado, aunque no en forma exclusiva porque, al ser empresas propiedad del Estado, también están siempre sujetas al derecho público.[12]

En consecuencia, el día siguiente a la promulgación de dicha Ley Orgánica de Nacionalización, el Presidente de la República emitió el Decreto No. 1123 del 30 de Agosto de 1975[13] que creó "una empresa estatal, bajo la forma de sociedad anónima, que cumplirá la política que dicte en materia de hidrocarburos el Ejecutivo Nacional, por

---

[12] Ver Allan R. Brewer-Carías, "Consideraciones sobre el régimen jurídico-administrativo de Petróleos de Venezuela S.A.," in *Revista de Hacienda*, No. 67, Año XV, Ministerio de hacienda, caracas, 1977, pp. 83-84. Disponible en: http://allanbrewercarias.net/Content/449725d9-f1cb-474b-8ab2-41efb849fea8 /Content/II.4.107.%20CONSID.REG.JUR.ADMIN.PETROLEOS%20 VZLA % 201977.pdf. En este sentido, la Sala Constitucional del Tribunal Supremo, en su decisión No. 464 del 3 de marzo de 2002, definió a las empresas propiedad del estado, como PDVSA, como "personas estatales con forma jurídica de derecho privado," lo que implica, como consecuencia, "que el régimen jurídico aplicable a las mismas sea un régimen mixto, tanto de derecho público como de derecho privado, aun cuando sea preponderantemente de derecho privado, debido a su forma, pero no exclusivamente, dado que su íntima relación con el Estado las somete a las reglas obligatorias de derecho público dictadas para la mejor organización, funcionamiento y control de ejecución de la Administración Pública, por parte de los órganos que se integran a ésta o coadyuvan al logro de sus cometidos." (Caso: *Interpretación del Decreto de la Asamblea Nacional Constituyente de fecha 30 de enero de 2000, mediante el cual se suspende por 3 días la negociación de la Convención Colectiva del Trabajo),* in *Revista de Derecho Público,* N° 89-92, Editorial Jurídica Venezolana, Caracas 2000, pp. 218, 219. Disponible en: http://allanbrewercarias.com/wp-content/uploads/2007/08/ 2002- REVISTA-89-90-91-92.pdf.

[13] Ver Allan R. Brewer-Carías, "Consideraciones sobre el régimen jurídico-administrativo de Petróleos de Venezuela S.A.," en *Revista de Hacienda*, No. 67, Año XV, Ministerio de hacienda, caracas, 1977, pp. 83-84. Disponible en: http://allanbrewercarias.net/Content/449725d9-f1cb-474b-8ab2-41efb849 fea8/Content/II.4.107.%20CONSID.REG.JUR.ADMIN.PETROLEOS%20 VZLA%201977.pdf (citando la Gaceta Oficial No. 1770 del 30 de agosto de 1975).

órgano del Ministerio de Minas e Hidrocarburos…" (Art. 1).[14] Por lo tanto, como expresé en 1985, no hay duda de que:

> "la intención del Legislador fue estructurar a la Administración Petrolera Nacionalizada a través de empresas del Estado (entes o personas estatales), con forma de sociedad mercantil y, por tanto, con un régimen mixto de derecho público y de derecho privado…"[15]

Por lo tanto, como también escribí en 1985:

> "Petróleos de Venezuela, S.A., por tanto, es una "empresa estatal," o empresa del Estado, de propiedad íntegra del mismo y que responde a las políticas que aquél dicte, y, como tal, está integrada dentro de la organización general de la Administración del Estado, como ente de la administración descentralizada, pero con forma de sociedad anónima, es decir, como persona de derecho privado."[16]

---

14 Por esto fue que la Sala Constitucional del Tribunal Supremo ha explicado que PDVSA y sus filiales son empresas propiedad del estado bajo la forma de derecho público. Ver la Decisión No. 464 del 3 de marzo de 2002 (Caso: *Interpretación del Decreto de la Asamblea Nacional Constituyente de fecha 30 de enero de 2000, mediante el cual se suspende por 3 días la negociación de la Convención Colectiva del Trabajo),* en *Revista de Derecho Público,* N° 89-92, Editorial Jurídica Venezolana, Caracas 2000, pp. 218, 219. Disponible en: http://allanbrewercarias.com/wp-content/uploads/2007/08/2002-REVISTA-89-90-91-92.pdf

15 *Ver* Allan R. Brewer-Carías, "El carácter de Petróleos de Venezuela, S.A. como instrumento del Estado en la industria petrolera, " en *Revista de Derecho Público*, N° 23, Julio-Septiembre 1985, Editorial Jurídica Venezolana, Caracas 1985, pp. 77, 80. Available at: http://allanbrewercarias.com/wp-content/uploads/2007/08/rdpub_1985_23.pdf.

16 *Ídem.* en 81. Por lo tanto, de conformidad con la Constitución de Venezuela y los estatutos correspondientes, PDVSA y sus filiales, como también se afirmó en la Decisión No. 464 del 3 de marzo de 2002 (Caso: *Interpretación del Decreto de la Asamblea Nacional Constituyente de fecha 30 de enero de 2000, mediante el cual se suspende por 3 días la negociación de la Convención Colectiva del Trabajo),* de la Sala Constitucional del Tribunal Supremo de

En Venezuela, la Administración Pública está integrada por la "Administración Pública Central" y por la "Administración Pública Descentralizada." Según la Constitución de Venezuela (Artículo 242) y la Ley Orgánica de la Administración Pública (Artículos 59-61), la Administración Pública Central, dirigida por el Ejecutivo Nacional, está integrada por los órganos del gobierno en sí, tales como los distintos Ministerios.[17] La Administración Pública Descentralizada, por otra parte, está integrada por entidades como las corporaciones públicas y las empresas comerciales propiedad del Estado como PDVSA y sus filiales, que no son parte del gobierno en sí, aún cuando deban estar adscritas al respectivo Ministerio del gobierno.[18] Fue por eso que la Sala Constitucional del Tribunal Supremo, al referirse al régimen aplicable a PDVSA y sus empresas filiales, explicó que "les permite diferenciarse claramente, no solo de la Administración Pública centralizada y de los institutos autónomos, sino también de otras empresas propiedad del estado."[19]

Justicia, son parte de la Administración Pública Nacional, notando que: "aunque [PDVSA] es una compañía constituida y organizada en la forma de sociedad anónima, está fuera de dudas, y así lo reafirma la Constitución de la República Bolivariana de Venezuela, que la misma se encuentra enmarcada en la estructura general de la Administración Pública Nacional . . ." [Caso: *Interpretación del Decreto de la Asamblea Nacional Constituyente de fecha 30 de enero de 2000, mediante el cual se suspende por 3 días la negociación de la Convención Colectiva del Trabajo*], ver en *Revista de Derecho Público,* N° 89-92, Editorial Jurídica Venezolana, pp. 219. Disponible en: http://allanbrewercarias.com/wp-content/uploads/2007/08/2002-REVISTA-89-90-91-92.pdf

17 *Ver* Artículos 160, 174, 236.20 de la Constitución; *ver también* Allan R. Brewer-Carías, *Derecho Administrativo en Venezuela*, Editorial Jurídica Venezolana, Segunda Edición, 2015, p. 52; disponible en: http://allanbrewercarias.com/wp-content/uploads/2013/08/9789803651992-txt.pdf.

18 *Ver* Artículos 142; 300.

19 Ver la Decisión No. 464 de la Sala Constitucional del Tribunal Supremo del 3 de marzo de 2002 (Caso: Interpretación del Decreto de la Asamblea Nacional Constituyente de fecha 30 de enero de 2000, mediante el cual se suspende por 3 días la negociación de la Convención Colectiva del Trabajo), en *Revista de Derecho Público*, N° 89-92, Editorial Jurídica Venezolana, Caracas 2000, pp. 218, 219. Disponible en: http://allanbrewercarias.com/wp-content/uploads/2007/08/2002-REVISTA-89-90-91-92.pdf

En todo caso, al igual que todas las empresas estatales, PDVSA y sus empresas filiales están sujetas a normas de derecho público. Por ejemplo, además de las disposiciones de la Ley Orgánica de la Administración Pública, las disposiciones de la Ley de Contrataciones Públicas (Artículo 3)[20] y la Ley Orgánica de la Procuraduría General (Artículo 9).[21] Además, como ente descentralizado de la Administración Pública Nacional está, desde luego, sujeta a todas las regulaciones y principios relativos al funcionamiento de la Administración Pública incluidos en la Ley Orgánica (en particular, el Título II. Principios y bases del funcionamiento y organización de la Administración Pública: artículos 3-28, 33-43), así como en otras leyes relativas a los órganos y entes de la Administración Pública, como la Ley Orgánica de Procedimientos Administrativos; la Ley Orgánica de Bienes Públicos (Artículo 4);[22] y la Ley Orgánica de la Administración Financiera del Sector Público (Artículo 6).[23]

Las empresas estatales también son parte del "Sector Público," según lo define el Artículo 5 de la Ley Orgánica de la Administración Financiera del Sector Público, que específicamente comprende:

> "8. Las sociedades mercantiles en las cuales la República o las demás personas a que se refiere el presente artículo tengan participación igual o mayor al cincuenta por ciento del capital social.

---

20 *Ver Gaceta Oficial* N° 6.154 Extraordinaria del 19 de noviembre de 2014. Disponible en: http://www.mindefensa.gob.ve/COMISION/wp-content/uploads/2017/03/LCP.pdf.

21 *Ver Gaceta Oficial* N° 37.347 del 17 de diciembre de 2001. Disponible en: http://www.oas.org/juridico/spanish/mesicic3_ven_anexo23.pdf

22 *Ver Gaceta Oficial* N° 39.952 del 26 de junio de 2012.

23 Artículo 5. Ver Gaceta Oficial No. 6210 Extraordinaria de diciembre de 2015, disponible en: http://historico.tsj.gob.ve/gaceta_ext/diciembre/30122015/E-30122015-4475.pdf#page=1

> Quedarán comprendidas, además, las sociedades de propiedad totalmente estatal, cuya función, a través de la posesión de acciones de otras sociedades, sea la de coordinar la gestión empresarial púbica de un sector de la economía nacional [...]"[24]

Adicionalmente, y siguiendo el sentido de las disposiciones de la *Ley Orgánica de Nacionalización* de 1975, PDVSA fue constitucionalizada en el Artículo 303 de la Constitución de 1999, el cual le asigna directamente lo que ya tenía, es decir, "la gestión de la industria petrolera." Según el artículo 2 de sus Estatutos, PDVSA, de hecho, fue creada desde 1975 para cumplir su función corporativa de implementar la política nacional en materia de hidrocarburos, es decir, para generar beneficios como empresa comercial en dicho sector. Tal era la "política nacional que debía implementarse."[25] Por lo tanto, no es correcto decir que "PDVSA fue creada mediante decreto presidencial, no para generar ganancias, sino como una compañía nacional para implementar la política nacional en materia de hidrocarburos" como se afirmó en el caso ante la Corte Distrital de los Estados Unidos de Delaware, (*Crystallex International Corporation v. República Bolivariana de Venezuela* del 9 de agosto de 2018), aceptando el planteamiento de Crystallex (p. 402). Por el contrario, bajo la Ley de Nacionalización y el decreto de su creación, PDVSA debía generar ganancias y *esa* era la "política nacional que debía implementarse."

A pesar de las disposiciones de derecho público que regulan a PDVSA, el hecho es que la empresa, según lo antedicho, fue constituida como una compañía de derecho privado, inscrita en el Registro Mercantil de acuerdo a las normas del Código Mercantil, y disponiendo sus estatutos que los miembros de la Junta Directiva de la compañía, aun cuando fueran designados por el Presidente de la República, debían desempeñar sus funciones a tiempo completo (Artículo 20), sin tener la condición de empleados públicos, por lo que estarían sujetos a la Ley del Trabajo.

---

24 *Ver Gaceta Oficial* No 6.210 Extraordinaria, del 30 de diciembre de 2015. Disponible: http://www.bod.com.ve/media/97487/GACETA-OFICIAL-EXTRAORDINARIA-6210.pdf.

25 *Ver,* por ejemplo, los Estatutos de PDVSA, reformados por el Decreto No. 2184, *Gaceta Oficial* No. 37.588 (10 de diciembre de 2002).

Esto implicó que ningún Ministro, miembro del Ejecutivo Nacional, ni ningún otro funcionario público podía ser designado como miembro de la Junta Directiva de PDVSA. Por el contrario, el Ministro de Energía y Petróleo solo sería un miembro de la Asamblea de Accionistas de la compañía (Artículos 7 y 11), sin tener ninguna participación directa en la administración de la compañía, y mucho menos algún control en las operaciones diarias de la empresa. En particular, el Artículo 29 de los Estatutos de PDVSA dispuso lo siguiente:

> "Cláusula Vigésima Novena. No podrán ser miembros de la Junta Directiva de la sociedad durante el ejercicio de sus cargos, los Ministros del Despacho, los miembros del Tribunal Supremo de Justicia, el Procurador General de la República y los Gobernadores de los Estados y del Distrito Federal. Tampoco podrán ser miembros de la Junta Directiva de la sociedad las personas que tengan con el Presidente de la República o con el Ministro de Energía y Minas parentesco hasta el cuarto grado de consanguinidad o segundo de afinidad."[26]

Esa condición efectiva separación de PDVSA respecto de la Administración Pública centralizada que existió al crearse la empresa, y que fue celosamente preservada por todos los gobiernos democráticos por más de 25 años, fue el factor clave que contribuyó al desarrollo de la misma como empresa comercial, administrada independientemente de cualquier control o interferencia política, lo que sirvió al propósito de generar ganancias como ente estatal que gestionaba la industria petrolera, haciendo aportes al Estado únicamente a través del sistema de impuesto sobre la renta.

Esta fue la condición de PDVSA hasta el 2002, cuando lamentablemente toda esta separación comenzó a cambiarse luego de que el entonces presidente Hugo Chávez designara en 1999 Alí Rodríguez Araque como Ministro de Energía y Minas, y luego en 2002 como Presidente de PDVSA; y además, en el mismo año 2002 designara a Rafael Ramírez como Ministro de Energía y Minas. Con ello, Chávez

---

[26] Ver, por ejemplo, los Estatutos de PDVSA del 2002, modificados por el Decreto N° 2.184 del 10 de diciembre de 2002, en la *Gaceta Oficial* N° 37.588 del 10 de diciembre de 2002.

buscó asegurar definitivamente la intervención política de PDVSA,[27] y creara la llamada "nueva PDVSA," totalmente controlada por el Gobierno, al servicio de la "revolución venezolana."[28] Con esa mira, además, Chávez decidió proceder a la entrega incontrolada de petróleo a Cuba.

II. LA PRIMERA DECISIÓN QUE CONDUJO A LA DESTRUCCIÓN: EL CONVENIO INTEGRAL DE COOPERACIÓN CON CUBA DE 2000 Y EL INCONSTITUCIONAL COMPROMISO PETROLERO SUSCRITO SIN APROBACIÓN DE LA ASAMBLEA NACIONAL QUE ASEGURÓ LA ENTREGA INCONTROLADA DE PETRÓLEO A CUBA A PARTIR DE 2001

En efecto, apenas fue electo Presidente de la República después de la entrada en vigencia de la Constitución de 1999, y ya con Ali Rodríguez Araque designado como Ministro de Energía y Minas, Hugo Chávez firmó en Caracas el 30 de octubre de 2000, como "Presidente de Venezuela," un Convenio Integral de Cooperación con el "Comandante en Jefe Fidel Castro," como Presidente de la República de Cuba, con el "interés común por promover y fomentar el progreso de sus respectivas economías," mediante el cual las Partes se comprometieron "a elaborar de común acuerdo, programas y proyectos de cooperación," para cuya ejecución se debía considerar "la participación de organismos y entidades de los sectores públicos y privados de ambos países y, cuando sea necesario, de las universidades, organismos de investigación y de organizaciones no gubernamentales" (art. 1).

Dicho Convenio[29] no solo no fue nunca publicado en *Gaceta Oficial* de la República de Venezuela, sino que, violando la Constitución, nunca fue sometido a la aprobación por parte de la Asamblea

---

27 Ver *Gaceta Oficial* No. 37.486, del 17 de julio de 2002, pp. 32.628 y 324.629

28 Ver "La nueva PDVSA es la institución de la revolución Venezolana," noviembre de 2006, disponible en: http://www.pdvsa.com/index.php?option=com_content&view=article&id=1845:3184&catid=10&Itemid=589&lang=es

29 Véase en http://www.embajadacuba.com.ve/cuba-venezuela/convenio-colaboracion/; y en:http://www.cubadebate.cu/especiales/2010/11/07/convenio-integral-de-coopera-cion-venezuela-cuba/#.Wtysb61DnMU.

Nacional como lo exigía el artículo 151 de la Constitución recién sancionada. Por ello, en 2001, el conocido experto petrolero Leonardo Montiel Ortega formuló una petición ante la Fiscalía General de la República, requiriendo la "revisión de la vigencia" del Convenio Integral de Cooperación, precisamente porque el mismo no había sido sometido a la aprobación de la Asamblea Nacional. Sin embargo, la Consultoría Jurídica del Ministerio Público mediante memorándum de 7 de octubre de 2000,[30] argumentó que la obligación de someter los tratados celebrados por la República a la aprobación por la Asamblea Nacional antes de su ratificación por el Presidente de la República, conforme al artículo 154, está exceptuada respecto de aquellos tratados mediante los cuales "se trate de ejecutar o perfeccionar obligaciones preexistentes de la República."

Con base en ello, dicho Consultor Jurídico "inventó," por su cuenta, ya que el texto del Convenio Integral de Cooperación de 2000 nada dice al respecto, que el mismo "tiene como antecedente el Convenio Básico de Cooperación Técnica suscrito entre ambos gobiernos, el 6 de noviembre de 1992, publicado en *Gaceta Oficial* 4506 Extraordinario del 23 de diciembre de 1992, en vigor a partir del 26 de marzo de 1993," indicando que el mismo:

> "contempla como objetivo, promover el desarrollo reciproco de la cooperación técnica entre las Partes, a través de la formulación de programas y proyectos específicos en áreas y sectores de interés mutuo, relacionados con el desarrollo económico y social de ambos países" (art. 1).

Agregando, además, que el articulo 2 de aquel Convenio de 1992,

> "establece que la cooperación técnica, podría comprender la realización conjunta o coordinada de programas de investigación, desarrollo y capacitación; la organización de seminarios, conferencias y cursos de postgrado; el intercambio de información, documentación y publicaciones técnicas y científicas; así como cualquier otro tipo de cooperación técnica y científica acordada entre las partes."

---

[30] Véase Memorándum: *Ministerio Público MP Nº DCJ-11-20-785-2001 FECHA:20010710,* en http://catalogo.mp.gob.ve/min-publico/doctrina/bases/doctri /texto/2001/350-2001.pdf.

Igualmente, el artículo 3 del viejo Convenio disponía que las Partes podrían hacer uso de diferentes medios para ejecutar las formas de cooperación, entre los cuales estaba "el intercambio de investigadores y personal especializado para la prestación de servicios de consultoría y asesoramiento dentro de proyectos específicos y de adiestramiento; el envió o intercambio de equipos y materiales para la ejecución de programas o proyectos de cooperación técnica y científica; así como cualquier otro medio acordado por las partes."

Era claro y evidente, en todo caso, que se trataba de cooperación técnica y científica, y por supuesto no podía sustentar un convenio por ejemplo en el cual la República se comprometiera, por ejemplo, a vender petróleo, a determinados precios, como fue precisamente una de las obligaciones que asumió Venezuela en el Convenio de Cooperación de 2000.

Sin embargo, el Consultor Jurídico del Ministerio Público, afirmó falsamente que lo que se hizo con el Convenio Integral de Cooperación suscrito con la República de Cuba, el 30 de octubre de 2000, fue desarrollar los "objetivos" de aquel Convenio de 1992, que sí había sido publicado en *Gaceta Oficial*, concluyendo que era posible afirmar:

> "que el Convenio Integral de Cooperación con la República de Cuba no requería aprobación por parte de la Asamblea Nacional, ya que mediante el mismo se ejecutan o perfeccionan las obligaciones contraídas por los Gobiernos de Venezuela y Cuba en el Convenio Básico de Cooperación Técnica de 1992."

Para ello, el Consultor Jurídico se basó en la afirmación de Fermín Toro (Manual de Derecho Internacional Público), que no es aplicable al caso, de que "Es innecesario aprobar dos veces una misma obligación u obligaciones que versen sobre lo mismo y se complementan. En otras palabras, la aprobación no es requerida porque ya ha sido concedida con anterioridad." Lo cual evidentemente es falaz porque lo que se aprobó en 1992 no es lo mismo que lo que se contrató en 2000.[31]

---

[31] Véase el texto en *Informe FGR, 2001, T.III.*, pp. 125-128.

El Convenio Integral de Cooperación suscrito entre la República Bolivariana de Venezuela y la República de Cuba, por tanto, contrariamente a lo afirmado por el Consultor Jurídico del Ministerio Público, no cumplió con los requisitos consagrados en el ordenamiento jurídico, pudiendo considerárselo inconstitucional.[32]

Sin embargo, el Convenio Integral de Cooperación ha estado en aplicación desde 2000.

Conforme al mismo, por una parte,

> "la República de Cuba prestará los servicios y suministrará las tecnologías y productos que estén a su alcance para apoyar el amplio programa de desarrollo económico y social de la República Bolivariana de Venezuela, de los cuales esta no disponga y previa solicitud de acuerdo con el listado contenido en el Anexo I, que se entenderá como parte integrante de este convenio."[33]

En relación con dicho listado que abarca: "1. Agroindustria Azucarera y sus derivados; 2. Turismo; 3. Agricultura y Alimentación; 4. Venta de Productos; 5. Productos para Plagas; 6. Venta de otros productos seleccionados; 7. Transporte; 8. Educación; 9. Deportes; 10. Servicios de Salud y Formación de Personal en Cuba," se previó que "los bienes y servicios serán definidos cada año, según el acuerdo de ambas partes, precisando el monto monetario, las especificaciones, regulaciones y modalidades en que serán entregados. Estos bienes y servicios serán pagados por la República Bolivariana de Venezuela, en el valor equivalente a precio de mercado mundial, en petróleo y sus derivados" (art. 2).

Por la otra parte, conforme al artículo 3 del Convenio, República Bolivariana de Venezuela se comprometió:

> "a proveer a la República de Cuba a solicitud de ésta y como parte de este Convenio Integral de Cooperación, bienes y servicios que comprenden asistencia y asesorías técnicas provenientes

---

[32] Véase el texto en *Informe FGR, 2001, T.III.*, pp. 125-128.

[33] El listado comprende una extensa gama de actividades, que puede consultarse en la publicación del Convenio hecha por la Organización de Estados Americanos, en https://www.oas.org/juridico/mla/private/rexcor/rexcor_resp _ven9. pdf.

de entes públicos y privados, así como el suministro de crudos y derivados de petróleo, hasta por un total de cincuenta y tres mil (53.000) barriles diarios. Estos volúmenes serán presentados en un programa de nominaciones, de carácter trimestral y anualizado por las empresas CUPET y CUBAMETALES a PDVSA en las cantidades y condiciones que se establecerán anualmente entre Las Partes, tomando como referencia las bases del Acuerdo Energético de Cooperación de Caracas."

En este caso, los precios debían ser "determinados por el mercado en base a las fórmulas aplicables," y las venas debían ser: "sobre las bases de un esquema de financiamiento mixto de corto y largo plazo, utilizándose las escalas aplicables al Acuerdo Energético de Caracas" (art. 3).

Por su parte, conforme al artículo 4 del Convenio, la República de Cuba ofreció:

> "gratuitamente a la República Bolivariana de Venezuela los servicios médicos, especialistas y técnicos de la salud para prestar servicios en lugares donde no se disponga de ese personal. Los médicos especialistas y técnicos cubanos en la prestación de sus servicios en la República Bolivariana de Venezuela ofrecerán gratuitamente entrenamiento al personal venezolano de diversos niveles que las autoridades soliciten."

Sin embargo, se previó que "la parte venezolana cubrirá los gastos de alojamiento, alimentación, transportación interna," garantizando el gobierno de Cuba "a todos los galenos y demás técnicos sus salarios y la atención adecuada a los respectivos familiares en la Isla.

El Convenio Integral de Cooperación, se ha desarrollado a través de múltiples contratos de interés nacional,[34] los cuales tampoco

---

[34] Véase por ejemplo el Convenio de prestación de servicios tecnológicos integrales para la transformación y modernización del sistema de identificación, migración y extranjería suscrito entre la república de Venezuela y entre otros la Sociedad mercantil Albert Ingeniería y Sistema, constituida en La Habana, y por el cual Venezuela pagó más de 172 millones de dólares. Véase el texto

nunca fueron sometidos a la aprobación por parte de la Asamblea Nacional, todo en violación de lo que exige el artículo 150 de la Constitución.

Como consecuencia de estos Convenios, en definitiva, Venezuela, mediante los mismos, aceptó entre otras cosas, dejarse invadir por personas y funcionarios cubanos, y entregar al Estado cubano el control de muchas áreas y servicios de la Administración del Estado venezolano, para lo cual además pagó en petróleo, con consecuencias catastróficas como las que se han conocido recientemente: la propia pérdida de la inversión venezolana en la refinería ubicada en Cienfuegos, que por deudas, pasó a ser adquirida totalmente por Cuba; y la compra por parte del Estado Venezolano de petróleo en el mercado internacional para ser envido a Cuba, cuando en el país no sólo disminuyó la producción sino que hay déficit en el abastecimiento interno.

Ambas situaciones fueron reseñadas por la prensa internacional, por lo que para darse cuenta de ello, ante el secreto que en el país ha tenido todo lo que se refiere al Convenio Integral, basta recurrir a lo expresado en las noticias internacionales en la siguiente forma:

En cuanto a la Refinería Camilo Cienfuegos se trataba una empresa mixta constituida en abril de 2006 entre la empresa cubana Cuvenpetrol S.A. y PDVSA, en el marco de la Alianza Bolivariana para los Pueblos de Nuestra América (ALBA), en la cual PDVSA tenía el 49 % de las acciones. Sin embargo, ese porcentaje accionario según anunció el diario *Granma*, citado por *Reuters*, lo perdió PDVSA desde agosto de 2017, comenzando la Refinería a operar como entidad estatal plenamente cubana, bajo la égida de Unión Cuba Petróleo (CUPET), para "saldar deudas ante el incumplimiento de compro-

---

en http://www.elnuevo-herald.com/ultimas-noticias/article1553516.ece/BINARY/EXCLUSIVO:%20Contrato%20confiden-cial%20entre%20Cuba%20y%20Venezuela%20para%20transformaci%C3%B3n%20del%20sistema%20de%20identificaci%C3%B3n.

misos por parte de Venezuela" con Cuba por "servicios profesionales" no pagados que habría recibido y por el "alquiler de tanqueros."[35]

En cuanto a la compra de petróleo en el mercado internacional por PDVSA para ser enviado a Cuba, según se reportó en la prensa internacional, entre 2017 y los primeros meses de 2018, PDVSA compró "cerca de 440 millones de dólares en crudo extranjero y lo ha enviado directamente a Cuba en condiciones flexibles de crédito, que a menudo implicaron pérdidas, según documentos internos de la empresa a los que Reuters tuvo acceso." El reportaje agregó:

> "Los envíos constituyen la primera evidencia documentada de que el país miembro de la OPEP adquiere crudo para abastecer a sus aliados regionales en lugar de venderles petróleo de sus propias reservas.
>
> Venezuela realizó las entregas con descuentos, que no se habían informado anteriormente, pese a su gran necesidad de divisas para sostener su economía e importar alimentos y medicinas en medio de una escasez generalizada.
>
> Las compras de petróleo en el mercado abierto para subsidiar a Cuba, uno de los pocos aliados políticos que le quedan a Venezuela, revelan el profundo deterioro de su sector energético bajo el gobierno del presidente Nicolás Maduro.
>
> Las compras se produjeron luego de que la producción de crudo de Venezuela tocó un mínimo de 33 años en el primer trimestre, una baja de 28 por ciento en 12 meses. Las refinerías de la nación operaron en ese lapso a un tercio de su capacidad y los trabajadores han renunciado por miles en meses recientes.

---

[35] Véase las reseñas de Sarah Marsh y Marianna Parraga, "Cuba takes over Venezuela stake in refinery joint venture," en Reuters, 14 de diciembre de 2017, en https://www.reuters.com/article/cuba-venezuela/cuba-takes-over-venezuela-stake-in-refinery-joint-venture-idUSL8N1OE79H; y de Sabrina Martín, "Cuba le arrebata a Venezuela refinería de PDVSA tras impago de "servicios prestados," en PanAmPost, 15 de diciembre de 2017, en https://es.panampost.com/sabrina-martin/2017/12/15/cuba-arrebata-vzla-refineria-pdvsa/amp/?__twitter_impression=true.

PDVSA compró el crudo hasta 12 dólares por barril más caro de lo que facturaba cuando enviaba el mismo petróleo a Cuba, según precios en documentos internos revisados por Reuters.

Pero es posible que Cuba nunca pague en efectivo por los cargamentos, ya que Venezuela siempre ha aceptado bienes y servicios de la isla a cambio de petróleo bajo un pacto firmado en el 2000 por los difuntos líderes Hugo Chávez y Fidel Castro."[36]

III. LAS CATASTRÓFICAS CONSECUENCIAS DE LA SIMBIOSIS ENTRE EL ÓRGANO DE CONTROL Y EL ÓRGANO CONTROLADO Y CÓMO PDVSA PASÓ A SER UN ENTE TOTALMENTE CONTROLADO POR EL EJECUTIVO, PERDIENDO SU CARÁCTER GERENCIAL

Luego de firmado en Convenio de entrega mediante el cual Venezuela, no sólo suministró en forma incontrolada durante dos décadas petróleo a Cuba, sino que incluso pagó para ser invadida por ese país, en el ámbito interno, con Alí Rodríguez como Ministro de Energía y Minas, en mayo de 2001 Chávez procedió a reformar los estatutos de PDVSA, creando, en una primer aproximación, un "Consejo de Accionistas" para "asesorar al Ejecutivo Nacional," es decir, al propio Ministerio de Energía y Minas, "en la formulación y vigilancia del cumplimiento de los lineamientos y políticas que, a través del Ministerio de Energía y Minas, debe establecer o acordar de conformidad con la Cláusula Segunda de esta Acta Constitutiva-Estatutos"

---

[36] Véase la reseña de Marianna Parraga y Jeanne Liendo/Reuters, "Exclusive: As Venezuelan suffer, Maduro buys foreign oil to subsidize Cuba," en *Reuters*, 15 de mayo de 2017, en https://ca.reuters.com/article/idCAKCN1IG1TO-OCABS?utmsour-ce=34553&utm_medium=partner; y "Mientras los venezolanos sufren, gobierno de Maduro compra petróleo extranjero para subsidiar a Cuba," en *Lapatilla.com*, 15 de mayo de 2018, en https:// www.lapatilla.com/site/2018/05/15/insolito-venezuela-compro-petroleo-extranjero-para-subsidiar-a-cuba-en-medio-de-crisis-interna/.

(Artículo 38, 39), comenzando así a permitir que el Ministro interviniera en las operaciones de la compañía.[37]

Dos años más tarde, en noviembre de 2004, el presidente Chávez logró sus objetivos de intervenir directamente en la administración de PDVSA, al designar a su Ministro de Energía y Minas, Rafael Ramírez, simultáneamente, como Presidente de PDVSA,[38] violando los Estatutos de la empresa que prohibían expresamente que los Ministros pudieran ser miembros de la Junta Directiva de la compañía (Cláusula 29). La abierta violación de los Estatutos de PDVSA con este nombramiento, por tanto, provocó una nueva reforma estatutaria *ex post facto,* precisamente para "regularizar" que Rafael Ramírez como Ministro de Petróleo permaneciera en la Junta, como Presidente de la compañía.[39]

Una nueva reforma de los Estatutos fue posteriormente aprobada mediante Decreto Ejecutivo en 2008[40], en la que se estableció expresamente que para lograr sus objetivos, PDVSA debía seguir los lineamientos y políticas del Ejecutivo Nacional establecidas o hechas de conformidad con las leyes aplicables, "a través del Ministerio del Poder Popular para Energía y Petróleo" (Cláusula Segunda, según enmienda). Además, se agregó un texto para permitir que el Presidente de la República pudiera autorizar al Presidente de PDVSA o a alguno de los miembros de la Junta Directiva, a ser dirigentes de organizaciones políticas mientras desempeñaran el cargo, una actividad que hasta tal enmienda, estaba expresamente prohibida (Cláusula Trigésima, según enmienda).[41]

Los Estatutos de PDVSA fueron reformados de nuevo en 2011, esta vez para permitir que además del Ministro de Energía y Minas,

---

37 Ver Decreto N° 1.313 del 29 de mayo de 2001 en la *Gaceta Oficial* No. 37.236, del 10 de julio de 2001, pp. 318.941.

38 Ver *Gaceta Oficial* No. 38.082, del 12 de diciembre de 2004, p. 336.308.

39 Ver enmienda de la Cláusula Vigésima Novena en el Decreto N° 3.299 de fecha 7 de diciembre de 2004, en la *Gaceta Oficial* No. 38.081, del 7 de diciembre de 2004, pp. 336.271.

40 Ver Decreto N° 6.234 del 15 de julio de 2008 en la *Gaceta Oficial* No. 38.988, del 6 de agosto de 2008, pp. 363.187.

41 Ver los comentarios acerca de esta enmienda en https://www.analitica.com/economia/desde-pdvsa-hasta-psuvsa/

quien era al mismo tiempo Presidente de la compañía, la designación de dos Ministerios adicionales en la Junta Directiva de PDVSA: el Ministro de Planificación y Finanzas, Jorge Giordani, y el Ministro de Relaciones Exteriores, Nicolás Maduro. A tales fines, con esta reforma se derogó la citada Cláusula 29 de los Estatutos con todas sus prohibiciones.[42] Por lo tanto, desde 2011, no uno sino tres miembros del Gabinete Ejecutivo Nacional se comenzaron a desempeñar como miembros de la Junta Directiva de PDVSA. Además de esto, el Vicemimistro de Energía y Minas (Bernard Mommer) también era miembro de la Junta Directiva de PVDSA

Después de la elección de Nicolás Maduro como Presidente de Venezuela en abril de 2013, Rafael Ramírez fue ratificado como Presidente de PDVSA, y el 22 de abril de 2013, fue ratificado simultáneamente como Ministro de Petróleo y Minas del nuevo gobierno,[43] cargos que ocupó hasta septiembre de 2014. Esto significa que durante diez años seguidos, Rafael Ramírez, el Ministro de Petróleo y Minas, fue al mismo tiempo el Presidente de PDVSA, y en tales caracteres, el principal responsable de desmantelar la independencia y autonomía de PDVSA que antes había tenido desde su creación en 1975,[44] y con ello la destrucción de la industria petrolera.

Esa práctica de hacer que el Ministro de Petróleo fuera al mismo tiempo el Presidente de PDVSA y, como tal, involucrado en las operaciones diarias de la empresa, continuó después de la salida de Ramírez, de modo que el entonces Presidente Maduro designó en 2014 a Eulogio Del Pino (quien era Presidente de la Corporación Venezolana del Petróleo, una filial de PDVSA, y también antiguo miembro de la Junta Directiva de PDVSA) como Presidente de PDVSA,[45] y en

---

42 Ver Decreto No 8.238, en la *Gaceta Oficial* 39681, del 15 de mayo de 2011

43 Ver *Gaceta Oficial* No. 40151 del 22 de abril de 2013, p. 400.835

44 Ver en general acerca de este proceso: Allan R. Brewer-Carías, Crónica de una destrucción. Concesión, Nacionalización, Apertura, Constitucionalización, Desnacionalización, Estatización, Entrega y degradación de la Industria petrolera, Universidad Monteávila, Editorial Jurídica Venezolana, Caracas 2018. Disponible en: http://allanbrewercarias.com/wp-content/uploads/ 2018 /06/9789803654276-txt-Cr%C3%B3nica-destrucci%C3%B3n-ARBC-PAGI-NA-WEB.pdf

45 Ver *Gaceta Oficial* No. 40.488, del 2 de septiembre de 2014, p. 414.654

agosto de 2015, lo designó para ejercer simultáneamente como Ministro de Petróleo y Minas.[46]

Esta simbiosis se vio brevemente interrumpida en 2017, solo por unos meses, cuando el 24 de agosto de ese año, Eulogio Del Pino fue nuevamente designado como Ministro de Petróleo,[47] nombrándose a Nelson Martínez como Presidente de PDVSA.[48] Ambos ocuparon tales cargos hasta el 4 de noviembre de 2017, cuando fueron detenidos bajo acusación penal de corrupción.[49] Martínez luego falleció mientras estaba detenido en diciembre de 2018.[50]

La sustitución de los destituidos tuvo lugar el 26 de noviembre de 2017, cuando Manuel Quevedo, un general de la Guardia Nacional sin conocimiento alguno de la industria petrolera, fue designado por Maduro, también simultáneamente, como Ministro de Petróleo[51] y Presidente de PDVSA,[52] cuyos cargos conservó durante el período de usurpación de la Presidencia por Maduro, hasta el 27 de abril de 2020.[53]

---

46 Ver *Gaceta Oficial* No. 40.727, del 19 de agosto de 2015, p. 422.884. Asdrúbal Chávez, también antiguo miembro de la Junta Directiva, fue designado brevemente como Ministro de Petróleo y Minas antes de Eulogio Del Pino, ver *Gaceta Oficial* No. 40.488, del 2 de septiembre de 2014, p. 414.652

47 Ver Decreto No. 3.042 del 24 de agosto de 2017 en la *Gaceta Oficial* No. 41.221, del 24 de agosto de 2017, p. 437.327

48 Ver Decreto No. 3.043 en la Gaceta Oficial No. 41.22, del 24 de agosto de 2017, p. 437.328

49 Ver la información en https://www.lapatilla.com/2017/11/30/saab-confirma-detencion-de-eulogio-del-pino-y-nelson-martinez/; https://www.noticiascandela.informe25.com/2017/12/en-detalles-la-detencion-de-del-pino.html

50 Ver la información en: https://elpais.com/internacional/2018/12/13/america/1544721965_258574.html; https://www.elnacional.com/venezuela/politica/reuters-fallecio-nelson-martinez-presidente-pdvsa_263171/

51 Ver Decreto No. 3.177, del 26 de noviembre de 2017 en la Gaceta Oficial No. 6.343 Extraordinaria del 26 de noviembre de 2017.

52 Ver Decreto No. 3.178 del 26 de noviembre de 2017 en la Gaceta Oficial No. 6.343 Extraordinaria del 26 de noviembre de 2017.

53 Ver Gaceta Oficial No. 6.531 Extraordinaria del 27 de abril de 2020.

En esa fecha, ya PDVSA totalmente destruida, Nicolás Maduro designó a Asdrúbal José Chávez Jiménez como Presidente Interino de la empresa.[54]

La trayectoria institucional de PDVSA arriba descrita, en la que un Ministro era al mismo tiempo Presidente de la compañía, permitiendo al gobierno intervenir en la administración al día a día de la misma y tener injerencia en sus operaciones diarias, fue por ejemplo, la base para que la Corte Distrital de los Estados Unidos para el Distrito de Delaware en una decisión que adoptó en el caso *Crystallex International Corporation v. República Bolivariana of Venezuela* (C.A. No. 17-mc-151-LPS) del 9 de agosto de 2018, afirmara que entre la República y PDVSA no había una clara separación corporativa,[55] la cual no tenía autonomía para realizar sus funciones económicas, llegando a la conclusión de que para la justicia en los Estados Unidos, PDVSA no era sino un *alter ego* de la República.[56] Es decir,

---

54 Ver Decreto No. 4.191 del 27 de abril de 2020. Gaceta Oficial No. 6.531 Extraordinaria del 27 de abril de 2020.

55 Por el contrario, esta situación que podía aplicarse en la relación que existía entre PDVSA y el gobierno de H. Chávez y N. Maduro antes de febrero de 2019, cambió cuando se designó una nueva *Junta Directiva Ad-Hoc de PDVSA y sus filiales* para la protección de sus bienes e intereses en el exterior, mediante Decreto de 8 de febrero de 2019 del Presidente Interino Juan Guaidó, con la autorización de la Asamblea Nacional y conforme a lo previsto en los artículos 15 y 34.3 del *Estatuto de Transición hacia la Democracia y el restablecimiento de la vigencia de la Constitución* de fecha 5 de febrero de 2019, que garantiza e impone la autonomía funcional y gerencia autónoma de las empresas. Ello ha implicado la necesaria separación de la gerencia de PDVSA y sus filiales en el exterior, no solo del régimen de N. Maduro sino del propio Gobierno de Transición, de manera que desde 2019 no puede considerarse que el gobierno de Venezuela a cargo de Juan Guaidó ejerza sobre esas empresas en el exterior un "excesivo control" sobre sus operaciones día a día, como sucedía antes de febrero de 2019, no existiendo en las relaciones entre el Gobierno y PDVSA y sus filiales, la relación "de principal y agente" que se desarrolló durante los gobiernos de Chávez y Maduro. Véase sobre el régimen del gobierno de transición: Allan R. Brewer-Carías, *La transición a la democracia en Venezuela. Bases constitucionales y obstáculos usurpadores*, Iniciativa Democrática España y las Américas, Editorial Jurídica Venezolana, Caracas / Miami 2019, pp. 242-251.

56 Disponible en: https://www.italaw.com/sites/default/files/case-documents/italaw10190.pdf

consideró que eran la misma cosa, con el objeto de hacer responder con sus bienes a PDVSA y sus filiales, por los daños que había causado la República por decisiones irresponsables adoptadas, casualmente por el Ministro de Energía y Minas cuando era a la vez Presidente de PDVSA.

Y es que efectivamente, con esa perversa simbiosis organizativa, PDVSA, la otrora más importante empresa petrolera del Continente, se convirtió en una entidad que sirvió, no sólo de "caja chica" del Ejecutivo para la atención y financiamiento de toda suerte de programas sociales y de importaciones de bienes de la más diversa índole, lo que no solo abrió las puestas a la corrupción oficial a niveles todavía ni sospechados, sino que multiplicó por cuatro, en diez años, el número de empleados de PDVSA, llegando a ser la empresa peor gerenciada del Continente, que dejó de invertir en el negocio petrolero. En ese esquema organizativo, en el sector de la industria petrolera nacionalizada, Petróleos de Venezuela S.A., pasó a ser un apéndice de la Administración Central, desapareciendo en su funcionamiento todos los objetivos y propósitos definidos en 1975, cuando se creó; todo ello con efectos catastróficos para su funcionamiento y su misión.

Ello, en todo caso, se diseñó mediante una serie de decisiones que se fueron tomando en el Ejecutivo Nacional desde el inicio del Gobierno de Chávez, con la participación de Alí Rodríguez Araque y Rafael Ramírez, ambos Ministros de Energía y Minas y Presidentes de PDVSA.

IV. LA REFORMA DE 2001 DE LA LEY ORGÁNICA DE NACIONALIZACIÓN DE 1975 PARA REDUCIR LA PARTICIPACIÓN DE CAPITAL PRIVADO EN LA EXPLOTACIÓN PETROLERA A TRAVÉS DE LA FÓRMULA DE EMPRESAS MIXTAS

Entre esas decisiones se destaca la adoptada por el Presidente Hugo Chávez en 2001, dictando mediante Decreto-Ley No 1510 de 2 de noviembre de 2001 la nueva Ley Orgánica de Hidrocarburos,[57]

---

[57] Véase en *Gaceta Oficial* N° 37.323 de 13 de noviembre de 2001.

que derogó expresamente la Ley Orgánica de Nacionalización petrolera de 1975 y, con ello las bases de la Apertura petrolera, es decir, la posibilidad de que capital privado pudiese participar en la explotación de las actividades primarias de los hidrocarburos mediante los Convenios de asociación que aquella Ley estableció, y conforme a la cual se desarrolló el proceso de las Asociaciones Estratégicas para la explotación de la faja Petrolífera del Orinoco y de explotaciones petroleras costa afuera.

La Ley Orgánica de Hidrocarburos de 2001, en efecto, si bien estableció en sus artículos 33 a 37 la posibilidad de participación del capital privado en la explotación de actividades primarias, ello lo limitó a la figura de empresas mixtas en las cuales necesariamente el Estado debía tener una participación mayor del 50% de su capital social. Con ello se modificó el sentido del control estatal sobre los Convenios de Asociación que regulaba la Ley Orgánica de Nacionalización derogada, y que permitía que con un capital mayoritario privado, sin embargo, el Estado pudiera suscribir Convenios de Asociación manteniendo el control del mismo. Con la nueva Ley en cambio, si bien se previó que el capital público en las empresas mixtas fuera mayor al 50% del capital social, el control podría estar en manos de la participación privada, pues bien es sabido que el control de las empresas no necesariamente depende de la composición accionaria.

Siendo la intención de la Ley Orgánica de Hidrocarburos restringir la posibilidad de participación del capital privado (no estatal) en las actividades primarias de hidrocarburos imponiendo para ello la forma de las empresas mixtas, resultó incomprensible que en diciembre de 2001, después de que se hubiera dictado el Decreto-Ley y que el mismo fuera publicado en *Gaceta Oficial* (13 de noviembre de 2001), en virtud de una *vacacio legis* que muy "convenientemente" que se estableció en el mismo para que la Ley comenzara a regir el 1° de enero de 2002, precisamente dentro de ese lapso, el mismo promulgante de la Ley, el propio Ejecutivo Nacional, se hubiera apresurado a someter a la Asamblea Nacional (17 de diciembre de 2001) la solicitud de autorización para la celebración de un Convenio de Asociación (que la nueva Ley prohibía) conforme a los términos de la vieja Ley de Nacionalización de 1975 que estaba derogando, con una empresa estatal China. filial de la empresa *China Nacional Petroleum Corporation* para la producción de bitúmen, y producción de

Orimulsión en la cual la Filial de PDVSA tenía solo el 30 % de participación en el capital social.[58]

Ahora, respecto de los Convenios de Asociación que se habían suscrito desde 1993, incluido este de 2001, desde el punto de vista jurídico, el cambio de régimen de participación del capital privado en la nueva Ley Orgánica de Hidrocarburos de 2001, no los afectaba pues las nuevas previsiones de la ley no podía tener efectos retroactivos En consecuencia, todos los Convenios de Asociación que se habían suscrito con anterioridad a 2001, no sólo los resultantes de las rondas de negociaciones de 1993 y 1997 en el marco de la Apertura Petrolera, sino el autorizado a última hora en diciembre de 2001, continuaron vigentes en sus respectivos términos contractuales conforme a los cuales habían sido suscritos, de acuerdo con el Marco autorizado por las Cámaras Legislativas y las previsiones del artículo 5 de la Ley de Orgánica de Nacionalización de 1975.

Pero ello fue solo hasta 2006, cuando ya consolidada la política de acabar con la Apertura Petrolera y destruir a PDVSA, se procedió a la eliminación de la participación del capital privado en la industria que había sido posible conforme a los contratos suscritos antes de 2001, procediéndose en la forma siguiente: *primero,* mediante la sanción de la *Ley de Regularización de la Participación Privada en las Actividades Primarias Previstas,* de abril 2006, se procedió a extinguir, es decir, a dar por terminados unilateral y anticipadamente los Convenios Operativos que entonces existían, para la realización de operaciones no relacionadas con las actividades primarias de hidrocarburos; *segundo,* mediante la emisión por Decreto-Ley 5200 de la *Ley de Migración a Empresas Mixtas de los Convenios de Asociación de la Faja Petrolífera del Orinoco, así como de los Convenios de Exploración a Riesgo y Ganancias Compartidas,* febrero 2007, se

---

[58] El Convenio de Asociación Estratégica la empresa estatal chinas, *China Nacional Oil and Gas Exploration and Development Corporation* como empresa filial de la empresa *China Nacional Petroleum Corporation* y la empresa Bitúmenes Orinoco (BITOR) filial de Petróleos de Venezuela SA PDVSA, para la producción de Bitúmen, diseño, construcción y operación de un módulo de producción y emulsificación de bitúmen natural para la elaboración de Orimulsión; en el cual la empresa BITOR sólo tenía el 30 % de participación en el capital social. Véase el Acuerdo autorizatorio de la Asamblea Nacional en *Gaceta Oficial* N° 37.347 del 17 de diciembre de 2001.

procedió a terminar unilateral y anticipadamente los Convenios de Asociación y de Explotación a Riesgo que existían y que se habían suscrito entre 1993 y 2001, previéndose sin embargo, en este último caso, la posibilidad de que dichos convenios de asociación se pudieran "convertir" en empresas mixtas con capital del Estado en más del 50% del capital social (Arts. 22 y 27 al 32 LOH); y *tercero*, mediante la sanción de la *Ley sobre los Efectos del Proceso de Migración a Empresas Mixtas de los Convenios de Asociación de la Faja Petrolífera del Orinoco; así como de los Convenios de Exploración a Riesgo y Ganancias Compartidas,* octubre 2007, se procedió a "confiscar" los intereses, acciones, participación y derechos de las empresas que formaban parte de dichos Convenios y Asociaciones, cuando no hubiesen acordado migrar a las referidas empresas mixtas.

Los preparativos para la adopción de estas tres decisiones, sin embargo, como se ha dicho, se comenzaron a definir desde 2004, cuando se comenzaron a modificar unilateralmente términos contractuales importantes para los Convenios de Asociación, como los relativos al porcentaje para el cálculo del impuesto de explotación o regalía.

V. LAS MEDIDAS INICIALES PARA EL DESMANTELAMIENTO DE LA APERTURA PETROLERA: LA VIOLACIÓN DEL CONVENIO DE FIJACIÓN DEL PORCENTAJE DE LA REGALÍA DE LAS ASOCIACIONES ESTRATÉGICAS

En efecto, de acuerdo con lo establecido en el artículo 7 de la ley Orgánica de Nacionalización de 1975, PDVSA y sus empresas filiales, no solo quedaron sometidas a sus propias prescripciones, sino a las que se establecían en la vieja Ley de Hidrocarburos de 1967,[59] por ejemplo, en lo que se refiere al pago de los impuestos y contribuciones que habían sido establecidas para las antiguas empresas concesionarias. Entre ellas, estaba el pago de los "impuestos de explotación," regulados en el artículo 41 de dicha ley de Hidrocarburos, los cuales a pesar de su nombre, en realidad nunca fueron considerados como "impuestos" sino como una participación estatutaria o legal del

[59] *Official Gazette* N° 1.149 Extra. September 15, 1967.

Estado en el valor del crudo extraído, es decir, una *regalía*, que los antiguos concesionarios debían pagar por la explotación petrolera,[60] calculada en relación con la cantidad de crudo extraído por los mismos, medido en el área de producción y en sus instalaciones.

La aplicación de dichas normas a PDVSA y sus filiales originó que en el marco de la Apertura Petrolera, y de los Convenios de Asociación que se suscribieron con la autorización del Congreso, el 29 de mayo de 1998 se suscribiera un "*Convenio de Regalía para las Asociaciones Estratégicas de la Faja Petrolífera del Orinoco*," entre la República y la empresa PDVSA Petróleo y Gas S.A.; el cual también era aplicable a las empresas operadoras de las Asociaciones Estratégicas y a las empresas extranjeras que eran parte de las mismas para la explotación del crudo pesado de la *Faja Petrolifera del Orinoco.* Se trataba, por tanto, de una pieza más en la relación contractual entre el Estado y las empresas parte en los Convenios de Asociación.

Ese Convenio de regalía, estableció para un periodo de 9 años, un porcentaje reducido del 1% para calcular el impuesto de explotación o regalía, como parte de toda la estructura contractual establecida con las empresas extranjeras en el marco de las Asociaciones Estratégicas, habiendo sido el mismo, el primer objetivo de intervención por parte del gobierno en 2004, al disponer unilateralmente un aumento de dicho porcentaje del 1% al 16 2/3 %,; lo que se hizo mediante Oficio de octubre de 2004 del Ministro de Energía y Minas dirigido al Presidente de Petróleos de Venezuela S.A., notificado igualmente a las operadoras de los Convenios de Asociación por Oficios de noviembre de 2004 del Director de Explotación y producción del Ministerio de Energía y Minas, y a las empresas extranjeras parte de los convenios de asociación, por oficios del octubre de 2004 del Presidente de PDVSA CVP.

---

60 Véase Luís R. Casado Hidalgo, *Temas de Hacienda Pública*, Contraloría General de la República, Caracas 1987, pp. 139 ff. and 143 ff.; Luís González Berti, *Compendio de Derecho Minero Venezolano*, Universidad de Los Andes, Tomo I, Mérida 1960, pp. 449 ff; Rufino González Miranda, *Estudios acerca del régimen legal del petróleo en Venezuela*, Universidad Central de Venezuela, Caracas 1958, pp. 344 ff; A.D. Aguerrevere, *Elementos de Derecho Minero*, Caracas 1954, p. 167.

Ello, sin duda, constituyó una primera ruptura de las cláusulas y obligaciones contractuales, modificando además unilateralmente el equilibrio económico de los contratos, que la República estaba obligada a respetar. Las empresas parte de los Convenios de Asociación, en ese caso, no reaccionaron judicialmente contra esta decisión reclamando compensación, pero sin duda si entendieron cuál era el mensaje que se estaba dando, y que apuntaba a demoler todo el esquema de la Apertura petrolera.

VI. LA "ESTATIZACIÓN" DE LA INDUSTRIA PETROLERA EN 2006-2007 CON LA TERMINACIÓN UNILATERAL Y ANTICIPADA DE LOS CONTRATOS OPERATIVOS Y DE LOS CONVENIOS DE ASOCIACIÓN RESPECTO DE LAS ACTIVIDADES PRIMARIAS DE HIDROCARBUROS

Y ello, en efecto, ocurrió solo dos años después, entre 2006 y 2007, cuando el Estado procedió a poner término unilateralmente tanto a los Convenios Operativos como a las Asociaciones Estratégicas que se habían celebrado con empresas privadas antes de la reforma de la ley de Hidrocarburos de 2001, y que habían continuado en ejecución en virtud del principio de irretroactividad de la ley, que a partir de entonces fue ignorado.

En efecto, en cuanto a los Convenios Operativos que se habían suscrito conforme a la legislación anterior, entre las filiales de PDVSA y empresas privadas, como se dijo, el 18 de abril de 2006 se dictó la *Ley de Regularización de la Participación Privada en las Actividades Primarias Previstas,*[61] con el específico objeto de "regularizar la participación privada en las actividades primarias," mediante la extinción de dichos Contratos, la cual el Legislador consideró que había:

> "sido desnaturalizado por los Convenios Operativos surgidos de la llamada apertura petrolera, al punto de violar los intereses superiores del Estado y los elementos básicos de la soberanía" (art. 1).

[61] Véase en *Gaceta Oficial* N° 38.419 de 18 de abril de 2006.

La consecuencia fue la declaración, en el artículo 2 de la Ley, de dichos Convenios Operativos surgidos de la Apertura Petrolera como "incompatible con las reglas establecidas en el régimen de nacionalización petrolera," disponiendo no solo la extinción de los mismos sino prohibiendo que "continuarse la ejecución de sus preceptos, a partir de la publicación de esta Ley en la *Gaceta Oficial*" (art. 2). En este caso, fue evidente el compromiso de la responsabilidad del Estado por los daños causados por la terminación unilateral y anticipada de los contratos, generando derechos de los cocontratantes a ser indemnizados, ya que la medida se configuró como una expropiación de derechos contractuales.

La Ley fue, además, tajante, al prescribir que "ningún nuevo contrato podrá otorgar participación en las actividades de exploración, explotación, almacenamiento y transporte inicial de hidrocarburos líquidos, o en los beneficios derivados de la producción de dichos hidrocarburos, a persona alguna de naturaleza privada, natural o jurídica, salvo como accionista minoritario en una empresa mixta, constituida de conformidad con la Ley Orgánica de Hidrocarburos en la cual el Estado asegure el control accionario y operacional de la empresa" (Art. 3); disponiéndose en la Ley la estatización de las actividades que venían realizándose en el marco de dichos Convenios, disponiéndose que "la República, directamente o a través de empresas de su exclusiva propiedad, reasumirá el ejercicio de las actividades petroleras desempeñadas por los particulares,"(art. 4).

Luego, en 2007, y en uso de la delegación legislativa establecida en una Ley habilitante gestionada por el Ejecutivo Nacional, el Presidente Hugo Chávez, asistido por su Ministro de Energía y Petróleo, Rafael Ramírez, quien a la vez era Presidente de PDVSA, y por supuesto los otros Ministros del Gabinete, dispusieron la terminación unilateral y anticipada de todos los Convenios de Asociación suscritos entre 1993 y 2001 que conformaron la Apertura Petrolera, lo que ocurrió mediante Decreto Ley No. 5.200, contentivo de la *Ley de Migración a Empresas Mixtas de los Convenios de Asociación de la Faja Petrolífera del Orinoco, así como de los Convenios de Exploración a Riesgo y Ganancias Compartida.,*[62] Ello implicó, para los contratistas que no aceptaran los términos unilaterales fijados por el

62 Véase en *Gaceta Oficial* N° 38.623 de 16 de febrero de 2007.

Estado de transformarse en empresas mixtas, la expropiación de sus derechos contractuales, generándose en ellos un derecho consecuente a ser justamente indemnizados por los daños y perjuicios causados por la ejecución de dicha Ley, quedando comprometida gravemente la responsabilidad de la Republica; lo que originó infinidad de demandas contra el Estado y PDVSA y sus empresas filiales ante tribunales arbitrales internacionales, generando una monumental deuda cuyas consecuencias aún no se sabe cuáles terminarán siendo. Y todo por la monumental irresponsabilidad del conductor operativo de toda esa política, es decir, el Sr. Rafael Ramírez, como Presidente de PDVSA.

Con esta Ley, en definitiva, se le dio efecto retroactivo a la Ley Orgánica de Hidrocarburos al disponerse que los contratistas de los Convenios de Asociación debían ajustarse a la misma, y ordenarse que serían "transferidas a las nuevas empresas mixtas:"

> "todas las actividades ejercidas por asociaciones estratégicas de la Faja Petrolífera del Orinoco, constituidas por las empresas Petrozuata, S.A.; Sincrudos de Oriente, S.A., Sincor, S.A., Petrolera Cerro Negro S.A. y Petrolera Hamaca, C.A; los convenios de Exploración a Riesgo y Ganancias Compartidas de Golfo de Paria Oeste, Golfo de Paria Este y la Ceiba, así como las empresas o consorcios que se hayan constituido en ejecución de los mismos; la empresa Orifuels Sinovensa, S.A, al igual que las filiales de estas empresas que realicen actividades comerciales en la Faja petrolífera del Orinoco, y en toda la cadena productiva, serán transferidas a las nuevas empresas mixtas."

La consecuencia inmediata de la Ley fue *la transferencia a la empresa petrolera estatal* del control de todas las actividades que las Asociaciones realizaban, quedando despojadas las empresas que eran parte de los Convenios de asociación, de su participación e inversiones, disponiéndose un lapso breve para poder constituir empresas mixtas conforme lo indicara el propio Estado, al término del cual, si no se llegaba a un acuerdo para ello, la República, a través de Petróleos de Venezuela, S.A. y sus filiales, pasaría a *asumir directamente las actividades* ejercidas por las asociaciones, sin que se previera ninguna compensación por el despojo, todo lo cual como se dijo, lo que originó fue el derecho de los antiguos contratistas a ser justamente indemnizados por los daños y perjuicios causados.

El despojo quedó confirmado, semanas después, al dictarse la *Ley sobre los Efectos del Proceso de Migración a Empresas Mixtas de los Convenios de Asociación de la Faja Petrolífera del Orinoco; así como de los Convenios de Exploración a Riesgo y Ganancias Compartidas* de 5 de octubre de 2007,[63] mediante la cual los Convenios de Asociación que habían dado origen a las asociaciones estratégicas "quedaron extinguidos" disponiéndose "la transferencia del derecho a ejercer actividades primarias a las empresas mixtas que se constituyeron."

Con ello, el Estado optó por "confiscar" definitivamente los derechos de las empresas que habían sido parte de los Convenios de Asociación, violando el artículo 116 de la Constitución, al disponer incluso expresamente que los activos utilizados para la realización de las actividades de tales asociaciones, incluyendo derechos de propiedad, derechos contractuales y de otra naturaleza," "quedan transferidos [...] sin necesidad de acción o instrumento adicional, a las nuevas empresas mixtas constituidas como resultado de la migración de las asociaciones" (art. 4).

Esta actuación irresponsable del Estado y, en particular, del Ejecutivo Nacional conducido por el Ministro de Energía y Minas, Rafael Ramírez, encargado del sector petrolero, condujo a que las empresas extranjeras reclamaran la indemnización debida por las confiscaciones, y ello lo hicieron, como se ha dicho, ante Tribunales arbitrales internacionales: en unos casos, ante los tribunales del Centro Internacional de Arreglo de Diferencias sobre Inversiones (CIADI) del Banco Mundial) en el marco tanto de los Convenios Bilaterales de protección de inversiones de los cuales Venezuela era parte, como de la Ley de Protección de Inversiones de 1999; y en otro casos, ante los tribunales arbitrales de la Cámara de Comercio de Nueva York (ICC), conforme a las cláusulas arbitrales contenidas en todos los Convenios de Asociación, conforme lo autorizaba el artículo 151 de la Constitución.

En cuanto a las demandas ante el Centro de Arbitrajes CIADI intentadas después de 2008, por parte de muchas empresas extranjeras petroleras que habían invertido en el proceso de la Apertura

---

63 Véase en *Gaceta Oficial* N° 38.785 del 8 de octubre de 2007.

Petrolera, y además, por parte de empresas del sector minero o vinculadas con la explotación de minerales, intentadas con fundamento en lo previsto en Tratados Bilaterales de Protección de Inversiones (BIT) que en los lustros anteriores había suscrito la República con otros Estados, se destacan las siguientes, intentadas antes de que Venezuela denunciara en Convenio CIADI en 2012, tal como se informa en el sitio web oficial del Centro:

ICSID Case Nº ARB/07/4, *Eni Dación B.V. v. Bolivarian Republic of Venezuela* (Subject Matter: Hydrocarbon rights) (Annulment Proceeding Pending);

ICSID Case Nº ARB/10/14, *Opic Karimun Corporation v. Bolivarian Republic of Venezuela* (Subject Matter: Oil exploration and production) (Concluded);

ICSID ABC/14/10 *Highbury International AVV, Compañía Minera de Bajo Caroní AVV, and Ramstein Trading Inc. v. Bolivarian Republic of Venezuela* (Subject Matter: Mining concession) (Concluded).

ICSID Case Nº ARB/11/1, *Highbury International AVV and Ramstein Trading Inc. v. Bolivarian Republic of Venezuela* (Subject Matter: Mining concession) (Annulment Proceeding Pending);

ICSID Case Nº ARB(AF)/11/1, *Nova Scotia Power Incorporated v. Bolivarian Republic of* Venezuela (Subject Matter: Coal supply agreement) (Concluded);

ICSID Case Nº ARB(AF)/11/2, *Crystallex International Corporation v. Bolivarian Republic of* Venezuela (Subject Matter: Mining company) (Concluded);

ICSID Case Nº ARB/11/10, *The Williams Companies,* International Holdings B.V., WilPro Energy Services (El Furrial) Limited and WilPro Energy Services (Pigap II) Limited v. Bolivarian Republic of Venezuela (Subject Matter: Gas compression and injection enterprises) (Concluded);

ICSID Case Nº ARB/07/27, *Venezuela Holdings and others (Mobil Corporation) v. Bolivarian Republic of Venezuela* (Subject Matter: Oil and gas enterprise) (Concluded);

ICSID Case Nº. ARB/07/30, *ConocoPhillips Petrozuata B.V., ConocoPhillips Hamaca B.V. and ConocoPhillips Gulf of Paria B.V. v. Bolivarian Republic of Venezuela* (Subject Matter: Oil and gas enterprise) (Pending);

ICSID Case Nº ARB/09/3, *Holcim Limited, Holderfin B.V. and Caricement B.V. v. Bolivarian* Republic *of Venezuela* (Subject Matter: Cement production enterprise) (Pending: Suspension of the proceeding 2010);

ICSID Case Nº ARB(AF)/09/1, *Gold Reserve Inc. v. Bolivarian Republic of Venezuela* (Subject Matter: Mining company) (Concluded);

ICSID Case Nº ARB(AF)/04/6, *Vannessa Ventures Ltd. v. Bolivarian Republic of Venezuela* (Subject Matter: Gold and copper mining project) (Concluded);

ICSID Case Nº ARB/08/15, *CEMEX Caracas Investments B.V. and CEMEX Caracas II* Investments *B.V. v. Bolivarian Republic of Venezuela* (Subject Matter: Cement production enterprise) (Concluded);

ICSID Case Nº ARB/10/5, *Tidewater Inc. and others v. Bolivarian Republic of Venezuela* (Subject Matter: Maritime–support services) (concluded);

ICSID Case Nº ARB/10/9, *Universal Compression International Holdings, S.L.U. v. Bolivarian Republic of Venezuela* (Subject Matter: Oil and gas enterprise) (Pending);

ICSID Case Nº ARB(AF)/17/4 *Venoklim Holding B.V. v. Bolivarian Republic of Venezuela* (Subject Matter: Lubricant production facilities) (Pending);

ICSID Case Nº ARB/16/40, *Saint Patrick Properties Corporation. v. Bolivarian Republic of Venezuela* (Subject Matter: Marine transport and related services enterprise (Pending);

ICSID Case Nº ARB (AF) /14/1, *Anglo American PLC v. Bolivarian Republic of Venezuela* (Subject Matter: Mining Concession) (Pending);

ICSID Case Nº ARB/12/23, *Tenaris S.A. and Talta - Trading e Marketing Sociedade Unipessoal Lda. v. Bolivarian Republic of Venezuela* (Subject Matter: production of hot briquetted iron steel products) (Pending: Annulment Proceeding);

ICSID Case Nº ARB/12/22 *Venoklim Holding B.V. v. Bolivarian Republic of Venezuela* (Subject Matter: (Lubricant production facilities) (Pending: Annulment Proceeding);

ICSID Case Nº ARB/12/19, *Ternium S.A. and Consorcio Siderurgia Amazonia S.L. v. Bolivarian Republic of Venezuela* (Subject Matter: Steel production facilities) (Concluded);

ICSID Case Nº ARB(AF)/12/5, *Rusoro Mining Ltd. v. Bolivarian Republic of Venezuela* (Subject Matter: Gold exploration and exploitation operations) (Concluded);

ICSID Case Nº ARB/12/13, *Saint-Gobain Performance Plastics Europe v. Bolivarian Republic of Venezuela* (Subject Matter: (Proppant production) (Pending: Annulment Procee-ding).[64]

Además, como se dijo, muchos otros casos fueron llevados ante el mecanismo de arbitraje de la Cámara Internacional de Comercio de Nueva York (ICC), cuyos tribunales arbitrales conocieron de las respectivas demandas intentadas por empresas petroleras extranjeras, con base en las cláusulas arbitrales incluidas en cada uno de los contratos de la Apertura Petrolera, habiéndose condenado a la República en muchos de dichos casos.

---

64 Véase la relación de los casos presentados ante el CIADI (ICSID) en: https://icsid.worldbank.org/en/Pages/cases/casedetail.aspx?CaseNo=ARB/14/10 (consultado: 29/4/2018)

El resultado fue catastrófico por las consecuencias que tuvieron y que siguen teniendo las condenas arbitrales contra Venezuela, PDVSA y sus filiales; todo por la irresponsabilidad de quienes tomaron las decisiones que condujeron a dichos procesos arbitrales, en particular, Hugo Chávez y Rafael Ramírez, las cuales, por lo demás, aceleraron el colapso de la industria petrolera.

Todavía en 2020, las secuelas de las condenas multimillonarias contra la República, PDVSA y sus filiales se estaban manifestando ante las Cortes de los Estados Unidos, ante los cuales, como antes se dijo, los inversionistas lesionados acudieron demandando a las empresas filiales de PDVSA, alegando que la misma era el alter ego de la Republica, es decir, que a los efectos judiciales se debía considerar como el mismo Estado, para así pretender ejecutar contra PDVSA y sus filiales, las deudas de la República por la violación de los convenios de protección de inversiones cometida por las decisiones conducidas por Rafael Ramírez, como Ministro de Energía, Minas y Petróleo.

VII. LA NACIONALIZACIÓN DE LOS BIENES Y SERVICIOS CONEXOS CON LAS ACTIVIDADES PRIMARIAS DE HIDROCARBUROS DECRETADA EN 2009

Pero el daño causado a la República y a PDVSA con la estatización de la industria petrolera en 2006 y 2007 no cesó allí, sino que continuó en 2009 con la confiscación, de hecho, de los servicios conexos con la industria petrolera.

En efecto, conforme a la Ley Orgánica de Nacionalización de 1975, y posteriormente, conforme a la Ley Orgánica de Hidrocarburos de 2001, además de la participación de las empresas privadas en las actividades reservadas de la industria y el comercio de hidrocarburos mediante los Convenios operativos y los Convenios de asociación que fueron terminados en 2006 y 2007,[65] los particulares y

[65] Véase la Ley de Migración a Empresas Mixtas de los Convenios de Asociación de la Faja Petrolífera del Orinoco, así como de los Convenios de Exploración a Riesgo y Ganancias Compartidas (*Gaceta Oficial* N° 38.623 de 26-2-2007). Ley sobre los Efectos del Proceso de Migración a Empresas Mixtas de

empresas privadas también podían participar y siguieron participando en las actividades conexas con la industria y el comercio de los hidrocarburos, que no eran de las reservadas al Estado, particularmente prestando servicios o realizando obras mediante contratos celebrados con las empresas del Estado.

Ese fue el caso de las empresas que suscribieron mediante procesos licitatorios llevados a cabo incluso antes de la entrada en vigencia de la Ley Orgánica de Hidrocarburos de 2001, contratos con la empresa PDVSA Petróleo y Gas S.A. (luego PDVSA Petróleo. S.A.) para la prestación a PDVSA, por ejemplo, de los servicios de inyección de agua, de vapor o de gas, y de compresión de gas; y de los servicios vinculados a las actividades petroleras desarrolladas en particular, en el Lago de Maracaibo, como los servicios de lanchas para el transporte de personal, buzos y mantenimiento; los servicios de barcazas con grúa para transporte de materiales, diesel, agua industrial y otros insumos; los servicios de remolcadores; los servicios de gabarras planas, boyeras, grúas, de ripio, de tendido o reemplazo de tuberías y cables subacuáticos; los servicios de mantenimiento de buques en talleres, muelles y diques.

En esos casos, la empresa petrolera nacional encomendó a empresas privadas, generalmente a consorcios que agrupaban a empresas extranjeras con nacionales, la realización de actividades que entonces no estaban reservadas al Estado, ni estaban destinadas a satisfacer necesidades colectivas, y que sólo estaban destinadas a prestar servicios eminentemente técnicos a una sola empresa para la realización de sus actividades, como era el caso de PDVSA Petróleo y Gas S.A. Las actividades que constituían el objeto de los contratos celebrados con empresas privadas o consorcios, por otra parte, a pesar de

---

los Convenios de Asociación de la Faja Petrolífera del Orinoco; así como de los Convenios de Exploración a Riesgo y Ganancias Compartidas de 5 de octubre de 2007 (*Gaceta Oficial* N° 38.785 del 08-10-2007). Sobre estas leyes véase, Allan R. Brewer-Carías, "La estatización de los convenios de asociación que permitían la participación del capital privado en las actividades primarias de hidrocarburos suscritos antes de 2002, mediante su terminación anticipada y unilateral y la confiscación de los bienes afectos a los mismos," en Víctor Hernández Mendible (Coordinador), *Nacionalización, Libertad de Empresa y Asociaciones Mixtas*, Editorial Jurídica Venezolana, Caracas 2008, pp. 123-188.

tratarse de actividades conexas con las actividades primarias de hidrocarburos que estaban a cargo de PDVSA, no sólo no eran actividades reservadas al Estado, sino que no constituían en sí mismas actividades de explotación petrolera.

En mayo de 2009, sin embargo, todos esos servicios fueron nacionalizados, mediante la sanción de la *Ley Orgánica que reserva al Estado bienes y servicios conexos a las actividades primarias de Hidrocarburos*[66] (Ley de Reserva de 2009) mediante la cual se dispuso que dichas actividades pasarían a ser ejecutadas, "directamente por la República; por Petróleos de Venezuela, S.A. (PDVSA) o de la filial que ésta designe al efecto; o, a través de empresas mixtas, bajo el control de Petróleos de Venezuela, S.A., (PDVSA) o sus filiales" (Art. 1).

La nacionalización de los mencionados bienes y servicios conexos y la asunción inmediata de los mismos por parte de PDVSA, implicaba la obligación para el Estado de compensar a los accionistas privados de las empresas, a cuyo efecto dispuso la Ley de Reserva que el Ejecutivo Nacional podía "decretar la expropiación, total o parcial de las acciones o bienes de las empresas que realizan los servicios referidos" de conformidad con lo previsto en la Ley de Expropiación por Causa de Utilidad Pública o Social, en cuyo caso "el ente expropiante será Petróleos de Venezuela S.A., (PDVSA) o la filial que ésta designe" (Art. 6).

En la práctica, sin embargo, lo que ocurrió fue una confiscación generalizada de activos, con efectos desastrosos que se manifestaron con gran crudeza en las explotaciones del Lago de Maracaibo, donde tuvieron un gran impacto por el desmantelamiento y abandono total de una de las principales actividades que antes se desarrollaban en el mismo, y le habían dado por décadas vida económica durante tantos años. Esos efectos desastrosos fueron incluso reconocidos siete años después, en 2016, en forma bizarra, por el propio Ministro del Petróleo, Eulogio Del Pino, quien a su vez en ese momento era también el Presidente de PDVSA, en una exposición pública que hizo ante la a la XXXVIII Asamblea General Ordinaria de la Cámara Petrolera de Venezuela (CPV) en julio de 2016, en la cual admitió que "hubo un

---

66 Véase en *Gaceta Oficial* N° 39.173 del 7 de mayo de 2009.

error en las estatizaciones" que se hicieron en 2009, refiriéndose en particular a las empresas de servicios de la Costa Oriental del Lago de Maracaibo; agregando que:

> "debemos ir a nuevo modelo con mayoría del sector privado y eso pasa por un reconocimiento de errores. Creo que lo que se hizo en el Lago de Maracaibo tuvo muchos errores, debemos reconocerlo y hemos ido a un esquema en el cual a todos aquellos empresarios, que aún quieran continuar, vamos a devolverle sus actividades."[67]

Esto, por supuesto, solo fue una muestra más de la irresponsabilidad absoluta de los funcionarios responsables de la nacionalización, teniendo a la cabeza a Rafael Ramírez, quien en ese momento ocupaba el cargo de Ministro de Energía y Petróleos, y era a la vez el Presidente de PDVSA, y quien sin duda fue quien concibió y ejecutó la confiscación, generando no solo la responsabilidad de la República de por confiscar de hecho a las empresas afectadas, sino la ruina de las actividades petroleras del Estado Zulia.

Para proceder a corregir los "errores cometidos," sin embargo, en este caso debía derogarse la Ley Orgánica que reservó al Estado los bienes y servicios conexos a las actividades primarias de hidrocarburos de 2009, y por supuesto, indemnizarse a las empresas que fueron expoliadas. Sin embargo, ello no se hizo, y lo que se hizo fue

---

[67] Véase la reseña: "Eulogio Del Pino: Fue un error lo que se hizo con empresas del lago de Maracaibo," en Petrigui@, 27 de julio de 2016, en http://www.petro-guia.com/pub/article/eulogio-del-pino-fue-un-error-lo-que-se-hizo-con-empresas-del-lago-de-maracaibo. Igualmente la reseña: "Del Pino: Expropiaciones en el Lago fueron un error. El ministro extendió la mano a los privados y dijo que podían trabajar con 80% y 20% PDVSA," en *Quepasa*, 28 de julio, 2016, en http://www.que-pasa.com.ve/economia/del-pino-expropiaciones-en-el-lago-fueron-un-error/. Ante ello, el ex Ministro del Petróleo y expresidente de PDVSA, Rafael Ramírez, indicó que: "Ante unas declaraciones que dio, pidiendo disculpas y asumiendo "errores" por la nacionalización que hicimos de las operaciones acuáticas, viajé a Caracas y lo visité a su Despacho. Le dije, "mira, no te vayas a convertir en el entreguista de nuestra política petrolera" no escuchó, hoy está preso." Véase Rafael Ramírez Carreño, "El problema de PDVSA está en Miraflores," en aporrea.org, 22 de abril de 2018, en https://www.aporrea.org/energia /a262147.html

pretender privatizar las actividades y servicios conexos en forma torcida, mediante un decreto ejecutivo, por supuesto totalmente inconstitucional, dictado en abril de 2018, en supuesta ejecución de una inconstitucional "Ley Constitucional contra la guerra económica para la racionalidad y uniformidad en la adquisición de bienes, servicios y obras públicas,"[68] dictada por la inconstitucional y fraudulenta Asamblea Nacional Constituyente[69] en enero de 2018.

Mediante esta Ley Constitucional –categoría que, por supuesto, no existe en el ordenamiento constitucional venezolano–, contrariamente a lo que se expresa en las frases vacías contenidas a lo largo de su texto, no sólo se reformó parcial y tácitamente la Ley de Contrataciones Públicas de 2014, sino que se eliminó totalmente el proceso transparente de selección de contratistas en la contratación pública mediante licitación, particularmente en la industria petrolera nacional, y precisamente respecto de todos los servicios que habían sido nacionalizados en 2009, con lo cual puede decirse que se contribuyó a institucionalizar la cleptocracia en el país. [70]

El objeto de la reforma fue supuestamente establecer "normas básicas de conducta para la Administración Pública, en todos sus niveles, que promuevan la honestidad, participación, celeridad, eficiencia y transparencia en los procesos de adquisición y contratación de bienes, servicios y obras públicas. Facilite los mecanismos de control de tales procesos, y estimule la participación equilibrada de todos los agentes económicos en la inversión y justa distribución de recursos destinados las compras públicas" (art. 1). Pero todo ello no fue más que una nueva y gran mentira que se evidencia cuando se analiza el

---

68 Véase *Gaceta Oficial* N° 41.318 del 11 de enero de 2018.

69 Véase Allan R. Brewer-Carías, Usurpación Constituyente, 1999, 2017. *La historia se repite: una vez como comedia y la otra como tragedia*, Editorial Jurídica Venezolana International, 2018.

70 Véase los comentarios en Allan R. Brewer-Carías, "La institucionalización de la cleptocracia en Venezuela: la inconstitucional reforma tácita del régimen de contrataciones públicas, y la inconstitucional eliminación, por decreto, de la licitación para la selección de contratistas en la industria petrolera, y de la nacionalización de las actividades auxiliares o conexas con la industria," New York, 18 de abril de 2018, en http://allanbrewercarias.com/wp-content /uploads/2018/04/182.-Brewer.-doc.-Institucionalizaci%C3%B3n-Cleptocracia.PDVSA_.pdf

sentido y efecto de lo regulado,[71] lo cual contrariamente lo que asegura es la ausencia honestidad, transparencia y control en la contratación pública, pero encubierta con previsiones llenas de galimatías, y declaraciones rimbombantes.

Si bien el sentido de la Ley Constitucional no es fácil de ser identificado a cabalidad, el resultado inmediato de la misma fue, primero, que la Ley de Contrataciones Públicas quedó relegada como ley supletoria en materia de contratación pública, al disponer la "Ley Constitucional" que sus disposiciones debían ser "aplicadas de forma preferente por la administración pública nacional, estadal y municipal" (art. 2), quedando así la vigencia plena de Ley de Contrataciones Públicas relegada a la discreción interpretativa de cualquier funcionario; y segundo, además, que los principios de la licitación en la selección de contratistas podían ser eliminados, como efectivamente ocurrió respecto de las contrataciones en las empresas de la industria petrolera, que es la más importante industria del país, a pesar de su deterioro, eliminándose formalmente toda idea de trasparencia en el manejo de las compras y adquisiciones por parte de las empresas del Estado de la misma.

En efecto, entre las disposiciones de la "Ley Constitucional" en materia de contrataciones públicas por parte de "entes del Estado con fines empresariales" estableció que salvo en lo relativo a "concesio-

---

71 Como lo observó Sergio Sáez: "De la lectura [de esta norma] se puede inferir, que transcurridos dieciocho (18) años de éste régimen, visto los nefastos resultados y el desastre al cual ha conducido al país, *después de haber dilapidado más de millón y medio de millones de dólares* de ingresos petroleros, y la inmensa deuda que adquirieron, la carencia de recursos financieros e la imposibilidad de conseguir financiamiento externo que sobrepasa los *doscientos mil millones de dólares*, reconoce el régimen que la grosera corrupción los sobrepasó, y debe buscar limpiar la negra imagen y retornar a la honestidad, participación, celeridad, eficiencia y transparencia en los procesos de adquisición y contratación de bienes, servicios y obras públicas; y lo más grave, que reconocen la ausencia de los controles derivados de los equilibrios de los poderes públicos (Contraloría General de la República y Comisiones de Finanzas y de Contraloría de la Asamblea Nacional)." En Sergio Sáez, Auditor Social, "¿Qué hay detrás de la Ley Constitucional Contra la Guerra Económica para la Racionalidad y Uniformidad de la Adquisición de Bienes, Servicios y Obras Públicas?, Abril 04 de 2018 (Consultado en original).

nes," (las cuales, por lo demás dejaron de existir hace lustros en el país), las mismas debían ser:

> "objeto de regulación especial, en términos tales que otorguen a dichos entes la agilidad y eficiencia suficientes, sin menoscabo de la transparencia de los procesos de contratación y del ejercicio de las funciones de control de los órganos competentes" (art. 19).

Aparentemente, a pesar de la redacción de la norma, se trata de un régimen de exclusión total de la aplicación a las contrataciones pública por parte de las empresas del Estado, de las disposiciones de la misma "Ley Constitucional," salvo respecto de las concesiones las cuales, sin embargo, a pesar de su inexistencia en la práctica, sí estarían sujetas a la "Ley Constitucional."

Para tales efectos, el régimen aplicable a las empresas del Estado debía estar regulado en una "regulación especial," siendo la primera de ellas, la contenida en el confuso decreto dictado por el Presidente de la República Nº 3.368 de 12 de abril de 2018, contentivo, a su vez, de otro decreto Nº 44 dictado en el marco Excepción y Emergencia Económica (Decreto Nº 3.239 de 9 de enero de 2018),[72] en el cual, en ejecución de la "Ley Constitucional" comentada (art. 19), se estableció un "régimen especial y transitorio para la gestión operativa y administrativa de la industria petrolera nacional," con una "vigencia hasta el 31 de diciembre de 2018, prorrogable por un (1) año" (art. 12), para que "contribuya de manera definitiva al aumento de las capacidades productivas de Petróleos de Venezuela S.A., PDVSA, sus empresas filiales, y la industria petrolera nacional en general" (art. 1), como si ello pudiera "decretarse."

En todo caso, para ello, se reguló un régimen excepcional en el manejo de las empresas del Estado en la industria petrolera nacional, mediante el cual, en primer lugar, se procedió a ampliar los poderes

---

72 Véase en *Gaceta Oficial* Nº 41.376 de 12 de abril de 2018. En cuanto a basarse en el régimen de Estado de Excepción y emergencia económica, debe recodarse que de acuerdo con el artículo 338 de la Constitución, el mismo sólo puede durar 120 días, aun cuando el decretado ya tiene más de dos años, y sin siquiera haber sido aprobado por la Asamblea Nacional.

del Ministerio de Petróleos en relación con la organización, gestión y funcionamiento de las empresas de la industria petrolera; y a tal efecto, el artículo 2 del decreto, atribuyó al Ministro del Poder Popular de Petróleo, "además de las facultades de control y tutela establecidas en el ordenamiento jurídico," es decir, en la Ley Orgánica de la Administración Pública y en la Ley Orgánica de Hidrocarburos, "las más amplias facultades de organización, gestión y administración de las empresas de la industria petrolera del sector público, en especial Petróleos de Venezuela S.A., PDVSA, y sus empresas filiales, en los términos expuestos en este decreto," detallando al efecto numerosas competencias para ello (art. 3).

En ejercicio de esas competencias puede decirse que se autorizó al Ministro del Petróleo para hacer materialmente lo que le viniera en ganas con las empresas de la industria petrolera nacional, incluso "suprimir" a Petróleos de Venezuela S.A. lo que no sólo es un soberano disparate, sino que sería violatorio de la Constitución (art. 303).

Como parte del régimen especial, se eliminó el proceso de la licitación en la contratación pública por parte de las empresas de la industria petrolera, y con ello, se produjo la derogación "oblicua" de la Ley Orgánica que reservó al Estado bienes y servicios conexos a las actividades primarias de hidrocarburos de 2009.

En efecto, para ello, entre las decisiones adoptadas en dicho decreto No. 3.368 de 12 de abril de 2018, estuvo nada más ni nada menos que la de la eliminación para las contrataciones por parte de Petróleos de Venezuela, S.A., y sus empresas filiales, de toda forma de licitación pública, es decir, en la industria petrolera se eliminó toda modalidad de control o selección de contratistas basada en principios de transparencia,[73] estableciendo en cambio solo dos modalidades de contratación: la consulta de precios y la adjudicación directa.

---

[73] Como lo observó el antiguo Ministro del petróleo y Presidente de PDVSA, Rafael Ramírez, responsable directo de la debacle de la industria petrolera la cual no ocurrió solo en los últimos años: Maduro emite un decreto ilegal, donde le da al ministro Quevedo potestades de modificar los contratos de las Empresas Mixtas con los socios privados. Contratos aprobados por la Asamblea Nacional, de interés público, que deben ser del conocimiento, de la

Y fue precisamente con la previsión de los casos de contratación mediante adjudicación directa que puede decirse que se produjo la privatización de los servicios y bienes conexos a las actividades primarias de la industria petrolera que habían sido nacionalizados en 2009, pero sin que dicha Ley se hubiese derogado o modificado, lo que es absolutamente inconstitucional, pues mediante un decreto no se puede reformar una ley orgánica.

Con esta autorización, en efecto, al poder proceder las empresas de la industria petrolera a contratar mediante adjudicación directa todos dichos servicios enumerados en la norma, lo que se hizo fue mediante el decreto 3.368 de 12 de abril de 2018, derogar la Ley Orgánica que reserva al Estado bienes y servicios conexos a las actividades primarias de Hidrocarburos,[74] la cual por su "carácter estratégico" como se ha dicho, en su momento había reservado al Estado "los bienes y servicios, conexos a la realización de las actividades primarias previstas en la Ley Orgánica de Hidrocarburos" (Art. 1).

Al redactor del decreto N° 3.368 de 12 de abril de 2018, por lo visto, se le "olvidó" que a partir de la entrada en vigencia de la Ley Orgánica de reserva de 2009, las actividades auxiliares y conexas reservadas solo podían ser ejecutadas "directamente por la República; por Petróleos de Venezuela, S.A. (PDVSA) o de la filial que ésta designe al efecto; o, a través de empresas mixtas, bajo el control de Petróleos de Venezuela, S.A., (PDVSA) o sus filiales," (Art. 1), excluyendo la posibilidad de que puedan ser ejecutadas por empresas privadas.

Por ello, al establecerse mediante decreto 3.368 normas para la contratación por adjudicación directa con contratistas privados algunos de dichos servicios auxiliares y conexos, las mismas derogaron tácitamente, y por decreto, la Ley Orgánica de reserva de 2009, lo cual por supuesto es inconstitucional.

---

discusión de los ciudadanos. Pero no, ya no será así, los modificaran las transnacionales de acuerdo a sus intereses. Por otra parte, el Decreto instruye saltarse, así a la torera, ¡todos los procedimientos de control establecidos en la Administración Pública! ." Véase en Rafael Ramírez Carreño, "El problema de PDVSA está en Miraflores," en *aporrea.org,* 22 de abril de 2018, en https://www.aporrea.org/energia/a262147.html.

[74] Véase en *Gaceta Oficial* N° 39.173 del 7 de mayo de 2009.

VIII. EL ENCUBRIMIENTO POR PARTE DEL GOBIERNO EN 2016, USANDO LA SALA CONSTITUCIONAL DEL TRIBUNAL SUPREMO, DE LAS CATASTRÓFICAS CONSECUENCIAS DE LA DESTRUCCIÓN DE LA INDUSTRIA PETROLERA DURANTE 2004-2014

Luego de todas las desacertadas decisiones antes analizadas, adoptadas en el campo de la industria petrolera bajo la conducción de Rafael Ramírez como Ministro de Energía, Minas y Petróleo y como Presidente de PDVSA, la cuales condujeron a su total destrucción, luego de que abandonó los despojos que había logrado provocar pasando a ocupar un cargo diplomático en el servicio exterior de Venezuela, una vez que la Asamblea Nacional electa en diciembre de 2015 se instalara bajo control de la oposición, conforme a sus competencias constitucionales y luego de la inacción absoluta de la previa legislatura ante el descalabro y destrucción de la industria petrolera, el 7 de febrero de 2016, a través de la Comisión Permanente de Contraloría, inició una investigación con ocasión de supuestas irregularidades ocurridas en PDVSA, durante ese periodo comprendido entre los años 2004-2014.

A tal efecto, el Presidente de dicha Comisión parlamentaria diputado Freddy Guevara Cortéz le envió al Sr. Ramírez tres Comunicaciones sucesivas, en las cuales se le notificó al Sr. Ramírez que ante la referida Comisión cursaban sendas investigaciones en relación con su gestión, a los efectos de que compareciera a la misma, concediéndose le los plazos necesario para que presentara en su descargo la documentación pertinente para ejercer su derecho a la defensa.

En la primera comunicación de fecha 5 de abril de 2016, se le informó a Ramírez que en la referida Comisión se estaba realizando una investigación "*por presuntas irregularidades ocurridas en la empresa Petróleos de Venezuela Sociedad Anónima (PDVSA), durante el ejercicio de su cargo como Presidente de la estatal, en el período comprendido entre los años 20042014,*" solicitándole su comparecencia con el objeto, entre otros aspectos, de que le aclarara "*al país cuál fue el uso dado al Patrimonio Público de la Nación por la Empresa insigne de Venezuela, PDVSA;*" ofreciéndole la posibilidad de "*esclarecer las irregularidades administrativas que se suscitaron en el transcurrir de su gestión como Presidente de PDVSA,"* tomando en cuenta que el rol que Ramírez *"ostentaba durante el periodo comprendido entre los años 2004 y 2014 no sólo involucraba encabezar la Junta Directiva de una Sociedad, en un sentido más amplio,"* sino que *"su cargo comprendía detentar las directrices de la empresa insigne del país, encargada de recaudar cerca de la totalidad del ingreso de la Nación,"* teniendo una *"responsabilidad aún mayor para manifestar cuentas claras y aclarar lo sucedido con el dinero de todos los venezolanos, el cual, sin duda alguna, hubiese evitado esta extenuante crisis."*

En la segunda comunicación, igualmente de fecha 5 de abril de 2016, también se le informó al Sr. Ramírez que la misma Comisión Permanente de Contraloría estaba realizando otra investigación *"por presuntas irregularidades ocurridas en la empresa PDVSA durante el ejercicio de su cargo como Presidente, en el período comprendido entre los años 2004-2014, vinculadas con el uso indebido del fondo de pensiones de los trabajadores de PDVSA; irregularidades en el manejo de los recurso destinados al mantenimiento de la refinería Amuay, que ocasionó graves daños en la misma; irregularidades en la administración de fondos que ingresaron en las cuentas de la banca Privada D'Andorra; por perjuicios pecuniarios por la adquisición de títulos y otros instrumento financiero con fondos de la empresa estatal en el banco Espírito Santo de Portugal; y con irregularidades en la celebración de contratos con PDVSA."*

En la tercera comunicación, de fecha 21 de abril de 2016, igualmente se le informó al Sr. Ramírez que la misma mencionada Comisión Permanente de Contraloría de la Asamblea Nacional estaba realizando *"investigaciones vinculadas a la adquisición masiva de alimentos importados por parte de la empresa filial PDVAL, ente adscrito a la empresa estatal PDVSA, durante el periodo comprendido entre los años 20042014, años en el cual usted [Rafael Ramírez] ejerció el cargo de Presidente."*

El investigado, Rafael Ramírez, violando lo establecido tanto en la Ley sobre el Régimen para la Comparecencia de Funcionarios Públicos y los Particulares ante la Asamblea Nacional o sus Comisiones no compareció ante la Comisión Permanente de la Asamblea Nacional, sino que con fecha 28 de septiembre de 2016 lo que hizo fue acudir mediante representante ante la Sala Constitucional del Tribunal Supremo de Justicia, para demandar la nulidad por razones de inconstitucionalidad de la decisión de la Comisión de Contraloría de iniciar la investigación y de las comunicaciones emitidas en el marco de la misma, solicitando, además, que se ordenase a la Asamblea Nacional que se abstuviera de "reeditar actuaciones" en su contra; y requiriendo de la Sala emitiera una medida cautelar innominada de "suspensión inmediata de los efectos de los actos impugnados." Entre otras cosas debe destacarse que PDVSA estaba en ese mismo momento en proceso de concluir, sin la autorización de la Asamblea Nacional, un contrato de interés público nacional contentivo de una enorme operación de financiamiento externo, con prenda sobre acciones de una filial de la industria constituida en el Estado de Delaware (Citgo Corporation),[75] motivo por el cual, entre las razones para solicitar la medida de suspensión efecto estaba que la investigación parlamentaria "podría desencadenar una reacción adversa [...] en los inversionistas, en todos aquellos países a los cuales puede acudir la República para el intercambio de crédito."

Después de declarar su competencia para conocer de la acción de nulidad, en virtud de que se trataba de actos parlamentarios dictados en ejecución directa e inmediata de la Constitución, la Sala Constitu-

---

75 Dicho contrato efectivamente fue suscrito en octubre de 2016 luego de la suspensión judicial de la investigación sobre la actuación de Ramírez en PDVSA. Véase sobre dicho contrato de interés público nacional y sus vicios por haber carecido de la autorización de la Asamblea Nacional en: Juan Cristóbal Carmona Borjas, *Derecho y Finanzas. Hidrocarburos y Minerales.* Volumen II: *Actividad Petrolera y Finanzas Públicas en Venezuela*, Caracas 2016, pp. 429 ss.; Román J. Duque Corredor, "Opinión sobre la inconstitucionalidad del Bono PDVSA 2020," 19 de abril de 2020, pp. 2, 3. Disponible en: https://presidenciave.com/regiones/jurista-roman-j-duque-corredor-respalda-la-inconstitucionalidad-de-los-bonos-pdvsa-2020/. Véase el texto también en: https://www.acienpol.org.ve/wp-content/uploads /2020 /04/Nulidad-de-la-Bonos-2020-de-PDVSA.pdf; y Rafael Badell Madrid, "Contratos de interés público," in *Revista de Derecho Público*, No. 159-160, Julio-diciembre 2019, Editorial Jurídica Venezolana, Caracas 2020, p. 11, 12, 13. También publicado en Badell & Grau Law Firm Portal, http://www. badellgrau.com/, disponible en: http://www.badellgrau.com/?pag=205&ct= 2592

cional mediante sentencia Nº 893 de 25 de octubre de 2016,[76] admitió la demanda, y sin más, procedió en la misma a decidir sobre la solicitud de cautelar que había sido formulada junto con la demanda, estimando que existían:

> "elementos que sirven de convicción acerca de las lesiones graves o de difícil reparación que se estarían ocasionando a la empresa Petróleos de Venezuela Sociedad Anónima (PDVSA) e, incluso, contra la República directamente, además de la posible vulneración en los derechos del accionante de autos, ciudadano Rafael Darío Ramírez Carreño; lo que podría desencadenar una reacción adversa en los procedimientos arbitrales que cursan en la actualidad, en los inversionistas, en todos aquellos países a los cuales puede acudir la República para el intercambio de crédito y, en fin, en los diversos actos relacionados con esta materia que interesan a la Nación, a diversos Estados y a la Región, tomando en cuenta la trascendencia de PDVSA en el orden económico, social y constitucional."

La Constitucional Sala igualmente estimó que se encontraba satisfecha la presunción de buen derecho, ya que, supuestamente, "la gestión de PDVSA, se encontraba monitoreada permanentemente por todos los órganos de control del Estado," declarando así procedente la medida cautelar solicitada, sin ninguna otra argumentación, por lo que, en consecuencia, decidió que se:

> "suspenden los efectos de la investigación abierta e impulsada desde principios del presente año por la Comisión Permanente de Contraloría de la Asamblea Nacional con relación a supuestas irregularidades ocurridas en la empresa Petróleos de Venezuela, S.A. durante el período comprendido entre los años

---

[76] Véase en http://historico.tsj.gob.ve/decisiones/scon/octubre/191316-893-251016-2016-16-0940. HTML. Véase el comentario en: Allan R. Brewer-Carías, "El intento fallido de la Asamblea Nacional de ejercer el control político sobre la Administración Pública investigando la actuación de PDVSA, y su anulación por la Sala Constitucional," en *Revista de Derecho Público,* No. 147-148, (julio-diciembre 2016), Editorial Jurídica Venezolana, Caracas 2016, pp. 358-359

2004-2014, expediente signado bajo el N° 1648, incluyendo las actuaciones que al respecto desplegó en la misma los días 17 de febrero y 5 y 21 de abril de 2016; así como también de todos los actos derivados *de esa o de cualquier otra investigación* relacionada con los pretendidos hechos que haya iniciado durante el presente año o que pretenda comenzar la Asamblea Nacional hasta que culmine el proceso adelantado en razón de la presente demanda; sin menoscabo de la nulidad por inconstitucionalidad de los respectivos actos de la Asamblea Nacional, en razón del desacato que mantiene a la Sala Electoral del Tribunal Supremo de Justicia, declarada por esta Sala en sentencia N° 808/2016, reiterada en la sentencia N° 810 del mismo año. Así se decide."

Y así, pura y simplemente, la Sala Constitucional le cercenó a la Asamblea Nacional su potestad de controlar la actuación de órganos de la Administración Pública, como son las empresas del Estado, incluso de la más importante entre todas ellas, como es PDVSA; y de investigar las actuaciones de quien había sido su Presidente durante el período investigado.

Con esta decisión, en definitiva, como lo afirmó Nicolás Maduro cuatro años después, en diciembre de 2020, su gobierno protegió a Rafael Ramírez, confesando que habían cometido con ello "el error garrafal" de encubrir la actuación de Rafael Ramírez al frente de PDVSA. Eso lo reportó el diario *El Nacional*, el 4 de diciembre de 2020, en un reportaje titulado:

"*Maduro afirmó que encubrió a Ramírez cuando la AN lo acusó de corrupción.*

"*Rafael Ramírez encabezaba una mafia de ladrones, de saqueadores de PDVSA", reconoció el oficialista el jueves durante un encuentro con varios periodistas en Miraflores.*"[77]

[77] Véase en El Nacional, 4 de diciembre de 2020, disponible en: https://www.elnacional.com/venezuela/maduro-afirmo-que-encubrio-a-ramirez-cuando-la-an-lo-acuso-de-corrupcion/

En el reportaje de prensa en el cual también fue publicado el video del encuentro de Maduro con periodistas, se lee lo siguiente:

> *"Nicolás Maduro, afirmó este jueves que encubrió al exministro y expresidente de la estatal Petróleos de Venezuela, Rafael Ramírez, cuando la Asamblea Nacional en 2016 lo acusó de casos de corrupción.*
>
> *"Con Rafael Ramírez cometimos un error garrafal. Por allá en la Asamblea Nacional, que nos tocó a nosotros tener mayoría, la oposición sacó un conjunto de denuncias contra él, y nosotros por solidaridad automática lo protegimos," dijo Maduro.*
>
> *La Comisión de Contraloría del Parlamento, denunció en 2016 que durante la década (2004-2014) en la que Ramírez sirvió como presidente, la corrupción en PDVSA de amplia escala.*
>
> *Al expresidente de la estatal lo responsabilizan por la malversación de unos 11.000 millones de dólares.*
>
> *"Rafael Ramírez encabezaba una mafia de ladrones, de saqueadores de PDVSA," reconoció Maduro."*[78]
>
> *"A confesión de parte, relevo de pruebas," diría un lego.*

Maduro, sin embargo, en su exposición / confesión de encubrimiento tuvo unos lapsus de carácter temporal, pues aparentemente se le olvidó que en diciembre de 2015 la oposición había ganado la mayoría en la Asamblea Nacional, razón por la cual desde enero de 2016 su gobierno perdió la mayoría que antes había tenido en la misma. Por ello, la Comisión de Contraloría de la Asamblea que inicio la investigación en contra de Rafael Ramírez por su actuación en PDVSA, no fue en realidad como erradamente dijo, la que su gobierno antes había controlado, sino la Comisión de la nueva Asamblea Nacional que ya su gobierno no controlaba.

---

78 Idem. en https://www.elnacional.com/venezuela/maduro-afirmo-que-encubrio-a-ramirez-cuando-la-an-lo-acuso-de-corrupcion/. Véase sobre ello la respuesta de Rafael Ramírez a Nicolás Maduro, en Rafael Ramírez Carreño, "Maduro, a mí ni me protegiste, ni hubo solidaridad automática," en *Aporrea.org,* 5 de diciembre de 2020, disponible en: www.aporrea.org/ actualidad/a297970.html

El encubrimiento confesado por el Jefe de Estado dado al Sr Ramírez, por tanto, no fue producto de ninguna decisión política parlamentaria de supuestamente abandonar una investigación, sino más grave aún, de otro órgano del Estado que sí permaneció controlado por el gobierno a pesar de la pérdida de la mayoría parlamentaria, que ha sido la Sala Constitucional del Tribunal Supremo de Justicia, la cual en este caso fue el instrumento del gobierno mediante el cual el mismo encubrió a Ramírez, es decir, como dijo el propio Maduro, "*nosotros por solidaridad automática lo protegimos.*"

Y en efecto así fue, primero con la medida cautelar antes comentada dictada por la Sala Constitucional del Tribunal Supremo de Justicia mediante la sentencia Nº 893 de 25 de octubre de 2016, y luego, en el mismo juicio, mediante la decisión definitiva del caso adoptada mediante sentencia No. 88 de 24 de febrero de 2017 en la cual, como lo expresó la *ONG Acceso a la Justicia,"* la Sala Constitucional:

> "anuló los actos de control e investigación adelantados por la Asamblea Nacional contra PDVSA por presuntos delitos de corrupción y, adicionalmente, ordenó investigar al diputado Freddy Guevara por el Poder Ciudadano, porque (en opinión de la Sala) podría haber cometido un delito."[79]

Para decidir, la Sala Constitucional, aparte de formular declaraciones fútiles generales sobre los esfuerzos del régimen de supuesta lucha contra la corrupción, lo primero que hizo fue citar las sentencias No. 7 de 11 de febrero de 201680 y No. 9 de 1 de marzo de

[79] Véase *Acceso a la Justicia*: "De cómo un diputado pasó de investigador a investigado," 27 de marzo de 2017, disponible en https://accesoalajusticia.org/de-como-un-diputado-paso-de-investigador-a-investigado/

[80] Véase en http://historico.tsj.gob.ve/decisiones/scon/febrero/184885-07-112 16-2016-16-0117.HTML. Véase los comentarios en Allan R. Brewer-Carías. "El control político de la Asamblea Nacional respecto de los decretos de excepción y su desconocimiento judicial y Ejecutivo con ocasión de la emergencia económica decretada en enero de 2016, en *VI Congreso de Derecho Procesal Constitucional y IV de Derecho Administrativo, Homenaje al Prof. Carlos Ayala Corao, 10 y 11 noviembre 2016*, FUNEDA, Caracas 2017. pp. 291-336; y "La usurpación definitiva de la función de legislar por el Ejecutivo

2016, 81 mediante las cuales le cercenó el poder de control político parlamentario a la Asamblea Nacional, llegado a afirmar que el "control político parlamentario previsto en los artículos 187.3, 222, 223 y 224 constitucionales se circunscribe en esencia al Ejecutivo Nacional," buscando excluir absurda e inconstitucionalmente dicho control respecto de los entes descentralizados de la Administración Pública. A ello añadió la Sala que debía impedirse que "ese control afecte el adecuado funcionamiento del Ejecutivo Nacional," imponiéndole inconstitucionalmente a la Asamblea que debía necesariamente coordinar el ejercicio de sus potestades de control "con el Vicepresidente Ejecutivo o Vicepresidenta Ejecutiva, tal como lo impone el artículo 239.5 Constitucional," el cual regula las funciones de dicho Vicepresidente, pero no las de la Asamblea.

La Sala Constitucional, sin embargo, para anular los actos de la Asamblea Nacional de investigación sobre Rafael Ramírez y su actuación en PDVSA, y así "encubrir" las mismas por orden del gobierno, recurrió a dicha "doctrina" considerando que en la investigación se había supuestamente cometido "graves vicios formales y sustanciales de nulidad por inconstitucionalidad" porque la Comisión de

---

Nacional y la suspensión de los remanentes poderes de control de la Asamblea con motivo de la declaratoria del estado de excepción y emergencia económica," en *Revista de Derecho Público,* No. 145-146, (enero-junio 2016), Editorial Jurídica Venezolana, Caracas 2016, pp. 444-468.

[81] Véase en http://historico.tsj.gob.ve/decisiones/scon/marzo/185627-09-1316-2016-16-0153.HTML. Véanse los comentarios en Allan R. Brewer-Carías, "El fin del Poder Legislativo: la regulación por el Juez Constitucional del régimen interior y de debates de la Asamblea Nacional, y la sujeción de la función legislativa de la Asamblea a la aprobación previa por parte del Poder Ejecutivo," en *Revista de Derecho Público,* No. 145-146, (enero-junio 2015), Editorial Jurídica Venezolana, Caracas 2016, pp. 428-443; y en "El ataque de la Sala Constitucional contra la Asamblea Nacional y su necesaria e ineludible reacción. De cómo la Sala Constitucional del Tribunal Supremo pretendió privar a la Asamblea Nacional de sus poderes constitucionales para controlar sus propios actos, y reducir inconstitucionalmente sus potestades de control político sobre el gobierno y la administración pública; y la reacción de la Asamblea Nacional contra a la sentencia Nº 9 de 1-3-2016," en http:// www.allanbrewer-carias.com/Content/449725d9-f1cb-474b-8ab2-41efb849 fea3/Content/Brewer.%20El%20ataque%20Sala%20Constitucional%20v.%20Asamblea%20Nacional.%20SentNo.%209%201-3-2016).pdf.

Contraloría no se había sometió, en su investigación, a la coordinación con el Vice Presidente Ejecutivo;[82] indicando además, que los actos impugnados de la investigación parlamentaria contrariaban "de manera sustancial lo señalado por el orden constitucional vigente para el momento en el que fueron dictados, pues no indican de manera suficiente el *motivo* y alcance preciso y racional de la misma (para garantizar a su vez un proceso con todas las garantías constitucionales)" cuando es elemental que el detalle de una investigación parlamentaria está en las miles de páginas de los expedientes que cursan en la Asamblea, para cuya revisión se notifica y cita debidamente al investigado.

Y con base en esos infundados argumentos, la Sala concluyó simplemente declarando:

> "procedente la presente solicitud de nulidad y, en consecuencia, que carecen de validez y eficacia los actos dictados en el marco de la investigación aprobada por la plenaria de la Comisión Permanente de Contraloría de la Asamblea Nacional, el 17 de febrero de 2016, y que se reflejan en las comunicaciones suscritas los días 5 y 21 de abril de 2016 por el Presidente de la referida Comisión, con ocasión de supuestas irregularidades ocurridas en la empresa Petróleos de Venezuela Sociedad Anónima (PDVSA), durante el periodo comprendido entre los años 20042014, en el que el accionante se desempeñó como Presidente de la mencionada persona jurídica."

La Sala, finalmente, ordenó remitir copia de su sentencia a la "Contraloría General y al Ministerio Público de la República Bolivariana de Venezuela, a objeto de que ambas instituciones, dentro del

---

82 Sobre ello, con razón, la ONG Acceso a la Justicia indicó: "Esta interpretación indica que la función parlamentaria queda entonces en manos del Vicepresidente; lo que no solamente va contra toda lógica (porque la AN puede controlar la labor del mismo Vicepresidente, por ejemplo y sobre todo porque la Constitución establece exactamente todo lo contrario), sino que ignora el principio de separación de poderes establecido claramente en el artículo 136 de la Constitución." Véase *Acceso a la Justicia*: "De cómo un diputado pasó de investigador a investigado," 27 de marzo de 2017, disponible en https://accesoalajusticia.org/de-como-un-diputado-paso-de-investigador-a-investigado/

ámbito de sus competencias, determinen si es procedente o no ordenar el inicio de las investigaciones respectivas, en contra del diputado Freddy Guevara," Presidente de la Comisión de Contraloría que inicio la investigación contra el Presidente de PDVSA Rafael Ramírez durante el período 2004-2014, "encubierto" por el gobierno como lo confesó el Jefe del Estado en la época, mediante la sentencia, por el solo hecho de que para garantizarle su derecho a la defensa viajó en misión oficial a Nueva York, donde el investigado tenía su residencia, para asegurarse que recibiría las notificaciones de la investigación iniciada.

IX. ALGUNAS SECUELAS DE LA DESTRUCCIÓN: LA INCONSTITUCIONAL ELIMINACIÓN DEL CONTROL PARLAMENTARIO SOBRE LOS CONTRATOS DE CONSTITUCIÓN DE EMPRESAS MIXTAS PARA DESARROLLO DE ACTIVIDADES PRIMARIAS EN MATERIA DE HIDROCARBURO EN 2017

Un paso siguiente en la saga de desacertadas decisiones adoptadas en el campo de la industria petrolera bajo la conducción de Rafael Ramírez como Ministro de Energía, Minas y Petróleo y como Presidente de PDVSA, que provocaron su total destrucción, luego de que abandonó los despojos que había logrado provocar , fue la inconstitucional decisión de la Sala Constitucional del Tribunal Supremo de Justicia adoptada en 2017, mediante la cual la misma eliminó el control parlamentario sobre los contratos de interés nacional relativos a la constitución de empresas mixtas petroleras, que era de carácter obligatorio en el marco de los artículos 150 y 151 de la Constitución.

En efecto, conforme a dichas normas y al artículo 33 de la Ley Orgánica de Hidrocarburos de 2001, la Asamblea Nacional tiene a su cargo ejercer el control sobre el proceso de constitución de empresas mixtas en el sector de hidrocarburos, las cuales se rigen por los términos y condiciones que establezca la Asamblea Nacional, mediante Acuerdo aprobando la creación de la respectiva empresa mixta. Esta norma no adolece de oscuridad ni ambigüedad alguna. Sin embargo, la empresa del Estado, la Corporación Venezolana del Petróleo, SA. el día 28 de marzo de 2017 presentó ante la Sala Constitucional del Tribunal Supremo de Justicia un "recurso de interpretación" de dicha norma que fue decidido al día siguiente, en lo que puede considerarse el proceso constitucional más corto en la historia de la Justicia Constitucional en Venezuela, mediante sentencia Nº 156 de fecha 29 de marzo de 2017.83.

La Sala Constitucional consideró que cómo la Asamblea Nacional no podía funcionar por estar en una supuesta situación de "desacato" de sentencias anteriores de la Sala Electoral, que supuestamente le impedían ejercer sus funciones conforme a la Ley Orgánica de Hidrocarburos, resolviendo en consecuencia, nada más ni nada menos que asumir "de pleno derecho," y, por supuesto, inconstitucionalmente, la totalidad de las competencias de la Asamblea Nacional, y en consecuencia, "*asumir de pleno derecho*" el "*ejercicio de la atribución constitucional contenida en el artículo 187, numeral 24" de la Constitución*," incluyendo la de aprobar los contratos de interés nacional para la constitución de las empresas mixtas para la explotación petrolera.

Es decir, de un plumazo, como de la nada, la Sala Constitucional del Tribunal Supremo de Justicia, como Jurisdicción Constitucional, *decidió usurpar, in toto, de pleno derecho, todas las competencias de la Asamblea Nacional,* para lo cual no tiene competencia en forma alguna, constituyendo ello una usurpación de funciones en los términos del artículo 138 de la Constitución; y todo ello, mediante una interpretación del artículo 33 de la Ley Orgánica de Hidrocarburos, dispuesta con "carácter vinculante y valor *erga omnes.*"[84]

Así, la Sala Constitucional, de forma general advirtió, en el marco de los supuestos poderes absolutos que decidió asumir, que: "mientras persista la situación de desacato y de invalidez de las actuaciones de la Asamblea Nacional, esta Sala Constitucional garantizará que las competencias parlamentarias sean ejercidas directamente por esta Sala o por el órgano que ella disponga, para velar por el Estado de Derecho;" con lo cual, incluso, todas las competencias que la Constitución y las leyes atribuyen a la Asamblea Nacional, podían

83 Véase en http://historico.tsj.gob.ve/decisiones/scon/marzo/197364-156-29317-2017-17-0325.HTML

84 Véase en http://historico.tsj.gob.ve/decisiones/scon/marzo/197285-155-28317-2017-17-0323.HTML.

llegar a ser ejercidas "por el órgano que [la Sala] disponga," autoatribuyéndose un poder universal de delegar y disponer de las funciones legislativas de la Asamblea, y decidir a su arbitrio cuál órgano del Estado podía legislar en algún caso, o cuál órgano podía controlar, en otro. Dicha sentencia ni más ni menos se configuró como un golpe de Estado dado contra la Constitución,[85] dictada con alguna intención precisa vinculada sin duda al sector hidrocarburos,[86] habiendo sido celebrada por el Presidente de la República como una "sentencia histórica," para cuya ejecución, según informó la prensa, pediría "sugerencias a la Procuraduría General de la República y a la Sala Constitucional para cumplir con las órdenes dictadas por el máximo órgano judicial," [87] como si ésta última fuera un órgano asesor del Ejecutivo.

La sentencia sin duda violentó el orden constitucional, lo que condujo luego al absurdo, y fue que el Consejo de Defensa de la

---

85 Véase en Allan R. Brewer-Carías, "El golpe de Estado judicial continuado, la no creíble defensa de la Constitución por parte de quien la despreció desde siempre, y el anuncio de una bizarra "revisión y corrección" de sentencias por el Juez Constitucional por órdenes del Poder Ejecutivo (secuelas de las sentencias No. 155 y 15 6 de 27 y 29 de marzo de 2017)," en http://allanbrewercarias.net/site/wp-content/uploads/2017/04/150.-doc.-BREWER.-EL-GOLPE-DE-ESTADO-Y-LA-BIZARRA-REFORMA-DE-SENTENCIAS.-2-4-2017.pdf

86 Recurso que según se indicó por la ONG Acceso a la Justicia, tuvo su motivación en que el Poder Ejecutivo había ofrecido "a la petrolera rusa Rosneft una participación en la empresa mixta Petropiar a cambio de ayuda para pagar bonos de la deuda que están próximos a vencerse, pero para concretar el acuerdo se requiere la aprobación de la Asamblea Nacional según la Ley de Hidrocarburos." Véase en "TSJ: no aclares que oscureces. Las verdaderas repercusiones de las aclaratorias de las sentencias del TSJ," Acceso a la Justicia, Caraca 1 de abril de 2017, en http://www.accesoalajust-icia.org/wp/infojusticia/noticias/tsj-no-aclares-que-oscureces/.

87 Véase la reseña: "Nicolás Maduro: El TSJ ha dictado una sentencia histórica. Durante el Consejo de Ministros, el jefe de Estado señaló que además pedirá sugerencias a la Procuraduría General de la República para cumplir con las órdenes dictadas por el máximo órgano judicial," en El nacional, 28 de marzo de 2017, en http://www.el-nacional.com/noticias/gobierno/nicolas-maduro-tsj-dictado-una-sentencia-historica_87784.

Nación exigiría de la Sala que hicieran "las aclaratorias" necesarias,[88] exhortándola a "revisar" su sentencia. [89] Y la Sala, sumisa, violando el artículo 252 del Código de Procedimiento Civil en la madrugada del día 1 de abril de 2017 hizo montar en la página web del Tribunal Supremo la información de que se había dictado la Nº 158 mediante las se "aclaró de Oficio" la sentencia N° 156 de fecha 29 de marzo de 2017, en lo "que respecta al punto 4.4 del dispositivo cuyo contenido está referido a que la Sala Constitucional garantizará que las competencias parlamentarias sean ejercidas directamente por ésta o por el órgano que ella disponga, para velar por el Estado de Derecho, el cual se suprime."

Y a renglón seguido, como si se tratase de un juego inocente, el Sr. Maduro, Presidente de la República, en vista de este anuncio, afirmó que después de haber enfrentado "una situación compleja" informaba que "en pocas horas, activando los mecanismos de la Constitución, fue superada exitosamente la controversia que surgió entre dos poderes," comentando que: "me tocó como Jefe de Estado actuar. Actué rápido, sin dilación, sin demoras y ya en la madrugada de hoy 1 de abril habíamos superado absolutamente la controversia que había surgido."[90]

Sin embargo, la realidad fue que la Sala, en definitiva, convirtiendo la sentencia anterior en una medida cautela, resolvió dejar incólumes todas las otras decisiones contenidas en la sentencia Nº 156, entre ellas, precisamente la que usurpó la función de control por parte de la Asamblea Nacional sobre la creación de empresas mixtas, al permitir al Gobierno crearlas en el sector hidrocarburos bajo el

---

88 Véase la reseña "Maduro, tras instalar Consejo de Defensa de la Nación: Tengo fe de que se harán las aclaratorias necesarias," Noticiero digital, 31 Marzo, 2017, en http://www.noti-cierodigital.com/2017/03/maduro-tengo-fe-absoluta-de-que-este-consejo-hara-las-acla-ratorias-necesarias/.

89 Véase su texto en "Consejo de Defensa Nacional exhorta al TSJ a revisar sentencias 155 y 156 // #MonitorProDaVinci," 1 de abril de 2017, en http://prodavinci.com/2017/04/01/ac-tualidad/consejo-de-defensa-nacional-exhorta-al-tsj-a-revisar-sentencias-155-y-156-monitorprodavinci/.

90 Véase la reseña: "Maduro: Actué rápido y pudimos superar exitosamente la controversia entre el TSJ y el MP," en *Noticiero Digital*, 1 de abril de 2017, en http://www.noticierodi-gital.com/2017/04/maduro-actue-rapido-y-pudimos-superar-exitosamente-la-controversia-entre-el-tsj-y-el-mp/.

control de la Sala. En la nueva sentencia No. 158, además, la Sala Constitucional ratificó que la Asamblea Nacional no podía ejercer sus funciones constitucionales por encontrarse en "desacato" y la Sala mantiene su criterio de la usurpación de funciones de la Asamblea Nacional, impidiéndole ejercer sus funciones.

Con base en esta sentencia, se produjo el absurdo de que el 6 de julio de 2017, el Secretario Permanente del Consejo de Ministros, alegando actuar "de conformidad con lo establecido en la antes mencionada sentencia N° 158 del 1 de abril de 2017, de la Sala Constitucional del Tribunal Supremo de Justicia," como si se tratase de una "ley," acudió ante dicha Sala solicitando "la autorización y aprobación" a la constitución de la Empresa Mixta Petrosur S.A., de Producción, Mejoramiento y Comercialización de Petróleo Crudo Pesado y extra Pesado en el Área Denominada Junín 10 de la faja Petrolífera del Orinoco, entre la Corporación Venezolana de Petróleo, S.A (CVP) y Stichting Administratiekantoor Inversiones Petroleras Iberoamericanas, remitiendo a la Sala la documentación necesaria.

La Sala decidió sobre la petición, como si se tratase de un "proceso judicial" y de una "sentencia," precisamente dictando la sentencia Nº 533 de 10 de julio de 2017, [91] en la cual, haciendo referencia a la antes mencionada sentencia N° 156 de fecha 29 de marzo de 2017, expresamente dispuso que:

> "no existe impedimento alguno para que el Ejecutivo Nacional constituya empresas mixtas en el espíritu que establece el artículo 33 de la Ley Orgánica de Hidrocarburos, a cuyo efecto el Ejecutivo Nacional, por órgano del Ministerio de Energía y Petróleo, deberá informar a esta Sala de todas las circunstancias pertinentes a dicha constitución y condiciones, incluidas las ventajas especiales previstas a favor de la República."

Y así, la Sala Constitucional, violando la Constitución y la Ley de Hidrocarburos, y usurpando las funciones de control que corresponden a la Asamblea Nacional, pasó a examinar los recaudos entre los cuales estaba la aprobación por la Junta Directiva de PDVSA en

---

[91] Véase en http://historico.tsj.gob.ve/decisiones/scon/julio/200937-533-10717-2017-17-0731.HTML

fecha 22 de marzo de 2017 de la constitución de la empresa mixta, conforme al Memorándum de Entendimiento que había sido suscrito por los potenciales accionistas, y la propuesta de aprobación presentada al Presidente de la República el 26 mayo de 2017, y aprobación por el Consejo de Ministros con fecha 13 de junio de 2017; indicando la Sala haber examinado el "Acuerdo de Estudio Conjunto para el Campo Junín Sur de la Faja Petrolífera del Orinoco, constante de trece cláusulas, suscrito por el ciudadano Orlando Chacín Vicepresidente de PDVSA, y por el Consejero Delegado ciudadano José Ramón Blanco de Inversiones Petroleras Iberoamericanas, en cuyas cláusulas séptima y octava referidas a la resolución de conflictos y ley aplicable," se daba "estricto cumplimiento a lo dispuesto en el artículo 151 constitucional," pero sin indicarse si se trataba o no de una cláusula arbitral y a cuál ley se sometía el contrato; indicando además, que el contrato contaba con la aprobación del Procurador General de la República.

De todo ello, la Sala concluyó "administrando justicia, en nombre de la República por autoridad de la ley," como si se tratase de una sentencia dictada en algún proceso judicial, "y en atención a lo dispuesto previsto en la sentencia N° 156 de fecha 29 de marzo de 2017," declarar "procedente la autorización y aprobación a la constitución de la Empresa Mixta Petrosur, S.A." citando el artículo 236.14 de la Constitución como si se tratase de un contrato de interés público nacional a ser suscrito por el Presidente de la República, lo cual no sucedió.

Lo que hizo el Presidente de la República en "ejecución" de la sentencia, fue dictar un Decreto N° 3.038 de 22 de agosto de 2017,[92] mediante el cual, de nuevo, lo que hizo fue "autorizar" la creación de la referida empresa mixta mediante contrato a ser suscrito por las partes contratantes mencionadas, la Corporación Venezuela del Petróleo S.A. con 60 % del capital social y la empresa *Stichting Administratiekantoor Inversiones Petroleras Ibero-americanas* con el 40 % del capital social.

92 Véase en *Gaceta Oficial* N° 41.219 de 22 de agosto de 2017.

Esta empresa, co-contratante de la empresa estatal, la cual fue seleccionada "a dedo," sin proceso de licitación alguno,[93] habría sido constituida en La Haya, solo unos meses antes, en abril de 2017, como empresa "*Financiële holdings*" [94] y, por tanto, sin experiencia alguna en materia petrolera. Sin embargo, según se anunció en la prensa española, el Sr. José Ramón Blanco, citado como representante de la empresa en la sentencia aprobatoria del contrato dictada por el Tribunal Supremo de Justicia, habría sido directivo de la empresa Repsol.[95]

93 Véase lo expuesto por Elías Matta, diputado y vicepresidente de la Comisión de Energía y Minas de la Asamblea Nacional, en la reseña "Elías Matta: Asignación por Petrosur a inversiones petroleras iberoamericanas viola la Constitución,' en *Primicias 24.com*, 21 de septiembre de 2017, en . https://www.primicias24.com/pri-micias-nacionales/elias-matta-asignacion-por-petrosur-a-inversiones-petroleras-iberoamericanas-viola-la-constitucion/.

94 Véase la referencia al registro el 19 de abril de 2017, en https://drimble.nl/bedrijf/den-haag/k68585209/stichting-administratiekantoor-inversiones-petroleras-iberoamericanas.htmln. Véase la reseña de Ascensión Reyes: "Gobierno entregó bloque Junín 10 a empresa creada hace 4 meses en Holanda. Inversiones Petroleras Iberoamericanas fue constituida en abril y su consejero, José Ramón Blanco Balín, es investigado por un caso de corrupción en España," en *El Nacional*, Caracas 11 de agosto de 2017, en http://www.el-nacional.com/noticias/econo-mia/gobierno-entrego-bloque-junin-empresa-creada-hace-meses-holanda_198133.

95 Véase la reseña de Mariza Recuero, "Nicolás Maduro adjudica a un imputado en -Gürtel- un negocio petrolero," en *El Mundo*, 9 de agosto de 2017, en http://www.elmundo.es/espana/2017/08/09/598a0afc22601d58478b457e.html. Véase además la información "Maduro adjudicó contrato petrolero en la Faja a imputado en caso de corrupción en España," en CCD, Cuentas Claras contra la delincuencia organizada, 9 de agosto de 2017, en https://www. cuentasclarasdigital.org/2017/08/maduro-adjudico-contrato-petrolero-en-la-faja-a-imputado-en-caso-de-corrupcion-en-espana/

X. EL VACIAMIENTO DE PDVSA COMO HOLDING DE LA INDUSTRIA PETROLERA A PARTIR DE 2017, CON LA CREACIÓN EN PARALELO DE UNA "INDUSTRIA PETROLERA MILITAR," EXCLUIDA ADEMÁS DEL RÉGIMEN NACIONAL DEL CONTROL FISCAL

Conforme a la Ley Orgánica que reserva al Estado la industria y el comercio de los hidrocarburos de 1975, al producirse la nacionalización de la industria petrolera se dispuso que el Ejecutivo nacional, a los efectos de la organización, administración y gestión de las actividades reservadas, atribuiría a "una de las empresas las funciones de coordinación, supervisión y control de las actividades de las demás, pudiendo asignarle la propiedad de las acciones de cualquiera de esas empresas," (art. 6). Y así precisamente se creó a Petróleos de Venezuela S.A., la cual pasó en 1999 a ser la única empresa del Estado de rango constitucional (art. 303), funcionando como holding de la industria petrolera, adscrita al Ministro para el Petróleo.

Ese esquema se rompió formalmente a partir de 2016, al crearse en paralelo a PDVSA, otra empresa petrolera, pero militar, adscrita al Ministerio para la Defensa y, por tanto, desvinculada, en el marco de la organización de la Administración Pública, del sector de energía y petróleo.

En efecto, con fecha 10 de febrero de 2016, y mediante decreto N° 2.231 de 10 de febrero de 2016,[96] el Presidente de la República en Consejo de Ministros, en uso de las atribuciones establecidas en la Ley Orgánica de la Administración Pública para crear empresas del Estado, procedió a crear la Compañía Anónima Militar de Industrias Mineras, Petrolíferas y de Gas (CAMIMPEG), indicando como motivación para ello, que se trataba de una empresa que respondería a un "nuevo modelo de gestión" de acuerdo a "Revolución Bolivariana," y a un "modelo económico productivo ecosocialista" para "desarrollar tecnologías propias de nuestra industria militar," quedando adscrita dicha empresa, por tanto, al Ministerio para la Defensa. (art. 1).

---

[96] Véase en *Gaceta Oficial* N° 40.845, de 10 de febrero de 2016.

De acuerdo al decreto, el objeto social de la empresa abarca absolutamente todos los aspectos imaginables tanto de la industria petrolera, como de la industria del gas y de la industria minera (art. 3), siendo en materia petrolera aún más amplió que lo previsto como objeto social en los estatutos de la propia PDVSA, resultando en consecuencia, que dicha empresa militar, tiene las competencias no solo de PDVSA, sino de todas sus empresas filiales como Corpoven, S.A, PDVSA Petróleo, S.A., y Bariven, S.A, y con ello, el riesgo de que posiblemente se producirá el vaciamiento progresivo de todas estas empresas, las cuales es posible que queden como cascarones vacíos.

Y todo ello, además, con el agravante de que la nueva industria petrolera militar ha quedado, por obra de la dictadura judicial, fuera del marco de control fiscal que ejerce la Contraloría General de la República. Para ello, la Sala Político Administrativa del Tribunal Supremo de Justicia, en sentencia de 14 de diciembre de 2016, [97] dictada con motivo de un recurso de interpretación formulado por los propios abogados del Estado, es decir, la Procuraduría General de la República, insólitamente excluyó a la empresa a propia Compañía Anónima Militar de Industrias Mineras, Petrolíferas y de Gas (CAMIMPEG), del ámbito de control fiscal por parte de la Contraloría General de la República, por ser una "empresa militar," quedando sometida a pesar de no tener nada que ver con el "componente militar," al control externo de la Contraloría General de la Fuerza Armada Nacional Bolivariana.

XI. LA ILEGAL REORGANIZACIÓN DE LA INDUSTRIA PETROLERA DISPUESTA POR DECRETO DE 2018, LA FINAL DEGRADACIÓN DEL HOLDING PETROLERO, Y EL FIN DE LA TRANSPARENCIA EN MATERIA DE CONTRATACIÓN EN LA INDUSTRIA PETROLERA

Como ya ha sido señalado, en enero de 2018, la inconstitucional y fraudulenta Asamblea Nacional Constituyente[98] dictó una

---

[97] http://historico.tsj.gob.ve/decisiones/spa/diciembre/194202-01421-151216-2016-2011-0044.HTML.

[98] Véase Allan R. Brewer-Carías, *Usurpación Constituyente, 1999, 2017. La historia se repite: una vez como comedia y la otra como tragedia*, Editorial Jurídica Venezolana International, 2018.

inconstitucional "Ley Constitucional contra la guerra económica para la racionalidad y uniformidad en la adquisición de bienes, servicios y obras públicas,"[99] mediante la cual reformó parcial y tácitamente la Ley de Contrataciones Públicas de 2014, eliminando totalmente el proceso transparente de selección de contratistas, con efectos principales en la industria petrolera nacional, en la cual se eliminó todo proceso de licitación. [100]

El objeto de la reforma fue supuestamente establecer:

> "normas básicas de conducta para la Administración Pública, en todos sus niveles, que promuevan la honestidad, participación, celeridad, eficiencia y transparencia en los procesos de adquisición y contratación de bienes, servicios y obras públicas. Facilite los mecanismos de control de tales procesos, y estimule la participación equilibrada de todos los agentes económicos en la inversión y justa distribución de recursos destinados las compras públicas" (art. 1).

Pero todo ello no fue más que una gran mentira que queda en evidencia cuando se analiza el sentido y efecto de lo regulado, lo cual, contrariamente, lo que asegura es la ausencia honestidad, transparencia y control en la contratación pública, previendo la posibilidad de eliminación de los principios de la licitación en la selección de contratistas, como efectivamente ocurrió respecto de las contrataciones en las empresas de la industria petrolera.

Para ello, se estableció en la Ley Constitucional que el régimen aplicable a las empresas del Estado debía estar regulado en una "regulación especial," el cual se previó para las empresas de la industria

---

[99] Véase *Gaceta Oficial* N° 41.318 del 11 de enero de 2018.

[100] Véase los comentarios en Allan R. Brewer-Carías, "La institucionalización de la cleptocracia en Venezuela: la inconstitucional reforma tácita del régimen de contrataciones públicas, y la inconstitucional eliminación, por decreto, de la licitación para la selección de contratistas en la industria petrolera, y de la nacionalización de las actividades auxiliares o conexas con la industria," New York, 18 de abril de 2018, en http://allanbrewercarias.com/wp-content/uploads/2018/04/182.-Brewer.-doc.-Institucionalizaci%C3%B3n-Cleptocracia.PDVSA_.pdf.

petrolera mediante el Decreto Nº 3.368 de 12 de abril de 2018, [101] estableciéndose un "régimen especial y transitorio para la gestión operativa y administrativa de la industria petrolera nacional," con una "vigencia hasta el 31 de diciembre de 2018, prorrogable por un (1) año" (art. 12), para que "contribuya de manera definitiva al aumento de las capacidades productivas de Petróleos de Venezuela S.A., PDVSA, sus empresas filiales, y la industria petrolera nacional en general" (art. 1).

La ilusión de los gobernantes del Estado forajido que hemos padecido los venezolanos ha sido que, con el solo texto de las leyes, los decretos y las resoluciones que dictan, creen que pueden cambiar la realidad; y esa ilusión parece no tener límites; y lo peor es que algunos efectivamente creen que la realidad cambió con solo "decretarla;" solo porque así lo dice la ley o el decreto!! [102]

La realidad en todo caso es otra, que es la que existe a pesar de la letra de los textos legales; y trágicamente, como es bien sabido, es que la industria petrolera venezolana en 2018 ya estaba en un estado de deterioro como nunca antes se había visto, de manera que de haber sido veinte años antes la empresa más importante de toda América Latina, en 2018 había quedado en la ruina, con una producción disminuida, altamente burocratizada e ineficiente, con refinerías cerradas, con una deuda pública astronómica,[103] y minada por una

---

[101] Véase en Gaceta *Oficial* Nº 41.376 de 12 de abril de 2018. En cuanto a basarse en el régimen de Estado de Excepción y emergencia económica, debe recodarse que de acuerdo con el artículo 338 de la Constitución, el mismo sólo puede durar 120 días, aun cuando el decretado ya tiene más de dos años, y sin siquiera haber sido aprobado por la Asamblea Nacional.

[102] Véase José Ignacio Hernández, "¿De qué se tratan las medidas excepcionales que tomó el gobierno sobre PDVSA?," en *Prodavinci,* 17 de abril de 2018, en https://proda-vinci.com/de-que-se-tratan-las-medidas-excepcionales-que-tomo-el-gobierno-sobre-pdvsa/?platform=hootsuite

[103] Véase sobre ello, entre los comentarios expertos más recientes de Francisco Monaldi e Igor Hernández, *Weathering Collapse: An Assessment of the Financial and Operational Situation of the Venezuelan Oil Industry,* CID Working Paper N° 327, 2016; Ramón Espinasa, y Carlos Sucre, *La caída y el colapso de la industria petrolera venezolana,* Agosto de 2017 (consultado en original); Carlos Bellorín *El Furrial: el espectacular declive de un gigante*

corrupción rampante, al punto de que sus últimos directivos desde 2017 al dictarse el decreto ya estaban todos detenidos o escapados, acusados todos de corrupción.[104]

En todo caso, y por lo visto, creyendo en la magia de las palabras de un decreto, con el fin mencionado de supuestamente aumentar la capacidad productiva "de Petróleos de Venezuela S.A., PDVSA, sus empresas filiales, y la industria petrolera nacional en general," se reguló un régimen excepcional en el manejo de las empresas del Estado en la industria petrolera nacional atribuyéndosele en el artículo 2 del decreto, al Ministro del Poder Popular de Petróleo, "además de las facultades de control y tutela establecidas en el ordenamiento jurídico," es decir, en la Ley Orgánica de la Administración Pública y en la Ley Orgánica de Hidrocarburos, "las más amplias facultades de organización, gestión y administración de las empresas de la industria petrolera del sector público, en especial Petróleos de Venezuela S.A., PDVSA, y sus empresas filiales, en los términos expuestos en este decreto" (art. 3); incluso hasta para "suprimir" a Petróleos de Venezuela S.A. lo que no sólo es un soberano disparate, sino que sería violatorio de la Constitución (art. 303).

Con ello, se eliminó de hecho el rol que al menos estatutariamente correspondía a Petróleos de Venezuela S.A., como holding de la industria petrolera, perdiendo materialmente toda la relativa autonomía que podía tener como empresa del Estrado en su relación con el órgano de tutela, que ya en buena parte se había perdido con el ejercicio simultáneo por la misma persona del cargo de Ministro de Energía y Petróleo y Presidente de PDVSA.

---

petrolero, Prodavinci, 11 de agosto de 2016: http://historico. prodavinci. com/blogs/el-furrial-el-espectacular-declive-de-un-gigante-petrolero-por-carlos-bellorin/.

[104] Véase la reseña: "Fiscal general de Venezuela anuncia la detención de expresidentes de PDVSA," donde se indica: "El fiscal general de Venezuela, Tarek William Saab, anunció este jueves la detención del exministro para la Energía y Petróleo, Eulogio del Pino, y del expresidente de Petróleos de Venezuela (PDVSA), Nelson Martínez, por su presunta vinculación con hechos de corrupción en la estatal petrolera." Véase en *Telesur,* 30 de noviembre de 2017, en https://www.telesurtv.net/news/Fiscal-general-de-Venezuela-anuncia-la-detencion-de-expresidentes-de-Pdvsa-20171130-0033.html.

Por otra parte, como antes se observó, el Decreto No. 3.368 de 12 de abril de 2018, eliminó para las contrataciones por parte de Petróleos de Venezuela, S.A., y sus empresas filiales, de toda forma de licitación pública, estableciendo en cambio solo dos modalidades de contratación: la consulta de precios y la adjudicación directa. Con ello, como lo observó José Ignacio Hernández, sin duda se "aceleran los procedimientos de procura de PDVSA y sus empresas filiales, pero reducen los controles que previenen la corrupción y la gestión ineficiente del gasto público, sin que el decreto prevea medidas concretas para atender esos riesgos." [105]

[105] Véase José Ignacio Hernández, "¿De qué se tratan las medidas excepcionales que tomó el gobierno sobre PDVSA?," en *Prodavinci,* 17 de abril de 2018, en https://prodavinci.com/de-que-se-tratan-las-medidas-excepcionales-que-tomo-el-gobierno-sobre-pdvsa/?platform=hootsuite.

SÉPTIMA PARTE:
EL ESTATUTO DE TRANSICIÓN HACIA LA DEMOCRACIA DE 2019 Y EL RESTABLECIMIENTO DE PDVSA COMO INSTRUMENTALIDAD DEL ESTADO GESTIONADA EN FORMA SEPARADA DEL GOBIERNO

El texto de esta *Séptima parte* es un extracto del Capítulo sobre "The Constitutional Foundations of the Transition Regime Towards Democracy in Venezuela 2019-2020," publicado en el libro: José Ignacio Hernández G. y Allan R. Brewer-Carías, *The Defense of The Rights And Interest Of The Venezuelan State By The Interim Government Before Foreign Courts. 2019-2020*, Colección Estudios Jurídicos, Editorial Jurídica Venezolana International, 2021, pp. 111 ss.

La situación institucional a la cual fue sometida PDVSA desde 2002, y especialmente, durante todo el período entre 2004 y 2018 durante el cual un Ministro del Ejecutivo Nacional era a la vez Presidente de la empresa, lo cual permitió al gobierno interviniera en la gestión diaria de la misma, convirtiéndose a la empresa, de hecho, en una agencia más del Gobierno, cambió radicalmente desde febrero de 2019, a partir de la implementación del *Estatuto que rige la transición a la democracia para restablecer la vigencia de la Constitución* sancionado por la Asamblea Nacional el 5 de febrero de 2019,[1]

---

[1] Estatuto que regula la Transición a la Democracia para restablecer la aplicación de la Constitución de la República Bolivariana de Venezuela Véase el

en particular, en lo que se refiere a las operaciones de la empresa y sus subsidiarias en los Estados Unidos.

I. SOBRE EL RÉGIMEN DE TRANSICIÓN HACIA LA DEMOCRACIA DE FEBRERO DE 2019

El régimen de Transición hacia la democracia decretado a partir de enero de 2019, tiene su origen remoto en la crisis política que se originó con la supuesta "reelección" de Nicolás Maduro como Presidente de la República efectuada en 20 de mayo de 2018, en un proceso comicial convocado por una Asamblea Nacional Constituyente inconstitucionalmente convocada,[2] usurpando las funciones del Consejo Nacional Electoral; la cual fue rechazada y declarada como inexistente por la Asamblea Nacional el 22 de mayo de 2018,[3] y, en general, por gran parte de la comunidad internacional.

Como consecuencia de ello, en enero de 2019, cuando un nuevo Presidente debía tomar posesión de su cargo para el periodo 2019-2025, no habiendo alguno que hubiera sido electo legítimamente, la

---

texto en *Gaceta Legislativa*, N° 1, 6 de febrero de 2019. También disponible en https://asambleanacional-media.s3.amazonaws.com/documen-tos/gaceta/gaceta_1570546878.pdf . Véase los comentarios a dicho Estatuto y su base constitucional en Allan R. Brewer-Carícomo *La transición a la democracia en Venezuela. Bases constitucionales y obstáculos usurpadores*, Iniciativa Democrática España y las Américas, Editorial Jurídica Venezolana, Caracas / Miami 2019, pp. 242-251. disponible en: http:// allanbrewercarias.com/wp-content/uploads/2019/06/193.-Brewer.-bis-5.-TRANSICI%C3%93N-A-LA-DEMOCRACIA-EN-VLA.-BASES-Contras TITUC.-1-6-2019-para-pag-web-1.pdf

2 Véase sobre ello, los estudios en el libro: Allan R. Brewer-Carías y Carlos García Soto (Editores), *Estudios sobre la Asamblea Nacional Constituyente y su inconstitucional convocatoria en 2017*, Editorial Jurídica Venezolana, Caracas 2017 pp. 27-40. Disponible en: http://allanbrewercarias.com/wp-content/uploads/2017/08/ESTUDIOS-SOBRE-LA-ASAMBLEA-NACIONAL-CONSTITUYENTE-2017-CON-PORTADA.pdf

3 Véase el texto del Acuerdo de la Asamblea Nacional en *Gaceta Legislativa* No. 8 of June 5, 2018, pp. 6-7. Disponible en http://www. asambleanacional.gob.ve/actos/_acuerdo-reiterando-el-desco-nocimiento-de-la-farsa-realizada-el-20-de-mayo-de-2018-para-la-supuesta-eleccion-del-presidente-de-la-republica.

Asamblea Nacional el día 15 de enero de 2019 y de conformidad con los artículos 5, 187, 233, 333 y 350 de la Constitución, aprobó un Acuerdo declarando la usurpación de la Presidencia de la República por Nicolás Maduro Moros, definiendo un proceso de restablecimiento de la vigencia de la Constitución, es decir, del orden constitucional.[4]

A pesar de que dicha decisión legislativa fue declarada inconstitucional por la Sala Constitucional del Tribunal Supremo, de *oficio,* es decir, sin juicio ni proceso alguno, mediante sentencia No. 3 de 21 de enero de 2019,[5] el 5 de febrero de 2019 la misma Asamblea Nacional, de acuerdo con el artículo 187.1 de la Constitución en concordancia con los artículos 7 y 333 de la misma,[6] estableció el marco regulatorio para regir el proceso de transición hacia la democracia, sancionando el antes mencionado *Estatuto de Transición.*

Conforme al mismo, el Presidente de la Asamblea Nacional, Juan Guaidó Márquez, fue ratificado como Presidente encargado de la República (art. 14) con base en el artículo 233 de la Constitución, con la misión específica, entre otras, de velar por la protección de los bienes e intereses del Estado venezolano y sus entidades descentralizadas en el extranjero, para cuyo efecto, conforme al Estatuto, entre otras decisiones, designó un Procurador Especial, y una *Junta Administrativa Ad hoc de Petróleos de Venezuela S.A. (PDVSA).*

---

4 Texto disponible en https://www.infobae.com/america/venezuela/2019/01/15/la-asamblea-nacional-de-venezuela-declaro-a-maduro-usurpa-dor-del-presidencia/.

5 Véase en http://historico.tsj.gob.ve/decisiones/scon/enero/194892-03-111 17-2017-17-0002.HTML. Véase las referencias en *Runrunes.com*, 21 de enero de 2019, en: https://runrun.es/noticias/370711/tsj-declara-nula-actual-junta-directiva-de-asamblea-nacional/

6 El artículo 7 se refiere a la supremacía de la Constitución; el artículo 333 establece el deber de cualquier ciudadano y autoridad, de "colaborar en el restablecimiento de su efectiva vigencia;" y el artículo 187.1 establece entre las atribuciones de la Asamblea Nacional, la de "legislar en las materias de la competencia nacional y sobre el funcionamiento de las distintas ramas del Poder Nacional."

Entre los objetivos del Estatuto de Transición conforme al artículo 333 de la Constitución para la reorganización institucional de la República, se incluyeron en su artículo 6, los siguientes:

> 1. Regular la actuación de las diferentes ramas del Poder Público durante el proceso de transición democrática de conformidad con el artículo 187, numeral 1 de la Constitución, permitiendo a la Asamblea Nacional iniciar el proceso de restablecimiento del orden constitucional y democrático.
>
> 2. Establecer los lineamientos conforme a los cuales la Asamblea Nacional tutelará ante la comunidad internacional los derechos del Estado y pueblo venezolanos, hasta tanto sea conformado un Gobierno provisional de unidad nacional."

Por ello, el Estatuto de Transición fue formalmente calificado en su artículo 4 como un "acto normativo" con rango y valor de la ley, emitido "en aplicación directa e inmediata del artículo 333 de la Constitución" siendo por ello "de obligatorio acatamiento para todas las autoridades y funcionarios públicos, así como para los particulares."

Teniendo rango de ley por ser emitido de acuerdo con los artículos 187.1 y 202 de la Constitución, el Estatuto, durante el período de la transición hacia la democracia para restaurar la vigencia de la Constitución, tiene por tanto el efecto de ser lex *specialis* y *lex posterior,* es decir, el poder derogatorio o de reforma de cualquier previsión legislativa entonces vigente, así como cualquier otra disposición reglamentaria. Es por eso que el Estatuto incluso fue considerado por algunos autores como un "acto constitucional normativo" y "un acto normativo superior a las leyes formales;"[7] y "como un acto legislativo de rango constitucional, o al menos, la interpretación auténtica"

---

[7] Véase José Duque Corredor, "Bloque Constitucional de Venezuela. Comentarios y reflexiones sobre el Estatuto de Transición de la dictadura a la democracia de Venezuela," Epílogo para el libro de Allan R. Brewer-Carías, *Transición hacia la democracia en Venezuela. Bases constitucionales y obstáculos usurpadores*, IDEA, Editorial Jurídica Venezolana, Caracas/Miami 2019, pp. 321, 331-333. Disponible en: http://allanbrewercarias.com/wp-content/uploads/2019/06/193.-Brewer.-bis-5.-TRANSICI% C3%93N-A-LA-DEMOCRACIA-EN-VLA.-BASES-CONSTITUC.-1-6-2019-para-pag-web-1.pdf)

de la misma Constitución y, en consecuencia, de cumplimiento obligatorio conforme al principio de supremacía constitucional."[8]

Por ello, en el artículo 11 del mismo Estatuto de Transición, se establece que "ningún ciudadano, investido o no de autoridad, obedecerá los mandatos de la autoridad usurpada. Los funcionarios públicos que contribuyan con la usurpación comprometerán su responsabilidad, tal como lo establecen los artículos 25 y 139 de la Constitución." La misma disposición establece que "todo funcionario público tiene el deber de observar los artículos 7 y 333 de la Constitución para obedecer los mandatos de los Poderes Públicos legítimos en Venezuela, especialmente en lo referido a los actos en ejecución del presente Estatuto."

II. EL PROPÓSITO FUNDAMENTAL DEL ESTATUTO DE TRANSICIÓN PARA LA PROTECCIÓN DE ACTIVOS DE LA NACIÓN EN EL EXTRANJERO

En particular, en el artículo 15 del mismo Estatuto de Transición, la Asamblea Nacional reguló diversos mecanismos para la defensa de los derechos del pueblo y el gobierno venezolanos, particularmente en el exterior, disponiendo que la misma podía:

> "adoptar las decisiones necesarias para la defensa de los derechos del Estado venezolano ante la comunidad internacional, a los fines de asegurar el resguardo de los activos, bienes e intereses del Estado en el extranjero y promover la protección y defensa de los derechos humanos del pueblo venezolano, todo ello de conformidad con los Tratados, Convenios y Acuerdos Internacionales en vigor."

---

8 Véase Asdrúbal Aguiar, "Transición hacia la democracia y responsabilidad de proteger en Venezuela: Mitos y realidades" prólogo Para el libro: Allan R. Cervecera-Carías, *Transición hacia la democracia en Venezuela. Bases constitucionales y obstáculos usurpadores*, IDEA, Editorial Jurídica Venezolana, Caracas/Miami 2019, p. 26, 39-40, disponible en http://allanbrewercarias.com /wp-content/uploads/2019/06/193.-Brewer.-bis-5.-TRANSAQUÍ% C3%93N-A-LA-DEMOCRACIA-EN-VLA.-BASES-CONSTI-TUC.-1-6-2019-para-pag-web-1.pdf)

Dichas medidas de salvaguardia, por tanto, fueron concebidas para tener efectos básicamente en el extranjero, es decir, en cuanto a los bienes e intereses de la República y sus entes descentralizados ubicados fuera del país, y para ello, el artículo 15 *del Estatuto,* confirmó que el Presidente de la Asamblea Nacional es el "Presidente encargado de la República" (artículo 14) y que "en el marco del artículo 333 de la Constitución," debe ejercer, entre otras, las siguientes competencias "sometidas al control autorizatorio de la Asamblea Nacional bajo los principios de transparencia y rendición de cuentas:"

> "a. Designar Juntas Administradoras ad-hoc para asumir la dirección y administración de institutos públicos, institutos autónomos, fundaciones del Estado, asociaciones o sociedades civiles del Estado, empresas del Estado, incluyendo aquellas constituidas en el extranjero, y cualesquiera otros entes descentralizados, a los fines de designar a sus administradores y en general, adoptar las medidas necesarias para el control y protección de sus activos. La decisiones adoptadas por el Presidente encargado de la República serán de inmediato cumplimiento y tendrán plenos efectos jurídicos.
>
> b. Mientras se nombra válidamente un Procurador General de la República de conformidad con el artículo 249 la Constitución, y en el marco de los artículos 15 y 50 de la Ley Orgánica de la Procuraduría General de la República, el Presidente encargado de la República podrá designar a quien se desempeñe como procurador especial para la defensa y representación de los derechos e intereses de la República, de las empresas del Estado y de los demás entes descentralizados de la Administración Pública en el exterior. Dicho procurador especial tendrá capacidad de designar apoderados judiciales, incluso en procesos de arbitraje internacional, y ejercerá las atribuciones mencionadas en los numerales 7, 8, 9 y 13 del artículo 48 de la Ley Orgánica de la Procuraduría General de la República, con las limitaciones derivadas del artículo 84 de esa Ley y del presente Estatuto. Tal representación se orientará especialmente a asegurar la protección, control y recuperación de activos del Estado en el extranjero, así como ejecutar cualquier actuación que sea necesaria para salvaguardar los derechos e intereses del Estado. El procurador así

designado tendrá el poder de ejecutar cualquier actuación y ejercer todos los derechos que el Procurador General tendría, con respecto a los activos aquí mencionados. A tales efectos, deberá cumplir con las mismas condiciones que la Ley exige para ocupar el cargo de Procurador General de la República.

De acuerdo con estas disposiciones del *Estatuto* de Transición, la Asamblea Nacional, por tanto, asignó dos atribuciones específicas al "Presidente de la Asamblea Nacional, como Presidente encargado de la República" para que las ejerciera sujeto "al control autorizatorio" de la misma con el propósito de proteger los activos e intereses de la República ubicados fuera del país:

(i) por un lado, nombrar un Procurador Especial para defender y representar en el extranjero los derechos y bienes de la República, de las empresas del Estado y las demás entidades descentralizadas de la Administración Pública; y

(ii) por otra parte, nombrar Juntas directivas o administradoras ad hoc para asumir la gestión y administración de los institutos públicos, institutos autónomos, de las fundaciones, asociaciones civiles y empresas del Estado, como es el caso de *Petróleos de Venezuela S. A.* (PDVSA), y sus subsidiarias, incluidas las constituidas en el extranjero, y cualquier otro ente descentralizado del Estado, como por ejemplo el Banco Central de Venezuela, con el fin de nombrar a sus Juntas administradora y, en general, tomar las medidas necesarias para el control (de tutela o accionario de acuerdo con la naturaleza de la entidad) y protección de sus activos.

La enumeración de los entes descentralizadas del Estado venezolano en esta disposición del artículo 15.a del Estatuto de Transición puede decirse que fue *exhaustiva.* Casi todos ellos se enumeraron expresamente en el mismo texto (institutos públicos, institutos autónomos, fundaciones estatales, asociaciones o sociedades civiles estatales o empresas del Estado), añadiéndose, para eliminar toda duda sobre su ámbito, la expresión "cualesquiera otro ente descentralizado," a los efectos de no dejar ninguno fuera de la regulación, incluyéndose en ella, por ejemplo, sin duda, al Banco Central de Venezuela como una ente descentralizado del Estado venezolano.

Este concepto de "ente descentralizada" es un concepto general utilizado en el derecho público venezolano para identificar a las "entidades" del Estado, caracterizadas por el hecho de que tienen su propia personalidad de derecho público o de derecho privado (diferente a la persona jurídica del Estado –la República–); diferenciándose dichas entidades de los "órganos" del Estado Nacional que componen básicamente la Administración Central del gobierno (los Ministerios, por ejemplo). [9] Desde el punto de vista del derecho administrativo, la distinción entre órganos y entes da origen a la distinción clásica entre la Administración Pública central y la Administración Pública descentralizada, siendo ésta última la que integra a las entidades descentralizadas del Estado con personalidad jurídica propia.[10]

III. LA DESIGNACIÓN DE LA *JUNTA DIRECTIVA AD-HOC* DE PETRÓLEOS DE VENEZUELA S.A. Y DE LAS JUNTAS DE SUS FILIALES EN LOS ESTADOS UNIDOS

En el marco de lo dispuesto en el artículo 15.a del Estatuto de Transición que autorizó al Presidente Interino de la República para nombrar Juntas Administradoras Ad hoc para asumir la gestión y administración de entes descentralizados del Estado, como los institutos públicos, institutos autónomos, fundaciones del Estado, asociaciones o sociedades civiles del Estado y empresas del Estado, a los efectos de tomar las medidas necesarias para el control y protección de sus activos en el extranjero, el Presidente encargado de la República, bajo

---

9 Véase Allan R. Brewer-Carías, "Sobre las personas jurídicas en el derecho administrativo: personas estatales y personas no estatales, y personas de derecho público y de derecho privado," en el libro: *Estudios de derecho público en Homenaje a Luciano Parejo Alfonso* (Coordinadores: Marcos Vaquer Caballería, Ángel Manuel Moreno Molina, Antonio Descalzo González, Editorial Tirant lo Blanch, Valencia 2018, pp. 2093-2100. disponible en: http://allanbrewercarias.com/wp-content/uploads/ 2019/05/ Brewer.-art.-personas-jur%C3%ADdicas.-Libro-Homenaje-Luciano-Parejo. PDF

10 Véase Allan R. Brewer-Carías, *Principios del régimen jurídico de la Organización Administrativa venezolana,* Editorial Jurídica Venezolana, Caracas 1991, pp. 117-120 ss. Disponible en: http://allanbrewercarias. net/Content /449725d9-f1cb-474b-8ab2-41efb849fea5/Content/II.1.62% 20 PRINC.REG. JUR.ORG.ADM.%201991.pdf

el control autorizatorio de la Asamblea Nacional y en el marco de la aplicación del artículo 333 de la Constitución, designó a la Junta Directiva Ad-hoc de Petróleos de Venezuela S.A. (en adelante: *Junta Ad hoc de PDVSA*); aplicando además, en particular, lo previsto en el artículo 34 del mismo Estatuto que se refiere específicamente al nombramiento de dicha Junta Ad hoc de PDVSA, mientras persista la usurpación "ante los riesgos en que se hallan PDVSA y sus filiales" como resultado de la misma.

Dicha decisión de nombrar la Junta Ad hoc de PDVSA conforme a dicho artículo 34 del Estatuto, tuvo además como propósito específico que la misma ejerciera los "derechos que corresponden a PDVSA como accionista de PDV Holding, Inc.," que es una de sus empresas filiales constituida en el extranjero.

El régimen establecido en el Estatuto de Transición por la Asamblea Nacional con respecto a PDVSA, en todo caso, no fue sustituir a la Junta Directiva de dicha empresa en Venezuela, sino sólo nombrar una Junta de Administración Ad hoc de la empresa para asumir la gestión y administración de *sus filiales constituidas en el extranjero,* para nombrar a sus administradores y, en general, para tomar las medidas necesarias para el control y protección de sus activos, en particular, como ya se ha mencionado, debido a los riesgos en los que PDVSA y sus subsidiarias estaban como resultado de la usurpación, y del excesivo control que se había desarrollado sobre las actividades de PDVSA desde el gobierno central durante los veinte años el régimen de Chávez y Maduro.

Conforme al mismo artículo 34.1 del Estatuto de Transición, el Presidente encargado de la República debía ejercer su competencia respecto de la designación de la Junta Ad Hoc de PDVSA, y de sus filiales en el exterior, siguiendo los siguientes principios:

En primer lugar, que la Junta ad hoc de PDVSA pudiera "estar compuesta por personas domiciliadas en el exterior."

En segundo lugar, que dicha Junta Ad Hoc tuviera las "atribuciones correspondientes a la Asamblea de accionista y a la Junta Directiva de PDVSA."

En tercer lugar, que en tal condición, con Junta Ad Hoc de PDVSA con las atribuciones correspondientes a la Asamblea de accionista y a la Junta Directiva de PDVSA, pudiera "realizar todas las actuaciones necesarias para designar la Junta Directiva de PDV Holding, Inc., en representación de PDVSA como accionista de esa sociedad."

En cuarto lugar, que los nuevos directores de *PDV Holding, Inc.* debían "realizar todas las actuaciones necesarias a los fines de designar a las nuevas Juntas Directivas de las filiales de esa empresa, incluyendo a Citgo Petroleum Corporation."

Además, dicha disposición del artículo 34 del Estatuto de Transición, como se indica expresamente en su texto, debe prevalecer:

> "sobre cualesquiera otras normas aplicables y orientará la interpretación de cualesquiera otras formalidades requeridas en el ordenamiento jurídico venezolano y en documentos corporativos, a los fines de ejercer la representación de PDVSA como accionista de PDV Holding, Inc."

Esta norma del Estatuto es la ratificación del rango legal de sus previsiones, que prevalecen sobre cualquier otra disposición de leyes, reglamentos o de cualquier estatuto corporativo, particularmente de los de PDVSA relacionados con la representación de la empresa como accionista de *PDV Holding, Inc.* En consecuencia, para la designación del representante ad hoc de PDVSA a los efectos de representar a la empresa como accionista de *PDV Holding, Inc.*, debido al rango legal obligatorio y prevalente del Estatuto de Transición, los estatutos de PDVSA no tenían que seguirse ni modificarse formalmente.

El Estatuto de Transición incluso previó que los nuevos directores de *PDV Holding, Inc.* y sus subsidiarias también debían ser designados siguiendo estas disposiciones, disponiendo expresamente que los mismos debían "garantizar *la autonomía funcional* de esas empresas y en particular de PDVSA," a cuyo efecto:

> "a) La *gestión autónoma del giro comercial* de PDV Holding, Inc. y sus filiales responderá a criterios de *eficiencia comercial*, dejando a salvo los mecanismos de control y rendición de cuenta que ejerza la Asamblea Nacional en el marco de sus atribuciones, y los demás mecanismos de control aplicables.

b) PDV Holding, Inc. y sus filiales *no tendrán relación alguna* con quienes hoy usurpan la Presidencia de la República. Mientras persiste tal situación de usurpación, PDV Holding, Inc. y sus filiales no realizarán ningún pago o aporte patrimonial a PDVSA."

Todas estas disposiciones del Estatuto de Transición, al tratarse de un acto parlamentario de aplicación directa e inmediata de la Constitución, de orden normativo, como se dijo, tienen rango de ley y, por tanto, valor modificatorio de la legislación entonces vigente, siendo para tal efecto durante el período de la transición hacia la democracia para restaurar la vigencia de la Constitución, una ley especial y una ley posterior.

En consecuencia, e independientemente de la "declaración" de nulidad del Estatuto de Transición emitida por la Sala Constitucional del Tribunal Supremo de Justicia, mediante sentencia No. 6 del 8 de febrero de 2019[11] dictada de oficio, sin proceso ni juicio alguno (y por tanto nula y sin valor conforme a los artículos 25 y 49 de la Constitución), la Asamblea Nacional, el 13 de febrero de 2019 aprobó un Acuerdo autorizando el nombramiento, para actuar como órgano de intervención, de la Junta *Ad* hoc de PDVSA, para asumir las funciones de la Asamblea de Accionistas y Junta Directiva de la empresa; y para actuar en su nombre y como único accionista de PDV Holding, Inc., proceder a nombrar su Junta de Administracion y, en consecuencia proceder a designar las Juntas Directivas de Citgo Holding, Inc., y Citgo Petroleum Corporation.[12]

En cumplimiento de las normas de los artículos 15 y 34 de dicho Estatuto que además debían guiar la interpretación de cualquier otra formalidad requerida en el sistema legal venezolano y en los

---

11 Exp. No. 17-0001. Véase la "Nota" oficial sobre la decisión en: http://www.tsj.gob.ve /-/sala-constitucional-del-tsj-declara-nulo-estatuto-que-rige-la-transicion-a-la-democracia-emanado-de-la-asamblea-nacional-en-desacato.

12 Disponible en: http://www.asambleanacional.gob.ve/actos/_acuerdo-que-auto-riza-el-nombramiento-para-ejercer-los-cargos-del-organo-de-intervencion-llamado-junta-administradora-ad-hoc-que-asuma-las-funciones-de-la-asam-blea-de-accionista-y-junta-directiva-de-pe.

documentos corporativos de las empresas, con el propósito de representar a PDVSA como accionista de PDV Holding, Inc., el 8 de febrero de 2019 el Presidente encargado, Juan Guaidó nombró a los miembros de la Junta Ad hoc de PDVSA, con las facultades correspondientes a la Asamblea de Accionistas y a la Junta Directiva de PDVSA, con el fin de llevar a cabo todas las acciones necesarias para nombrar a la Junta Directiva de *PDV Holding,*Inc., representando a PDVSA como accionista de dicha empresa.[13]

En el mismo decreto de nombramiento, conformes al Estatuto de Transición, el Presidente encargado declaró que la Junta Ad *Hoc de PDVSA,* directamente o a través de la persona designada por ella, debía representar a PDVSA como accionista de *PDV Holding,*Inc. con el propósito de dar el consentimiento por escrito del mismo como único accionista, para el nombramiento de la Junta Directiva de *PDV Holding, Inc.*

Como consecuencia de esa decisión, el Presidente encargado decidió revocar y poner fin a cualquier autorización o nombramiento que PDVSA hubiese hecho antes de esa fecha para la representación de la misma como accionista de *PDV Holding, Inc.,* incluyendo, sin limitación, la firma de consentimientos escritos como único accionista de *PDV Holding, Inc.*

En la misma fecha 8 de febrero de 2019, según lo dispuesto en el Estatuto de Transición, el Presidente encargado de la República remitió la decisión de nombramiento de los miembros de la Junta Ad hoc de PDVSA a la Comisión Permanente de Energía y Petróleo de la Asamblea Nacional a los efectos de la autorización requerida, incluyendo la información precisa sobre aquellos a quienes la Junta Ad hoc de PDVSA designaría como miembros de las Juntas Directivas de la filial *PDV Holding, Inc.*, y aquellos que serían nombrados sucesivamente como miembros de las Juntas Directivas de las empresas *Citgo Holding, Inc.*y *Citco Petroleum Corporation.*

---

13 Publicado en *Gaceta Legislativa*, nº 4 de febrero 20, Disponible en: https://pandectasdigital.blogspot.com/2019/03/gaceta-legislativa-de-la-asamblea_20.html

La Comisión Permanente de Energía y Petróleo de la Asamblea Nacional conforme a lo establecido en el Estatuto de Transición, el 12 de febrero de 2019 presentó su Informe autorizando a la Junta Ad Hoc de PDVSA, como órgano de intervención de la empresa, para asumir las funciones de la Asamblea de Accionistas y Junta Directiva de PDVSA, para actuar en su nombre y, como único accionista de PDV Holding, Inc., para proceder a nombrar a su Junta de Administración, y, en consecuencia, nombrar a las Juntas de Administración de Citgo Holding, Inc., y Citgo Petroleum Corporation, proponiendo a la Asamblea la aprobación de los nombramientos de los miembros de la Junta Ad hoc PDVSA realizados por el Presidente encargado de la República.

Con este fin, y como una de las razones importantes del Informe, en los considerandos del mismo la Comisión Permanente se refirió a la situación que existía con motivo de la ausencia de directores venezolanos de esa empresa, dada la imposibilidad que había de que los miembros de la Junta Directiva nombrados por el gobierno ilegítimo de Maduro pudieran residir en los Estados Unidos, razón por la cual la operación de la empresa recaía en una dirección cuyos funcionarios eran todos ciudadanos estadounidenses; y que debido a la usurpación ejercida por Nicolás Maduro no era posible conseguir que la Junta Directiva de PDVSA y su Asamblea de accionistas pudieran cumplir con todos los trámites necesarios para nombrar a las nuevas Juntas Directivas de *PDV Holding* ,Inc., de *Citgo Holding, Inc.*, y de *Citgo Petroleum Corporation.*

Dicho *Informe* fue presentado para su examen a la Asamblea Nacional el 13 de febrero de 2019, la cual lo aprobó mediante el antes mencionado Acuerdo que autorizó los nombramientos,[14] en cuyos "considerandos" se resumió la situación derivada de la crisis política del país que había obligado a la Asamblea Nacional a asumir el proceso de transición a la democracia.

---

[14] Disponible en: http://www.asambleanacional.gob.ve/actos/_acuerdo-que-autoriza-el-nombramiento-para-ejercer-los-cargos-del-organo-de-intervencion-llamado-junta-administradora-ad-hoc-que-asuma-las-funciones-de-la-asam-blea-de-accionista-y-junta-directiva-de-pe

Los nombramientos aprobados de los miembros de la Junta Ad Hoc PDVSA fueron realizados por el Presidente encargado el 8 de febrero de 2019.[15]

En el mismo Acuerdo, la Asamblea Nacional dispuso que la Junta Ad hoc de PDVSA debía proceder a realizar todas las acciones necesarias para nombrar los miembros de las nuevas Juntas Directivas de las subsidiarias de *PDV Holding,*Inc., *Citgo Holding, Inc.,* y *Citgo Petroleum Corporation,* qidentificandose todas las personas designadas.[16]

El Acuerdo de 12 de febrero de 2019 finalmente instruyó a la Junta Ad hoc de PDVSA, así como a los nuevos directores de *PDV Holding,*Inc., y a las Juntas Directivas de las subsidiarias nombradas, a proceder inmediatamente, entre otras cosas, a implementar un plan destinado a "obtener la protección de los activos de la empresa Citgo."

Después de que se aprobara el Acuerdo antes mencionado, los miembros de la Junta *Ad hoc de PDVSA,* en representación de la empresa, en la Asamblea de Accionistas de *PDV Holding, Inc.* celebrada el 15 de febrero de 2019, decidieron reformar los estatutos de la Compañía para remover a los ex miembros de la Junta Directiva, y nombrar en su lugar nuevos miembros de la Junta Directiva de *PDV Holding, Inc.*

Posteriormente, en la misma fecha, el 15 de febrero de 2019, los miembros de la Junta Directiva de *PDV Holding* Inc., en representación de dicha empresa, en la Asamblea de Accionistas de *Citgo Holding, Inc.,* nombraron su nueva Junta Directiva, autorizándoles a ejecutar en nombre de la empresa la Asamblea de Accionistas de *Citgo Holding Inc.,* con el fin de remover a los miembros de su Consejo de Administración y nombrar como nuevos miembros de su Junta Directiva, lo que así se hizo en la Asamblea de la misma fecha.

---

15 Publicado en *Gaceta Legislativa*, nº 4, 20 de febrero, Disponible en: https://pandectasdigital.blogspot.com/2019/03/gaceta-legislativa-de-la-asamblea_ 20.HTML

16 *Ídem.*

Además, en la misma fecha, el 15 de febrero de 2019, los miembros de la Junta de Administración de *PDV Holding* Inc., en representación de esta sociedad, en la Asamblea de Accionistas de *Citgo Petroleum Corporation,* nombraron a los nuevos miembros de su Junta Directiva, autorizándoles a ejecutar en nombre de la empresa la Asamblea de Accionistas de la sociedad *Citgo Petroleum Corporation,* con el fin de remover a los miembros de su Junta de Administración y nombrar a los nuevos miembros de su Junta Directiva, lo que se hizo en la Asamblea que tuvo lugar el mismo día, 15 de febrero de 2019.

El mismo día, 15 de febrero de 2019, todas las actas de la Asamblea de Accionistas de las empresas antes mencionadas con los nombramientos de sus Juntas de Administración fueron notificadas al Registrador correspondiente del Estado de Delaware, EE. UU.

Posteriormente, la Asamblea Nacional, el 9 de abril de 2019, a solicitud del Presidente interino Guaidó, emitió un Acuerdo mediante el cual se reformó el Acuerdo Original de la Asamblea Nacional de 12 de febrero de 2019, ampliando las atribuciones asignadas a la Junta Ad hoc de PDVSA, así como el número de sus miembros de siete a nueve miembros,17 autorizando al Presidente Interino a nombrar a los miembros de la Junta Directiva Ad hoc PDVSA, indicándose quién debía ocupar la Presidencia de la misma (artículo 5). Los nombramientos fueron realizados mediante un importante Decreto No 3 del Presidente Interino de la República, de 10 de abril de 2019.[18]

---

17 Acuerdo para la ampliación de las facultades otorgadas y el número de miembros de la Junta Administradora Ad-Hoc de Petróleos de Venezuela, April 9, 2019. Publicado en *Gaceta Legislativa*, nº 6, 10 de abril de 2019. Disponible en: https://asambleanacionalvenezuela.org/actos/detalle/acuerdo-para-la-ampliacion-de-las-facultades-otorgadas-y-el-numero-de-miembros-de-la-junta-administradora-ad-hoc-de-petroleosde-venezuela-sa-pdvsa

18 Publicado en *Gaceta Legislativa*, nº 8, 5 de junio de 2019. Disponible en: http://www.asambleanacional.gob.ve//storage/documentos/gaceta/gaceta_1569936245.pdf

Posteriormente la Asamblea Nacional, el 11 de junio de 2019, autorizó el nombramiento de otro de los miembros de la Junta Ad hoc de PDVSA, que le fue comunicado por el Presidente Interino Juan Guaidó, por carta de fecha 12 de junio de 2019.[19]

El Acuerdo del 9 de abril de 2019 de la Asamblea Nacional estableció expresamente que la Junta Directiva Ad hoc de PDVSA, debía ejercer en coordinación con el Procurador Especial designado por el Presidente Interino, la representación legal de PDVSA y sus subsidiarias en el extranjero (artículo 4).

Por otro parte, el artículo 34.3.b. del Estatuto de Transición estableció expresamente que la empresa PDV Holding, Inc. y sus filiales *no debían tener ninguna relación con los funcionarios* que entonces usurpaban la Presidencia de la República; lo cual se ratificó en el artículo seis del Acuerdo de la Asamblea Nacional del 9 de abril de 2019 que amplió las atribuciones y el número de miembros de la Junta Directiva Ad hoc de PDVSA, todo lo cual fue por ejemplo expresamente reconocido en una decisión de la Corte de Distrito de los Estados Unidos para la División Houston del Distrito Sur de Texas, de 20 de mayo de 2020 (Caso: *Impact Fluid Solutions LP; también conocido como Impact Fluid Solutions LLC vs Bariven S.A.*) (Acción Civil No. 4:19-CV-00652), en la cual se indicó que dicha norma del artículo sexto había dispuesto que:

> "*Sexto*. Mientras se mantenga la usurpación de la Presidencia de la República, y de conformidad con el Estatuto que Rige la Transición a la Democracia para Restablecer la Vigencia de la Constitución de la República Bolivariana de Venezuela, se suspenden todos los derechos y poderes que corresponden a la Asamblea de Accionista, Junta Directiva y Presidencia de Petróleos de Venezuela, S.A. (PDVSA) y sus empresas filiales constituidas en Venezuela, existentes o designadas después del 10 de enero de 2019, así como los derechos y poderes que corresponden al Ministerio con competencia en materia de hidrocarburos, y en general, a cualquier otro ministerio, órgano o ente que pueda

[19] Publicado en *Gaceta Legislativa*, Nº 9, 3 de julio de 2019. Disponible en: http://www.asambleanacional.gob.ve//storage/documentos/gaceta/gaceta_1568216208.pdf

actuar como órgano de adscripción y representante de la República en la Asamblea de Accionistas de Petróleos de Venezuela, S.A. (PDVSA) y sus filiales constituidas en Venezuela."

Sobre ello, la Corte de Distrito de Houston agregó que, "al hacerlo, la Asamblea Nacional *despojó de todo el poder de gestión al régimen anterior y lo otorgó a la Junta de Directiva Ad* hoc. Por lo tanto, cualquier acción tomada por la Junta directiva de PDVSA designada por Maduro es nula, incluyendo su nombramiento de GST para la representación legal en este caso" (p. 11).[20]

IV. EL ASEGURAMIENTO INSTITUCIONAL DE LA SEPARACIÓN DE LA ADMINISTRACIÓN DE PDVSA Y SUS FILIALES EN EL EXTRANJERO CONDUCIDA POR LA JUNTA AD HOC DE PDVSA, Y EL GOBIERNO INTERINO

Además de las previsiones antes indicadas que aseguran una separación total entre PDVSA y sus empresas filiales ubicadas en el exterior conducidas bajo la guía corporativa de la Junta Directiva Ad Hoc de PDVSA, especialmente ubicadas en los Estados Unidos, y el régimen de Maduro; en el marco del régimen de Transición, también se aseguró institucionalmente una separación total entre dichas empresas y el régimen del Gobierno interino, de manera que la isma pudiera realizar sus actividades empresariales con autonomía e independencia, tal como había funcionado desde su creación hasta 2002.

En efecto, luego de la ampliación del número de miembros de la Junta directiva ad-hoc de PDVSA mediante el Acuerdo de la Asamblea Nacional de 9 de abril de 2019,[21] otorgándole "nuevas responsabilidades y obligaciones" a la misma, el Presidente Interino Juan Guaidó dictó el antes mencionado Decreto No. 3 de 10 de abril de

---

20 Disponible en: https://www.courtlistener.com/recap/gov.uscourts.txsd.16400 90 /gov.uscourts.txsd.1640090.55.0.pdf

21 El texto del Acuerdo de la Asamblea Nacional está disponible en: https://asambleanacionalvenezuela.org/actos/detalle/acuerdo-para-la-ampliacion-de-las-facultades-otorgadas-y-el-numero-de-miembros-de-la-junta-administradora-ad-hoc-de-petroleosde-venezuela-sa-pdvsa.

2019,[22] en cuyo artículo 7 quedó precisado con claridad, que las funciones de la Junta ad-hoc de PDVSA debían ejercerse de manera "*autónoma e independiente*, siguiendo exclusivamente "*criterios técnicos*" orientados a "la *gestión eficiente* de las filiales directas e indirectas de PDVSA constituidas en el extranjero."

A tal efecto, el mismo artículo prohibió a la Junta Directiva ad hoc de *PDVSA* seguir "*lineamientos políticos o partidistas*" y "adoptar decisión alguna *que incida en la gerencia y operación* de las filiales directas e indirectas de PDVSA constituidas en el extranjero." Además, la norma prohibió expresamente a la Junta Directiva ad hoc de PDVSA adoptar "ninguna *decisión que permita el uso de recursos o activos de estas filiales en beneficio de la República.*"

Además, el artículo 13 del mismo Decreto No. 3 ratificó que, de conformidad con el artículo 34.3 del Estatuto de Transición:

> "la Asamblea Nacional, el Presidente de la Asamblea Nacional actuando como encargado de la Presidencia de la República, y cualquier órgano por éste designado, incluyendo la junta administradora ad hoc, *no podrán adoptar ninguna decisión que incida en el giro comercial cotidiano* de PDV Holding Inc. y sus filiales, incluyendo Citgo Petroleum Corporation."

Agregando la norma que se entiende por "*giro comercial*" todas "*las decisiones ordinarias de la gerencia y operaciones de esas sociedades, y en especial, de Citgo Petroleum Corporation.*"

Por consiguiente, el mismo artículo 13 del Decreto No 3 estableció las siguientes prohibiciones:

> "1. No podrá adoptarse ninguna decisión que *directa o indirectamente, designe o influyan en la designación* de los órganos ejecutivos de estas sociedades. En especial, la junta directiva de Citgo Petroleum Corporation *tendrá autonomía para la designación y remoción de* los órganos de administración, oficiales, ejecutivos y demás trabajadores de esa compañía *de conformidad con sus normas corporativas.*

---

22 Publicado en *Gaceta Legislativa* N° 6, fechado el 10 de abril de 2019. Disponible en: http://www. asambleanacional.gob.ve/gacetas

2. No podrá adoptarse ninguna decisión que *directa o indirectamente incida en los contratos celebrados y ejecutados por esas sociedades* y, en especial, por Citgo Petroleum Corporation.

3. No podrá adoptarse ninguna decisión que *directa o indirectamente permitan el uso o beneficio de activos de esas sociedades* y, en especial, de Citgo Petroleum Corporation, por parte de las autoridades legítimas del Gobierno venezolano.

4. No podrá adoptar, ni aprobar ninguna *decisión que afecte el patrimonio, o de alguna manera modifique en términos más gravosos,* la estructura accionaria de PDV Holding Inc., sin perjuicio de su posible reestructuración para la mejor defensa de los intereses del Estado como accionista final de control."

En ese contexto, el nombramiento de la Junta directiva ad-hoc de PDVSA, y de las Juntas directivas de sus empresas filiales en los Estados Unidos, sin duda, fueron un paso decisivo para el restablecimiento de la independencia y autonomía de PDVSA como instrumentalidad de la República conducida por la Junta Ad hoc, respecto del gobierno, solo sometida al control accionario conforme a las normas corporativas, además del control general por parte de la Asamblea Nacional conforme a la Constitución. En esta forma se evitó que pudiera repetirse la situación anterior a febrero de 2019, cuando un ministro del Ejecutivo se desempeñaba al mismo tiempo como presidente de PDVSA, y manejaba, desde el gobierno, la gestión diaria de la empresa. Al contrario, desde febrero de 2019 ninguno de los miembros de la junta directiva ad *hoc* de PDVSA nombrados por el Gobierno interino ejerce funciones públicas o es miembro de la fuerza armada. Ello ha ayudado a garantizar que el gobierno no pueda intervenir en la gestión diaria de dicha Junta ad-hoc.

Por ello puede decirse que conforme al marco regulatorio establecido en el Estatuto de Transición y en los decretos de ejecución del mismo, después del nombramiento de la Junta Ad-Hoc de PDVSA, quedó restablecida la regla de separación entre el Gobierno y la empresa y sus empresas filiales, como instrumentalidades de la República, habiendo comenzado a actuar la misma con la autonomía e independencia empresarial necesaria para el cumplimiento de sus funciones económicas.

Dicho marco regulatorio disipa por tanto toda duda sobre ello, y confirma la separación entre el Gobierno Interino y la Junta ad-hoc de PDVSA, en particular respecto de los activos de la empresa situados en los Estados Unidos, respecto de los cuales ya no puede considerarse que sea un agente o apéndice de la República, como podía haber ocurrido antes de febrero de 2019, cuando el Gobierno ejercía un amplio y excesivo control sobre el día a día de las actividades de PDVSA, y trataba y usaba los bienes y activos de PDVSA como si fueran propiedad del Estado venezolano.

Por tanto, y como consecuencia de todas las decisiones adoptadas en el marco del régimen de Transición democrática, teniendo en cuenta la sentencia del Tribunal de Distrito D. Delaware emitida el 9 de agosto de 2018 en el caso *Crystallex International Corporation c. República Bolivariana de Venezuela* (C.A. No. 17-mc-151-LPS), en la cual para 2018 se consideró que PDVSA podía considerare como el *alter ego* de la República,[23] a partir de febrero de 2019 y en la actualidad, puede decirse que la empresa *PDVSA,* representada por la Junta Directiva Ad hoc nombrada por el Presidente Interino,[24] es una empresa que funciona separada tanto del régimen de Maduro (que sin embargo podría ejercer un "control *de facto*" sobre la empresa *en Venezuela*), como también –y más relevante– del propio Gobierno legítimo de Venezuela reconocido por los Estados Unidos, dirigido por Juan Guaidó como Presidente Interino del País, que ejerce el "control *de jure*" sobre la empresa, particularmente en el extranjero y específicamente en los Estados Unidos.[25]

---

[23] Véase 333 *Federal Supplement*, Serie 3D, pp. 380-426. Disponible en: https://www.italaw.com/sites/default/files/case-documents/italaw10190.pdf

[24] Véase en *Gaceta Legislativa* N° 6, fechado el 10 de abril de 2019. Disponible en: http:// www.asambleanacional.gob.ve/gacetas

[25] Aquí me refiero a la distinción hecha por la Corte de Distrito de los Estados Unidos para el Distrito Sur de Texas el 20 de mayo de 2020, caso *Soluciones de Fluidos de Impacto LP*; también conocido como *Impact Fluid Solutions* LLC. vs. Bariven S.A., et al. La Corte en su decisión afirmó que "parece que el régimen de Maduro todavía puede poseer en realidad control sobre las demandadas (Bariven S.A., filial de PDVSA) , pero agregó que "para empezar, el Tribunal considera que el Procurador General Especial Hernández y el Consejo de Administración Ad hoc de PDVSA claramente poseen control de jure sobre los demandados."

Esto significa que durante 2019 y 2020, PDVSA gerenciada por la Junta Directiva Ad hoc no puede ser considerada una empresa sobre la cual el Gobierno venezolano ejerza un "amplio o excesivo control" en sus operaciones diarias, teniendo una relación de director y agente, como fue considerado (refiriéndose a PDVSA antes de febrero de 2019) en la antes mencionada sentencia de la Corte de Distrito de los Estados Unidos D. Delaware, así como por la Corte de Apelaciones de los Estados Unidos, Tercer Circuito en su decisión de 15 de abril de 2019, *Case Crystallex International Corporation contra República Bolivariana de Venezuela Petróleos de Venezuela S.A.* (No 18-2797 y 18-3124, No 18-2889).[26] Por eso, desde febrero de 2019, PDVSA conducida por la Junta Directiva Ad hoc no puede ser considerado como un alter *ego* de la República de Venezuela.

En consecuencia, PDVSA, administrada por la Junta Directiva Ad hoc de *Petróleos de Venezuela S. A.* nombrada desde febrero de 2019 por el Presidente Interino Juan Guaidó, con la autorización de la Asamblea Nacional, trabaja como una instrumentalidad gubernamental de acuerdo con las reglas establecidas cuando fue creada de conformidad con las disposiciones de la Ley Orgánica de Reserva al Estado la Industria y el Comercio de Hidrocarburos *de* 29 de agosto de 1975.[27]

Esto significa que es una empresa administrada por su Junta Directiva ad *hoc* nombrada por el gobierno de acuerdo con lo establecido en la Ley, como órgano jurídico separado del Gobierno y de su Administración Central, con la potestad de tener y vender bienes y demandar y ser demandado, siendo responsable de sus propias finanzas, y siendo gestionado como una entidad económica distinta, no sometido a los mismos requisitos presupuestarios que el Ejecutivo Nacional, y no teniendo los miembros de su Junta directiva ni el resto del personal la condición de empleados públicos.

Por lo tanto, después de la creación del gobierno de Transición dirigido por el Presidente de la Asamblea Nacional, Juan Guaidó, como Presidente Interino de la República, que ha sido reconocido por

---

[26] Véase 932 *Federal Reporter* 3d. Series, p. 126-152. Disponible en: https:// www. leagle.com/decision/infco20190729051

[27] Véase *Gaceta Oficial* No. 1769, de 29 de agosto de 1975.

más de 50 Estados y, en particular, por los Estados Unidos; tras el nombramiento de la Junta Ad hoc de PDVSA, se volvió a poner en marcha la norma de separación entre el Gobierno (Venezuela) y la empresa y sus subsidiarias, como instrumentos de la República, actuando la empresa con la autonomía necesaria para el cumplimiento de sus funciones económicas respecto de los bienes y activos situados en el exterior.

New York, mayo 2021

CPSIA information can be obtained
at www.ICGtesting.com
Printed in the USA
LVHW030104200721
693160LV00001B/17